COLECCIÓN CASA DE ALBA

ATALANTA

18

# WILLIAM S. MALTBY
# EL GRAN DUQUE DE ALBA

## Un siglo de España y de Europa

## 1507-1582

PRÓLOGO
**JACOBO SIRUELA**

TRADUCCIÓN
**EVA RODRÍGUEZ HALFFTER**

# ATALANTA

## 2007

En cubierta: *El Gran Duque de Alba*, Tiziano, 1563.
En contracubierta: Talla flamenca policromada con el duque de
Alba matando a una hidra tricéfala con las cabezas del papa
Paulo IV, la reina Isabel I de Inglaterra y el elector de Sajonia.
Palacio de Liria, Madrid.

Dirección y diseño: Jacobo Siruela.

Segunda edición corregida

Título original: *Alba: A Biography of Fernando Alvárez
de Toledo, Third Duke of Alba, 1507-1582.*
© 1983 William S. Maltby
© Del prólogo: Jacobo Siruela
© De la traducción: Eva Rodríguez Halffter
© EDICIONES ATALANTA, S. L.
Mas Pou. Vilaür 17483. Girona. España
Teléfono: 972 79 58 05   Fax: 972 79 58 34
atalantaweb.com

ISBN: 978-84-935313-8-6
Depósito Legal: B-38373-2007

# ÍNDICE

# Prólogo

A finales de los años ochenta, el maestro Menotti me invitó al festival de Espoleto para asistir a la representación de una ópera poco conocida de Donizetti titulada *Il Duca d'Alba*. Donizetti había compuesto su libreto en 1839, inflamado por los aires románticos que soplaban en el ambiente artístico parisino de aquellos años, y el papel de viejo sátrapa que asigna en esta obra al duque es muy parecido al de Felipe II en *Don Carlo* de Verdi. Recuerdo que, en el entreacto, un imprevisible periodista que cubría el evento me hizo la previsible pregunta de cuál era mi opinión acerca del truculento perfil que mostraba mi antepasado en esta ópera. Contesté evasivamente, sin dejar de mostrar mi asombro ante la peregrina posibilidad de que se pudieran tomar en serio unos estereotipos románticos tan anticuados. Fue entonces cuando noté que la gente a mi alrededor me miraba con cierta curiosidad morbosa, y debo confesar que por unos momentos me sentí como un lejano y pintoresco vástago de algo así como el conde Drácula o el marqués de Sade...

Poco importa que la obra de Donizetti estuviera saturada de ese aire sobreactuado y algo cómico que tienen bajo su piel más artística todas las óperas, lo cierto es que un mito popular siempre pervive en el público; incluso en los envoltorios más melodramáticos y artificiales. Así ha ocurrido con la leyenda negra española, urdida por los enemigos del Imperio justo cuando España ocupaba el lugar más destacado en el mapa político del siglo XVI, que encontró su perfecto caldo de cultivo para extenderse por toda Europa.

Felipe II fue un rey inmensamente polémico. La mayoría de sus contemporáneos no le vieron con buenos ojos y los historiadores que se ocuparon de él posteriormente tampoco tuvieron un juicio benévolo respecto a su forma de gobierno. La leyenda negra concentra en él toda la visión negativa que ha recaído sobre España, y no se puede olvidar que el tercer duque de Alba fue el estratega más poderoso de su complicada y minuciosa política. En 1581, Guillermo de Orange, condenado al exilio y privado de sus rentas debido a la confiscación de sus bienes, publica su célebre *Apología*. Esta obra acusa al rey de incesto por su matrimonio con su sobrina Ana de Austria, de la muerte de su tercera esposa, Isabel de Valois, y del asesinato de su hijo, el príncipe Carlos, además de hacerle responsable de los cientos de miles de muertes perpetradas en las Indias. En este tortuoso contexto fabricado con fines exclusivamente propagandísticos, el duque es acusado de ser su «perro de presa», que ejecuta y expolia sin descanso. A este libro hay que añadir la publicación de *Relaciones*, obra sufragada en 1594 por Isabel I, escrita por el intrigante y maligno secretario Antonio Pérez. Ambos volúmenes encienden en Europa un sentimiento colectivo de rechazo hacia España, obediente a los intereses de Inglaterra y Francia, que se extenderá por todo el mundo protestante. La publicación de nuevos libelos irá afianzando un fuerte antihispanismo en todo el norte de Europa.

La iconografía de la época es una muestra inapelable de este efectivo maniqueísmo canónico. Ahí tenemos, por ejemplo, el famoso cuadro *La matanza de los inocentes de Belén*, de Pieter Bruegel II, en donde una siniestra figura enlutada de larga barba blanca, muy parecida al duque en el momento de su mandato en Flandes, contempla la ejecución de unos niños traspasados por las lanzas de unos soldados. La escena ilustra el famoso motivo bíblico del Nuevo Testamento, pero transfigurado con un nuevo sentido político –algo que estaba

Pieter Bruegel II, *La matanza de los inocentes de Belén*. Detalle.
Museos Reales de Bellas Artes de Bélgica, Bruselas.

Estampa simbólica. Grabado anónimo del siglo XVI.

muy extendido en la emblemática del siglo XVI–. En otra estampa simbólica se ve al duque sentado en un trono, y a sus pies, los cadáveres decapitados de Egmont y Hornes. Un sátiro con alas y pezuñas le introduce en la cabeza el mal. El duque se encuentra a punto de devorar a un niño, lo cual simboliza un derramamiento de sangre inocente. A su derecha se lamenta un campesino, mientras que a su izquierda un funcionario español se frota las manos bajo una bolsa de oro que Alba sostiene ostentosamente. En otro grabado, el Diablo en persona es quien corona al duque; frente a él, hay una apretada masa de encadenados súbditos que le miran de rodillas, y al fondo, una dantesca perspectiva saturada de escenas con torturas y ejecuciones. El recuerdo que ha dejado Alba en los Países Bajos es de temor, y este miedo secular será transmitido a los niños. (De hecho, hasta hace poco se les asustaba con llamar al duque de Alba si no se tomaban la sopa.)

No es de extrañar, por tanto, que tantas pruebas enfatizadas de odio, miedo y escarnio tornasen el recuerdo de su man-

Grabado anónimo en cobre. Amsterdam, 1569.

dato en Flandes en algo legendariamente sombrío. Así, bajo el peso de esta imagen teñida de sangre y tiranía, el duque de Alba se convertirá en el chivo expiatorio de toda una época de guerras, revueltas y represión y se le culpará de todos los males ocurridos durante aquellos años. Más tarde, en las últimas décadas del siglo XVII, arrancará una nueva corriente crítica hacia Felipe II con la reactivación del *lobby* de historiadores protestantes, que cristalizará en el siglo siguiente con la visión ilustrada que identifica a Felipe II con la Inquisición y el absolutismo más oscuro; terreno perfectamente abonado para que, años después, el frenesí romántico rescate este viejo estereotipo político de la leyenda negra y entone un nuevo y pletórico canto a la libertad. De este modo, en 1778 se publica la *Historia de la insurrección de los Países Bajos*, de Friedrich Schiller, en donde los flamencos encarnan los ideales de la lucha por la libertad política y religiosa. Posteriormente, en su obra de teatro sobre el príncipe *Don Carlos*, Schiller sugiere la fantástica hipótesis de que el príncipe fue asesinado por orden de Felipe II a causa del amor que sentía hacia su madrastra, Isabel de Valois. Aunque desde el punto de vista histórico sea una pura fantasía dramática, esta obra dejará una honda huella en su tiempo. Unos años después, Beethoven compondrá una obertura dedicada al conde de Egmont, muerto en el patíbulo. Luego vendrá la ópera de Donizetti, el gran do de pecho de 1839, y, en seguida, la que será la gran apoteosis literaria del estereotipo romántico: *The Rise of the Dutch Republic* (1855), del norteamericano John Lothrop Motley; un libro que, a pesar de ser una fuente casi desconocida para el lector español, ha ejercido una pasmosa influencia de más de un siglo en el mundo anglosajón. Y, en efecto, se trata de una vibrante descripción literaria de tintes épicos, casi de novela gótica, de la heroica lucha del pueblo de los Países Bajos, que para Motley encarna la más perfecta representación de la tolerancia, la democracia y la racionalidad modernas, en oposición al absolutismo católico español, encabezado por un duque y un rey que son el perfecto retrato de la iniquidad humana. Según Motley, raras veces la historia ha presentado un cuadro tan acabado sobre la tiranía: «¿Cómo ha permitido el Todopoderoso que tales crímenes se perpetra-

sen en su santo nombre? [...] ¿Era necesario que un Alba aso-
lase con la espada y el fuego a una nación tan pacífica, y que
esa desolación se extendiese por una tierra tan feliz, para
que el carácter puro y heroico de un Guillermo de Orange
resaltase más vigorosamente, como una antigua estatua de
inmaculado mármol contra un cielo tormentoso?». Es obvio
que, para Motley, el conflicto político de Flandes se aparta de
un carácter histórico medianamente ponderado. Su finalidad
es poder desarrollar, con exaltada retórica, un drama ideológico puramente decimonónico: de un lado, la confrontación
entre el ideal moderno de libertad y democracia, y del otro,
los antiguos valores que encarnan la religión y la monarquía
absoluta.

Unos años antes, tanto los ilustrados como los liberales
españoles que propulsaron las Cortes de Cádiz ya habían
recogido con júbilo esta imagen del *duque de hierro*, herede-
ra de la leyenda negra y la literatura romántica alemana –que
tardíamente, a principios del siglo XX, tuvo en el positivista
catalán Pompeu Gener a uno de sus más encendidos defensores–. Pero España, además de esta visión negativa del Imperio,
ha guardado también, como es natural, la memoria positiva de
Alba como héroe nacional, e incluso, como buque insignia de
los más sublimados valores patrios. Sin duda, el mejor testimonio de esta corriente hagiográfica es la biografía, escrita en
latín durante el siglo XVII, del jesuita Antonio Ossorio, titulada *Vida y hazañas de Don Fernando Álvarez de Toledo,
Duque de Alba*; es éste el primer trabajo de envergadura (con
más de quinientas páginas) que se escribe en España sobre el
III duque. La obra fue encargada a Ossorio por el V duque de
Alba, que deseaba dejar constancia histórica de la gloria militar de las campañas de su abuelo y restituir su fama, tan vapu-
leada por los autores extranjeros. Sin embargo, lo curioso de
esta biografía es que, a pesar de su claro carácter apologético,
sembrado de frases y diálogos lapidarios muy de la época, se
trata de una narración coherente que, como señala Maltby, no
está exenta de interés para el historiador moderno, pues
Ossorio dispuso de todos los documentos guardados tanto en
la Casa de Alba como en la de Astorga, gran parte de los cuales se ha perdido.

17

Habrá que esperar unos cuantos siglos hasta que, en 1944, el historiador Mariano Domínguez Berrueta, continúe esta labor reivindicativa con su obra *El Gran Duque de Alba*. A pesar de la poca sobriedad en su enfoque y su inconfundible aire rancio, es un buen y documentado estudio que, además, según Maltby, posee algunos «elementos nuevos». Aparte de este libro, resulta chocante comprobar hasta qué punto los historiadores españoles no han querido escribir nada sobre el tercer duque de Alba (con la excepción de la biografía de Manuel Fernández Álvarez, que, en el momento de redactar este prólogo, aún no ha sido publicada), como si fuera un tema exclusivo de los hispanistas extranjeros. Con todo, cabe decir que éstos tampoco parecen haberle dedicado demasiado tiempo en los últimos años, si tomamos como ejemplo la única biografía de Henry Kamen (aparecida en España en 2004) que es, en definitiva, una inteligente síntesis de la bibliografía ya existente.

En cualquier caso, es evidente que la tradición iconográfica, biográfica y literaria del tercer duque de Alba ha obedecido a una persistente tendencia a dejarse llevar por ciertos modelos demasiado explícitos y partidistas: una particular simbiosis entre la fuerza legendaria del personaje y la permanente deformación ideológica ha mantenido durante siglos los ojos apartados del verdadero protagonista de la guerra de Flandes. Por suerte, el sentido histórico siempre prevalece y evoluciona –¿o es el tiempo lo que acaba por poner todo en su sitio?– , y a mediados del siglo XX varios historiadores flamencos empezaron a contemplar la dominación española en Flandes de una manera distinta. A medida que los historiadores vieron las cosas con más distancia y pudieron acceder a más documentos, el modelo nacionalista tradicional comenzó a resquebrajarse, y ese periodo histórico pasó a ser estudiado con más objetividad. Los tumultos religiosos y políticos de los Países Bajos ya no se contemplaron como un levantamiento popular contra la opresión religiosa y política española, sino más bien, como una guerra civil encubierta, como sostiene el historiador neerlandés Gustaaf Janssens. Así, en lugar de una contienda dualista entre dominadores extranjeros y nativos oprimidos, encontramos no dos, sino tres grupos enfrentados: un tercio se compone de rebeldes, decididamente opuestos a España; otro tercio, de medio leales a la Corona; y el último, de población que apoyaba sin reservas el gobierno español en los Países Bajos. Por otra parte, hoy se sabe que el levantamiento no se produjo por motivos religiosos, como se ha venido sosteniendo durante siglos, sino por razones puramente tributarias y económicas. Los comerciantes flamencos podían encajar que se ajusticiase a unos rebeldes –incluso formaba parte de las convenciones de la época–, pero intentar recabar un diez por ciento sobre cualquier transacción en un lugar tan diligente en el comercio, no sólo era desde su punto de vista una medida que inculpaba a todos por igual, sino que además, quebrantaba los usos tradicionales del país que el rey de España había jurado respetar.

Sólo la historia contemporánea ha podido tomar el verdadero pulso de los hechos que ocurrieron en Flandes. A partir del momento en que los historiadores tuvieron acceso a más documentación, pudieron acercarse al verdadero perfil del tercer duque; y las casi tres mil cartas que se conservan de su puño y letra contribuyeron en gran medida a ello. En este sentido, hay que decir que fue mi abuelo materno, Jacobo Fitz James Stuart, uno de los más destacados impulsores de la reconstitución de la verdadera imagen histórica del *Gran Duque* (como siempre se le llama en España en todas sus biografías y, por supuesto, en familia). Por tanto, el XVII duque de Alba, además de realizar varios trabajos académicos –hay que aclarar que fue director de la Academia de la Historia–, editó a sus expensas una serie de publicaciones que aportarían una valiosa documentación a los investigadores. Durante años, mi abuelo había ido preparando este copioso material para publicarlo, cuando el trágico incendio del palacio de Liria, en 1936, malogró todos sus planes. Providencialmente, las cartas originales no se quemaron –como sucedió con su mesa de campaña, en la cual bien pudo haber escrito algunas de ellas–, pero pasto de las llamas perecieron la mayor parte de los libros dedicados a su figura que se encontraban atesorados en la biblioteca del palacio de Liria durante casi dos siglos. Entre ellos, mi abuelo quiso rescatar la biografía de Antonio Ossorio, y en 1945 encargó traducir del latín su obra escrita en 1669. Pero, sin duda, su publicación principal son los tres gruesos volúmenes del *Epistolario del III duque de Alba* (1952), con nada menos que dos mil setecientas catorce cartas, escritas entre 1536 y 1581. Esta magna obra reúne toda la documentación epistolar que se guarda en el archivo familiar, a la cual mi abuelo añadió todas las cartas inéditas del Archivo General de Simancas, junto a otras más –todas ellas de gran interés– que obtuvo de la Biblioteca Británica de Londres, la Biblioteca Nacional de París y el Archivo Vaticano de Roma. Así, la edición de este epistolario ofrecía una importantísima base bibliográfica para la futura investigación sobre el duque de Alba. Por primera vez se podía acceder directamente a su pensamiento, a sus tribulaciones, a sus quejas y pesares, a sus burlas e iras... A pesar de que no contiene cartas íntimas, sino exclusivamente políticas o logísticas, aporta una valiosísima información de primera mano sobre su modo de pensar, sin olvidar los rasgos humanos que se deslizan a través de toda aquella interminable masa de renglones oficiales.

Para William S. Maltby, este libro ha de ser el punto de partida para cualquier estudio sobre Alba. Maltby se interesó por él mientras escribía *The Black Legend in England* (1971). Como muchos otros norteamericanos, durante años se había impregnado del antihispanismo que aún prevalecía en películas y novelas de género, hasta que, con gran sorpresa, pudo contrastar este extendido prejuicio con el punto de vista de algunos historiadores serios, que atribuían esta tergiversación histórica a los enemigos de España. Maltby dedujo que había mucho por descubrir sobre el estereotipo que presentaban sus enemigos, y esta idea le fascinó. Pero, además, había otra cosa: como partícipe directo de prácticamente todos los acontecimientos políticos importantes de su tiempo, resultaba obvio que Alba era una importante figura olvidada que urgía rescatar del poderoso influjo de su aura legendaria. Así que dedicó doce años a la investigación y redacción de este libro. Nadie como él ha destinado tanto tiempo de estudio a este tema específico. Durante el transcurso de su investigación tuvo que combinar sus ocupaciones diarias en la Universidad de St. Louis, Missouri, con sus largas temporadas de nomadismo por diferentes archivos de España, Bélgica, Inglaterra y los

Países Bajos. No en vano su libro sigue siendo, sin lugar a dudas, el más completo y profundo estudio histórico que existe hasta el momento sobre el tercer duque de Alba. No sólo ha sido el primero en reunir toda la documentación existente y analizarla en detalle, sino que su trabajo se basa tanto en fuentes secundarias como de primera mano. En consecuencia, se trata del primer historiador y biógrafo que ha conseguido pintar un retrato veraz del tercer duque, con sus luces y sus sombras, sin eludir la penetración psicológica, al tiempo que destruye la imagen arquetípica fabricada por el imaginario nacionalista. Además, Maltby sitúa perfectamente a su personaje dentro del complejo laberinto político de su época, del que forma parte intrínseca. Asistimos, pues, a un claro y pormenorizado análisis del panorama político del siglo XVI, sin cuyo conocimiento sería imposible comprender los actos y la forma de pensar del duque. En efecto, si para todo hombre de poder la vida política significa el impulso central de casi todos sus movimientos vitales, para alguien como Alba, que siempre antepuso su férreo sentido del deber a cualquier consideración propia, podríamos decir que no hay nada personal en su drama, y que es la historia misma el único personaje que se manifiesta a través de sus actos.

Existen en el palacio de Liria tres retratos del duque de Alba muy significativos que me gustaría comentar porque forman una especie de secuencia que resume toda su vida política. El primero de ellos, aunque pintado por el próspero taller de Rubens, es una copia de un cuadro, hoy perdido, de Tiziano. El duque tenía entonces cuarenta y tres años. Vestido de negro y con el Toisón de Oro en el pecho, esta pintura sabe transmitir todo el carácter de su modelo: altivo, de mirada penetrante, carácter sombrío, enormemente enérgico y una determinación sin concesiones. En el momento de ser retratado, Alba ya había luchado y dirigido sus ejércitos en las batallas más importantes del siglo. Bajo el mando de Carlos V ha combatido contra los franceses en la batalla de Pavía, contra los turcos en Túnez, y contra los protestantes alemanes en Mühlberg. Estas operaciones militares le han reportado un gran prestigio militar en toda Europa; incluso Motley no se atreve a discutirlo. Sin embargo, su genio militar es consecuencia de una inteligencia eminentemente práctica y poco proclive a los grandes gestos: más que tomar parte en batallas espectaculares, volcó todo su talento en la organización de sus ejércitos y en el escrupuloso cuidado de que estuvieran bien pagados, aprovisionados y, sobre todo, bajo una férrea disciplina. Si algún soldado robaba a un campesino, no vacilaba en ahorcarlo, pues de sobra sabía que con ello estaba evitando la posibilidad de futuros saqueos indiscriminados de las ciudades enemigas, que en ese tiempo eran frecuentemente perpetrados por las tropas indisciplinadas y faltas de sueldo. Para Alba, las campañas debían de ser rápidas y efectivas, y tener el menor número de bajas posible. Por eso sus hombres –con los que mantenía una cercana relación y a los que llamaba «nobles señores» cuando se dirigía a ellos– le querían tanto y confiaban plenamente en su mando. Nunca perdió en toda su vida una sola batalla, y jamás condujo a sus soldados a ningún sacrificio inútil o mal calculado. Su táctica siempre tuvo como aliadas la sorpresa y la astucia; prefería la estrategia del ataque y retirada veloz, del hostigamiento bien medido al enemigo, a un único y arriesgado enfrentamiento entre dos ejércitos. Aparte de eso, su concepción de la guerra se centraba en el estudio del terreno, para situar a sus tropas en la posición más ventajosa. Y lo que más le preocupaba era la duración de una contienda, ya que sabía por experiencia que una guerra larga era costosa de mantener, y cuando faltaba el dinero las tropas se amotinaban, comenzaban a desertar o incluso llegaban a abandonar en bloque su cometido, como le ocurrió a Guillermo de Orange.

Pero Alba era también un hombre culto. Dominaba el francés, el italiano y, en menor grado, el alemán, lo que le permitía hablar tranquilamente con cualquier dirigente extranjero. Tuvo una estrecha relación en Flandes con Arias Montano y con el aristotélico Juan Vives, gran amigo de Erasmo. Leía a Tácito en latín. Gracias a su abuelo, que reclutó a artistas, músicos y humanistas en torno a su casa, recibió una educación renacentista. Su tutor en letras fue el poeta catalán Juan Boscán, traductor de *El cortesano* de Castiglione, y su gran

Copia de Rubens de un retrato de Tiziano, hecho en 1550.
Palacio de Liria, Madrid.

*El Gran Duque de Alba*, Tiziano, 1563.
Palacio de Liria, Madrid.

amigo de juventud, con el que cruzaría a caballo toda Europa, fue nada menos que Garcilaso. Como éste, compartió la educación de las letras y de las armas. Aunque su abuelo Fadrique, primo carnal de Fernando el Católico, más que el amor a las letras, que no abandonará en toda su vida, sabrá inculcarle, sobre todo, los antiguos ideales de su sangre, inseparables de la guerra y la fidelidad a la Corona. Este culto caballeresco medieval a la *noblesse oblige* dejará una profunda impresión en el alma infantil de Fernando, y será su abuelo Fadrique quien le transmita ese terrible sentido de inquebrantable firmeza de todas las actuaciones de su vida.

En el segundo retrato, esta vez ejecutado directamente por Tiziano, el duque tiene ya cincuenta y seis años. Además de haber sido virrey de Nápoles y gobernador de Milán, es miembro permanente del Consejo de Estado de un imperio en expansión. Según Berrueta, «el retrato es algo adulador, pues las facciones de la cara del duque no eran tan perfectas», sino más duras y acentuadas. El modelo tuvo un largo y amistoso trato con el artista. En cualquier caso, la pintura muestra el rostro de un hombre introspectivo, señorial y poderoso, en cuya expresión se insinúa una cierta causticidad, que a veces aflora en su correspondencia. El duque se hace retratar con su armadura de gala, su toisón y su bastón de mando. El lienzo fue pintado tres años antes de su marcha a Flandes. Por tanto, era éste, más o menos, su rostro durante los años más amargos de su vida. Alba había aceptado, de mala gana, el cargo de gobernador de los Países Bajos. Sabía que la situación a la que debía enfrentarse no era fácil, y que el viaje afectaría tanto a su salud como a su hacienda –durante su mandato en Milán y en Nápoles, la falta de fondos le obligó a vender todas las joyas de su mujer para costear sus gastos–. A pesar de todo, el duque acepta, como siempre, el reto que le impone su rey. Las órdenes que recibe, además de minuciosas, como era costumbre de Felipe II, son tajantes: se le otorga el mando militar sobre un país en rebelión, y se le requiere, para poner orden en las ciudades sublevadas, investigar las causas y los autores de esos desórdenes y castigar a los responsables de las revueltas. Además, se le entrega la jurisdicción civil, con lo cual la regente Margarita de Parma quedaba destituida de su cargo.

Retrato del duque de Alba al llegar a los Países Bajos. Willem Key, 1568.
Palacio de Liria, Madrid.

El duque debía restaurar la unidad religiosa, quebrada por los calvinistas, y, una vez logrado este objetivo, el rey ordenaría el perdón general y entonces podría volver a la corte: nada más alejado de la realidad.

En aquella época, la gota le obliga a permanecer tumbado en su lecho durante horas, pero marcha a Flandes dispuesto a cumplir las órdenes del rey, como si se tratara de un voto religioso. Era un hombre antiguo: su mente conservaba una idea ancestral del papel que debía cumplir la aristocracia en el mundo; Dios y el Rey eran sus dos convicciones más hondas. La fe absoluta en el primero le otorgó esa ilimitada resolución que caracterizó a todos sus actos. Su fidelidad al segundo será la raíz de toda su tragedia. Atrapado en la retórica de sus ideales, tuvo que defender a ultranza los valores religiosos y morales del hombre antiguo (en los cuales creía hasta la médula) frente a unos nuevos valores religiosos y políticos que nunca pudo comprender. Lo malo de todo ello es que le tocó ser el perdedor. Por eso su severa justicia se recuerda como uno de los primeros holocaustos modernos, y en cambio se han olvidado por completo las terribles represiones llevadas a cabo por los duques de Borgoña o por Isabel I. Como dice Maltby, la razón de ello estriba en que los reos que condenó en su Tribunal de Tumultos se convirtieron en mártires de una nueva nación, «y es sabido que la historia la escriben los vencedores».

A pesar de todas las cosas que se han escrito sobre él, no fue un hombre cruel. Ninguno de sus actos violentos fue arbitrario, sino necesario desde su punto de vista. Según un testigo presencial, cuando tuvo que mandar al patíbulo al conde de Egmont, a quien apreciaba sinceramente, derramó lágrimas «grandes como guisantes» mientras contemplaba desde la ventana su ejecución. Además, según sabemos por una de sus cartas, rogó encarecidamente al rey que concediera a su viuda una pensión vitalicia. Lo cual no quiere decir, de ningún modo, que sintiera algún remordimiento por haberle ajusticiado; al contrario, siempre estuvo firmemente convencido de su política, y nunca vaciló en llevar adelante la misión que le habían encomendado. Su error fue presidir en persona la mayoría de los juicios, por no fiarse de los jueces flamencos, y esto hizo que recayese sobre él todo el peso de la represión. Digamos que tuvo la leal soberbia de asumir personalmente todas las consecuencias de la política y la justicia del reino. Y, como dijo Heráclito: «carácter es destino». Maltby sugiere irónicamente que si no hubiera sido un hombre tan virtuoso, no hubiera cosechado un recuerdo tan desfavorable. Fue su excesivo celo, su terrible virtud, lo que le llevó al desastre; pues a pesar de sus indudables éxitos militares y de su fiera resistencia ante las circunstancias más duras y difíciles, su política en Flandes fracasó estrepitosamente, como también fracasaría la de todos los gobernadores españoles que le sucedieron.

El tercer retrato que quería comentar es anónimo. Los especialistas siguen discutiendo su autoría. En la parte superior del lienzo está escrito el siguiente lema: *Fernandus A. Toledo dux Alva Gubernator Generalis in / Belgio. Aetatis sua 74.* En la parte inferior del cuadro aparece la fecha de 1574. El duque murió en 1582 en Lisboa, a los setenta y cuatro años, así que, una de dos, o bien la fecha es errónea, o bien lo es la edad del lema. En cualquier caso, me inclino a pensar que el duque nunca posó para el pintor y que el cuadro fue hecho de memoria, porque sus rasgos se apartan notablemente de sus otros retratos. Su cara y nariz son más anchas, carnosas y vulgares; su cabeza, bastante más abombada y gruesa, y, además, no aparece como le gustaba ser retratado: luciendo siempre su armadura de soldado, su toisón y su bastón de mando, como sucede en todos sus demás retratos, incluso en los de Key, Moro y Sánchez Coello. Quizá el autor del anónimo pintó al duque un año antes de su muerte, o acaso el lienzo es anterior, y fue ejecutado durante su último año en Flandes por un pintor flamenco, como muestra el estilo del cuadro.

De todos modos, tras su derrota, el duque vuelve a España. Su prestigio ha caído, alimentado por las intrigas de Antonio Pérez y de su bella y malvada enemiga, la princesa de Éboli. Poco después, Felipe II manda encarcelarlo por haber quebrado el estricto protocolo de la corte. Pasa un año en el castillo de Uceda, pero el rey volverá a llamarle para que conduzca de nuevo sus tercios a la conquista de Portugal. Tiene setenta y tres años. Bajo un sol de verano abrasador, se dirige a Lisboa

Retrato anónimo del duque de Alba, 1574.
Palacio de Liria, Madrid.

con un ejército de cuarenta mil hombres. Cada día cabalga ocho horas sin descanso. Al principio, una epidemia de gripe desbarata sus tropas, pero al final del verano ha conquistado todo el país, en sólo cincuenta y tres días. El duque envía al rey un despacho anunciándole el triunfo: «Dios ha querido conceder la victoria a vuestras armas, por lo cual le doy las gracias y felicito a Vuestra Majestad». Ni una sola palabra sobre sí mismo. Sólo pide una cosa: que le permita volver a sus

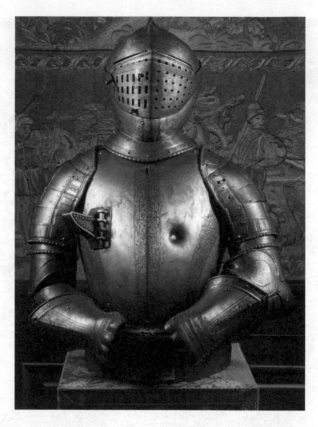

Armadura del duque de Alba con un disparo en el corazón.
Palacio de Liria, Madrid.

tierras; pero el Rey Prudente no se lo concede. Viejo y enfermo, otra vez se siente atrapado: es virrey sin título del inmenso Imperio portugués, pero su situación no puede ser más absurda e ingrata. Su esposa, que por entonces mantiene una estrecha relación con Teresa de Ávila, cae enferma. No obstante, ello no es razón suficiente para permitirle salir de Lisboa, donde deberá permanecer sirviendo a la Corona. «Los reyes», escribe a un amigo, «no tienen los sentimientos y la ternura en el lugar en donde nosotros los tenemos.» Finalmente, en 1582, tendrá la muerte que deseaba: casi en olor de santidad, si hemos de creer los testimonios dejados por fray Luis de Granada, cuya conversación le fue de enorme consuelo durante sus últimos meses de vida.

En contra de lo que dicen los cruentos estereotipos, el tercer duque de Alba es una figura compleja. Por un lado, asume la aureola del héroe al recoger la secreta admiración que siempre se profesa al invicto guerrero. Todo su talante respira el antiguo código moral de la aristocracia guerrera y parece comportarse al dictado de los cinco viejos preceptos de la Caballería que le fueron transmitidos por su abuelo: *prouesse, loyauté, largesse, courtoisie* y *franchise*. Pero, al mismo tiempo, cuanta más luz, mayor es la sombra; y finamente entretejidas a sus propios ideales se encuentran las oscuridades más propias del ejercicio del poder: su abuso y, consecuentemente, el inútil derramamiento de sangre. De forma que todos los claroscuros que reverberan a lo largo de su extraordinaria y turbulenta vida están presentes en el magnífico relato que traza Maltby en este libro. Y sucede que, a medida que avanzamos en su lectura, el personaje, de alguna manera, nos va atrapando con su enorme energía. Contemplamos fascinados cómo ejerció siempre el poder con mano de hierro, pero también cómo no antepuso jamás provecho personal alguno a su propio deber. Fue hombre de guerra y sangre, pero al mismo tiempo persona culta y cortés. Su servicio a la Corona, más que reportarle beneficios concretos, fue sumamente gravoso para su hacienda. En fin, toda esta suma de virtudes, que nos resultan tan contradictorias y tan lejanas, contrastan de tal modo con nuestra época, tan descafeinada, tan vulgarmente cínica, que, de pronto, un personaje de poder como Alba cobra para nosotros una estatura inusitada; y toda la potencia de su esfuerzo y de su inquebrantable resistencia a la adversidad nos parecen titánicas; su alma, llena de músculo, de sanidad y de una entereza admirable. Pero además hay otra cosa: su perfil moral no desfallece en la abstracta retórica de un discurso ético bien acomodado a los tiempos, como es tan común hoy en día, sino todo lo contrario: sus valores morales participan en todos los actos vitales; y la vida y la muerte están siempre presentes en ellos en toda su autenticidad sin ningún género de disfraces.

31

Carta del duque de Alba al Marqués de Sarria, 1556.
Palacio de Liria, Madrid.

Como dice Maltby, en la imagen que ha quedado del tercer duque de Alba, el hombre se ha perdido bajo el símbolo. ¡Cuántas veces ocurre esto! Cuántas veces la Historia parece ser inequívoca, cuando lo cierto es que la bondad y la maldad, la razón y la sinrazón humanas siempre están incómodamente repartidas. Ésta es su eterna encrucijada; por eso la Historia avanza siempre tejida a sus mitos, a sus fantasías ideológicas. Y por eso libros como el de Maltby, trabajados sin precipitación y con rigor, nos acercan al verdadero rostro de lo histórico: aquel que muestra el curso de unos acontecimientos que, si bien nunca acabaremos de abarcar del todo, la Historia se encarga de escribir y reescribir sin cesar, para iluminar de vez en cuando aquellas zonas que permanecían en penumbra o estaban distorsionadas por los partidismos políticos que son su maldición.

Veinticinco años después de su primera edición inglesa –y veintidós desde la aparición de su primera traducción al español, publicada en 1985 en la editorial Turner con prólogo de Jesús Aguirre–, me ha parecido oportuno rescatar para Atalanta esta necesaria biografía del tercer duque de Alba, al cumplirse este 29 de octubre de 2007 el quinto centenario de su nacimiento. Cuántas veces sucede, en el bazar cultural en que vivimos, que importantes trabajos ensayísticos de cualquier campo de la investigación se olvidan injustificadamente, solapados bajo el aluvión de novedades que todos los años inundan nuestro saturado mercado libresco. Los libros se agotan, se olvidan y dejan de existir. Esta gran obra es un buen ejemplo de ello. Así que nada me parece más necesario, *in memoriam* del tercer duque de Alba, que salvarla del aleatorio y cada vez más frecuente olvido bibliográfico, que es el más claro exponente de la desorientación en que vive nuestro sofocante mercado de novedades.

Jacobo Siruela

Mas Pou, julio de 2007

Grabado en cobre del siglo XVI, sobre una sesión
del Consejo de Tumultos.

El Gran Duque de Alba

# PREFACIO

En las pinturas, grabados y tapices que ilustran los grandes acontecimientos de la Europa del siglo XVI, aparece una figura con marcada regularidad. Es la de un hombre alto y delgado, vestido con sombrías ropas negras. Tiene el ademán rígido e inmóvil, rasgos pronunciados y aquilinos sobre una barba larga y bifurcada. En ocasiones lleva un sombrero flexible de copa alta que acentúa su estatura y atrae la mirada, pero, visualmente, es raro que precise de tal distracción. Los artistas le sitúan generalmente en el centro de atención o próximo a éste, bien como uno de los actores principales o como contraste a la acción, con frecuencia agitada, que se desarrolla a su alrededor. La impresión general que produce es de gran dignidad y de una inflexible certidumbre de propósito.

La figura corresponde a Fernando Álvarez de Toledo, tercer Duque de Alba, uno de los personajes más poderosos y polémicos de su época. Soldado por elección, cortesano, diplomático y manipulador político por necesidad, tuvo parte prácticamente en todas las cuestiones políticas de mediados del siglo XVI, y es conocido principalmente por sus seis trágicos años como gobernador de los Países Bajos bajo el reinado de Felipe II. Su importancia histórica es ya clara, pero fue su carácter lo que fascinó y repelió a sus coetáneos y cautivó la imaginación de épocas posteriores gracias a las obras de Schiller y John Lothrop Motley. Extraña mezcla de rígido fanatismo, agudeza política y contundente sentido común, fue una de esas raras individualidades de cuya personalidad puede afirmarse que influyó en los hechos, pero que, sin embargo, no ha encontrado un biógrafo moderno.

En 1643, en Milán, el Conde de la Roca publicó una modesta colección de documentos sobre Alba. Veintiséis años más tarde, Antonio Ossorio escribió una biografía en latín de dos volúmenes basada en papeles de la familia y en una aparentemente rica tradición oral. Traducido al castellano en 1945, sigue siendo el único estudio completo de la vida de Alba basado en fuentes primarias. Afortunadamente, es una obra buena, pero no satisface del todo las expectativas del lector actual. Ossorio estaba emparentado con la casa de Alba y su trabajo es abiertamente parcial. Era también aficionado a ciertos caprichos históricos de sus días, como la invención de diálogos imaginarios, pero su mayor defecto es que donde es menos informativo es en aquellos puntos que más nos intrigan. Trata los años en los Países Bajos de modo superficial, y su descripción de las campañas italiana y portuguesa no es mucho mejor. No parece haber tenido acceso a documentos oficiales y a toda una serie de fuentes diversas que hoy son asequibles, y su conocimiento de los acontecimientos fuera de España era limitado. A pesar de ello, el uso de las fuentes de que disponía es inteligente, y su relación de la vida de Alba en España forma la base de casi todo lo que sobre él se ha escrito desde entonces.

Con la excepción de una compilación en dos volúmenes fundamentada en la obra de Ossorio y realizada por Rustant en 1752 y una descripción más original de sus campañas hecha por Martín Arrue en 1880, la mayor parte de las restantes biografías son breves y contemporáneas. Algunas forman parte, al parecer, del intento de Franco de revivir las virtudes del Siglo de Oro, y sólo una de ellas, *El Gran Duque de Alba*, de Berrueta, contiene elementos nuevos. Por otro lado, Walther Kirchner ha publicado *Alba, Spaniens eiserner Herzog* (1963), un resumen de información conocida basado, como sus predecesores, en Ossorio y en una serie de fuentes secundarias.

La única interrupción en esta tradición derivativa la proporcionó el XVII Duque de Alba. Ávido estudioso de la historia, encontró tiempo en medio de una activa vida pública para dirigir la recopilación y publicación de la correspondencia de su antepasado. El *Epistolario* fue una enorme empresa y algunos de sus elementos quedaron inevitablemente omitidos, pero sigue siendo la mejor fuente para las personas decididas a enfrentarse al Gran Duque sin intermediarios. El Duque de Berwick y Alba publicó también su discurso de ingreso en la Real Academia de la Historia en 1919 y dio una conferencia en Oxford en 1947 sobre «The Duke of Alba as a Public Servant» (*El Duque de Alba como funcionario público*). Su artículo sobre la esposa de Alba apareció en ese mismo año. Todos ellos habían sido trabajados con documentos de su archivo privado, parcialmente destruido en un incendio en 1936.

Todas estas obras, antiguas y recientes, son invariablemente favorables a su personaje, pero pocas son bien conocidas fuera de España, donde Alba es generalmente considerado como un héroe. El resto del mundo le juzga desde una perspectiva muy distinta. Fue esta contradicción la que en primer lugar despertó mi interés. En el curso de mi anterior trabajo sobre la Leyenda Negra, Alba se perfiló como uno de sus grandes malvados, un hombre cuyo nombre se empleaba para aquietar a niños traviesos durante varias generaciones después de su muerte y cuyas acciones, reales o imaginadas, aún tienen el poder de alterar a historiadores que son, por lo demás, sobrios. Me asombraba que nadie a lo largo de tres siglos hubiera intentado llevar a cabo un análisis nuevo de una vida tan polémica y extraordinaria.

Tras más de una década de trabajo laborioso, ya no me sorprende. Alba no es un hombre que pueda captarse bien sobre el papel. Reticente y complejo, dejó una auténtica masa de información sobre sus actividades, pero relativamente poca sobre su persona. Dada la naturaleza de sus responsabilidades, ello no es precisamente extraño, pues condena al biógrafo a un purgatorio en el que se ve abrumado por datos, mientras queda, al mismo tiempo, irremediablemente mal informado. La única excepción a esta desconsoladora situación reside en el ámbito de las relaciones sociales y económicas de Alba.

Puede que los incendiarios que atacaron el archivo Alba en 1936 fueran «rojos», pero carecieron de consideración para los que desearon hallar las raíces económicas de la historia. Consiguieron de algún modo destruir prácticamente todo lo relativo a la casa y a las propiedades de Alba, mientras que dejaron intactos los documentos políticos.

Como resultado, las cuestiones de las que trata esta obra son en gran medida las tradicionales. Espera poder descubrir, como han hecho siempre las biografías, la interacción entre personalidad y sucesos, y asume que ésta sigue siendo una actividad histórica legítima. Al mismo tiempo, procura evitar las más oscuras profundidades de la psicohistoria, pues si las fuentes sobre Alba son en ocasiones reveladoras, no son lo bastante íntimas como para permitir un diagnóstico clínico. Finalmente, no se ha realizado el menor intento por ofrecer juicios de índole moral. Los lectores que tengan algo que objetar a dicha omisión quedan invitados a proporcionar los suyos propios.

# I
## LA TRADICIÓN

El pueblo de Piedrahita yace a la sombra de la sierra de Gredos, no muy lejos de las fuentes del río Tormes. Sus casas, al menos las más antiguas, son estructuras bajas de piedra gris con puertas de pilastras y dintel que recuerdan los monumentos de la Edad del Bronce. Dominadas por una iglesia chata que semeja una fortaleza, parecen presionar sobre la tierra con peso casi insoportable. Es provincia de Ávila, pero los espacios soleados de la Meseta se encuentran muy distantes. Por el contrario, flota una impresión casi asfixiante de lejanía, de áspera imperturbabilidad y de una antigüedad antediluviana. Aquí, el 29 de octubre de 1507, doña Beatriz de Pimentel, esposa de don García Álvarez de Toledo, dio a luz un hijo al que llamaron Fernando en honor de Fernando el Católico, Rey de Aragón y Regente de Castilla.[1]

La elección del nombre no fue fortuita. Don García era hijo primogénito de Fadrique, segundo Duque de Alba de Tormes, y Fadrique era primo hermano del rey. Era también uno de los contados nobles castellanos que apoyó a Fernando cuando Felipe el Hermoso vino a reclamar el trono para su esposa, la hija de Fernando, Juana la Loca. El nombre del niño no tenía el propósito de buscar favores, sino de honrar a su viejo amigo y señor, que, en 1507, no se encontraba muy lejos del ocaso de su vida.

41

La genealogía es la maldición de la biografía. Los primeros capítulos recuerdan muchas veces al Génesis y es fácil olvidar que, dado el número suficiente de años, todo el mundo es descendiente de todos los demás. Sin embargo, para el recién nacido Fernando la genealogía representaba un destino en más de un sentido. Sus antepasados le legaron una constitución robusta y un lugar eminente en la sociedad, y determinaron sus valores y lealtades hasta un grado hoy casi impensable. Ello se debía en parte a la estructura social de la Castilla del siglo XVI. Los lazos de parentesco son tradicionalmente fuertes en las sociedades mediterráneas, sobre todo entre las capas sociales más altas, y la nobleza castellana de fines de la Edad Media no era una excepción. Por el contrario, los desórdenes del siglo XV habían fortalecido las lealtades familiares, al obligar a los grandes clanes familiares a replegarse sobre sus propios recursos. Cuando las instituciones se resquebrajan y se disuelven los vínculos de confianza social, la familia se reafirma como último refugio del individuo, y los lazos de dependencia que con ello se crean pueden tardar más de una generación en romperse. Las grandes familias castellanas, incluida la de los Álvarez de Toledo, aparecieron tras el reinado de Enrique IV como entidades políticas conscientes de serlo, con elaborados sistemas clientelísticos y la convicción tácita de que sólo podían prosperar a expensas los unos de los otros. Ello no impedía que existiera un sentido de interés de clase, pero, insertado dentro de este marco general, el faccionalismo –basado en el parentesco y el clientelismo– era inevitable. Fernando heredó una multitud de amigos, enemigos y obligaciones junto a sus genes.

Heredó también una tradición familiar. La mayor parte de las familias la poseen, sean o no conscientes de ello. Consiste ésta, como mínimo, en ciertas formas características de pensamiento y proceder, transmitidas más o menos inconscientemente a lo largo de toda una serie de generaciones. En las familias aristocráticas, el orgullo de casta y un conocimiento bien informado de las hazañas de sus antepasados se unen con frecuencia para convertir estas formas en un sistema de valores asumido y articulado, que después es inculcado en el espíritu de sus criaturas desde tierna edad y fuertemente fortalecido por las posibles sanciones que la familia pueda aportar. Entre los Duques de Alba esta tradición fue en general poderosa, y fueron excepcionalmente despiadados en emplearla para conformar el carácter de sus vástagos.[2]

Los orígenes de la tradición, como los de la familia, eran remotos, pero acaso no tanto como sus adeptos pensaban. Los Álvarez de Toledo rastreaban su linaje con cierta seguridad hasta la Reconquista, y con escasa seguridad hasta los emperadores Paleólogos de Constantinopla.[3] Como la restante nobleza castellana, tan sólo ascendieron históricamente hasta un lugar prominente tras la muerte de Pedro el Cruel en 1369.[4] Pedro, cuya «crueldad» provenía en gran medida de sus esfuerzos por someter a una nobleza anárquica, fue asesinado por su hermanastro ilegítimo, Enrique II de Trastámara. Como bastardo y asesino confirmado, el nuevo rey se movía en terreno inestable, y recurrió a la creación de una nobleza nueva para afirmar su régimen. Así pues, prácticamente todas las grandes familias debían su posición a algún antepasado que fue lo bastante avisado para seguir a Enrique II, y entre aquellos adeptos se encontraba un tal Fernán Álvarez de Toledo, que murió luchando por su señor en el sitio de Lisboa.[5]

Sus hijos, Gutierre, Obispo de Palencia, y García, Señor de Oropesa y Valdecorneja, apoyaron a Juan II en sus luchas con los Infantes de Aragón. En 1429, Gutierre recibió los ricos dominios de Alba de Tormes como recompensa. Durante la década de 1430, un período de confusión excepcional incluso para Castilla, la familia fue una de las pocas en respaldar al privado del rey, don Álvaro de Luna. Don Álvaro actuó contra los intereses de la nobleza y terminó por ser llevado a la horca por la hostilidad de ésta, pero Juan II no olvidó nunca a quienes le habían apoyado en aquel momento crítico. Gutierre ascendió a la diócesis de Sevilla y acabó siendo Arzobispo de Toledo, mientras el hijo de don García, Fernando, fue nombrado primer Conde de Alba de Tormes.[6]

El reinado siguiente, el de Enrique IV, vería un incremento aún más espectacular de la fortuna familiar. El artífice de tanto esplendor, García, segundo Conde de Alba de Tormes, parece haber sido una figura extraordinaria, cuya codicia y astucia fueron tan celebradas como su talento militar. Pocos hombres se dan que hayan explotado la insensatez de un rey más provechosamente.

Enrique el Impotente fue un monarca patético. Careciendo tanto de carácter como de buen juicio, entregó el gobierno a privados de origen modesto y pronto se malquistó con la nobleza, que a lo largo de todo su reinado actuó con una insubordinación sin precedentes. A decir verdad, no tenían grandes alternativas. Como ha observado Suárez-Fernández, no eran «aves de rapiña», sino hombres que sostenían una teoría perfectamente respetable sobre la naturaleza del buen gobierno.[7] Bajo cualquier perspectiva, Enrique no supo proporcionarlo. Cuando no existe justicia real, los súbditos han de ejercerla por sí mismos. Pronto se desarrolló una situación en la que los grandes nobles debían estar constantemente en guardia contra las depredaciones tanto de los favoritos como de otros nobles. Crecieron los ejércitos privados y el resultado fue una general apropiación de tierras, la cual ha sido condenada por ciertos historiadores que debieran haber reconsiderado su juicio. En medio de la anarquía, no basta con proteger la integridad de las propias posesiones. Cada aumento en los recursos del vecino representa una amenaza, porque le permite reclutar nuevas tropas y sobornar a mayor número de jueces. La supervivencia depende, por consiguiente, de expandir las rentas y el número de hombres a igual ritmo que el más rapaz de los compañeros, y nadie lo comprendió mejor que don García de Toledo.

La táctica básica del conde consistió en permanecer fiel al monarca, mientras dejaba saber que estaba dispuesto a escuchar las ofertas del lado contrario. Recogía su recompensa por adelantado y luego se encontraba inexplicablemente ausente en el día indicado. Lo admirable es que pudiera actuar con tanta fortuna durante tanto tiempo. A pesar de que el rey le concedió extensos territorios y la mitad de las rentas de la feria de Medina del Campo,[8] abandonó la tarea de auxiliar a esta ciudad en manos del Condestable de Castilla, y no apareció hasta que la contienda hubo concluido.[9] Cuando el conde no se presentó en la épica batalla de Olmedo, se descubrió que había aceptado dos ciudades de parte de los enemigos del rey a cambio de sus 1.500 lanzas. Cabal partidario del rey hasta el fin, resolvió su consiguiente dilema moral quedándose en su casa. Los rapaces callejeros le gritaban: «¿Quién da más por el Conde de Alba que se vende por las esquinas?»,[10] pero había conseguido una valiosa posición en el valle del Tajo.

Esencialmente, su plan parece haber sido el de controlar ambas vertientes de la sierra de Gredos y el norte de Extremadura hasta la frontera portuguesa. Su herencia del ancestral señorío de Valdecorneja le proporcionó la vertiente septentrional desde El Barco de Ávila hasta Navarredonda de la Sierra. Con el condado de Alba, junto al condado gemelo de Salvatierra, se hizo con todo el valle del Tormes prácticamente hasta las puertas de Salamanca. Pudo haber llegado más lejos, pero sus intentos de tomar aquella gran ciudad se vieron frustrados por la vigilancia de sus habitantes.[11]

En Extremadura, su padre le había legado la considerable propiedad de Granadilla, situada en el alto valle del Alagón, entre Las Hurdes y la carretera Béjar-Plasencia. El resto de la región cayó en sus manos cuando los comendadores de la Orden de Alcántara se sublevaron contra su Maestre, Gómez de Cáceres. Gómez, presa del pánico, envió a su hermano, el Conde de Coria, a procurar la ayuda de don García. Éste, que era tío de la esposa del conde, accedió; pero sólo bajo la condición de que se le entregara Coria por adelantado. Fracasó en sus sucesivos intentos de recuperar Alcántara, Valencia y Badajoz, pero conservó de todos modos el botín, completando con ello un rincón de sus posesiones de modo maestro.[12]

Sólo fracasó, en última instancia, en la Vera y el valle del Tajo. Además de Montalbán y Puente del Arzobispo, que formaban parte de la recompensa por no asistir a Olmedo, se había apropiado muchas de las tierras de sus primos, los condes de Oropesa toledanos. Esta extensa y fértil región había sido parte original del patrimonio de Fernán Álvarez, pero había pasado a una rama colateral de la familia con la adquisición de Alba de Tormes. Firme defensor de la primogenitura, García tenía el propósito de recuperar estas tierras, pero en esta ocasión fue demasiado lejos. El resto de los nobles estaba receloso, y en 1472, y como parte del acuerdo general tras los Toros de Guisando, se le persuadió de que entregara todas sus adquisiciones al sur de la sierra. Fue una decisión política que, si el cronista está en lo cierto, evitó una guerra civil,[13] pero no careció de compensaciones. El rey, agradecido, le elevó al rango de duque y confirmó sus dudosos derechos sobre Coria.

García murió en 1488, pero no antes de haberse redimido ante la mirada de la posteridad por su firme apoyo a Isabel y Fernando. Uno de los arquitectos de su sucesión combatió valientemente en Portugal y tuvo un papel decisivo en la gran victoria lograda entre Toro y Zamora el 1 de marzo de 1476. Durante muchos años subsiguientes, este día fue conmemorado en Alba de Tormes con desfiles y corridas de toros.[14] Le proporcionó, además, una propiedad adicional: San Felices de los Gallegos, situada a lo largo de la frontera portuguesa, a unos 37 kilómetros al norte de Ciudad Rodrigo.

No es de extrañar que fuera este segundo don García, el soldado leal y hombre de estado, el que fuera recordado por la familia al desarrollarse su tradición. Su hijo Fadrique, segundo Duque de Alba y abuelo de Fernando, parece haber olvidado del todo los días de rapiña aristocrática y haberse adaptado a las necesidades de una nueva época. Su carrera fue, en muchos sentidos, distinguida.

El bufón Francesillo de Zúñiga describió a don Fadrique como «largo de espíritu y corto de grebas, más redondo que una pieza de dos ducados»,[15] pero era un soldado formidable. Su especial habilidad se centraba sobre lo que hoy podría llamarse guerra contrainsurgente, y tuvo abundantes oportunidades para ejercerla en la prolongada y dura lucha por Granada. Tomó parte en cada una de las fases de la campaña y demostró no sólo pericia militar, sino astucia, ferocidad y un inmenso valor personal.[16] En 1503 levantó el sitio puesto por los franceses a Salsas, y en 1514 anexionó Navarra para el rey Fernando. Acompañó a Carlos V al regresar éste de Flandes en 1520 y sirvió brevemente como miembro del consejo del emperador en 1526. En el fondo de su carácter latía una casi victoriana rectitud y un sentido obsesivo de lealtad al rey. Ello dimanaba en parte de su exaltada concepción de las obligaciones de los nobles, pero era también expresión de una amistad personal. No es fácil entender ésta si no es como una atracción de polos opuestos, pues Fernando no era un hombre de carácter atractivo. Su espíritu frío y sinuoso y su inclinación por la inmoralidad sexual difícilmente podían ganar al rígido Fadrique, pero fue éste, sin embargo, quien se mantuvo a su lado cuando los restantes nobles recurrieron a Felipe de Habsburgo, y fue, al final, Fadrique quien «cerró sus ojos muertos».[17] Acaso debido a su altruismo, añadió muy poco al patrimonio de los Alba, aparte del diminuto ducado de Huéscar, situado en el antiguo reino de Granada.

Al nacer Fernando, pues, las propiedades que un día podía heredar comprendían una porción sustancial de la Castilla occidental. Posiblemente la más rica de todas era la misma Alba de Tormes, una ciudad importante con un castillo cuya inmensa y circular torre del homenaje domina los trigales de la Meseta. Junto a la vecina Salvatierra, era económica y socialmente parte de Castilla la Vieja, como también lo era la propiedad, más reducida y apartada, de San Felices.

Avanzando hacia el Sur, cambia el carácter del terreno. El trigo cede el campo a unos pastos ralos salpicados de alcornoques y afloramientos de pizarra. En Piedrahita, los cultivos principales son los propios de la sierra: castaños y lino. El camino de la Mesta atraviesa el corazón de esta región, y en épocas anteriores los grandes rebaños trashumantes habían causado muchas dificultades a sus habitantes.

Granadilla y Coria, por otra parte, forman parte del disperso mundo de Extremadura. Es ésta una zona más cálida y más seca. Los pueblos están ampliamente separados entre sí por inmensas extensiones de encinas achaparradas, y la población, al menos en el siglo XVI, arañaba una mísera subsistencia de la ganadería y de una agricultura accesoria.

El nuevo ducado de Huéscar era otra cuestión. Formado casi en su totalidad por el pueblo y la vega circundante, estaba habitado en gran medida por moriscos, los cuales se habían sentido profundamente disgustados por el paso de la región a manos de don Fadrique. Remoto, inaccesible y administrado por gerentes venales que sabían que una visita ducal era improbable, producía más problemas que rentas.

En términos generales, todas estas propiedades, si bien vastas, no eran intrínsecamente ricas. Como en la mayoría de las fincas españolas, sólo una parte escasa era de posesión o explotación directa, y el volumen central de sus rentas se derivaba de una desconcertante variedad de arrendamientos, derechos y obligaciones, que no siempre eran fácilmente recaudables. En 1533, el humanista italiano Marineo Sículo calculó que producían 50.000 ducados anuales, una suma no despreciable, pero superada por otras cinco casas nobles, al menos.[18] No hay forma de expresar el equivalente de esto en moneda actual, pero en la época en que Marineo Sículo escribía, un jornalero podía subsistir con 20 ducados al año.[19]

Era, en pocas palabras, suficiente para permitir a los duques de Alba mantener un cierto prestigio ante el mundo, pero se encontraba bajo una pesada carga de obligaciones impuestas por la tradición familiar. Los componentes principales de dicha tradición debieran ya ser claros tras este resumen de la historia familiar. Brevemente enunciados, son los de cualquier otra casa noble: respeto filial, gloria militar y servicios a la Corona. Lo que los diferencia en este caso es la peculiar intensidad con que se destilaron en el carácter de don Fadrique y fueron transmitidos a hijos y nietos. Mientras otras familias se inhibían de la vida política activa y se retiraban a vivir de las fortunas que Fernando e Isabel habían sido lo bastante prudentes para confirmar, Fadrique se negó sencillamente a aceptar semejante dirección. Educó a sus hijos para ser soldados profesionales y estimuló en ellos la convicción de que tenían la obligación moral no sólo de luchar por la Corona, sino también de aconsejarla.

Los motivos de esta inclinación a nadar contra corriente fueron, sin duda alguna, complejos. Dejando aparte el modo en que Fadrique entendía la tradición familiar, pudo producirse en él una reacción inconsciente contra el egoísta despotismo de su padre, que, incluso en sus momentos de mayor lealtad, no podía resistir la tentación de arrebatar alguna porción de propiedad desprotegida.[20] Debió también influir en él su íntima relación con Fernando el Católico. Fue política de los Reyes Católicos el mantener a los grandes nobles a cierta distancia de los resortes del poder, mientras que les permitían llenar sus arcas casi a voluntad, pero Fadrique, como amigo personal del rey, no creía que esto le incluyera a él. Parece que incluso le extrañó su relativa exclusión del poder por parte de

Carlos V, aun cuando su propensión a decir lo que no debía le convirtiera en una compañía molesta. Solamente en el año 1527 criticó al emperador por el saqueo de Roma[21] y sugirió que se diera a su hijo, el futuro Felipe II, el nombre de Fernando, en honor del hombre que había juntado el cielo con la tierra para evitar la sucesión de Carlos V.[22] No es extraño que el bufón don Francesillo dijera que Fadrique había muerto en 1518.[23]

En un nivel más consciente, Fadrique se justificaba manteniendo un ideal de monarquía en que la nobleza tenía un papel esencial. No se trataba de un atavismo medieval, sino que parece estar de algún modo relacionado con el ideal del Caballero de Castiglione. Fadrique, como veremos, estaba muy influido por ideas italianizantes y no es fortuito que tomara a Boscán, futuro traductor de Castiglione, como a una especie de preceptor del joven Fernando.

El otro componente primordial de la tradición, al menos en lo concerniente a Fernando, era una mentalidad de cruzada que con el tiempo se convirtió en un apasionado odio por el infiel. Dicha postura, hondamente arraigada en la vida española, se concentraba intensamente en Fadrique debido a sus experiencias en la lucha por Granada. Había sido una guerra a muerte entre enemigos tradicionales de distinta fe y, como tal, fue un acontecimiento cruel, repleto de atrocidades por ambas partes. En semejantes circunstancias no era difícil considerar a los enemigos de la cristiandad en términos hondamente personales, cosa que ocurrió a Fadrique. Inevitablemente, transmitió estos sentimientos a sus hijos y, al hacerlo, puso los cimientos de una tragedia, que los reforzaría hasta un extremo obsesivo.

Fadrique tuvo cinco hijos: García, el mayor; Pedro, que se distinguiría como Marqués de Villafranca y Virrey de Nápoles (1532-1553); Diego, que llegó a prior de la Orden de San Juan de Jerusalén; Juan, el cardenal, y Fernando, Comendador de Alcántara.[24] García, en particular, era un joven prometedor y gentil, al que se celebraba ya como encarnación del ideal caballeresco. Se casó éste con doña Beatriz de Pimentel, hija del opulento Conde de Benavente, y hacia 1510 la pareja había dado cuatro hijos al mundo: Catalina, María, Fernando y

Bernardino. Fadrique se había ocupado de que García fuera criado en las severas tradiciones de su casa, de modo que cuando surgió la ocasión de servir en una campaña en África se alegró de la oportunidad.

Las costas españolas habían estado mucho tiempo azotadas por piratas musulmanes que operaban desde los puertos norteafricanos. Sus frecuentes ataques contra barcos y ciudades constituían un fútil motivo de queja y lo seguirían siendo durante dos siglos más, mientras los monarcas españoles respondían solamente con esporádicos y mal coordinados ataques a algunas de sus bases. En 1509, una de estas incursiones había resultado en la toma de Bougie por Pedro Navarro, que procedió después a atacar Trípoli. El rey concedió la «tenencia» (gobierno de la ciudad) a don García, que no había participado en la campaña original. Se reunió una flota en Málaga, pero, debido a un brote de peste en el lugar de destino, García y sus hombres permanecieron inactivos en el puerto durante tres meses. Por entonces Trípoli había caído, y don García empezó a inquietarse ante la perspectiva del servicio de guarnición en un puesto de avanzada moro asolado por la peste. Él y Navarro decidieron abandonar su plan primero, unir sus fuerzas e intentar tomar la isla de Djerba.

La importancia de este objetivo era cuestionable. Estratégicamente situado entre Trípoli y Túnez, era el centro de producción datilera que abastecía toda la costa y una base ideal para próximas aventuras en África. Desgraciadamente, cuando arribaron allí el 28 de agosto de 1510 escaseaban en su flota el agua y los víveres, y los hombres se hallaban en condiciones lamentables. El calor era intenso: deshidrataba a los hombres y caía como fuego sólido sobre sus pesadas armaduras, distorsionando su capacidad de discernimiento y entorpeciendo la acción de desembarque. Estaba todo en silencio, pero nadie pareció considerar esto amenazador u ominoso.

El desembarque se realizó sin incidentes, pero, dado que la escasez de agua se hacía desesperada, García se ofreció a conducir un grupo hasta un pozo situado en algún punto entre las interminables plantaciones de palmeras datileras. Lo encontró, pero el hallazgo resultó ser fatal. Imbuidos de la sabiduría del desierto, los moros habían preferido vigilar el agua antes que la costa, y la totalidad de sus fuerzas se encontraba emboscada entre los árboles. A pesar de que García y sus hombres combatieron fieramente, fueron superados, y los moros, aprovechando su ventaja, se dirigieron después contra el resto de los cristianos y los empujaron hasta el mar.[25]

Cuatro mil hombres murieron en Djerba. La tragedia se lloró en canciones populares,[26] pero para la mayoría de España sería un suceso de interés pasajero, enterrado en las páginas de oscuros cronistas. En Alba de Tormes fue una herida que nunca se cerraría. La primera reacción de Fadrique fue preguntar cómo se había comportado su hijo. Cuando fue informado de las cantidades de moros que éste había matado, exclamó: «¡Oh buen hijo!»,[27] pero el orgullo fue inevitablemente secundario frente a otras emociones. No parece que hubiera existido juramento del tipo que impuso a Aníbal su padre, pero pocas dudas hay de que Fadrique, con determinación pausada e implacable, empezó a forjar el carácter del pequeño Fernando, que contaba entonces tres años, en afilada arma contra los enemigos de la cristiandad. Todas las tradiciones guerreras, todos los conocimientos militares de este formidable abuelo se hicieron sentir con terrible intensidad en el niño.[28] En él encontraron poca resistencia. Desde una edad pasmosamente temprana, el niño mostró una inteligente fascinación por las artes militares, que constituían la conversación de sus coetáneos. Se dice que pasó muchas horas deleitándose en adiestrar a sus compañeros de juego en el patio de Alba de Tormes[29] y que a la edad de trece años conocía de memoria el *De re militari* de Vegetius.[30] De otros aspectos de la infancia de Fernando poco se sabe. Al estilo de la época, él y su familia se instalaban alternativamente en sus residencias de Alba, Piedrahita y Coria. Su abuelo le consagró gran cantidad de tiempo de modo casi tutelar, y Fernando parece haber sentido mucho afecto por su hermano menor, Bernardino. Sus relaciones con su madre y sus hermanas representan una página en blanco. Un psicoanálisis retrospectivo basado en sus primeros años es, por consiguiente, imposible, ya que nadie creyó que mereciera la pena registrar su infancia para la posteridad, pero se podrían aventurar algunas conjeturas fundándose en su carácter de adulto.

En una época y un lugar conocidos por sus severas costumbres, don Fernando creció como uno de los jóvenes más reservados y formales. Aunque era con frecuencia persona encantadora e incluso dada al buen humor, es difícil recordar un solo caso en que se mostrase realmente festivo en los setenta y cinco años de su vida, y su ingenio tenía un tono de tristeza interior que podía ser extraordinariamente inquietante. Leal hasta la médula, era sincero cuando se dolía por la muerte de parientes, soldados e incluso de algún enemigo, pero sus relaciones con el mundo de los vivos eran, en el mejor de los casos, distantes. En toda su vasta correspondencia, sus expresiones de afecto son tan escasas y faltas de naturalidad, que nos preguntamos si realmente están ahí o son simplemente una proyección de la imaginación del lector. Es posible que el pequeño Fernando tuviera una infancia cálida, luminosa y afectiva, pero los resultados finales hablan con contundencia en el sentido opuesto. Por otra parte, su ilimitada confianza en sí mismo y su esmerada educación son prueba de que no careció de apoyo personal o de las amenidades de una existencia civilizada.

Su educación fue, en efecto, notable. Don Fadrique estaba decidido a que su nieto fuera soldado, pero era lo bastante juicioso para comprender que, si es que, si fuera a ejercer alguna influencia, tendría que ser algo más. En este sentido, los flirteos de Fadrique con las ideas del Renacimiento rindieron beneficios. No sólo procuró dar al muchacho una educación en cierto modo humanista, sino también crear su propia corte, en la cual pudiera nutrirse. Ello era necesario porque no podía enviar a Fernando ni con el rey ni a otra casa noble para ser instruido. Fernando, el rey, era una persona itinerante y un ejemplo dudoso en cualquier caso. Los nobles o bien no cumplían los requisitos que exigía Fadrique o no estaban en buenas relaciones con él. Afortunadamente, existía ya cierta tradición sobre la cual empezar a construir. Cuando no estaba maquinando pillajes o traiciones, el primer duque había escrito canciones, a las que más tarde pondría música el compositor flamenco Wrede.[31] Fadrique había reunido una pequeña, pero estimable, biblioteca[32] y había procurado aliviar el adusto medievalismo que le rodeaba llevando a cabo extensas obras de remodelación al estilo italiano. En pocas palabras, la tendencia histórica de representar a los duques de Alba como una regresión a la Edad Media es inexacta. Es posible que no alcanzaran nunca la distinción intelectual de algunos Mendozas, pero compartieron plenamente el entusiasmo de la época.

La elección de preceptores para el pequeño Fernando es significativa a este respecto. Era costumbre entre los nobles más ricos el buscar tanto un tutor para cuestiones académicas como un ayo, que era por lo general un joven de buena familia y buenas prendas caballerescas. La función del ayo consistía en proporcionar compañía y una instrucción informal en las artes de la guerra, deportes y proceder, a la vez que conversación amena. Ello era acorde con la idea renacentista de que la educación había de modelar el carácter junto al intelecto. Como preceptor, Fadrique eligió en primer lugar al distinguido humanista Juan Luis Vives, pero, a causa de una oscura intriga, tuvo que conformarse con un dominico enormemente grueso llamado Severo.

Estos curiosos acontecimientos ocurrieron en 1521, cuando el duque y su séquito, entre ellos Fernando, realizaron un breve viaje a los Países Bajos tras asistir a la coronación del nuevo emperador. Mientras allí se encontraban, el duque parece haber tomado la decisión de hacer más cosmopolita al joven, sustituyendo a su primer preceptor, Bernardo Gentile, un monje benedictino de Mesina,[33] por una de las grandes figuras del mundo de la cultura. Según Vives, que se lamentaba de ello en una carta a Erasmo, envió a Severo a entrevistarse con Vives y ofrecerle el puesto. Bien debido a un accidente o, como creía Vives, a un acto intencionado, el mensaje no fue transmitido, y Fadrique, al no recibir respuesta, encargó la función a Severo.[34]

Aunque no alcanzaba la estatura de Vives, la elección de Severo pudo no haber sido equivocada. Nacido en Piacenza, Lombardía, era un maestro consagrado y un entusiasta latinista.[35] Con él no sólo se instruyó Fernando en los clásicos, sino que adquirió un saludable recelo del humanismo erasmista. Es un dato refrescante el observar que, ya un hombre, era lo bastante ilustrado para permitirse ridiculizar el latín de sus consejeros flamencos,[36] mientras que él mismo escribió más de tres mil cartas sin las coletillas latinas a que eran tan aficionados sus coetáneos. Esto se debía probablemente, en gran medida, a la formación italiana y dominica de Severo. Como ha señalado recientemente J. A. Fernández-Santamaría, los italianos supieron conservar su amor a los clásicos sin rechazar enteramente los rigurosos métodos analíticos de la Edad Media.[37] No se conoce el programa de estudios seguido por Severo, pero en años posteriores, cuando Fernando ayudaba a algún intelectual universitario, era invariablemente a alguien como Juan Ginés de Sepúlveda o Benito Arias Montano, que unían la cultura humanista a un auténtico respeto por Aristóteles y los preceptos de la ley natural. Es también un tributo al carácter del preceptor el que su discípulo parezca haberle respetado y sentido afecto por él. Sea como fuere, Severo vivió, al parecer, en Alba de Tormes hasta su muerte.[38]

Por el contrario, el ayo de Fernando lo era todo menos un personaje oscuro. Juan Boscán nació, probablemente hacia 1500, en el seno de una familia patricia de Barcelona. Se empapó de los clásicos con Marineo Sículo, e incluso antes de su encuentro con Castiglione se había convertido en una suerte de modelo del cortesano ideal.[39] Vino Boscán a Alba en 1520, con un sueldo anual de 107 ducados, y permanecería junto a Fernando hasta su muerte en el Rosellón en 1542.[40] Durante estos años tradujo *El Cortesano* al español y escribió casi todas las obras por las que es conocido.

Debieron ayudar mucho a Boscán los esfuerzos de Fadrique por mantener una amena atmósfera literaria en esta «corte de virtud». Ciertas figuras, como el cronista Alonso de Palencia, eran huéspedes frecuentes, a menudo durante largos períodos, y Garcilaso de la Vega prácticamente residía allí de modo permanente. El gran poeta fue, en efecto, compañero inseparable tanto de Fernando como de Boscán hasta su muerte en la trágica campaña de Provenza de 1536. Sus días en Alba de Tormes son descritos con afecto, si bien de modo alegórico, en su *Primera Égloga*.

Todo esto en lo que respecta a la literatura y los buenos modales. Del lado práctico de la educación de Fernando se ocupó Fadrique en persona, con resultados aún más sustanciales. El muchacho, que acompañaba a Fadrique a todas partes, desarrolló un acabado conocimiento de cada uno de los pueblos de sus posesiones y una afición a las costumbres del campo que no abandonó jamás. Desde su primera infancia hubo de acompañar a su abuelo en sus campañas militares, práctica que luego seguiría con sus hijos varones. A la edad de seis años presenció la toma de Navarra y, al parecer, disfrutó con ello sobremanera,[41] pero semejantes momentos de brillantez son en cierta medida ilusorios al evaluar su experiencia. Fue criatura de los campamentos militares tanto como de la corte, y aprendió pronto que la vida militar es algo más que batallas y acciones heroicas. Antes de alcanzar la plena adolescencia sabía ya dirigir propiedades, conducir ejércitos y, ante todo, sabía ejercer el autocontrol, pues había comprendido lo que significa estar siempre ante la mirada pública y ser objeto del afecto tanto de veteranos encanecidos como de reclutas bisoños, que primero le consideraron como mascota y después aprendieron a confiarle sus vidas. Sería fácil idealizar el cuadro del viejo y grueso general y el nieto que da sus primeros pasos, pero ha de evitarse semejante tentación. Las lecciones que le enseñaba don Fadrique no eran agradables. Si el niño adquirió autodisciplina, adquirió también una espartana indiferencia que podría decirse sanguinaria. Si absorbió los principios de una noble estrategia, también se hizo progresivamente experto en las tortuosas tácticas de la guerra menor, y descubrió los múltiples usos de la crueldad. Desde una perspectiva actual, es casi impensable el rodear deliberadamente a una criatura de semejantes horrores, pero Fadrique fue aún más lejos. Continuó adoctrinando al niño sobre la leyenda de su difunto padre. Se nos dice que en el momento de la muerte de don García, Fernando tenía tres años y se vio «dolorosamente» afectado, concibiendo un gran odio por los moros.[42] De esto puede deducirse que no se ahorraron esfuerzos para dramatizar el suceso y grabarlo en la imaginación infantil, con Dios sabe qué efectos. Sabemos también que en 1522, cuando el cuerpo de García fue finalmente devuelto por los moros, Fadrique convirtió la ocasión en un espectáculo que sería recordado por muchos años. El cadáver desfiló literalmente por todas las posesiones entre extraordinarias lamentaciones y fue, por último, inhumado en San Leonardo tras un magnificente funeral con una gran misa solemne.[43]

El producto de toda esta instrucción y adoctrinamiento fue un joven impresionante. Fernando era alto y delgado como la familia de su madre,[44] de piel cetrina y nariz prominente. Aunque «lleno de fogosidad y cólera», en palabras de Ossorio,[45] mantenía un férreo control de su persona y parece, en general, haber carecido de vicios. Se vestía bien, pero sin ostentación, bebía poco y su mesa era modesta. Sus intereses primeros eran los caballos, de los que tenía una excelente cuadra,[46] y la guerra. De esta última nunca parecía saciarse. A la edad de dieciséis años abandonó el hogar sin consentimiento de Fadrique para unirse al Condestable de Castilla en el sitio de Fuenterrabía. El Condestable logró con bastante dificultad que no recibiera daño alguno, pero su coraje, sus dotes de mando y su popularidad con los hombres hicieron que fuera nombrado gobernador del castillo tras su caída. El nombramiento fue temporal y pudo haber tenido la intención de complacer simplemente al nieto de un viejo amigo, pero fue, a pesar de ello, significativo.[47]

Las acciones de Fernando fueron muy divulgadas y empezó a adquirir la clase de fama que había caracterizado a su fallecido padre. La diferencia era que Fernando, incluso a los dieciséis años, difícilmente se habría internado en territorio enemigo sin un previo intento de reconocimiento. No significa esto que fuera incapaz de cometer algún acto de insensatez juvenil, pero dadas las oportunidades que se presentaron, sus escapadas fueron contadas, y las consecuencias, mínimas.

Sólo se conocen dos ocasiones en que se comportara como otros jóvenes de su clase acostumbraban a hacer. Una de ellas fue un duelo, celebrado de noche en el puente de San Pablo de Burgos, a la edad de diecisiete años. Aunque era en general un modelo de cortesía, había ya desarrollado el carácter intempestivo y la lengua afilada que le serían característicos más tarde, y en esta ocasión estuvieron a punto de costarle un serio conflicto. Era Fernando, o al menos eso dicen las crónicas, rival de otro joven por los favores de una dama cuyo nombre no se menciona. Una noche, en presencia de dicha dama, el otro muchacho se jactó sobremanera de su destreza con el arcabuz, un arma que todavía se consideraba plebeya. Pasado el tiempo, Fernando no pudo soportarlo más; llevándose el pañuelo a la nariz, exclamó: «¡Cómo hiede a pólvora aquí!». Para mortificación de su rival, la dama creyó esta agudeza muy graciosa. A ello siguió un desafío. Aquella noche Fernando se presentó con daga y espada en el lugar convenido. Desafortunadamente, su enemigo había olvidado la daga y, en consecuencia, Fernando, con gesto grandilocuente, arrojó la suya al río. Cruzaron sus espadas, el honor pudo quedar salvado sin daños, y ambos hicieron las paces allí mismo. El intento de mantener el asunto en secreto fracasó al volver a sus casas, sin darse cuenta, con las capas cambiadas.[48] Fue todo él un episodio digno de un «señorito», y debió ser motivo de alguna punzada de sonrojo cuando el Gran Duque había ya superado ciertos infantilismos. Para su eterna vergüenza, Garcilaso incluyó varias líneas sobre este lance en su *Segunda Égloga*.

El segundo incidente, de índole totalmente distinta, resultó en el nacimiento de su hijo ilegítimo Hernando. Una cálida tarde de verano de 1527, Fernando transitaba a caballo desde El Barco de Ávila hasta Piedrahíta por el camino de la Mesta. Una súbita tormenta le obligó a refugiarse en un molino de Saltillo, donde tuvo un encuentro con la hermosa hija del molinero. Según el relato, que se convertiría después en la obra de Lope de Vega *Más mal hay en el aldehuela del que se suena*, no volvió a pensar en el asunto hasta que visitó otra vez la región muchos años después. Se celebró una corrida de toros en su honor, y un joven descolló sobre todos los demás. Cuando le fue preguntado su nombre, se dice que el muchacho respondió: «Hernando, hijo de la molinera de Saltillo y de... vuestra excelencia». El duque, pues ya había heredado el título por entonces, le reconoció de inmediato como hijo suyo, le llevó al seno de su propia casa y le educó como a un caballero.[49]

Es ésta una historia bonita en muchos sentidos, pero que a buen seguro ha sido enaltecida por el arte del narrador. Tan sólo sabemos que el niño nació, que fue reconocido y que recibió una buena educación. Puede que María, la madre, mantuviera en silencio el ilustre parentesco de su hijo, pero habría sido, en ese caso, un personaje más digno de Calderón que de Lope de Vega. Además, si Hernando se hubiera criado como un aldeano más hasta los años medios de la adolescencia, es improbable que hubiera crecido como lo hizo. Más que ninguno de los hijos legítimos de don Fernando, fue digno descendiente de su padre. Soldado, hombre de Estado y consejero de confianza del rey, fue un hombre muy culto y refinado, y es difícil creer que semejantes cualidades no le fueran inculcadas desde una edad relativamente temprana.[50]

Por lo que respecta a los documentos históricos, es éste el único episodio de indiscreción sexual en la vida de Fernando. Diego Hurtado de Mendoza hace referencia a lo que pudo acaso ser otro, pero el pasaje en cuestión es objeto de diversas interpretaciones, y fue, en todo caso, escrito en tono humorístico. En cierto momento de su vida, el gran autor e historiador se complació en chancearse del Gran Duque, y en 1551 éste se tomó la molestia de escribirle desde Siena para decirle: «Procura que tu historia sea enmendada por este perverso secretario si no quieres que publique lo mal que te portaste en el callejón de Toledo, donde tengo un ejemplo de mi hombría que brilla hoy espléndidamente en estas repúblicas».[51] El hecho al que alude ocurrió en 1525; puede que, como sugiere el más reciente biógrafo de Mendoza, se refiera a una intriga amorosa,[52] pero puede muy bien tratarse de una reyerta callejera o algún otro enredo de adolescencia. Algo más seria es la carta de una tal Magdalena Ruiz, escrita en 1568, cuando Alba se encontraba en los Países Bajos, en la que le llama «amor mío» y espera con impaciencia besar sus lozanas mejillas.[53] De ello puede deducirse un asunto amoroso, o simplemente la manera en que una dama de la corte provocaba a un conocido puritano. No se conservan más cartas de esta índole.

La cuestión no es importante, y el único motivo para traerlo a colación es que este aparente comedimiento era muy poco común. Muchos hombres de su edad y clase eran o bien confirmados libertinos o víctimas constantes de equívocas difamaciones, pero ninguno de los dos era el caso de Fernando. Si tuvo amoríos juveniles, lo hizo con gran discreción. Tras su matrimonio, fue un modelo de fidelidad, y después de los cuarenta es probable que se mantuviera célibe durante largos períodos.

En parte, ello se debía sin duda a su religiosidad. Un rasgo de su carácter que no queda del todo explicado por la descripción de su crianza es el de una devoción realmente excepcional. Una convencional fidelidad a la fe católica, unida a los prejuicios de su rango, sería de esperar, pero su hondo fervor religioso es otra cuestión. Es imposible rastrear su origen o incluso su posterior evolución. Sólo sus confesores, hombres del calibre de Alonso de Contreras y fray Luis de Granada, conocían sus más íntimas emociones, pues en sus cartas raramente sobrepasa lo convencional; pero pocas dudas hay de que fuera, o se convirtiera, en una de aquellas personas para las cuales la religión constituye el primer móvil de sus actos.[54] Podía ser tortuoso, egoísta e increíblemente cruel. Era perfectamente capaz de procesar a un arzobispo o combatir contra el Papa, pero su ferviente amor a la Fe no quedó nunca en cuestión, ni fue jamás acusado de hipocresía, ni tan siquiera por sus mayores enemigos. La religión era para él no sólo una causa, sino un modo de vida y un rasero con el que juzgar cualquier acto.

Es igualmente posible considerar su castidad con criterios actuales, y preguntarse si no sería quizá sintomático de una dificultad más general para establecer relaciones íntimas. Desde luego, sus amigos eran escasos y eran, en su mayoría, parientes carnales que le servían de colaboradores en asuntos políticos y financieros. Era también, para ser español, persona muy dada a la soledad, que prefería a menudo comer solo, en una época en que semejante proceder era todavía muy poco común. Si se acepta esta opinión —y sean cuales fueren sus méritos es totalmente ajena a las ideas de su propia época—, puede acaso explicar una serie de rasgos de su personalidad que se manifestaron a lo largo de su vida. El aire habitual de melancolía y la violencia mal disimulada que se reflejan en sus retratos y en los testimonios de sus contemporáneos, las contadas, pero impresionantes, explosiones de ira, pudieran todos entenderse, en términos freudianos, como consecuencia de su frustración sexual.

Pero es, no obstante, casi imposible transferir las percepciones psicológicas del siglo XX a un lugar y un tiempo tan radicalmente distintos a los nuestros. El rey, en todo caso, hacía sus comidas en solitario esplendor. ¿No sería posible que Alba siguiera el ejemplo con el fin de conservar el simbolismo jerárquico? ¿Podía un hombre en su situación tener amigos, por no decir confidentes? Y los retratos, como las obras de todos los grandes maestros, ¿no son acaso documentos ambiguos?[55] Hay en ellos melancolía, desde luego, y algo inquietante en la mirada, pero hay también sagacidad, y una sensación de que, si bien se trata claramente de un hombre muy serio, puede que no fuera ni tan sencillo ni tan franco como sugiere su fama. Se cuenta que cuando arregló su casa de La Abadía instaló un pabellón forrado de espejos al cual dotó de un potente sistema de aspersión para empapar a sus invitados mientras se pavoneaban ante sus imágenes de cristal.[56] Era una broma pesada típica de la época, pero debe recordarnos que no conviene penetrar muy profundamente en el laberinto de la psicohistoria sin contar con fuentes adecuadas.

Es imposible tratar estas cuestiones sin hacer referencia a sus cincuenta y tres años de matrimonio. Desafortunadamente, la información con que contamos a este respecto es tan deficiente y ambigua como en los restantes aspectos de su vida personal. La boda se celebró en Alba de Tormes, el 27 de abril de 1529, como parte de un acuerdo tripartito entre la casa de Alba y la de Alba de Liste. Don Diego Enríquez de Guzmán, tercer Conde de Alba de Liste, se había casado con doña Leonora de Toledo, hija de Fadrique y, por consiguiente, tía de Fernando. Tuvieron, junto a otros hijos, una hija llamada María y un hijo, Enrique, que sería el heredero de la casa. Cuando murió doña Leonora, dejando viudo al conde, su hermano Diego, Prior de San Juan, organizó un enlace que uniría a Fernando con María, al conde con la hermana de Fernando, Catalina, y a Enrique con la hermana menor de Fernando, María. Era esto típico de los casi incestuosos convenios que caracterizaban a las clases altas españolas, y las negociaciones debieron ser dignas de un tratado internacional. Fernando recibiría una dote de 55.000 ducados de su tío, don Diego. El conde y su hijo no recibirían nada, y Diego aceptó encargarse de las necesarias dispensas; entre otros impedimentos, Fernando y María eran primos hermanos. Como regalo de boda, Fernando entregó a su prometida 7.000 ducados en arras.[57]

Parece ser que, en general, fue un buen matrimonio, aunque es difícil saber si se juzgaría así bajo criterios más modernos. Es posible que María Enríquez fuera unos pocos años menor que su marido. Su educación parece haber sido convencional, con un fuerte énfasis en cuestiones domésticas y religiosas frente a las culturales. Su conocimiento de los clásicos era deficiente, y su pluma mediocre, pero sabía regir una gran heredad, controlar una multitud de criados indisciplinados y entregarse a la política tanto en los niveles más altos como en los más bajos de la corte. Era, en verdad, una mujer impresionante incluso para los exigentes criterios de su clase.[58]

Que fuera en muchos sentidos el equivalente femenino de su marido, no es extraño. La consanguinidad y una misma tradición familiar garantizaban que hubiera comunidad de valores e intereses. Como Fernando, era profundamente religiosa y enemiga de vicios, aunque quizá algo más ostentosa que él en sus gustos personales. En años posteriores, llegaría a ser una mecenas y confidente de Santa Teresa de Ávila –activa reformadora de conventos–, y una de las principales guardianas de la moral de la corte regia.[59] Dichas cualidades, junto a su pericia administrativa, explican sus diversos nombramientos de importancia en las casas de varias reinas.

Como persona, era por lo general amable, pero siempre distante y extremadamente celosa de sus prerrogativas. Con el tiempo su carácter, como el de su marido, no mejoró, y parece que había pocas personas dispuestas a enfrentarse a ella directamente. Adquirió la costumbre de dirigirse a todo el mundo empleando el «tú», lo cual no acrecentó precisamente su popularidad. Un incidente, cuyo origen es oscuro, fue nuevamente relatado por el XVII Duque de Alba, y proporciona un buen ejemplo de sus relaciones con el mundo de los mortales.

Al recibir a un viejo capitán que había servido bajo el mando de su marido, dijo: «Hace tiempo que deseaba conocerte. ¿Eres rico?». El capitán, algo molesto por el uso de aquella forma verbal, no contestó, y la duquesa, insistiendo, añadió: «No me acuerdo de tu nombre. ¿Cómo te llamas?». El soldado, adoptando un tono de falsete infantil y ejecutando una reverencia de paje, respondió: «Alfonsito, señora».[60]

El otro aspecto de su carácter es más atractivo. Su generosidad sobrepasaba los límites de la vulgar caridad; incorporó al seno de su casa a una serie de personas, en especial viudas, que podrían haberse encontrado, de otro modo, en serios apuros.[61] Su cariñosa aceptación de don Hernando, que prácticamente fue criado como uno más de sus hijos, dio lugar a muchos comentarios favorables,[62] y su áspero carácter no parece haber entorpecido las buenas relaciones con su marido. Por el contrario, su matrimonio fue, como mínimo, una sociedad enormemente afortunada en la que dos personas bastante parecidas se afanaron sostenidamente en pos de los mismos fines, en una atmósfera de respeto e interés mutuos.

Es posible que hubiera incluso un componente romántico, al menos en un principio. En su *Segunda Égloga*, Garcilaso nos muestra a Albanio suspirando por su amor, que claramente, no es otra que María Enríquez. Existe también la leyenda de que Fernando cabalgó, en un viaje largo y difícil, desde Hungría hasta Alba de Tormes, en 1533, solamente para visitar a su prometida. Aunque el famoso desplazamiento se hizo en realidad desde Barcelona, fue, con razón, considerado como muestra de una gran pasión.[63] Un viaje que, con ida y vuelta, representaba 1.200 kilómetros a caballo, no es nada despreciable.

¿Por qué no afirmar, por tanto, que fue un buen matrimonio, o incluso feliz, y pasar a otras cuestiones? El problema tiene tres aspectos. En primer lugar, es fácil fingir un buen matrimonio si existen motivos de peso políticos y económicos para hacerlo, y si los cónyuges no han de pasar juntos mucho tiempo. En segundo lugar, es evidente que los nobles del siglo XVI iban al matrimonio con ideas y expectativas muy diferentes a las actuales. Finalmente, la evidencia relativa al matrimonio de Fernando es, en ciertos sentidos, conflictiva. La fantasía poética de Garcilaso es totalmente convencional. Puede ser muy significativa, o no serlo en absoluto. El viaje desde Barcelona pudo haber sido síntoma de una gran pasión o pudo haberse realizado, simplemente, porque Fernando, entonces Duque de Alba, había estado alejado en una campaña durante más de un año y debía permanecer, además, al lado del emperador un período de tiempo indefinido. Cualesquiera que fueran las restantes obligaciones del duque, su primera preocupación fue siempre velar por la continuidad de su linaje, y los años de fertilidad, sobre todo en el siglo XVI, podían ser lamentablemente breves. Como tantos otros, Alba solicitaba de continuo permiso para «atender a su hacienda», lo cual era poco más que un eufemismo para engendrar hijos. Habría sido una irresponsabilidad el que una pareja de alrededor de veinticinco años con un solo hijo (un niño, García, había nacido en 1530), se pasara dos o tres años sin intentar procrear otro.

Está también la cuestión de sus cartas, o la ausencia de ellas. En toda su vasta correspondencia son escasísimas las dirigidas por el duque a su mujer de su puño y letra. Estuvo él ausente muchos años en una serie de servicios, pero aunque ella se inquietaba por su salud y le enviaba presentes de fruta fresca y otras exquisiteces, era el secretario quien la mantenía informada de sus actividades. En la mayoría de los casos, Fernando no se molestaba ni tan siquiera en firmar estas cartas. Y el que en alguna ocasión dijera él a otras personas que le gustaría que ella estuviera presente, puede no significar nada tampoco, pero es sin duda extraño para una consideración más moderna.

En última instancia, acaso lo mejor sea dejar a un lado tanta incertidumbre. Es una relación matrimonial que evade al historiador excepto en sus aspectos más superficiales, pero no cabe duda de que, a sus coetáneos, parecía ser íntima y mutuamente reconfortante. Incluso al final de su vida, la noticia de que ella estaba enferma podía enloquecerle,[64] y hay motivos fundados para pensar que se dieron mutuamente mucho más que el apoyo social exigido por las costumbres de la época.

Le dio ella además cuatro hijos, tres de los cuales vivieron hasta la madurez. El mayor, García, murió en 1548, a la edad de dieciocho años. De los restantes —Beatriz (nacida en 1534), Fadrique (en 1537) y Diego (en 1542)–, sólo Fadrique llegaría a ser una figura de importancia histórica, e incluso su pobre eminencia fue comprada a alto precio. Su vida fue una tragedia, involuntariamente generada por un padre ambicioso al cual sólo sobrevivió tres años, y sus problemas constituirán un sombrío complemento a los últimos capítulos de este libro. Se casó Beatriz con el Marqués de Astorga. Poco se sabe de Diego salvo que contrajo matrimonio con Brianda de Beaumont, Condesa de Lerín, que se mantuvo todo lo alejado que pudo de la vida pública, y que murió en 1583. Su hijo Antonio sería el quinto Duque de Alba.[65]

De modo sorprendente, poco se sabe sobre la crianza y educación de esta prole legítima. Que predominaron los valores militares puede deducirse del hecho de que García fuera llevado al sitio de Túnez a los cinco años, porque su padre temía que las influencias femeninas del hogar le estuvieran ablandando.[66] Aparte de esto, no parecen haberse invertido grandes esfuerzos en la adquisición de una formación seria, y ninguno de sus hijos se aproximó a su padre en erudición, donaire o destrezas lingüísticas.

Ello se debe probablemente a otro aspecto del carácter de Fernando que es difícil de explicar fundándose en la evidencia existente. Era él, de modo paradójico, un ilustrado anti intelectual y un xenófobo cosmopolita. Su desinterés hacia la subespecie de humanismo erasmista era legado de Severo, pero el erasmismo no era en modo alguno la única escuela de pensamiento, o siquiera la que gozara de mayor favor en la España de comienzos del siglo XVI. Lo cierto es que, aunque disfrutaba con la conversación de ciertos hombres cultos e incluso, en alguna ocasión, subvencionaba sus actividades,[67] era en gran medida indiferente al pensar especulativo. A pesar de que conocía el latín, el francés, el italiano y el suficiente alemán para lamentarse de que su uso de esta lengua fuera impreciso,[68] su estilo estaba limpio de influencias extranjeras y era a veces coloquial, o casi rústico, en sus giros. Ni le agradaban los extranjeros ni confiaba en ellos,[69] y el «castellanismo» de su proceder estaba en ocasiones próximo a lo caricaturesco.

Todo esto ha motivado el que se le presente como una especie de precedente del nacionalismo castellano,[70] pero ello es probablemente exagerado. Es mucho más verosímil que su imaginación quedara simplemente más cautivada por el mundo de los campos de batalla que por el de los libros, pues incluso una lectura superficial de sus cartas revela que se consideraba un soldado y decidía su comportamiento en consonancia. Es cierto que cuando lo requerían las circunstancias se convertía en el soldado «sencillo», fanfarrón y ciego a las sutilezas que pudieran interponerse en su camino, pero esta actitud no suponía más que un deliberado énfasis en rasgos que tenían profundidad y verdad. Amaba el dramatismo, la actividad y la relativa simplicidad del mundo del soldado. Persona autoritaria hasta la médula, le disgustaban las polémicas, y su fe religiosa, que se circunscribía a una serie de certidumbres acorazadas, no le dejaba gran margen de discusión. Prefería la compañía de hombres como él, y si sus hombres le querían no era simplemente porque les proporcionaba victorias y cuidaba de sus vidas, sino porque tenía en común con ellos tanto las ideas como el lenguaje.

Como la mayoría de las personas, su imagen de sí mismo era en cierta medida ilusoria. Era, en verdad, un hábil y no demasiado escrupuloso polemista,[71] dado a la intriga, e incluso en la guerra estaba más inclinado a confiar en la astucia que en la fuerza bruta, pero este lado de su carácter no le enorgullecía especialmente, y parecía no ser consciente de que estas características fueran un importante componente de su éxito. Educó a sus hijos no de acuerdo con lo que era, sino con lo que él creía que debía ser. Es un milagro que los resultados no fueran peores.

La información sobre otros aspectos de su vida doméstica es así mismo elemental, especialmente en los primeros años. El período de 1529 a 1531 es virtualmente una página en blanco. Sus actos, dónde vivieron, son todos desconocidos. La carrera de Fernando no había en realidad empezado todavía, y es como si hubiera estado simplemente marcando el paso.

Todo cambia bruscamente en septiembre de 1531. Su abuelo, don Fadrique, murió de fiebres tercianas después de pasar veinte años en cama, «en cuyo tiempo ni una sola vez se levantó o se ensució», o al menos eso nos dice el admirado Alonso Enríquez de Guzmán.[72] De golpe, Fernando pasó a ser Duque de Alba y Huéscar, Marqués de Coria y Conde de Salvatierra. Como antes había hecho su padre, Fadrique había vinculado todas sus fincas en mayorazgos, evitando así la división de la propiedad que, de otro modo, habría exigido la legislación española, y, junto al título, el duque recibió las rentas de al menos tres mil millas cuadradas de terreno. Como se verá, el flamante duque iba a necesitar cada maravedí.

En primer lugar estaba su casa. No existe una relación completa de los gastos de ésta, dado que prácticamente todos los documentos de la economía familiar se perdieron en 1936, cuando su palacio de Madrid fue víctima de incendiarios. No disponemos más que del testimonio del decimoséptimo duque, en su *Discurso* de ingreso en la Real Academia de la Historia en 1919, y de un puñado de documentos incompletos que datan de los años 1550 y 1560.[73] No es mucho, pero es lo bastante para proporcionar una idea de lo que aquélla suponía. Durante los años centrales de su vida, formaban parte de la casa del duque 69 hombres y 21 mujeres, cuyos salarios sumaban más de 9.600 ducados al año. Entre ellos se encontraba su mayordomo Juan Moreno, un tesorero, un secretario y no menos de 12 pajes. Además, mantenía seis médicos y un cirujano, junto a dos boticarios y un auténtico ejército de capellanes, dentistas, bordadores, cocineros, panaderos, amasadores, sastres, cocheros, heraldos y un chico negro para los recados. También la duquesa disponía de su personal, entre ellos un famoso jefe de cocina, su propio platero y su bufón, Juan Martín de Villatoro. Eran en total alrededor de cuarenta, y sus salarios suponían otros 4.000 ducados anuales, sin incluir el mantenimiento de sus 18 esclavos.[74] Los alimentos y bebidas para toda esta multitud se enumeraban en una cuenta aparte.

Estos gastos, exorbitantes como pueden parecer, estaban impuestos por la necesidad y no por la vanidad; si el duque hubiera tenido un interés serio en la caza o la música, habrían sido mucho más elevados.[75] Como en cualquier institución, la estructura de esta casa quedaba determinada por su función y sus circunstancias físicas. El aislamiento geográfico exigía que fuera en gran medida autosuficiente y con bastante capacidad para proporcionar hospitalidad a viajeros de alcurnia junto a sus séquitos. Como centro regional económico y administrativo, ofrecía una serie de servicios a la totalidad de la comunidad, así como alojamiento temporal para todos aquellos que se trasladaban por asuntos de la propiedad.

Era, además, núcleo de un círculo mucho más extenso de partidarios, personas dependientes y parásitos, que resultaban costosos, pero eran necesarios si había de mantenerse la influencia de la familia. Como otros clanes poderosos, la casa de Alba se hallaba en la cima de una pirámide de relaciones clientelistas, cuyo funcionamiento interno queda algo oscuro. Los historiadores conocen desde hace mucho tiempo la existencia de dichas estructuras, particularmente en el mundo mediterráneo, pero su análisis ha resultado siempre sumamente difícil. Parece evidente que éstas tenían una tremenda importancia en la vida cotidiana de todas las personas, exceptuando tan sólo a los más indigentes, pero su carácter mismo ha impedido la comprensión de cómo funcionaban. Eran, ante todo, relaciones personales fundadas en un sentido de obligaciones mutuas y, por consiguiente, en un tipo de correspondencia que raramente, o nunca, quedaba registrada en documentos expresos. A diferencia del sistema feudal, con el que en ocasiones se le ha confundido, el clientelismo no tenía categoría legal alguna, pero estaba firmemente apuntalado por necesidades de tipo práctico y, probablemente, también por fuertes presiones sociales. Como mínimo, se hallaba sancionado por la extraordinaria prioridad adjudicada a la lealtad en los sistemas de valores medievales y por una inmemorial costumbre. El *patronus* y su clientela habían constituido un rasgo generalmente observado en la vida de la antigüedad.

En su forma más simple, la relación suponía que el poderoso se hacía cargo de la protección del débil a cambio de su fidelidad y ciertos servicios. Éstos podían tener carácter económico, político o incluso personal; la naturaleza precisa de dichos servicios y los límites que, una vez sobrepasados, podían representar la ruptura del vínculo dependerían tanto de las personas implicadas como de sanciones consuetudinarias. Sería tentador afirmar que la fuerza del clientelismo residía en la relativa debilidad de las instituciones oficiales, pero su pervivencia hasta la época actual lo hace, al menos, discutible. Baste decir que en la Castilla del siglo XVI, el trabajo, la seguridad económica y un trato favorable en los tribunales dependían a menudo del favor de los grandes.[76]

En el caso de los Duques de Alba, las relaciones clientelistas eran extraordinariamente numerosas y variadas, aunque la carencia de documentación imposibilita una valoración exacta de su alcance. Unos cuantos ejemplos proporcionarán acaso algún indicio de su naturaleza. Uno es el que ofrece Garcilaso de la Vega, que fue acompañante de Fernando y quiso inmortalizar su linaje en verso. A cambio, Fernando costeaba sus gastos, intervino a su favor cuando cayó en desgracia con el emperador y mantuvo a su viuda después de su muerte.

Un caso aún más interesante es el de Alonso Enríquez de Guzmán. Pariente lejano y pobre de María Enríquez, don Alonso fue presentado al duque, don Fadrique, en Colonia en 1521. Fadrique lo recomendó al emperador y obtuvo un puesto para él en la casa real, junto a la promesa del rango de Caballero de la Orden de Santiago, el cual recibió unos años más tarde.[77] En 1524, Fadrique obtuvo su absolución de la acusación de estupro y asesinato ocasionada por un oscuro lance en la isla de Ibiza.[78] A cambio, la casa de Alba logró un ferviente apologista y quizá algo más, pues don Alonso era un hombre que gozaba de simpatías y a quien todas las puertas le estaban francas. Era, como mínimo, una fértil fuente de información sobre los sucesos de la corte y de otras familias nobles.

Junto al ducado, Fernando heredó a don Alonso, que llegó a Alba de Tormes tan sólo ocho días después de la muerte de Fadrique, con el evidente propósito de afirmar su relación con el nuevo patrón. Fue recibido con extraordinaria cortesía, debido, como lo expresa él, «a anteriores servicios y relaciones». Fernando le situó en su aposento, puso su cama a los pies de la suya propia, y le trató con «mucho cariño, benevolencia y honra». Cuatro días más tarde don Alonso cayó enfermo y, tras veinte días de recuperación y muchos presentes, fue despedido con una nueva muía y diez mil maravedíes.[79]

Este tipo de generosidad era tan típica como esperada. Si se ofrecía con discreción, permitía que un hombre sirviera a otro sin vergüenza, y con la certeza de que sus servicios serían recompensados. Era, en efecto, la argamasa de la relación clientelista, y el nuevo Duque de Alba, no obstante su severa personalidad, era un maestro en el delicado arte de congraciarse y recompensar.

68

Es difícil trazar la extensión precisa del patronazgo de Fernando, pero era innegablemente amplio. Empezando con parientes, servidores y dependientes heredados de su abuelo, se expandía gradualmente para incluir soldados, hombres de la iglesia y burócratas, hasta que, al final, toda clase de personas, desde virreyes a humildes aldeanos, esperaban su asistencia. Todos ellos estaban, desde luego, dispuestos a ofrecer valiosos servicios a cambio. Su buena voluntad era imprescindible para el hombre ambicioso; pero incluso si no lo fuera, su dependencia imponía una inmensa carga moral que no podía menospreciarse a la ligera. El no ocuparse de ellos y derivar hacia una vida de placeres privados era impensable; hacerlo habría supuesto negar la esencia de su noble rango como entonces se entendía. Pero mantener un sistema clientelista no era cuestión fácil. Entre la correspondencia del duque se cuentan innumerables cartas de recomendación, peticiones de trabajo, de recompensas y, en general, de la protección que formaba parte de sus funciones, mientras que el caso de Alonso Enríquez de Guzmán, adecuadamente multiplicado, indica que aquello exigía no sólo una paciencia infinita, sino una pródiga bolsa.

El problema estribaba en que el clientelismo era esencialmente una vía sin retorno. Una vez embarcado en la carrera de patrón, no había modo de volver atrás. Para poder atender a sus amigos, los nobles habían de incrementar su influencia en la corte, que era la fuente primera de patronazgo. Ello implicaba, a su vez, la adquisición de nuevos amigos y dependientes a todos los cuales había también que apoyar. Alba era realmente un hombre ambicioso, pero de haber sido simplemente escrupuloso, su vida podría haber tomado un giro radicalmente distinto. Una fuerte tradición familiar le impulsaba hacia una carrera de servicio, y también su posición social y las necesidades de sus dependientes. Cuando, en el año de la muerte de don Fadrique, el emperador hizo un llamamiento de voluntarios para expulsar a los turcos de las puertas de Viena, Alba fue de los primeros en ofrecer sus servicios. Su entusiasta respuesta tenía sus raíces en un espíritu de hidalguía y en su odio al infiel, pero también en algo que se asemejaba mucho a la necesidad: sólo mediante su proximidad al emperador podía velar por los intereses de su casa, y a los veinticinco años poco podía justificar dicha proximidad si no eran su nombre y su espada.

# Notas al capítulo I

1. La polémica sobre la fecha de nacimiento de Alba se encuentra resumida en J. Lunas Almeida, *Historia del Señorío de Valdecorneja* (Ávila, 1930), pp. 49-53. Véase también J. M. del P. C. M. S. Fitz James Stuart y Falcó, Duque de Berwick y Alba, *Discurso (Contribución al estudio de la persona del III Duque de Alba)* (Madrid, 1919), p. 6. La fecha está confirmada por el mismo Alba, que con frecuencia la hizo figurar.

2. Insisten en este punto tanto el duque de Alba, pp. 17-18, como Antonio Ossorio, *Vida y hazañas de don Fernando Álvarez de Toledo*, Duque de Alba, ed. José López de Toro (Madrid, 1945), p. 20.

3. Ossorio, p. 20; Julio de Atienza, *Nobiliario Español* (Madrid, 1954), p. 125.

4. Luis Suárez Fernández, *Nobleza y monarquía en la Castilla del siglo XV* (Madrid, 1963), pp. 17-18.

5. *Ibíd.*, p. 28.

6. *Ibíd.*, pp. 89, 105 y 109.

7. *Ibíd.*, p. 86.

8. Mosén Diego de Valera, *Memorial de diversas hazañas* (BAE 70, vol. III), p. 59.

9. Diego Enríquez del Castillo, *Crónica del Rey Don Enrique el Cuarto de este nombre* (BAE 70, vol. III), p. 162.

10. *Ibíd.*, p. 166.

11. Valera, p. 55.

12. Enríquez del Castillo, pp. 194-95.

13. *Ibíd.*, pp. 197-98.

14. Duque de Alba, pp. 40-41.

15. Francesillo de Zúñiga, *Crónica* (BAE 36), p. 11.

16. Quien mejor describe sus hazañas es Pulgar cuando trata sobre las guerras granadinas: Hernando de Pulgar, *Crónica de los Señores Reyes Católicos* (BAE 70, vol. III), pp. 445-64.

17. Ossorio, 20. La cita está extraída de Townsend Miller, *The Castels and the Crown* (Nueva York, 1964), p. 302.

18. L. Marineo Sículo, *Obra de las cosas memorables de España* (Alcalá de Henares, 1539), ss. 24-25.

19. J. H. Elliott, *Imperial Spain, 1469-1716* (Nueva York, 1963), p. 106. (Hay traducción española: *La España imperial, 1469-1716*.)

20. Tomó, por ejemplo, Miranda en 1487. Véase Pulgar, p. 444.

21. Edward Armstrong, *The Emperor Charles V* (Londres, 1902), I, p. 175.

22. Prudencio de Sandoval, *Historia de la vida y los hechos del Emperador Carlos V* (BAE 80-82), II, p. 248.

23. Zúñiga, p. 30.

**24.** Para la genealogía de los Toledo, véase Julián Paz y Espeso, *Árboles genealógicos de las Casas de Berwick, Alba y agregadas* (2.ª ed., Madrid, 1948).

**25.** Las mejores descripciones de esta expedición se encuentran en Andrés Bernáldez, *Historia de los Reyes Católicos* (BAE 70, vol. III), 741-44, y en Sandoval, I, p. 21.

**26.** Francisco Sánchez (El Brocense), *Obras de Garci Lasso* (Salamanca, 1574), p. 96, n. 169.

**27.** *Ibíd.*, p. 21.

**28.** Ossorio pensaba que Fadrique había educado a Fernando para tomar el lugar de su hijo muerto, fijando en él todas sus esperanzas (p. 21).

**29.** Ossorio, p. 22.

**30.** Duque de Alba, p. 23.

**31.** *Ibíd.*, p. 22.

**32.** *Ibíd.*, p. 26.

**33.** M. Menéndez y Pelayo, *Juan Boscán, estudio crítico* (Madrid, 1908), p. 47.

**34.** *Ibíd.*, 48. La carta a Erasmo se reproduce en la p. 49. Véase también A. Salcedo Ruiz, «El ayo y el preceptor del Gran Duque de Alba», *Revista de Archivos, Bibliotecas y Museos*, 3.ª época, XVI (1907), p. 374.

**35.** Salcedo Ruiz, p. 376.

**36.** Alba a Antonio de Lada, 31 de agosto de 1573, *EA*, III, pp. 512-14. También encontró defectuosa la gramática de las leyes portuguesas: Alba a Felipe II, 30 de agosto de 1580, *DIE*, p. 32, pp. 489-93.

**37.** J. A. Fernández-Santamaría, *The State, War and Peace: Spanish Political Thought in the Renaissance, 1516-1559* (Cambridge, 1977), pp. 164-65.

**38.** Salcedo Ruiz, p. 377.

**39.** Menéndez y Pelayo, pp. 1-33.

**40.** Duque de Alba, p. 23.

**41.** Ossorio, p. 22.

**42.** *Ibíd.*

**43.** Duque de Alba, p. 18.

**44.** «Los duques d'Alva pequeños de cuerpo, antes de su madre de don Fernando prolongase su casta»; Luis Zapata, *Varia Historia*, I, ed. G. C. Horsman (Amsterdam, 1935), p. 67.

**45.** Ossorio, p. 38.

**46.** *Ibíd.*, p. 28.

**47.** *Ibíd.*, 24-26; Sandoval, II, 40; Alonso de Santa Cruz, *Crónica del Emperador Carlos V* (Madrid, 1920-1922), II, p. 81.

**48.** El Brocense, p. 97, n. 177.

**49.** Duque de Alba, «Biografía de doña María Enríquez, mujer del Gran Duque de Alba», *Boletín de la Real Academia de Historia*, CXXI (1947), pp. 10-11.

**50.** Existe una biografía de don Hernando, pero lamentablemente lo confunde con un sobrino de Alba del mismo nombre: A. Salcedo Ruiz, *Un bastardo insigne del Gran Duque de Alba: el prior don Hernando de Toledo* (Madrid, 1903).

**51.** Erika Spivakovsky, *Son of Alhambra: Don Diego Hurtado de Mendoza, 1504-1575* (Austin, Texas, 1970), p. 35.

**52.** *Ibíd.*, p. 36.

**53.** Esta carta, fechada el 15 de agosto de 1568, se encuentra en *Documentos Escogidos del Archivo de la Casa de Alba*, ed. Duchess of Berwick y de Alba (Madrid, 1891), pp. 85-86.

**54.** Para una descripción de los hábitos piadosos de Alba y algunos atisbos de su vida religiosa, véase la carta de pésame escrita por fray Luis de Granada a la Duquesa de Alba, 15 de diciembre de 1582, BN MS 2058, ss. 82-85.

**55.** Alba fue objeto de una extraordinaria cantidad de retratos y dibujos. Entre los mejores se encuentran el inquietante, pero brillante, retrato de Antonio Moro, fechado en 1549 (Hispanic Society of America, Nueva York); un posterior retrato generalmente atribuido a Willem Key (Rijksmuseum, Amsterdam), y un cuadro de autor desconocido fechado en 1574 que dice representar al duque a los setenta y cuatro años (colección de los Duques de Alba, Madrid). La colección de los Alba cuenta también con un Tiziano, probablemente realizado a comienzos de los años 1560; un Sánchez Coello firmado y fechado en 1576, y un retrato sin firmar del joven Alba, que se cree una copia de un Tiziano perdido. Hay también un busto muy idealizado ejecutado por Jonghelinck en la Frick Collection, Nueva York.

**56.** Duque de Alba, *The Great Duke of Alba as a Public Servant* (Oxford, 1947), p. 11.

**57.** Duque de Alba, «María Enríquez», pp. 8-9.

**58.** Duque de Alba, «María Enríquez», utiliza gran cantidad de material que, al parecer, se ha perdido, pero véase también A. Morel-Fatio, «La duchesse d'Alba D.ª María Enríquez et Catherine des Medicis», *Bulletin Hispanique*, VII (1905), 360-86, para ampliar la información. Una serie de documentos relativos a la duquesa y aspectos de su actividad se encuentran en AA, caja 26.

**59.** Véase M. de Aguilera y de Liques, Marqués de Cerralba, «Los Duques de Alba y Santa Teresa», *Hidalguía*, núm. 8 (enero-febrero, 1955), pp. 1-16.

**60.** Duque de Alba, «María Enríquez», p. 21.

**61.** Para una exposición de los tipos de personas mantenidas por su generosidad y la de su marido, véase duque de Alba, Discurso, pp. 43-49.

**62.** Duque de Alba, «María Enríquez», 12. Véanse también las alabanzas que por esto dirige a la Duquesa Alonso Enríquez de Guzmán, Libro de la vida y costumbres de don Alonso Enríquez de Guzmán, ed. H.

Keniston (Madrid, 1960), p. 283.

63. Esta leyenda es tratada por Hayward Keniston en *Garcilaso de la Vega: A Critical Study of His Life and Works* (Nueva York, 1922), p. 126. El que Barcelona fuera el punto de partida de este viaje puede deducirse de la obra de Pedro Girón *Crónica del Emperador Carlos V*, ed. Juan Sánchez Montes (Madrid, 1964), p. 31. Véase también M. García Cerezeda, *Tratado de las campañas y otros acontecimientos de los ejércitos del emperador Carlos V... desde 1521 hasta 1545* (Madrid, 1873-1876), I, pp. 336-38.

64. Alba a Zayas, 27 de abril de 1581, *DIE*, 34, 273-75, es un ejemplo.

65. Paz y Espeso, *passim*.

66. Ossorio, p. 31.

67. Un buen ejemplo es el apoyo prestado a Juan Ginés de Sepúlveda, el humanista y pensador político. Ambos se conocieron probablemente en Viena en 1532. Sepúlveda dedicó su *Democrates Primus* a Alba en 1535 y reconoció abiertamente su protección en una carta a Francisco de Toledo del 10 de noviembre de 1536 (en *Epistolario de Juan Ginés de Sepúlveda*, ed. A. Losada [Madrid, 1966], pp. 60-62). En 1555 aparece celebrando un beneficio en Alba de Tormes: véase Ángel Losada, *Juan Ginés de Sepúlveda a través de su «Epistolario» y nuevos documentos* (Madrid, 1973), pp. 69 y 155.

68. Alba a Chantonnay, 21 de agosto de 1568, *DIE*, 37, pp. 347-50.

69. La opinión de Alba sobre los holandeses es bien conocida. Un famoso ejemplo es su comentario sobre sus clases gobernantes: «Es una gente mediocre y algo menos que mediocre» (Alba a Felipe II, 5 de mayo de 1570, *EA*, II, pp. 367-71). Su opinión sobre los italianos queda revelada en un comentario casual sobre Tomás Fiesco: «Aunque sea italiano, es un hombre cuerdo» (Alba a Zayas, 21 de agosto de 1572, *EA*, III, pp. 190-91). Al parecer los ingleses y los franceses le irritaban menos.

70. Gregorio Marañón, *Antonio Pérez* (Madrid, 1963), I, pp. 154-55.

71. Geoffrey Parker, *The Army of Flanders and the Spanish Road, 1576-1659* (Cambridge, 1972), proporciona un ejemplo excelente.

72. Enríquez de Guzmán, p. 76.

73. Los documentos disponibles sólo muestran los gastos, no los ingresos. Se trata de los «Gastos de la cámara del Duque, 1544-1559», AA, caja 222, f. 15; «Libramientos y expendios, 1551-1556, 1571, 1573», AA, caja 73, f. 1; «Cuentas de la cámara y cocina», AA, caja 171, f. 1, y «Gastos de la casa», AA, caja 166, f. 3. Los dos últimos se refieren principalmente a 1557-1558, aunque hay algunas cuentas parciales del siglo XVII mezcladas con el resto. Ninguna parece estar completa.

74. Duque de Alba, *Discurso*, pp. 17-18.

75. Véanse sus observaciones sobre música a Bernardino de Mendoza, 31 de mayo de 1555, *EA*, I, pp. 136-41.

76. No existe todavía un estudio sistemático del clientelismo entre la

nobleza castellana; es muy posible que estuviera más desarrollado que en la Francia o la Inglaterra de la época. Algunas instituciones francesas análogas han sido tratadas brevemente por R. Mousnier, *Les institutions de la France sous la monarchie absolute, 1598-1789* (París, 1974), y R. R. Harding, *Anatomy of a Power Elite: The Provincial Governors of Early Modern France* (New Haven, 1978). Para Inglaterra, véase Lawrence Stone, *The Crisis of the Aristocracy, 1558-1651* (Oxford, 1965).

77. Enríquez de Guzmán, 14-15.

78. Hayward Keniston, *Francisco de los Cobos, Secretary of the Emperor Charles V* (Pittsburgh, 1960), p. 85.

79. Enríquez de Guzmán, p. 75.

# II

# LA FORJA DE UN SOLDADO

Para los cristianos del siglo XVI, los turcos eran una pesadilla constante que nunca acababa de desvanecerse al despuntar el día. El imperio turco era un oscuro enigma, pero la ferocidad otomana, su pericia militar y su expansionismo eran bien conocidos y fundadamente temidos. Durante la década de 1520 habían iniciado una serie de campañas en el valle del Danubio bajo el mando personal de Solimán el Magnífico. En Mohács, en 1526, habían destruido el reino de Hungría y, hacia 1529, habían llegado a las afueras de Viena. Sus ejércitos, como sus flotas, eran superiores a los que ninguno de los países europeos podía reunir, y sus reservas de riquezas y hombres parecían inagotables.

El principal responsable de contener esta embestida era el Emperador Carlos V. Él era, al menos nominalmente, cabeza secular de la cristiandad, y el único príncipe occidental cuyos recursos y múltiples centros de poder se aproximaban algo a los del sultán. Y lo que era más importante: con la invasión de Austria, Solimán había puesto, por primera vez, sus manos infieles sobre las posesiones de la familia Habsburgo. Así pues, cuando el nuevo Duque de Alba se lanzó a su primera campaña como hombre adulto, debió parecerle la apertura perfecta para una magnífica carrera: una cruzada para la protección de toda la cristiandad, librada en lejanos campos de batalla contra el más formidable de los enemigos. Por el contrario, los resultados no fueron ni militar ni personalmente decisivos.

Alba, acompañado por Garcilaso y un abundante séquito, marchó a finales de enero de 1532, para unirse al emperador en Bruselas. Casi desde un principio, su viaje se vio acosado por impedimentos y una mala dirección. El grupo no había llegado más allá de Tolosa cuando, el 3 de febrero, fue detenido por mandato de la emperatriz, que había dado una increíble orden general de arresto contra Garcilaso. Según parece, el 14 de agosto del año precedente, éste había sido testigo del compromiso matrimonial de su sobrino con Isabel de la Cueva, hija del Duque de Alburquerque. Dado que el sobrino pertenecía a un rango inferior y era hijo de un comunero caído en desgracia, Alburquerque estaba escandalizado y había rogado al emperador que impidiera el matrimonio. Carlos se avino a hacerlo, pero como existían dudas sobre lo ocurrido, se requería la presencia de Garcilaso para ser interrogado.

En un principio, Garcilaso se negó a discutir el asunto y Alba, sin saber que un día se hallaría en una situación análoga a la de Alburquerque, le apoyó con tal vehemencia que la emperatriz empezó a sospechar que él era el autor de semejante maquinación. Finalmente, el poeta confesó bajo amenaza de encarcelamiento y fue inmediatamente excluido de todo servicio en la corte. Alba respondió con una carta de protesta, declarando que no iría a Flandes sin Garcilaso. La emperatriz, naturalmente, se negó a reconsiderar el asunto; Alba, con el despotismo que le sería característico en años posteriores, optó simplemente por hacer caso omiso. Salió hacia Flandes asegurándose de que el preocupado Garcilaso le siguiera.[1]

El incidente, si bien es absurdo, es revelador, no sólo porque iban a nublar la posterior carrera de Alba ciertas disputas similares sobre matrimonios reprobados, sino porque ilustra bien el temperamento de la persona y su actitud hacia la autoridad real. Ni entonces ni en ningún otro momento estuvo en duda su lealtad, pero es evidente que estaba decidido a dictar los términos de su servicio. Sólo un joven cuya confianza en sí mismo rayara en la megalomanía habría elegido hacer su presentación en la corte despreciando abiertamente un decreto imperial. No parece probable que él fuera el autor de la intriga de su amigo, pero una vez que el poeta se vio implicado, el sentido de obligación ducal se afirmó. Protestó contra las órdenes reales, amenazó con sustraer sus propios servicios y, cuando nada surtió efecto, hizo lo que le agradó. Sería ésta una pauta para el futuro.

En todo ello se invirtió tiempo, y hubo una nueva detención en París, donde Alba cayó enfermo con una dolencia no especificada. Cuando llegó al fin a Bruselas, Carlos había ya marchado. Hasta finales de marzo no le alcanzaron en la Dieta de Regensburg. Allí, Alba fue afectuosamente recibido, Garcilaso fue encarcelado en una isla del Danubio,[2] y todos se dispusieron a esperar cuatro meses de negociaciones con los príncipes alemanes. No es que éstos se opusieran a un esfuerzo unido contra el turco. Por el contrario, incluso los protestantes estaban entusiasmados, pero la crisis de Oriente era, desde su perspectiva, una oportunidad única para obtener nuevas concesiones de Carlos. Gracias a la paciencia del emperador y a la realidad del peligro otomano, se logró un acuerdo mínimo, pero era ya agosto cuando pudo reunirse un ejército.

Mientras tanto, los turcos sufrían sus propias demoras. Contra toda lógica y toda expectativa, la pequeña fortaleza de Güns, en la frontera de Hungría y Estiria, resistió la fuerte embestida del ejército turco desde el 7 al 28 de agosto,[3] obligando a Solimán a una difícil opción. Sabía que en aquellos momentos Carlos V y sus capitanes maduraban sus planes en el castillo de Linz. El ejército cristiano, aunque más reducido que el suyo, era bueno, y era dudoso que pudiera derrotarlo y abrir brecha en las defensas de Viena antes de iniciarse el invierno. Dado que los turcos, como la *Grande Armée* de Napoleón, se sustentaban principalmente del pillaje, era impensable pasar el invierno en el alto Danubio. Solimán decidió retirarse. El 13 de septiembre, en Fernitz, Estiria, un contingente alemán causó graves daños a la retaguardia turca, pero aparte de esto y las acostumbradas escaramuzas, se derramó poca sangre. Los turcos se habían replegado a esperar otro año, pero nada decisivo se había producido. Para

Alba, a quien aún faltaba un mes para cumplir veintiséis años, debió de ser una terrible decepción.

La experiencia fue más valiosa de lo que parece. Alba había conocido a los principales mandatarios de la época y había formado parte de sus consejos. Su avidez de aprender de ellos le creó una favorable impresión, como también sus amplios conocimientos bélicos.[4] Aún más, al parecer tomó partido por aquellos que querían perseguir al enemigo hasta Hungría.[5] No interesaba a Carlos V el alcanzar una solución final en Hungría, y prevalecieron los espíritus más serenos,[6] pero el celo del joven duque rendiría beneficios en su día. A pesar de la insolencia que mostró en el caso de Garcilaso, sería desde aquel momento aceptado en el círculo íntimo del emperador.

La última e inconexa escaramuza de la campaña tuvo lugar el 23 de septiembre. Casi de inmediato, Carlos, acompañado de su corte y de la pequeña fuerza de soldados profesionales españoles, italianos y alemanes que formaban el núcleo de su ejército, se dirigió hacia Italia siguiendo el camino de Carintia y Friuli. Alba, que en dicha campaña había capitaneado tan sólo un escuadrón de caballería ligera croata, recibió el mando de toda la retaguardia,[7] pero era más un indicio de favor que de reconocimiento a sus dotes militares. No había peligro de ataque para el séquito imperial.

La misión de Carlos V era, en realidad, pacífica. Aunque sólo siete años mayor que Alba, llevaba sobre sus hombros una pesada carga, de la cual el turco era tan sólo una parte. Su vasto imperio políglota, aunque víctima de tensiones internas y constantes hostigamientos del exterior, representaba una amenaza para los países vecinos y era opresivo para muchos de sus súbditos. Los turcos habían sido expulsados, pero era sabido que volverían. Los franceses, aunque estaban en aparente tranquilidad tras la humillación sufrida en Pavía, reunían fuerzas para otra guerra, mientras intrigaban contra Carlos en todas las capitales, desde Londres a Constantinopla. Quizá lo más grave fuera que el protestantismo alemán daba muestras de convertirse en un movimiento político unificado. La formación de la Liga Smalkalda en 1531 y las ambiciosas exigencias de los príncipes luteranos en Regensburg eran augurios que no se podían ignorar. Era perfectamente posible que algún día Carlos V tuviera que enfrentarse al unísono a todos sus adversarios. Parecía que la solución a muchas de estas dificultades podría estar en manos del Papa Clemente VII. Carlos creía que se precisaba un concilio eclesiástico para cerrar el cisma abierto por Lutero, y era evidente que sólo el Papa podía convocarlo. El mejor modo de detener a los franceses era una pacificación general de Italia: la quiebra del sistema de alianzas creado en 1454 con la Paz de Lodi había sido lo que, en primer lugar, había ocasionado que atravesaran los Alpes, y los constantes conflictos en las ciudades-estado les proporcionaban interminables pretextos para volver. También en este caso la clave se hallaba en el Papa. Como mandatario de los Estados Papales, era príncipe de un territorio por derecho propio, y como Médicis, su postura decidiría la de Florencia.

El viaje a Italia era, por consiguiente, un intento de resolver la inminente crisis mediante negociaciones, pues Carlos V sabía que la posición de Clemente VII en relación con ambas cuestiones era, en el mejor de los casos, equívoca. El Papa era extremadamente reacio a convocar un concilio, pues los concilios habían interferido tradicionalmente con las prerrogativas papales, y aún era menos partidario del plan de alianza italiana del emperador. Habían pasado poco más de cinco años desde que el Papa se hallara atemorizado e inerme en el castillo de Sant'Angelo, mientras las tropas imperiales arrasaban la Ciudad Eterna. El saqueo de Roma había constituido un error del cual Carlos no era enteramente responsable, pero es comprensible que Clemente VII pensara que era Carlos V, antes que Francisco I, la principal amenaza para la Santa Sede. Una alianza italiana dominada por el emperador crearía gran alarma en París, y pudiera incluso costarle la amistad del único monarca que podría protegerle contra el dominio Habsburgo. Ante todo, pondría en peligro el mejor golpe dinástico de su carrera: el próximo matrimonio de su sobrina Catalina de Médicis con el hijo del rey, el Duque de Orleáns.

Las resultantes polémicas y sus secuelas debieron ser intensamente educativas para el joven Duque de Alba. Tras ser suntuosamente agasajada en Mantua por Ferrante Gonzaga, la corte imperial se trasladó a Bologna, donde la esperaba el Papa Clemente.[8] Las negociaciones se prolongaron desde diciembre de 1532 hasta fines de febrero de 1533. Finalmente, Carlos obtuvo lo que quería: una alianza con Italia y el consentimiento papal al concilio, a pesar de que el Papa siguió negándose a convocarlo sin el beneplácito francés. Lo cierto es que el Papa no tenía la menor intención de cumplir con estos acuerdos. Su asentimiento se debía únicamente a la presencia de Carlos V con sus hombres armados, y a que no parecía haber modo alguno de negarle sus deseos. Carlos embarcó hacia España llevando consigo tan sólo pedazos de papel, y Francisco I pronto hizo saber que no tenía el menor interés en el concilio, y que se estaban haciendo preparativos para una nueva invasión de Italia. La boda de Catalina se celebró efectivamente en octubre, en Marsella, con la presencia de Clemente VII, y fue en esta feliz y espectacular ocasión cuando el Papa escribió a Carlos V informándole afectuosamente de que su Cristianísima Majestad el rey de Francia, amado aliado de la Santa Sede, había firmado recientemente un tratado de alianza con el Gran Turco.[9]

No podía preverse lo que pudiera resultar de semejante acuerdo, pero Carlos no necesitaba recordatorios de que sus asuntos con el infiel seguían inconclusos. Se hallaba por entonces en España, trasladándose de un sitio a otro, escuchando los sempiternos agravios de las Cortes de Aragón en Monzón. Sus súbditos españoles estaban, como siempre, preocupados por el peligro musulmán en el Mediterráneo occidental, y los despachos de Italia contenían también ruegos de acción. Los turcos habían dirigido su acción hacia el mar y atacaban los puertos del Adriático, llevándose miles de cristianos para ser esclavos en Oriente. El peligro aumentó al disponer no sólo de una sino de dos flotas, estando su principal escuadra generalmente situada al este de Mesina y una segunda, bajo el mando de su tributario Kheirredin Barbarroja, en Argel.

Barbarroja, nacido cristiano, era por aquel entonces mayor, pero en modo alguno se había retirado. Pirata de oficio, había concebido ambiciones políticas y, con el respaldo turco, había logrado controlar una serie de ciudades y guarniciones en la costa norteafricana. La toma de Argel en 1529 había representado un decisivo golpe estratégico, y sus incursiones en las costas napolitanas y valencianas suponían nuevos insultos. Finalmente, en agosto de 1534, depuso al Bey de Túnez, Muley Hassan, completando así su dominio del litoral desde Marruecos a Djerba. Era evidente que se requería una respuesta, y empezó a tomar cuerpo en el pensamiento del emperador un plan para recobrar Túnez. Se comenzaron los preparativos en el otoño de 1534, a pesar de que los obstáculos eran formidables y de todo tipo. Incluso en España existía un partido, encabezado por el Arzobispo de Toledo, que consideraba las empresas africanas como poco más que un desatino lunático. En el resto de Europa la situación seguía siendo extremadamente peligrosa, a pesar de que hasta el momento ni franceses ni protestantes habían emprendido acciones concretas. Se precisaban tediosas y delicadas negociaciones con Francia para evitar una alianza franco-protestante o la marcha francesa hacia Italia; pero, finalmente, una gran flota de 100 galeras y un número tres veces superior de naves de transporte se hizo a la mar desde Cerdeña el 10 de junio de 1535. Alba, a quien había visitado el emperador en Alba de Tormes en 1534,[10] estaba al mando de los jinetes armados.

No era, militarmente, un puesto de importancia, dado que los días del caballero de armadura habían pasado ya, y su valor en una operación anfibia era, en especial, dudoso, pero era al menos una honrosa distinción, adecuada a su rango. Leal a la costumbre de la casa, Alba llevó consigo no sólo a su hermano Bernardino, sino a su hijo de cinco años, García.[11]

Túnez está situado en el extremo occidental de un puerto circular cuya angosta entrada estaba dominada por una ciudad fortificada, conocida por los españoles como La Goleta. Las fuerzas imperiales pusieron sitio a dicha fortaleza, siendo ésta su primer objetivo poco después de arribada la armada, el 15 de junio. Una caballería fuerte no contribuye demasiado en semejantes operaciones. Alba pasó los primeros quince días de la campaña sin tomar parte en ella, ocupándose de cuestiones tales como la recepción del aliado de Carlos, Muley Hassan, el 29 de junio.[12] El 4 de julio entró finalmente en acción, pero fue ésta limitada, accidental y de resultados indecisos. Había salido con su escuadrón al amanecer para proveerse de forraje para los caballos, y merodeaba cerca de las ruinas de Cartago cuando se vio ante una fuerza de más de 500 jinetes moros. A pesar de que le superaban en más del doble, no sería ésta una repetición del desastre sufrido por su padre en Djerba. A diferencia de don García, el duque había considerado su posición y se había asegurado una vía de retirada. Tras una viva, y sumamente satisfactoria, escaramuza, pudo replegarse en perfecto orden, llegando al campamento a las nueve de la mañana. Desafortunadamente, esta acción, bien librada pero de interés limitado, le tuvo alejado de los sucesos principales del día. Los moros de La Goleta, viendo el polvo que su refriega levantaba, concluyeron que una parte sustancial de las fuerzas sitiadoras se hallaba en ella, y realizaron una salida. Fueron rechazados con fuertes pérdidas, pero dado que el ataque se había producido en el momento preciso en que Alba y sus hombres se quitaban la armadura, quedaron impedidos de participar en la lucha.[13]

Siguieron a ello otros diez días de relativa inactividad. Y entonces, en la mañana del 14 de julio, La Goleta cayó ante un masivo ataque frontal. Es probable que Alba participara, pero se desconoce el carácter exacto de sus actos aquel día. Ossorio afirma con lealtad que la caballería de Alba sembró muerte y terror entre los moros,[14] pero nadie más menciona su presencia a excepción de Santa Cruz, que observa simplemente que asistió a misa con Carlos V antes del ataque.[15]

Para un hombre de la orientación profesional de Alba, esto debió ser difícilmente aceptable, pero el resto de la campaña le compensó. La caída de La Goleta despertó en algunos cortesanos esperanzas de una pronta marcha, y se opusieron a un asalto a la propia Túnez. De modo increíble, Carlos vaciló, pero, finalmente, ante la insistencia de Alba y el Infante de Portugal, recapacitó.[16] El 20 de julio marcharon hacia Túnez siguiendo la orilla norte de la bahía.

En un principio pareció que los pesimistas iban a tener razón, pues la marcha hubo de realizarse atravesando una región arrasada y sin agua, de arena y matojos, y hubieron de invertirse siete horas en cubrir las cinco millas que unen La Goleta al primer grupo de pozos de agua. Los caballos morían bajo el calor ardiente, y los hombres se ataban al cañón sólo para descubrir, una vez alcanzada la preciada agua, que Barbarroja les había preparado una recepción. Los pozos se hallaban entre la bahía, a la izquierda de las fuerzas imperiales, y un extenso olivar a su derecha; los moros habían situado varios miles de arcabuceros y 12 cañones directamente en el centro, al lado del agua, y había un nutrido cuerpo de caballería en ambos flancos. Sandoval calcula la totalidad de sus fuerzas en unos 30.000 hombres,[17] pero es casi con certeza un número exagerado.

Agotados y casi literalmente muertos de sed, los cristianos formaron un rudimentario orden de combate. El emperador, su guardia personal y la artillería ocupaban el centro, la infantería italiana de vanguardia se mantuvo a la izquierda, en la costa, y el olivar quedó cubierto por los veteranos españoles. Alba, que durante la marcha había dirigido una lamentable retaguardia compuesta por sus hombres a caballo y un conjunto de reclutas bisoños españoles, se encontró guardando el bagaje. Puede imaginarse su estado de ánimo y el de sus caballeros, medio asfixiados como estaban bajo sus pesadas armaduras.

Barbarroja comenzó por dirigir su artillería contra los italianos. Causó cierta confusión entre ellos, pero se repusieron cuando Carlos V cañoneó el centro musulmán. Con sus restantes cañones, Barbarroja respondió con la misma moneda. Un cañonazo mató al caballo de Carlos, pero el principal asalto moro fracasó y fue seguido por un contraataque imperial, que acabó por expulsar al infiel de los pozos de agua. Mientras tanto, se le presentaba a Alba, olvidado y furibundo en la retaguardia, su oportunidad. En un intento de maniobra envolvente, Barbarroja había lanzado un cuerpo de caballería hacia el olivar. Aparecieron en el flanco de la posición de Alba en el momento en que Carlos iniciaba su contraataque. Fue un momento peligroso, pues eran muy numerosos, pero Alba giró sobre el flanco y cargó con ímpetu, rompiendo su ataque y obligándolos a replegarse hacia los olivos por donde habían venido.[18] En una lucha hombre a hombre, la caballería ligera mora no podía equipararse a la europea, pero fue, con todo, una contribución importante, diestramente ejecutada, frente a un número de hombres muy superior. Y lo que acaso sea más significativo: al prohibir la persecución, Alba demostró no ser un aventurero alocado, sino un soldado que sabía utilizar la cabeza. Mucho tiempo después que Barbarroja se hubiera retirado a la protección de las murallas de Túnez, se recordaría este hecho.

Descrita a grandes trazos, la batalla parece más ordenada de lo que en realidad fue. Para los participantes fue poco más que un caos generalizado, para el que los cristianos se hallaban lamentablemente desprevenidos. Su éxito fue probablemente sorprendente, pero si así fue, a él siguió un milagro. Aquella misma noche, los miles de esclavos encerrados en la ciudad se sublevaron y Barbarroja, que no era precisamente un fanático, huyó hacia Argel.

Poco tiempo derrochó Carlos V en disfrutar de su victoria. Al cabo de un mes se hallaba de camino a Sicilia. Allí, en Trapani, el 26 de agosto, Bernardino, hermano de Alba, murió de una enfermedad venérea.[19] Los hermanos habían estado unidos, pero si Alba habló de la pérdida, ni una sola palabra de ello se conserva.

La llegada a Trapani marcó el comienzo de una marcha triunfal a través de Sicilia y la península italiana, que duró la mayor parte del otoño. En Monreale y Palermo, en Mesina y en todas las ciudades de la ruta hacia Nápoles, el emperador fue acogido como un nuevo Escipión el Africano.[20] Los festejos fueron maravillas de ingenio renacentista, pero tampoco en este caso se guarda noticia de la reacción personal de Alba. Sabemos tan sólo que estuvo siempre al lado del emperador y, aun si es de suponer que se dolía de la pérdida de su hermano, tenía al menos un motivo de profunda satisfacción. Cuidadosamente dispuestas entre su equipaje, se encontraban las armas de su padre, perdidas muchos años atrás en Djerba y después gloriosamente recuperadas en el arsenal de Túnez.[21] Ello representaba un triunfo y Carlos V lo sabía, pues él mismo se las había ofrecido al duque ceremoniosamente, pero aunque la recompensa complació visiblemente a Alba, en nada mitigó su ardor. Sus cuentas con el infiel eran cuantiosas y nunca llegarían a quedar saldadas del todo.

El invierno de 1535-36 lo pasó en Nápoles, dedicado a la alta política, y la primavera en Roma, en consultas con el Papa. Las intenciones del emperador no se habían alterado sensiblemente desde 1533. Aún solicitaba el concilio y aún deseaba una Italia unida frente a Francia, pero esta vez tenía la impresión de que sus posibilidades de éxito habían aumentado mucho. En octubre de 1534, para alivio manifiesto de prácticamente todos, Clemente VII había pasado a gozar de cualesquiera que sean las gratificaciones que aguardan a un Papa vacilante. Su sucesor, Paulo III, era todo menos indeciso. Aunque era un cabal nepotista y en muchos sentidos un nostálgico de tiempos más pausados, Alejandro Farnesio no se hacía ilusiones sobre la urgencia de la reforma. En su primer consistorio había ya comentado la necesidad de un concilio, y en los meses subsiguientes había llenado el Colegio Cardenalicio no sólo con sus jóvenes parientes, sino también con distinguidos hombres de la Iglesia de talante reformador de todos los Estados de Europa.

Carlos V estaba convencido de haber encontrado al fin a un aliado, pero sólo en parte estaba en lo cierto. Como demostrarían las conversaciones en Roma, Paulo III quería un concilio, pero había de ser en sus propios términos, y no tenía la menor intención de abandonar la neutralidad papal en el asunto de Francia. Ello era particularmente irritante, dado que los franceses habían tomado Turín en el momento preciso en que Carlos V llegaba a Roma, y era sólo cuestión de tiempo el que intentaran hacer valer sus derechos sobre Milán. A pesar de todo, una auténtica neutralidad era preferible a un partidismo abierto a favor de Francia, y en los próximos años el Papa Paulo haría valiosos esfuerzos en pro de la paz.

Para Alba, estos meses resultaron, sin duda, mucho más productivos y menos desalentadores que para su señor. No se conocen pormenores de sus actividades, puesto que raramente escribía motivado por la simple amistad y existen grandes lagunas en su correspondencia en los períodos pasados en la corte, pero sabemos que tenía constante acceso al emperador y que, en palabras del Conde de Nieva, «el Duque participa continuamente en los consejos y el emperador le trata muy bien».[22] En términos prácticos, estaba desarrollando una estrecha relación de trabajo con Carlos V, que perduraría hasta la muerte de éste, así como una personal fidelidad que trascendió incluso a la tumba. Hasta qué punto era correspondido es cuestión que queda abierta a dudas, pues Carlos era demasiado receloso para permitirse favoritismo alguno, pero era cada vez más evidente que la compañía de Alba le agradaba y que, al menos dentro de ciertos límites muy definidos, el emperador estaba empezando a escuchar los consejos del duque.

No es esto sorprendente. Sólo siete años les separaban en edad, y compartían un grado de religiosidad y firmeza de propósito que originaba una espontánea coincidencia en la mayoría de las cuestiones. Ambos eran, además, hombres serios y reservados y se encontraban, por consiguiente, cómodos en mutua compañía. Si Carlos V carecía de la ferocidad controlada que era tan consustancial al carácter de Alba, comprendía que este rasgo podía ser útil. La relación parece haber estado libre de tensiones o rencores por ambas partes. No eran amigos –algo que habría sido inconcebible, dada su común visión de un mundo jerarquizado y de la función del emperador en él–, pero compartirían muchas cosas en años venideros, y la piedra angular de su asociación fue colocada en esta primera época.

El segundo efecto de la estancia en Italia fue de índole totalmente distinta. Sin proponérselo conscientemente, pero con un certero instinto político, el duque empezó a tejer una red de vínculos que le convertirían un día en una figura importante, si bien oscura, de la política italiana. Su aparición en este mundo laberíntico se produjo como parte de su asociación al emperador. Al final, sin embargo, la posición de su tío don Pedro de Toledo, Virrey de Nápoles, fue más decisiva. Robusto, colérico y enormemente capacitado, don Pedro se había ya convertido en una fuerza a tener en cuenta en la península italiana. Tanto él como su hijo don García serían siempre firmes aliados del miembro de rango superior de su familia. Su relación cobró mayor enjundia cuando la hija de don Pedro se casó con Cósimo II, Duque de Florencia, y su segundo tío, Juan, fue nombrado Cardenal-Arzobispo de Santiago. Hacia mediados del siglo, había Toledos con funciones en Nápoles, Florencia y el Vaticano, y Alba, no obstante su decidido castellanismo, sería la cabeza de un clan italiano comparable en influencia a los Farnesio y los Gonzaga. Nada de todo esto estaba predeterminado en 1536, pero los astutos italianos, siempre atentos a cualquier vibración en los hilos de su tenue malla, observaron con cuidado al joven español mientras éste se movía entre cortes, embajadores y palacios cardenalicios. Pero pronto la política cedió el campo a la guerra. Había que actuar frente a los franceses y Carlos V, habiendo obtenido todo lo posible del Papa, consultó a sus consejeros militares. Se le presentaban tres vías de acción: podía no prestar importancia a la invasión del Piamonte; podía expulsar a los franceses y asegurarse los pasos alpinos; o podía utilizar el incidente como pretexto para llevar la guerra a Francia. La primera opción era inaceptable por varios motivos. Los italianos, como era de esperar, se inclinaban por la segunda, mientras que los españoles apoyaban la tercera. El emperador, animado por su victoria tunecina, era partidario de la opinión española, pero su decisión última demostró ser catastrófica. Entre los españoles, el Conde de Leyva aconsejaba un ataque a Marsella, ciudad que, si bien sólidamente fortificada, era la clave de la potencia marítima francesa en el Mediterráneo. Le secundaba Andrea Doria, el gran almirante genovés, que tenía motivos evidentes para desear mutilar a la rival de su propia ciudad. Alba afirmaba que aquello sería una locura. El ejército francés se hallaba debilitado por sus recientes esfuerzos y tendría tiempo para recuperarse si las fuerzas imperiales se ocupaban en el sitio de la ciudad fortificada. Por el contrario, él proponía un ataque a Lyon, ciudad rica y mal defendida. Francisco I tendría por fuerza que escuchar los ruegos de sus súbditos y podría, por tanto, ser atraído a una batalla defensiva que en teoría dejaría abierto el camino a París.[23] Carlos V decidió a favor de su comandante de mayor edad. Creía que la invasión de Provenza podía ser apoyada por la escuadra y que su jefe militar del norte, Henry de Nassau-Dillenburg, podría crear una considerable operación de diversión en la frontera flamenca. Se equivocaba en ambas cosas.

Desde sus comienzos, la campaña fue víctima de la confusión y de abundante malestar, debido en medida no despreciable al mismo Carlos. Durante la larga marcha seca de Italia a Marsella, insistió en cambiar los mandos de las diversas unidades, y dividirlas después de ello. La vanguardia, por ejemplo, quedó primero bajo las órdenes de Gonzaga, después de Alba y más tarde de Mosén de Sistán.[24] Mientras tanto, Alba, supuesto capitán general de los caballeros montados, tuvo que competir con un subordinado que le igualaba en rango: su primo, el inmensamente rico Conde de Benavente, capitán de la Guardia Imperial.[25] En la cima, Antonio de Leyva se veía a su vez limitado por la presencia del emperador, que se había lanzado ya en serio a su larga carrera como comandante del ejército en campaña. Eran inevitables las tensiones y, mucho antes de que las tropas imperiales llegaran a Marsella, las comunicaciones internas se habían quebrantado en gran medida.

La Provenza de 1536 era un lugar muy poco apropiado para que esto ocurriera. Hoy día, pocas personas habría que consideraran duro un viaje por Niza, Antibes y Cannes, pero entonces era una región pobre y baldía, que ofrecía un nivel de subsistencia norteafricano a habitantes e invasores por igual. Los franceses, bajo el gobierno del artero Condestable Anne de Montmorency, agravaron la situación al adoptar la política de abrasar las tierras, que en nada benefició ni a la logística ni a la disposición del campesino local. En realidad, su campaña fue uno de los primeros ejemplos de eficaz guerra de guerrillas. Con habilidad, fiereza e imaginación, los habitantes hostigaron las líneas de comunicación y a los rezagados que quedaban aislados, mientras se mantenían en continuo contacto con el ejército regular. En un principio, esto originó tan sólo relativa inquietud, ya que Carlos se proponía aprovisionar a su ejército desde el mar, pero pronto fue evidente que la coordinación requerida para semejante empeño estaba fatalmente fuera de su alcance. Ni la organización ni los medios de que disponía estaban al nivel de la empresa. La única carta que se conserva de Alba relativa a la campaña es enormemente ilustrativa: no sabe dónde se encuentra Doria, ni hay barcos por ninguna parte, y los franceses acaban de capturar un bote que transportaba 136 sacos de preciada harina.[26] La poca o mucha gloria atribuida a esta desgraciada aventura se debe a Alba. Tras una prolongada demora, el emperador estableció su campamento en Aix y ordenó un reconocimiento general. Una sola ojeada le convenció de que, como había predicho Alba, Marsella era inexpugnable, y decidió retroceder. Desafortunadamente, incluso esto era imposible hasta que alguien pudiera entrar en contacto con Doria. Habiendo visto ya el camino de regreso, Carlos V sabía que se precisaría de nuevos suministros, y que los enfermos y heridos tendrían que ser transportados en barco para poder sobrevivir. Según todos los informes, la flota genovesa se encontraba frente a la desembocadura del Huveaune, donde quedaba oculta de la ciudad por la altura de Notre Dame de la Garde. Para alcanzarla, los inválidos, el bagaje y su escolta militar tendrían que descender por el valle de Aygalades y rodear parcialmente Marsella por vía de Le Canet, Plombiéres y el valle del Jarret.[27] Durante gran parte del viaje estarían al alcance de un ataque desde las murallas. Se necesitaba claramente una fuerza amplia y experimentada, y Alba, aún «muy sentido» por haber sido relevado por Mosén de Sistán,[28] fue nombrado para dirigirla. Los motivos de esta decisión son desconocidos.

El 31 de agosto Alba marchó hacia Marsella a la cabeza de los tercios de Sicilia y Lombardía, los mercenarios alemanes y una tropa de 600 de caballería ligera bajo el mando de Sancho de Leyva. Acamparon aquella noche a una media legua de la ciudad, y a la mañana siguiente emprendieron el camino hacia la costa, protegiendo el bagaje contra posibles ataques con el cuerpo principal de las tropas. Como era de esperar, salió del recinto amurallado una gran fuerza de a pie y a caballo, cubierta por un denso fuego procedente de las murallas, pero Alba la rechazó y aquella noche acudió a reunirse con las galeras de Doria, que por una vez, se encontraban exactamente donde debían estar.[29]

Se comenzó de inmediato a descargar los suministros. Con su ya habitual precaución, Alba encargó a don Sancho y la caballería que patrullaran toda la vecindad. Hacia la caída de la tarde toparon con unos 500 franceses de caballería y un destacamento de arcabuceros, apostados en los alrededores del campamento con el fin de observar las operaciones y capturar a los rezagados. Las líneas interiores de comunicación de Alba debieron ser tan discretas como eficaces, pues consiguió contener a De Leyva hasta poder armar secretamente a los hombres en sus puestos y formarlos en escuadrones para un ataque en regla. Los franceses se vieron obligados a retroceder al interior de las murallas, sufriendo grandes pérdidas. Se hicieron algunos prisioneros, pero el duque ordenó su liberación y dispuso una escolta para devolver a los heridos a la ciudad sin percances. Toda aquella noche, un destacamento español rondó las murallas de la ciudad intercambiando insultos con los franceses y evitando que efectuaran un «encamisado», un ataque nocturno al campamento.[30]

Las operaciones del siguiente día fueron decididamente de carácter más crítico. Para proteger el embarque de los heridos, Alba formó sus fuerzas en orden de combate y envió al temible De Leyva a crear una diversión cerca de la ciudad. Una vez más, salieron los franceses y se les proporcionó toda una tarde de escaramuzas, mientras que la principal operación continuaba sin impedimento. El 4 de septiembre, los heridos y el bagaje sobrante habían sido totalmente evacuados, estaban en tierra los nuevos suministros y Doria pudo pasar un día en Aix en consulta con el emperador. Las pérdidas imperiales eran insignificantes.

Dado que se esperaba la segunda flota de galeras en Rens, Alba se retiró aproximadamente una legua siguiendo la costa, pero no sin antes haber ofrecido a los franceses otra provechosa lección en las reglas de la guerra limitada. Para cubrir su retirada, dispuso un destacamento de españoles en una casa que se hallaba fuera de las murallas, y mandó a don Sancho a emboscarse en el camino que unía la ciudad y la casa. Después se puso en marcha todo lo ostentosamente que pudo, y los franceses, irritados y sedientos de venganza, salieron en tropel para reclamar las víctimas del sacrificio. Funcionó la trampa, y sólo unos cuantos franceses consiguieron ganar la protección de la ciudad.[31]

Desgraciadamente, el tiempo empezó a empeorar, y el día 7 las galeras no habían aparecido todavía. Cuando llegaron, no pudieron volver a salir, y Alba se vio forzado a pasar el tiempo en ingeniosas, pero indecisas, acciones menores para proteger su posición. Por entonces, el comandante de rango superior, Antonio de Leyva, murió en Aix. El cronista Sandoval observa con malicia que había insistido en la invasión porque su astrólogo le había dicho que moriría en Francia y sería enterrado en St. Denis. Consiguió su deseo. Murió en Francia y fue enterrado en San Dionysio, en Milán.[32] Debió suponer un gran alivio para Alba el poder regresar al cuartel general imperial cuando el mar se calmó, el 11 de septiembre.

Esta serie de sucesos, por lo demás modestos, ha sido pormenorizadamente descrita por dos razones: fue el primer mando de campaña independiente de Alba y significó un ejemplo modélico de cómo deben conducirse semejantes operaciones. En ésta, Alba demostró plenamente su maestría en un aspecto del arte de la guerra y determinó el estilo de su mando: sagaz atención al detalle y economía en los medios serían sus distintivos, y en estos últimos momentos de la fracasada campaña quedaron ambos demostrados. Fue una actuación de extraordinaria madurez para un soldado de veintiocho años y, al menos con el emperador, su reputación quedó establecida.

Pero nada puede mitigar la pesadilla final de la retirada. Según las *Mémoires* de los Du Bellay, la devastación creada por la mano del hombre y la fiera resistencia de los campesinos causaron «un espectáculo tan horrible y lastimoso que entristecía hasta al más obstinado e intransigente de los enemigos, y los que presenciaron aquella desolación no pudieron sino creer que no sería menor la descrita por Josephus en la destrucción de Jerusalén.[33]

Y además, costó la vida a Garcilaso de la Vega. La muerte del poeta fue tan vulgar como sin sentido. En Le Muy, un grupo de campesinos, decididos a resistir, se pertrechó en una torre. Se encargó a Garcilaso la misión de desalojarlos, y los campesinos, creyéndole con razón jefe del enemigo, le tiraron una piedra a la cabeza. Fue transportado a Niza, donde murió, y su cuerpo quedó allí depositado, en el Monasterio de los Frailes Dominicos.[34]

Alba veía caer sus mitos, así como a sus compañeros de infancia, uno tras otro. Después de Provenza no hubo ya más discursos heroicos en los consejos, no más exhortaciones a avances precipitados. Había aprendido la importancia de la logística y se había percatado por sí mismo de los peligros de una campaña entre un campesinado hostil. Su visión de la guerra se iba haciendo prudente, y si sus soluciones a este tipo de problema no eran casi nunca originales, serían no obstante muy concienzudas.

Alba se encontraba ahora firmemente emplazado en la confianza del emperador, pero los años inmediatamente posteriores le ofrecerían escasas oportunidades de demostrar su destreza militar. Empleó este tiempo para extender la madurez adquirida en la guerra a los campos de la diplomacia y los asuntos de Estado. La campaña de Provenza había debilitado a ambas partes, y durante los siguientes dieciocho meses Carlos V y Francisco I se entregaron, cautelosamente y con intermediarios, al esfuerzo de encontrar una fórmula aceptable de paz. El año 1537 lo pasó, por consiguiente, en España. Alba atendió a sus obligaciones, maritales y de todo tipo, y sólo abandonó sus dominios para acompañar a Carlos V en ocasiones tales como la celebración de la Pascua florida en Valladolid.[35] El 10 de julio murió su madre, doña Beatriz.[36] El 21 de noviembre nació su segundo hijo, Fadrique. Y hasta la primavera de 1538 no saldría el duque una vez más de su rústica reclusión para reanudar sus viajes.

La ocasión fue una gran asamblea de paz en que participaban el Papa, el emperador y el rey de Francia. El año posterior a la invasión de Provenza había presenciado una dura, pero indecisa, campaña en las fronteras de Flandes y una demostración de fuerzas francesas en el Piamonte, que fue contrarrestada por un movimiento imperial al interior del Languedoc. Las negociaciones, aunque prolongadas, llegaron finalmente a un punto muerto. El giro se produjo en febrero de 1538, cuando Carlos concluyó una alianza con Venecia, el Papa y su hermano Fernando. A pesar de que su finalidad manifiesta era la de detener al Turco, alarmó tremendamente a los franceses; cuando el Papa convocó una reunión general en Niza, éstos accedieron al menos a hablar en serio.[37]

Como siempre, Carlos deseaba un acuerdo que le dejara en libertad para ocuparse de turcos y protestantes, pero la asamblea de Niza no sería ni decisiva ni tampoco agradable. Carlos V y su séquito, entre ellos Alba, llegaron a Savona el 9 de mayo y se dirigieron hacia Niza, donde el emperador se reunió con su hermana Eleonora, esposa de Francisco I. Las condiciones no eran precisamente regias. Las camas eran tan malas que las damas prefirieron permanecer levantadas toda la noche, y la cena al día siguiente no fue mucho mejor. Había

94

vino e incluso agua helada, pero el calor era tan intenso que Carlos tuvo que cometer la suprema incorrección de quitarse el sombrero en la mesa, y a lo largo de toda la comida, Alba permaneció a su espalda, llevando guantes, para espantarle los insectos.[38]

Los resultados diplomáticos estuvieron en consonancia con la elegancia del entorno. En ningún momento estuvieron Carlos V y Francisco I cara a cara; cada uno se dirigía separadamente al Papa, que servía de intermediario. Finalmente, acordaron una tregua de diez años, sin resolver el problema de Milán ni ninguna de las cuestiones fundamentales. Como para disimular el fracaso, Francisco I invitó a Carlos a reunirse con él en el castillo de Aigues Mortes, pero tan dudosas eran sus intenciones que Carlos y varios de sus consejeros vacilaron en aceptar. Fue Alba quien desequilibró la balanza. Declaró que una negativa parecería hostil e irresponsable a ojos del mundo, mientras que si aceptaba, Francisco I no intentaría nada por miedo a ser calificado de villano irredento.[39] Afortunadamente, su postura prevaleció, y a mediados de julio ambos monarcas se vieron primero en la galera de Carlos y después en el mismo Aigues Mortes. No se habló de ningún asunto de importancia, pero hubo varias conversaciones en humor agradable entre Carlos, Francisco y Alba, cuya compañía parecía complacer al rey de Francia.[40]

El emperador no se dejó engañar por esto. Brandi tiene razón, probablemente, cuando dice que las conversaciones habían acabado de convencerle de que una paz duradera con Francia era imposible,[41] pero había ganado tiempo, y era esto lo que ante todo necesitaba para perseguir una ilusión de mucho mayor alcance y esplendor: estaba decidido a saldar cuentas con los turcos de una vez por todas. No sería esta vez una simple *razzia* sobre Argel, como hubieran preferido los españoles, sino una cruzada al excelso estilo medieval. Incluso se habló de Constantinopla como objetivo.[42] El absoluto despropósito de semejante plan se le haría, finalmente, manifiesto, pero no antes de que hubiera provocado un gran enfrentamiento, en el que Alba tendría parte importante, con la nobleza castellana.

Carlos V no estaba tan absorto en fantasías quijotescas

como para olvidar que incluso una guerra santa precisa de financiación, y se convocaron las Cortes de Castilla poco después de su regreso de Aigues Mortes. Por motivos que quedarán abundantemente claros, fueron las últimas cortes en que participó la nobleza.

La finalidad del emperador era la de obtener aprobación para una «sisa» (impuesto de consumo), que representaría un duro gravamen para los nobles. Convocados mediante cédula el 6 de septiembre de 1538, el grupo se reunió en Toledo a fines de octubre. Se hallaban presentes 74 nobles, 24 prelados y los procuradores de 17 villas reales que aún poseían derecho de voto. El talante de los nobles se hizo evidente desde el inicio. El 2 de noviembre se reunieron y votaron que sus sesiones fueran mantenidas en secreto, que se nombrara una comisión de 12 personas –incluido Alba– para considerar el asunto, y que don Luis de la Cerda, el miembro de la casa de la emperatriz que les había congregado, fuera excluido fundándose en que ni él ni su padre poseían tierras en Castilla.

Tres semanas de deliberaciones revelaron que la comisión estaba profundamente dividida y que era incapaz de emitir un documento. Por consiguiente, se intentó plantear la cuestión primordial de si la votación sería por mayoría simple o de tres cuartas partes. Cuando prevaleció la primera alternativa, Alba, junto a quince de sus allegados y parientes, abandonó la sala, diciendo que «él no era de esa opinión».

El asunto era penosamente sencillo. Una mayoría de nobles, acaudillada por el Condestable de Castilla, no estaban dispuestos a acabar con su tradicional exención fiscal. Una minoría, encabezada por Alba y compuesta en gran medida por sus parientes y una serie de hombres que habían acompañado a Carlos V en sus viajes, deseaban llegar a un compromiso. Uno de ellos, el Conde de Ureña, permaneció en la sala tras la salida de Alba e intentó aplazar las deliberaciones sobre la hipótesis de que no todos se hallaban presentes. También esto fue denegado, y finalmente decidieron considerar la mayoría como quórum, y la mayoría simple de los presentes como suficiente para tomar una determinación. Una vez llegados a esta decisión, se presentaría al emperador como unánime.[43]

Alba quedó, de este modo, en una incómoda posición. Durante las semanas que siguieron fue objeto de enormes presiones y de duras acusaciones de ser un traidor a su clase. Era la primera vez que se había puesto a prueba su lealtad a la corona, pero no sería en modo alguno la última. El triste hecho era que al menos dos aspectos de su ideología personal eran irremediablemente irreconciliables. Su castellanismo y su orgullo de casta estarían siempre en pugna con su fidelidad a una monarquía internacional y teóricamente absoluta, y si se inclinó en general por la última, sus decisiones tuvieron siempre un alto coste personal. Gran parte de su irascibilidad en el trato con sus señores era resultado de este conflicto interior.

Pronto se daría un ejemplo. Como siempre, las Cortes procedieron con glacial solemnidad. La Navidad llegó y se fue sin resultado alguno. El 12 de enero se celebró un torneo, en el transcurso del cual se produciría un incidente que fue causa de una confrontación directa entre Carlos V y los nobles. Un alguacil que hacía esfuerzos por contener a la multitud de espectadores golpeó al caballo del Duque del Infantado. Éste, que apoyaba a Carlos y Alba en la cuestión de la sisa, exclamó de inmediato: «¿Sabes quién soy yo?», a lo cual le fue contestado: «Sé muy bien quién sois; sois el Duque del Infantado». El enfurecido duque desenvainó la espada y le dio un tajo en la cabeza al alguacil, ante lo cual éste asestó un golpe al caballo del Infantado con su propia espada, produciéndole una herida superficial. Parecía inminente un altercado generalizado. Pero era algo intolerable. Una corte del siglo XVI era una comunidad autónoma con sus propias leyes y una serie de funcionarios para ver de que se cumplieran; el alguacil era, por consiguiente, un representante de la autoridad imperial, y atacarle en presencia del emperador constituía una ofensa al propio Carlos V. Antes que dar la impresión de ser incapaz de mantener el decoro en su propia corte, Carlos ordenó al alcalde que arrestara al Infantado. Llegado este punto, Alba intervino. Visiblemente irritado por lo que él consideraba una falta de respeto para la categoría de Infantado, se adelantó junto al Condestable e impidió el arresto. Diciendo el alcalde que correspondía a sus iguales tratar con el duque, marcharon hacia su alojamiento escoltados por los restantes nobles. Al día siguiente, los 74 sin excepción dejaron de acudir a la sesión.[44]

Podría aventurarse que la acción de Alba fue una astuta maniobra de teatralidad política destinada a restablecer su prestigio entre los nobles, pero es improbable. Aunque era tortuoso en sus tratos con los enemigos de España, desdeñaba sin ambages semejantes técnicas en el frente nacional y, en general, prescindió de ellas, incluso en circunstancias más favorables que ésta. Su anterior defensa de Garcilaso y una serie de incidentes de su posterior carrera demuestran que era consistentemente desafiante cuando sus propias prerrogativas y las de sus pares estaban implicadas, siempre que el ejercicio de una prerrogativa no interfiriera con los fines de mayor alcance de la política regia. Intelectualmente, Alba podía justificarlo creyéndolo compatible con un sistema jerárquico en que las distintas funciones sociales estaban claramente definidas, pero sus conflictivas posturas le causarían graves dificultades. Esta ocasión no tuvo consecuencias. Carlos, no queriendo alienarse a los pocos nobles que aún le apoyaban, perdonó en seguida a Infantado, pero su concesión no le ganó la deseada sisa.[45] Alba, el Infantado y sus quince adeptos continuaron defendiéndola, pero el resto se mantuvo firme y añadió un discurso gratuito, si bien tradicional, sobre la necesidad de que el emperador permaneciera en España y redujera sus gastos. Las Cortes se cerraron, dejando a la Cruzada un futuro incierto.

Pero no fue, sin embargo, el fracaso en las Cortes lo que hizo que Carlos alterase sus planes, sino un tumulto de nuevos contratiempos en Alemania y los Países Bajos. En 1536, el vicecanciller imperial, Mathias Held, había recibido instrucciones de acallar a los protestantes alemanes. Con lo que parece haber sido su habitual insensatez, quiso cumplir formando una unión de príncipes católicos con el fin de amenazar a los protestantes. Muy alarmada, la Liga Smalkalda empezó a hacer planes en previsión de una guerra cuando se inauguraban las Cortes de Toledo. Otro emisario, el arzobispo de Lund, logró calmar los ánimos, pero el precio fue una nueva ronda de conversaciones sobre religión, que comenzaría en el año entrante. Mientras tanto, en Flandes, Gante eligió este momento para sublevarse contra la hermana de Carlos V,

María de Hungría, y en las tierras fronterizas, el nuevo Duque de Cleves-Jülich, en teoría adepto al emperador, empezó a intrigar con los franceses, con la esperanza de reafirmar la antiquísima independencia de su casa. Era evidente que se requería la presencia de Carlos, pero su sueño de Cruzada se resistía a morir. Solamente la muerte de parto de la emperatriz el 1 de mayo de 1539 y los ruegos vehementes, pero persuasivos, de su hermana le hicieron recapacitar. Empezó a tomar medidas para realizar un viaje, no sólo destinado a tratar con estos conflictos, sino a procurar un acuerdo con sus parientes sobre otro problema cuya solución había ya postergado mucho tiempo: la disposición definitiva de su herencia.[46] Por sombríos que fueran los auspicios iniciales del viaje, éste resultó ser una excelente vacación para todos los implicados. Todavía bajo los efectos de la jornada en Aigues Mortes, Francisco I les ofreció una invitación a pasar por Francia, que Carlos aceptó con presteza. Con unos veinte caballeros, de los cuales era Alba el superior en rango, Carlos se dirigió a Fuenterrabía, donde fue recibido por el Delfín y el Duque de Orleáns. Con semejante escolta, siguieron por vía de Burdeos y Poitiers al castillo de Loches, donde les acogió Francisco I en persona. A pesar de verse obligado a viajar en litera, el rey insistió en acompañarles durante casi dos meses, agasajándoles espléndidamente en los magníficos castillos que bordean el Loira, en Fontainebleau, en París y, finalmente, en San Quintín, donde se separó de ellos el 20 de enero. Fue un período de cacerías, espectáculos y festejos ininterrumpidos por cuestiones políticas, salvo un esfuerzo concertado, si bien fracasado, de convenir el matrimonio del viudo emperador con la hija del rey, Margarita.[47] Brantôme nos ha legado un retrato esquemático de Alba, en medio de tanta elegancia y magnificencia, que concuerda bien con lo dicho hasta aquí. Parecía, según el gran *raconteur*, «de buen tono» –es decir, bien vestido–, pero muy frío y reservado, y que gozaba extraordinariamente del favor del emperador.[48] Tampoco en esta ocasión parece que su distanciamiento le costara la amistad de Francisco I. Alba pasó a los Países Bajos sin más comentarios sobre su presencia, pero llevando un diamante valorado en 4.000 ducados en su bolsa como regalo de despedida de un monarca que era, posiblemente, diametralmente opuesto a él en carácter y temperamento.[49]

Una vez cruzada la frontera, descendió nuevamente el triste manto de la realidad. Nada se conserva sobre las reflexiones del duque en Francia, pero tres días después de salir de ella dejó constancia de sus impresiones sobre los Países Bajos en una irónica carta escrita al secretario del emperador, Francisco de los Cobos. A la vista de sus posteriores actos, su contenido es revelador y un tanto ominoso:

> Nosotros, pobrecitos españoles, después de salir de Francia, nos sentimos extranjeros según lo que aquí hemos encontrado. Han venido ahora hombres a la cámara que yo creía muertos hace veinte años. Hay más gente en la comida de caridad que en la mesa, tanta que, de haberlo querido, don Pedro de la Cueva y yo podríamos haber estado allí también sin ser vistos entre ellos.[50]

Tres semanas después, estas negativas impresiones quedaron reforzadas por su experiencia en Gante.

La sublevación de Gante duraba ya más de dos años, habiendo comenzado en 1537 con la negativa a pagar los impuestos de guerra del año precedente. María de Hungría, con desesperada necesidad de ingresos y celosa de las prerrogativas de su hermano, había recurrido a la coacción, pero cuando los magistrados vacilaron, la población se rebeló. Con insensatez inconmensurable, un nuevo, y más radical, gobierno se dirigió al rey de Francia en el momento en que la euforia de Aigues Mortes estaba en su culminación. Francisco I hizo caso omiso, pero hacia 1539 la revuelta se había extendido como una epidemia a las zonas rurales circundantes y la vida económica de la gran ciudad se había paralizado.

La reacción de Carlos V fue despiadada. Acuartelando sus tropas en la ciudad, la declaró culpable de traición y la despojó de todos sus derechos y privilegios. Las cabezas de la sublevación fueron sumariamente ejecutadas y se levantó una fortaleza para asegurar la obediencia en años venideros.[51] Fue una temible exhibición de autoridad imperial y una lección no sólo para los flamencos, sino para Alba, que fue observador interesado en todo momento.

Tras saldar cuentas con su ciudad natal, Carlos V permaneció algún tiempo en los Países Bajos antes de trasladarse a la Dieta de Regensburg, donde pereció la última y tenue esperanza de una reconciliación entre protestantes y católicos. Alba estuvo presente durante gran parte de estos hechos, pero dado que conocía deficientemente los asuntos alemanes, el papel que tuvo en ellos fue inevitablemente secundario. Ni tan siquiera se sabe cuándo salió hacia España, pero en septiembre de 1541 se encontraba en Cartagena teniendo parte importante en el desarrollo de una nueva aventura imperial. Tenía ya bastante experiencia en la política y la guerra, y estaba dispuesto a desempeñar papeles de mayor envergadura.

1. Hayward Keniston, *Garcilaso de la Vega: A Critical Study of His Life and Works* (Nueva York, 1922), pp. 104-10.

2. *Ibíd.*, 111. Keniston observa, no obstante, que Garcilaso pudo haber sido liberado para la campaña (pp. 115-16).

3. M. Fernández Álvarez, *Charles V* (Londres, 1975), p. 99.

4. Antonio Ossorio, *Vida y hazañas de don Fernando Álvarez de Toledo, Duque de Alba*, ed. José López de Toro (Madrid, 1945), pp. 29-30; Alfonso de Ulloa, *Vita dell' invittissimo e sacratissimo imperator Carlo V* (Venecia, 1589), p. 125.

5. Ossorio, p. 30.

6. John Lynch, *Spain under the Habsburgs, vol. 1* (Oxford, 1964), p. 86. [*España bajo los Austrias, Vol 1*, Barcelona, 1993].

7. Prudencio de Sandoval, *Historia de la vida y los hechos del Emperador Carlos V* (BAE 80-82), II, p. 450.

8. *Ibíd.*

9. Las negociaciones están descritas en Karl Brandi, *The Emperor Charles V*, traducción de C. V. Wedgwood (Londres, 1939), pp. 349-52.

10. Pedro Girón, *Crónica del Emperador Carlos V*, ed. Juan Sánchez Montes (Madrid, 1964), p. 42.

11. Ossorio, p. 31.

12. Sandoval, II, p. 522.

13. *Ibíd.*, II, p. 531; Alonso de Santa Cruz, *Crónica del Emperador Carlos V* (5 vols., Madrid, 1920-1922), III, p. 272.

14. Ossorio, p. 33.

15. Santa Cruz, III, p. 273.

16. Sandoval, II, 546; véase también la *Relación* en *DIE*, I, p. 192.

17. Sandoval, II, p. 550.

18. *Ibíd.*, II, p. 551.

19. El Conde de Nieva al Duque de Frías, 6 de septiembre de 1535, *DIE*, 14, p. 427; Sandoval, II, p. 564.

20. Santa Cruz, III, pp. 298-301. Véase también V. Castaldo, «Il viaggio di Carlo V in Sicilia (1535)», *Archivio Storico per la Sicilia Orientale*, XXV, pp. 85-108.

21. Ossorio, p. 37; Sandoval, II, p. 555.

22. Sandoval, II, p. 10.

23. Ossorio, pp. 38-40.

24. Sandoval, III, pp. 16-17.

25. Santa Cruz, III, p. 347.

26. Alba a Carlos V, 7 de septiembre de 1536, *EA*, I, 1.

27. V.-L. Bourrilly, «Charles-Quint en Provence», *Revue Historique*, 127 (1918), pp. 256-257.

28. Sandoval, III, pp. 16-17.

29. La exposición más completa de la participación de Alba en la campaña se encuentra en M. García Cerezeda, *Tratado de las campañas y otros acontecimientos de los ejércitos del emperador Carlos V... desde 1521 hasta 1545* (Madrid, 1873-1876); referencia específica en II, pp. 173-74.

30. *Ibíd.*, II, pp. 175-77.

31. *Ibíd.*, II, pp. 178-81.

32. Sandoval, III, pp. 15-16 y 19.

33. *Mémoires de Martin et Guillaume du Bellay*, ed. V. -L. Bourrilly y F. Vindry (París, 1912), III, pp. 298-303.

34. Sandoval, III, p. 19; García Cerezeda, II, pp. 195-96.

35. Girón, p. 105.

36. J. M. del P. C. M. S. Fitz James Stuart y Falcó, Duque de Berwick y Alba, *Discurso (Contribución al estudio de la persona del III Duque de Alba)* (Madrid, 1919), p. 18.

37. Brandi, pp. 387-88.

38. Girón, p. 278.

39. Sandoval, III, 52; Ossorio, pp. 45-46.

40. Girón, 278. Véase también Paulo Accame, «Una relazione inedita sul convegno di Acquemorte», *Giornale storico e letterario della Liguria*, VI (1905), pp. 407-17.

41. Brandi, pp. 326-27.

42. *Ibíd.*, p. 414.

43. Las Cortes están descritas en F. de Laiglesia, «Una crisis parlamentaria en 1538», *Estudios Históricos* (Madrid, 1918), I, pp. 265-68; en Sandoval, III, 61-70, y en *Actas de las Cortes de los antiguos reinos de Aragón y Castilla*, V, pp. 77-78. Véase también Hayward Keniston, *Francisco de los Cobos, Secretary of the Emperor Charles V* (Pittsburg, 1960), pp. 218-19.

44. El incidente está descrito en Keniston, *Francisco de los Cobos*, pp. 219-20. Véase también Sandoval, III, p. 71, y Santa Cruz, IV, pp. 21-23.

45. Keniston, Cobos, p. 220.

46. Estas negociaciones están descritas pormenorizadamente en Brandi, *Charles V*, pp. 400-421.

47. El mejor relato del viaje se encuentra en Santa Cruz, IV, pp. 50-59. Véase también V. L. Saulnier, «Charles-Quint traversant la France», *Fêtes et cérémonies au temps du Charles-Quint* (París, 1960).

48. Pierre Brantôme, *Les vies des grands capitaines, en Oeuvres complètes* (París, 1858), II, pp. 154-55.

49. Girón, p. 344.

50. Alba a Cobos, 23 de enero de 1540, *EA*, I, pp. 2-3.

51. Brandi, *Charles V*, pp. 429-30; Fernández Álvarez, p. 119.

# III
## EL CAPITÁN

El ataque a Argel en octubre de 1541 constituyó un fracaso tal que es comprensible que Ossorio niegue que Alba se
hallara presente,[1] pero el duque estaba allí, y su función fue
esencial.

La génesis de esta expedición es en sí misma singular.
Mientras Carlos V porfiaba sin éxito en Regensburg, Solimán
organizó una nueva campaña contra los límites orientales de
su imperio. Fernando I se vio, como siempre, en serios apuros. Era esencial que algo se hiciera para socorrerle, pero con
los alemanes en actitud recalcitrante hubo que emplear tropas
españolas e italianas. Comprensiblemente, los componentes
mediterráneos del imperio eran contrarios a lanzarse a una
segunda cruzada en las lejanas llanuras de Hungría, y Carlos
consideró con razón que una desviación hacia Argel tendría
más probabilidades de ganarles su ayuda. Era ya verano avanzado –Carlos V no salió de Regensburg hasta el 1 de agosto–
y sus consejeros le advirtieron que el Mediterráneo era traicionero en verano, pero su anterior triunfo en Túnez le había
hecho temerario. También es posible que el gobernador de
Barbarroja, Hassan Aga, le hubiera ofrecido el rendir la ciudad sin resistencia.[2] Sea como fuere, decidió hacerse a la mar
desde Génova para reunirse con la armada española bajo el
mando de Alba, antes de dirigirse hacia Argel a mediados de

octubre. Fue éste el primer intento de Alba de organizar una fuerza expedicionaria propia y resultó, como mínimo, una experiencia memorable. Cuando llegó al punto de estacionamiento en Cartagena era ya el 1 de septiembre y la situación se había deteriorado hasta un grado alarmante. Faltaban provisiones, los soldados eran reclutas inexpertos y reinaba la corrupción tanto entre los vivanderos como entre los oficiales que debían supuestamente tenerlos bajo control.[3]

Algunas de estas cosas podrían haberse evitado de haber llegado antes el duque, pero fue retenido en Madrid por el Consejo Real, que, con más sensatez que lealtad, puso a la expedición todos los obstáculos posibles.[4] Se vio obligado, por tanto, a pasar un desagradable mes investigando la corrupción, arreglándoselas para obtener equipamiento y restringiendo la actividad de las rameras, que fueron azotadas públicamente en gran número.[5] Entre las más espinosas de sus dificultades se encontraba una multitud de jóvenes nobles buscando renombre en el combate contra el infiel. Con contadas excepciones, se trataba de novatos que pretendían hacer una cómoda cruzada y cuyos grandes séquitos y masivos pertrechos asombraban a los presentes. El duque, cuyas costumbres seguían siendo bastante espartanas, no empleó la diplomacia. Ordenó que la mayor parte de sus caballos fueran llevados a Murcia, porque los pastos de la localidad eran insuficientes, y acabó por negarse a admitir a bordo a la mayoría de los servidores y del equipaje.[6] Todo esto era hasta cierto punto necesario, pues cuando al fin llegaron los barcos de transporte desde Málaga, resultaron ser menos de los esperados y estaban ya cargados hasta la borda, pero pudo haberlo hecho con más tacto. Fue así que una serie de sus iguales se sintieron mortalmente ofendidos, y al menos uno de ellos, el Conde de la Feria, sería su enemigo de por vida.[7]

Finalmente, en el último día de septiembre, este convoy de ingenuos levó anclas para acudir al punto de reunión en Mallorca e inmediatamente entró en una zona de calma chicha. Siguió a ésta un feroz levante, y a duras penas pudieron alcanzar Ibiza hacia el 13 de octubre. Gracias a la pericia del comandante de la escuadra, don Bernardino de Mendoza, no se perdieron vidas humanas, pero fue imposible seguir adelante.[8] El emperador optó por salir sin ellos y les comunicó que debían dirigirse directamente a Argel.[9]

El 21 de octubre navegaron siguiendo la costa africana hasta aproximadamente seis millas al oeste de la ciudad, pero un nuevo levante les impidió entrar en el puerto. La flota del emperador, aproximándose desde el noreste, pudo tocar tierra el 22 de octubre, pero sólo dos o tres de las naos de Vizcaya, ligeras y apropiadas para la navegación, pudieron, gracias a su superior maniobrabilidad a barlovento, unírsele. Alba, con considerable previsión, se había trasladado a uno de estos navíos y pudo así llegar a tiempo. El resto de su flota circundó la punta el 24 de octubre.[10]

Mejor habrían hecho en volver a la mar. La ciudad fue rápidamente cercada, tomando la vanguardia española, bajo el mando de Alba, las alturas dominantes,[11] pero hacia media noche empezó a levantarse el mistral, contra el cual había sido repetidamente advertido el emperador. La flota, cuyo desembarco se había realizado sólo parcialmente, intentó navegar alejándose de la costa de sotavento, pero fue en vano. Por la mañana al menos ciento cincuenta barcos se encontraban encallados en la playa y destruidos doce. Carlos V levantó el sitio y se retiró al cabo Matifou, donde se celebró un consejo de guerra el 29 de octubre, día en que Alba cumplía treinta y cuatro años.

Retrospectivamente, las deliberaciones del consejo fueron producto de la impresión y el pánico más que de consideraciones maduradas. El emperador y el almirante Andrea Doria tendían a ver una advertencia divina en los estragos causados por la tormenta. Cortés, el conquistador de México, que había dejado su retiro para realizar una última campaña, disentía. Pensaba, probablemente con acierto, que había desembarcado un número suficiente de hombres, por lo que la toma de la ciudad, cualesquiera que fuesen los riesgos, sería siempre preferible a una retirada peligrosa e ignominiosa. Por extraño que parezca, las opiniones de este gran soldado no eran seriamente consideradas en Europa, y no se le prestó ninguna atención.[13] Los supervivientes embarcaron el 1 de noviembre y avanzaron con dificultades hasta Cartagena, en condiciones lamentables de apiñamiento y privaciones. No queda constancia de la opinión de Alba en todo este asunto.

La expedición en su totalidad había sido torpemente concebida y las dificultades en Cartagena no fueron obra de Alba; por el contrario, en el breve período de tiempo con el que contaba hizo mucho por enmendarlas, pero las campañas militares del siglo XVI requerían largos preparativos y ésta había sido emprendida prácticamente sin pensarse. Afortunadamente, el emperador no era hombre para buscar chivos expiatorios. Dios no había favorecido su causa y no deseaba perder el tiempo en recriminaciones. A los pocos meses, Alba recibió una misión mucho más importante: la defensa de la frontera española.

Se ha observado anteriormente que los encuentros en Niza y Aigues Mortes no habían resuelto ninguno de los puntos fundamentales planteados entre Francia y el imperio. No habían tenido consecuencias más decisivas que una tregua entre adversarios agotados, y la amistosa relación que siguió no hizo sino demostrar que Carlos V y Francisco I eran herederos de una común tradición caballeresca. De modo inevitable, el desastre de Argel y el fracaso de los esfuerzos de Carlos en Alemania revivieron las ambiciones francesas, pero esta vez Francisco I dejó saber sus intenciones por adelantado. En enero de 1542 sus tropas tomaron Stenay, un paso del Maas estratégicamente importante cercano a Verdún, y Carlos ordenó de inmediato el reforzamiento de sus fronteras, tanto en España como en los Países Bajos. Se creía en la posibilidad de que el rey de Francia atacara en ambos frentes y, dado que Navarra parecía el objetivo más probable en España, Alba fue urgentemente enviado a Pamplona.

La llegada de Alba debió parecer al virrey de Navarra la invasión que había de evitar. Se le ordenó de inmediato que proporcionara un ejército de 7.000 hombres de a pie y 500 caballos, con 1.500 servidores para los soldados y víveres para cuatro meses. Todo ello debía hacerse «sin coste ni molestias» para los habitantes y, allí donde fuera necesario, debían acuartelarse tropas en la ciudad, haciéndoles los pagos por adelantado. Había también que limpiar los fosos de las fortificaciones y mantener abiertos los hornos reales constantemente. Se construyeron plataformas para los cañones en el castillo de Estella y se almacenaron provisiones para una guarnición de setenta hombres. La pólvora fue enterrada en el patio. Se empleó a los artilleros en fabricar cureñas y baquetas de fusil y se montó una guardia permanente en las puertas y murallas de la ciudad con orden de detener a cualquier persona sospechosa y enviarla al virrey para ser interrogada.[14] Fue un despliegue magnífico, pero los franceses no quisieron colaborar. Hacia finales de la primavera se hizo evidente que su objetivo era Perpignan, en la frontera catalana.

Sin desanimarse, el duque repitió sus medidas en este punto, con notable éxito. Pertrechado de plenos poderes para coordinar la defensa de los Pirineos y con instrucciones abundantes, si bien no siempre practicables, recibidas del emperador en Monzón,[15] se dispuso Alba a esperar al enemigo. Este apareció en agosto de 1542, con fuerzas inmensamente superiores, bajo las órdenes del Delfín de Francia, el futuro Enrique II. La estrategia de Alba resultó inesperada y enteramente eficaz. Para la intensa consternación de sus oficiales, abandonó la guarnición de Perpignan y se trasladó a las cercanías de Gerona, donde acampó a cielo raso. Era preferible, en su opinión, conservar la libertad de movimientos a ser inmovilizado sin posibilidad de avance o retirada. Además, el enemigo creería así que el ejército español era mayor de lo que en realidad era, y temería verse atrapado entre dos fuegos. Acertó el duque en ambas cosas. Alba contaba sólo con cuatro tercios y seis escuadrones de caballería, pero ante una fuerte guarnición en Perpignan y un número incierto de soldados españoles apostados entre los campos, Enrique vaciló y acabó por retirarse.[16] Fue una defensa inteligente, poco ortodoxa y prácticamente incruenta, y demostró de lo que Alba era capaz cuando una operación se hallaba bajo su control desde su inicio.[17] Carlos V se inclinaba a considerarle como el mejor soldado de España,[18] pero los próximos cuatro años marcarían una curiosa línea descendente, una serie de misiones prestigiosas pero insustanciales que poco iban a incrementar su reputación.

La retirada del Delfín eliminó la amenaza inmediata al territorio español, pero la situación de los Países Bajos siguió deteriorándose. Con serios temores, Carlos decidió tomar en persona el mando de la guerra en el norte, y empezó a meditar sobre la necesidad de establecer una regencia en España para gobernar el país mientras él se hallara ausente. El resultado de dichas reflexiones, que tomó cuerpo en las famosas *Instrucciones* del 1 de mayo de 1543, cerró claramente a Alba el acceso al gran escenario europeo.

Las *Instrucciones* tenían tres partes: una sección pública en que se describía el gobierno que iba a presidir su hijo de dieciséis años, Felipe, como regente; una instrucción secreta en que explicaba sus decisiones, y una tercera carta que sólo debía ser abierta en el caso de su muerte o captura. Esta última fue destruida cuando su fortuna se mostró más favorable de lo esperado. Los dos restantes documentos son, en suma, un programa detallado de gobierno. El nombre de Alba sólo se menciona como una más de las figuras importantes de la corte, pero los comentarios del emperador sobre él son reveladores. Dado que algunos modernos especialistas los han malinterpretado, serán examinados con cierta minuciosidad.

La instrucción oficial en sí no ofrece dificultades. Simplemente designa a Alba capitán general de todas las fuerzas de la península y le concede un puesto en el Consejo de Estado, mientras que le excluye tácitamente del grupo de consejeros más íntimos de Felipe.[19] Los motivos de dicha exclusión se explican en la instrucción secreta, junto a una caracterización concisa, si bien algo displicente, del duque dentro de un más amplio contexto político.

El Duque de Alba desea unirse a ellos [el consejo privado], y yo creo que no va con ningún bando, sino con lo que mejor sirva a sus propios intereses, y puesto que hay cosas en el gobierno de un reino de las que deben ser excluidos los grandes, no deseo admitirle, lo que le afligirá no poco; he visto al conocerle mejor que tiene grandes ambiciones y que intenta ascender todo lo que puede, aunque parezca pío y muy humilde y retirado, ten cuidado con esto porque eres más joven; tienes que guardarte de colocarle a él y a los demás grandes muy alejados en el gobierno, porque por todos los medios que puedan, él y los otros procurarán ganar un favor que luego nos ha de costar caro, e incluso si fuera por medio de mujeres, no creo que cesen de tentarte, de lo cual te ruego que estés muy en guardia; en todo lo demás empleo al duque, en lo de estado y guerra haz uso de él, en esto hónrale y favorécele porque es lo mejor que ahora tenemos en estos reinos.[20]

Vistos los hechos, poco hay aquí que pueda asombrar al lector. Alba era efectivamente ambicioso y muy capaz de ofenderse profundamente por cualquier cosa que le mantuviera separado de los resortes del poder. Sólo es interesante que disfrazara esto con una aparente humildad, en la medida en que demuestra que aún estaba dispuesto a disimularlo. En años posteriores no siempre sería así. Finalmente, la confianza del emperador en su talento militar estaba implícita en los servicios que se le adjudicaban en la instrucción oficial, y el duque debía tener un buen dominio de política exterior −«lo de estado»−, dado su intenso contacto con ella mientras acompañaba al emperador.

Lo verdaderamente singular de esta valoración del duque reside en un par de ideas erróneas, una del emperador y la otra producto de una equivocada traducción actual. El error del emperador consistió en creer que no afectaba en nada a Alba el faccionalismo. Como se verá en el próximo capítulo, se había ya asociado al bando dirigido por Francisco de los Cobos, y si el emperador no fue capaz de verlo, tuvo que deberse sin duda a que estaba cegado por su simplista idea sobre los nobles, que se manifiesta en el resto del documento.

La segunda es casi trivial, pero se ha extendido entre los lectores de habla inglesa. En el conocido libro de Brandi *Charles V*, la anterior cita de las *Instrucciones* se traduce con mayor licencia poética, y la advertencia general del emperador contra los nobles aparece aplicada exclusivamente a Alba: «Hará lo posible por agradarte, probablemente con ayuda de influencias femeninas».[21] A aquellos familiarizados con la vida privada del duque, semejante acusación de alcahuete ha de asombrarles sobremanera, pero es evidente, como indica el original, que no era ésta la intención del emperador.

La finalidad de traer a colación dicha cuestión no es la de defender la única virtud concedida a Alba aun por sus enemigos, sino la de conservar la coherencia de su retrato psicológico. Ello es doblemente importante a la vista de un segundo documento que parece dirigirle una acusación semejante. Existe un manuscrito del siglo XVIII en la Biblioteca Nacional[22] que pretende ser una copia de una carta dirigida por Cobos al emperador con fecha de 6 de febrero de 1543. Kensinton, en su biografía de Cobos, acepta la carta como auténtica y la reproduce en su totalidad,[23] pero su autenticidad es extremadamente cuestionable. En primer lugar, las fechas son falsas. El 6 de febrero, Cobos y el emperador se hallaban juntos en Madrid. Además, es supuestamente la respuesta a una carta escrita por Carlos V desde Palamós el 15 de enero, pero Carlos no estaba en Palamós ni entonces ni el 15 de ningún otro mes a lo largo de toda su vida.[24] Keniston insinúa que pudo haber sido escrita posteriormente, después del 29 de junio, y la fecha haber sido alterada por algún secretario debido a su carácter confidencial,[25] pero ello es improbable. El contenido de la carta es de tal cariz que su aparición en cualquier momento dado habría sido desastrosa para su autor. Su estilo elaborado y artificioso no guarda la menor semejanza con el resto de lo escrito por el secretario. Y acaso lo más importante sea que es inconcebible que Cobos quisiera difamar al hombre que era tanto su más próximo aliado entre la nobleza como el albacea testamentario de sus bienes. Todo esto, junto a ciertos errores en el tratamiento y otros detalles, sugieren una posterior falsificación –posiblemente de la década de 1570–, cuando se forjaba un esfuerzo concertado para deshonrar al duque. Si el emperador recelaba de Alba, era como noble, no como proxeneta.

Pero es posible que tras los recelos de Carlos hubiera algo más definido que una general y personal desconfianza de la nobleza. El emperador se había lanzado a una campaña decisiva, y sin embargo resolvió dejar a uno de sus mejores capitanes en España. En sí mismo esto no demuestra gran cosa, pero también Alba estaba claramente alterado, pues reaccionó de un modo que se haría habitual en él cuando quiera que se considerara injustamente tratado. Empezó por protestar de su comisión. Era, según él, excesivamente limitada y le situaba bajo el control efectivo de los virreyes. Si no se enmendaba, se negaría a entrar en los virreinatos incluso si eran atacados.[26] Después exigió una «ayuda de costas» para cubrir los gastos efectuados durante el sitio de Perpignan y porfió sobre sus estipendios y gastos en dicha ocasión.

Hay un auténtico alud de cartas sobre esta cuestión, cada una más estridente y cicatera que la anterior.[27] Sus protestas no son del todo absurdas, pues los Austrias pretendían que los nobles emplearan sus propios recursos y preferían, dentro de lo posible, evitar la concentración de poder en otras manos que no fueran las propias. Otros servidores de la corona plantearon las mismas cuestiones, pero la vehemencia de las cartas de Alba no guarda ninguna proporción con sus agravios. Siempre fue cuidadoso con su propio dinero, pero en muchas ocasiones posteriores lo gastó espléndidamente en el curso de otras comisiones reales, protestando sólo cuando creía que no eran suficientemente apreciados sus sacrificios personales, no financieros. El motivo exacto de esta primera explosión está abierto a conjeturas, pero indica claramente un pasajero desencanto por ambas partes y, como tantas otras veces en el caso de Alba, sentó el precedente de su respuesta a similares agravios en años posteriores.

Pero los sucesos demostraron que Alba no tenía por qué preocuparse. Los franceses no invadieron España, y las armas imperiales lograron tales éxitos por doquier que un plan de contingencia para que Alba invadiera Languedoc no tuvo que ser ejecutado.[28] Por el contrario, se vio inmerso en varios meses de festejos, que comenzaron con las bodas del hijo de Cobos con la Marquesa de Camarasa y terminaron con las del Príncipe Felipe y María Manuela de Portugal.

Los regios desposorios fueron parcialmente organizados por Alba, que, según se dijo, costeó algunos de sus gastos.[29] Si esto fuera cierto, corrobora la idea de que sus motivos de queja no tenían nada que ver con la avaricia, pero es posible también que se sintiera contagiado por el entusiasmo del momento. Desde luego, procuró cuidar los actos como si fueran propios.

Es algo paradójico que este hombre, que con tanta frecuencia presumía de ser un simple soldado, fuera tan amigo de organizar festivales y rituales cortesanos de todo tipo y poseyera un conocimiento enciclopédico de las más oscuras reglas de protocolo. Dichos intereses encontrarían en su día expresión oficial, pero aun antes de ser mayordomo del rey Felipe II se reconocía su pericia en tales asuntos. Más adelante se haría legendaria. Cuando nadie sabía cómo disponer la entrada de Felipe II en Portugal en 1581, se consultó a Alba, y respondió de modo tan minucioso y completo como lo había hecho sobre las medidas militares.[30]

En 1543, Alba adoptó el papel de tío indulgente, lo cual le complació enormemente. No obstante ciertas acusaciones contrarias, no parece que Felipe II fuera nunca un hombre romántico, y su interés por las mujeres era mínimo.[31] A pesar de ello, Alba organizó una expedición para procurarle un primer atisbo de su prometida. La residencia del duque en La Abadía estaba situada tan sólo a dos o tres millas del camino principal que unía Portugal y Salamanca, donde debía celebrarse la boda. Era una casa más bien reducida, construida al estilo italiano, con enormes ventanas orientadas para dejar pasar el calor del sol poniente; era su residencia de invierno predilecta, y con el paso de los años invertiría grandes sumas en mejorarla.[32] Allí esperaron el príncipe y el duque, y cuando hicieron su aparición la princesa y su séquito, salieron a caballo con un grupo de hombres montados para observarla relativamente ocultos por unos árboles.[33]

Satisfecho este galante capricho, regresaron a galope a Salamanca, donde Alba organizó un «juego de cañas» (un torneo en que los jinetes competían por equipos), y no sólo suministró ligerísimas lanzas para que el príncipe no sufriera daño o fatiga, sino que dejó que el equipo real ganara al suyo propio.[34]

El día de la ceremonia, Alba, vestido con un elegante traje de color morado, actuó de padrino de boda. Lamentablemente, la ocasión sirvió para que creara un grave incidente. Insistiendo en que sólo él tenía derecho a sentarse durante la ceremonia, ordenó que se quitaran todos los bancos, a excepción de uno, obligando de este modo al resto de la nobleza a permanecer en pie y provocando con ello una fuerte disputa con el Duque de Medina Sidonia.[35] Desde el punto de vista de los nobles, se hizo simbólicamente justicia cuando al día siguiente, y en el curso de una corrida organizada por Alba, fue por dos veces derribado de su caballo y hubo de ser sangrado.[36] Puede que fuera en esta ocasión cuando una dama de la corte escribió esperanzada: «El Duque de Alba va a matar a un toro; o el toro a él».[37]

114

En medio de tales celebraciones no olvidó sus deberes militares, pero éstos le exigían poca energía. Hasta finales de 1544 no se vio nuevamente implicado, aunque de modo marginal, en los serios sucesos de la época. La ocasión fue el inesperado triunfo de las armas imperiales y la subsiguiente Paz de Crépy. A pesar de que el Marqués del Vasto no había conseguido sino un sangriento empate en el Piamonte, Carlos V, con extraordinaria audacia, reunió un ejército en Metz, cruzó el Marne y marchó sobre el mismísimo París.[38] Los franceses cayeron en la mayor confusión, pero Carlos sabía que había extendido en exceso sus líneas y aceptó una oferta de negociación. Como parte del consiguiente acuerdo, el Duque de Orleáns debía contraer matrimonio bien con la Infanta, bien con la Archiduquesa Anna, recibiendo los Países Bajos o Milán como dote. La elección de esposa y territorio quedaba a Carlos V. Las concesiones francesas fueron casi igualmente espléndidas, al menos en conjunto.

La vital decisión entre Milán y los Países Bajos exigía prolongadas consultas. Así pues, la cuestión fue sometida a diversos cuerpos, entre ellos el Consejo de Estado del Príncipe Felipe. A la vista de su posterior experiencia en los Países Bajos, la reacción de Alba es una de las grandes ironías históricas. De modo convincente y con gran fuerza, recomendó el abandono de los Países Bajos. Sus argumentos estaban firmemente arraigados en realidades geográficas. Milán, en su opinión, era la clave del imperio. Sin ella, Carlos V sólo podría llegar al resto de sus dominios por mar, una empresa peligrosa «si el rey de Inglaterra no fuera nuestro amigo». Milán controlaba los pasos alpinos y guardaba el camino a Nápoles y Sicilia. De perderse, Carlos se vería imposibilitado de defender los Países Bajos, Génova quedaría rodeada y Nápoles peligrosamente al descubierto. Los Países Bajos, por otra parte, eran virtualmente inútiles. Más aún, representaban un riesgo, pues se hallaban siempre expuestos a un ataque francés y su población era notablemente menos obediente y leal de lo que parecía. Alba reconoció que el valor comercial de la región era grande, pero, con extraordinaria presciencia, dudaba de que ello compensara el gasto y las dificultades de conservarla.

Los oponentes de Alba, dirigidos por Juan Pardo de Tavera, Arzobispo de Toledo, estaban primordialmente interesados en lo que sólo puede denominarse beneficios ilusorios a corto plazo. Pensaban que los derechos de Carlos V sobre Milán eran relativamente débiles y deseaban evitar nuevos conflictos, con el fin de poder centrarse en el ataque a los moros del norte de África. Es curioso que Alba, el cruzado de otros tiempos, considerara por entonces quiméricas las aventuras en África. Estaban dando fruto las lecciones recibidas en Gante y Argel.[39] No era éste el caso, al parecer, de Carlos V, que, preocupado por los asuntos alemanes, prefería entregar Milán. Fue quizá afortunado que Orleáns muriera en septiembre de 1545, haciendo irrelevante la cuestión.

Los asuntos alemanes eran para preocupar. Desde Regensburg había quedado manifiesto que la cuestión religiosa no sería zanjada con un acuerdo entre teólogos. Y ahora era igualmente claro que las medidas políticas no podían triunfar donde la razón había fallado. Temiendo lo peor, y con la ayuda de una generosa subvención papal, Carlos se preparó para la guerra.

Uno de sus primeros actos fue llamar a Alba a España y ponerle al frente de una comisión que había de poner los cimientos para la guerra. Había concluido el período de oscuridad. Hacia enero de 1546, Alba se encontraba en Utrecht, donde Carlos le acogió con la Orden del Toisón de Oro. El Toisón, o Toison d'Or, era el más alto honor que concedía la casa de Borgoña, y Carlos lo empleó en esta ocasión para unir a su lado a hombres como Cósimo de Médicis, Emmanuel Filiberto de Saboya y el Duque de Baviera. No todos ellos se hallaban presentes, pero entre los que sí lo estaban ha de mencionarse uno en particular: Lamoral, Conde de Egmont. Veintidós años más tarde, el solemne español que se arrodilló junto a él en Utrecht le haría decapitar en la Gran Plaza de Bruselas.[40]

En abril la corte regresó a Regensburg para una nueva Dieta. Los festejos concomitantes resultaron en la concepción de don Juan de Austria, pero no ocurrió mucho más digno de mención. Tras muchas demoras, el Concilio de Trento se había congregado en diciembre, pero los protestantes no acudieron, y cuando los católicos de Regensburg insistieron en elevar toda cuestión al Concilio, la Dieta se desintegró. Se produjeron muy pocas amenazas declaradas, pero la contienda estalló antes de que el Concilio fuera oficialmente clausurado el 24 de julio.

A pesar de todos sus esfuerzos, Carlos se encontró mal preparado para lanzarse a la lucha con fuerza. Había negociado un acuerdo con Fernando de Austria, Mauricio de Sajonia y Guillermo de Baviera, pero ni las tropas papales ni el contingente alemán mandado por Buren habían llegado aún. Hacia fines de agosto, sin embargo, habían empezado a igualarse las fuerzas.

La forma en que se condujo la campaña del Danubio ha sido durante mucho tiempo objeto de controversia. ¿Fue, como afirmaron sus apologistas, producto de una deliberada estrategia dilatoria, o simplemente un desatino y una falta de presencia de ánimo?[41] La respuesta adecuada es, sin duda, que no fue ninguna de las dos cosas. Como la mayoría de las campañas, estuvo determinada por respuestas pragmáticas a situaciones específicas, aunque dichas respuestas se derivaban evidentemente de un más amplio marco conceptual. Mirando retrospectivamente, parece probable que la concepción que operó en 1546 fuera de Alba antes que del emperador, pues la totalidad de su carrera fue un desarrollo de puntos elaborados primeramente en el Danubio, mientras que Carlos V tendía a recurrir a viejos métodos cuando quiera que su general se hallara ausente.[42] Esto mismo sugiere también el aparente carácter de las relaciones de mando.[43] Carlos era, por su parte, un experto comandante de campaña, pero en esta ocasión parece haber dejado casi enteramente a Alba las decisiones tácticas. El resultado fue toda una serie de desconcertantes maniobras que poco recordaban a la actitud normalmente precipitada del emperador, y que parecían, por el contrario, generadas por una visión nueva e inquietante de la guerra.

Las tendencias tácticas de comienzos del siglo XVI habían sido primordialmente de carácter defensivo. Podía hacerse avanzar a una combinación de picas y arcabuces, pero cuando lo hacía frente a una formación similar, las bajas eran, por lo general, aterradoras. Ello se debía principalmente a que cuando una formación se hallaba en movimiento, no había modo efectivo de protegerla contra la artillería, y cuando estaba atrincherada, no había forma de romperla. Si el enemigo ocupaba una posición preparada de antemano, como Gonzalo de Córdoba había hecho en Cerignola, la fuerza atacante podía ser aniquilada con fuego a discreción. Si no estaban atrincheradas y ambas partes eran aproximadamente iguales en número y pericia, ninguna de las dos lograba ventaja y el triunfo dependía casi totalmente de la capacidad de ambas partes para absorber bajas sin retroceder. Para un capitán inteligente esto era claramente inaceptable. Los soldados eran hombres profesionales, cuyo entrenamiento era caro y difícil su reclutamiento. Dejando a un lado las consideraciones humanitarias, era una insensatez librar una batalla si, al hacerlo, el ejército victorioso quedaba destruido al mismo tiempo que el vencido.

Como advirtió al emperador con respecto a la próxima batalla, Alba tenía presente un reciente y terrible ejemplo de lo que podía suceder cuando una batalla al viejo estilo se libraba según los métodos más actuales. En 1544, en Ceresole, Piamonte, el Marqués del Vasto perdió su buen nombre y la mitad de su ejército imperial sin lograr un resultado decisivo.[44] Sería ésta la última batalla de este tipo del siglo XVI, y Alba fue de los primeros en comprender que semejantes sangrías eran inevitables hasta que algún avance esencial en las tácticas ofensivas consiguiera alterar el equilibrio. Durante el resto de su carrera sólo aceptaría la batalla si poseía una ventaja abrumadora. En circunstancias normales la victoria habría de lograrse con otros medios.

La campaña se abrió con una iniciativa protestante. Dirigidos por el experto mercenario Schertlin von Bertenbach, avanzaron hacia el sur para tomar el paso del Fern y cortar el concertado encuentro entre las tropas papales e imperiales en Füssen. Schertlin era un soldado de primer orden y sus tropas eran experimentados *Landsknechten*. Tomaron el paso sin dificultad, pero a los pocos días su propio mando superior les obligó a abandonarlo. La Liga Smalkalda estaba formada por una serie de ciudades y principados que no tenían en común otro interés que su luteranismo y su miedo a Carlos V. Todo acto de Schertlin podía ser invalidado por el heterogéneo consejo de príncipes y delegados de las ciudades de la Liga, y en este caso empezaron a temer que las ciudades del alto Danubio estuvieran peligrosamente expuestas a un ataque imperial. Esto era descabellado, pero ordenaron a Schertlin que volviera hacia el río. Carlos, a cuyas fuerzas superaban dos a uno, creyó que esta acción presagiaba un ataque frontal en Regensburg y se replegó a la relativa protección de Landshut, en el Isar. Allí, el 13 de agosto llegaron los auxilios papales de 15.000 hombres bajo el mando de Alejandro Farnesio por vía de Kufstein.[45]

En el momento en que se había logrado la reunión de la mayor parte del ejército imperial sin interferencias, los príncipes de la Liga despacharon un paje y un trompeta con una declaración de guerra. Escandalizó a Carlos la presunción de los príncipes y se negó a recibirlos. Finalmente, alguien los llevó ante Alba, quien observó que se trataba de rebeldes y debían ser ahorcados al momento, pero, puesto que ellos no eran responsables de aquel ultraje, había decidido perdonarles la vida.[46] Veinte años más tarde, en una situación similar, no sería tan humanitario.

Las fuerzas imperiales estaban formadas, pues, por aproximadamente 30.000 hombres de infantería y 5.000 de caballería. El Conde de Buren, con otros 10.000 hombres, la mitad de caballería, permaneció en Aquisgrán, vigilado por 15.000 personas de la Liga. Con habilidad considerable, cruzó el Rin en la noche del 21 de agosto y evitó a sus perseguidores tomando una ruta indirecta a través de Würzburg, en el Main. Carlos V marchó hacia Ingolstadt para recibirle: los 10.000 hombres serían útiles, y el dinero que traía Buren de los banqueros de Amberes era un incentivo aún más importante.

De modo increíble, los protestantes permanecieron inactivos. El Elector Juan Federico de Sajonia propuso que se detuviera a Buren en el Main, pero el Landgrave Felipe de Hesse quería atacar al emperador antes de que pudieran llegarle refuerzos. Mientras disputaban, Buren avanzaba sin obstáculos hacia Baviera y Carlos se establecía unas pocas millas al este de Ingolstadt, en una posición fuerte elegida por Alba. Así, espoleados a la acción, los miembros de la Liga decidieron al fin detener a Buren. Puesto que esperaban que se aproximara a Ingolstadt desde el noroeste, pasaron inadvertidos de sus enemigos para situarse en una posición virtualmente inexpugnable al oeste de la ciudad. Muy alarmados, Carlos V y Alba se lanzaron en su persecución.[47]

Fue evidente desde un principio que poco era lo que podía hacerse. El ejército de la Liga se había hecho fuerte en una especie de península formada por el Danubio y el Schutter. Dado que el ejército miraba hacia el norte, el Schutter y sus terrenos pantanosos suponían una barrera casi infranqueable a su derecha y su frente, mientras que su izquierda estaba protegida por una colina en la que habían situado su artillería. Tras ellos se extendía un gran bosque que alcanzaba casi hasta las orillas del Danubio, a tres kilómetros de distancia. Ambos ejércitos eran de dimensiones aproximadamente iguales, pero el cañón imperial más próximo estaba en Regensburg.[48]

Como Alba comprendió de inmediato, un ataque a semejante posición sería no sólo suicida, sino innecesario. En su afán por aprovechar las inmejorables características defensivas del terreno, los miembros de la Liga habían permitido a Alba situarse entre sus fuerzas y las de Buren. No tenía sino que permanecer donde estaba para conseguir su objetivo estratégico inmediato.

Pronto lo comprendieron también los protestantes. El 31 de agosto, tras una noche en vela gracias a un «encamisado» lanzado sobre su campamento por el bosque que se hallaba a su espalda, realizaron un intento de salir de la trampa que ellos mismos se habían dispuesto. Haciendo avanzar a su infantería en formación de media luna, comenzaron a disparar la artillería contra el campamento imperial. Fue un suceso cruento, en que Carlos y Alba corrieron impresionantes riesgos para animar a los hombres de las primeras líneas,[49] pero no tenían muchas alternativas. Replegarse habría supuesto perder su ventaja estratégica. Tras siete u ocho horas de insoportable tensión, callaron los cañones, pero no hubo asalto. En algún momento de aquella larga tarde, el Landgrave parece haber comprendido que pantanos y ríos son barreras igualmente infranqueables para ambas partes. Para gran disgusto de Schertlin, ordenó a los hombres montar las tiendas para la noche. Se dice que más adelante, en aquella misma noche, Felipe de Hesse ofreció un brindis «por todos los que hemos matado con nuestra artillería», y Schertlin respondió: «No sé aquellos que hemos matado, pero sé bien que los que están vivos no han perdido un palmo de terreno».[50] El gran Landsknetch tenía razón, pero si hubieran intentado cruzar el Schutter teniendo enfrente a los 35.000 hombres de las fuerzas imperiales, habría perdido su ejército con toda seguridad.

Aquella noche Alba hizo levantar terraplenes, empleando los carros como fajinas. Al amanecer, las secciones más expuestas del campamento estaban protegidas contra el fuego enemigo y, por el momento, cesó del todo el cañoneo. Tras un día de escaramuzas aisladas, en el que algunas unidades de la Liga quedaron seriamente maltrechas, Alba se sintió lo bastante seguro para intentar otra cosa. El 12 de septiembre, sus hombres atrajeron la atención de los protestantes al atacar una casa que éstos habían fortificado; mientras, el tercio de Hungría y dos regimientos italianos avanzaban en silencio río arriba hasta Neuberg y aniquilaban a los 3.000 suizos que guardaban la reserva de artillería de la Liga.

Por entonces era ya claro que no se daría la batalla, y toda esperanza de interceptar a Buren se había desvanecido. Para evitar sospechas, el campamento imperial fue nuevamente cañoneado en la mañana del 3 de septiembre, pero al hacerse de noche las fuerzas de la Liga ya se habían marchado. Deteniéndose brevemente en Neuberg, se retiraron a Donauwörth, desde donde aún podían controlar los accesos a Ulm y Augsburgo.

Finalmente, el día 15, Buren llegó a Ingolstadt. Era éste, en la mayoría de los sentidos un buen representante de la nobleza holandesa. Buen soldado, pero impetuoso, franco y poseído de una sed legendaria, chocó de inmediato con Alba y, al seguir adelante la campaña, su actitud se hizo cada vez más crítica con respecto al modo en que el duque conducía la guerra. Pero, por el momento, todo iba bien. Neuberg fue capturado sin un disparo, y con sólo dos compañías de alemanes, Alba en persona tomó el puesto de avanzada de la Liga en Rain.

Desde este punto en adelante el desarrollo de la campaña está envuelto, tanto literal como figuradamente, en las brumas de un otoño inclemente. Avanzando hacia Donauwörth, Alba reconoció el campamento enemigo y llegó a la conclusión de que podía ser capturado. El ejército imperial se puso en marcha hacia el noroeste en medio de una espesa niebla, y acampó en la orilla del Wörnitz, entre Wemding y Nördlinger. Si su intención era hacer salir a los protestantes haciendo ver que iban a efectuar un giro y atacar Ulm desde el norte, lo consiguieron. Aquella noche, las fuerzas de la Liga salieron de Donauwörth totalmente inadvertidas, gracias a la niebla, y tomaron una posición en el lado opuesto del río.

Fue Alba quien las descubrió, en el curso de una de sus patrullas, antes de que amaneciera. Como sus «encamisados», la costumbre de merodear por la noche con una protección de arcabuceros se estaba convirtiendo en su personal sello militar. En ocasiones le procuraba increíbles ventajas, pero en ésta nada se logró, pues la niebla y la oscuridad no le permitieron discernir la disposición del campamento enemigo. Al empezar a clarear un amanecer opaco, el Príncipe de Salmona y sus hombres intercambiaron disparos con lo que acaso fuera una patrulla enemiga, y Buren fue enviado al otro lado del río con su caballería. Entablaron una escaramuza con alguien, pero no se veía nada y pronto se les ordenó que volvieran. Aquella tarde, los protestantes se retiraron tan silenciosamente como habían llegado, y es característico de todo este suceso que durante muchas horas nadie pudiera decir hacia dónde marchaban.[51]

Concluyendo que su posición era de menor importancia que la necesidad de abastecerse de provisiones, Carlos V volvió hacia Donauwörth, la tomó sin incidentes y marchó directamente hacia Ulm. Las fuerzas de la Liga le seguían, marchando en trayectoria paralela, pero sin intento alguno de detenerle. El 14 de octubre, los dos ejércitos se encontraron en Giengen; tampoco esta vez se entabló batalla. Poco se sabe sobre las circunstancias o las posiciones relativas de ambas fuerzas, pero la negativa a entrar en acción originó grandes disensiones en las filas imperiales. Buren, en particular, estaba exasperado. Declaró abiertamente que aunque «no era luterano», no «tenía confianza en el emperador, ni en el duque», y juró que pasaría borracho los próximos quince días.[52] Alba y el emperador se encontraban también malhumorados,[53] pero se desconoce si esta «mala disposición» se debía a la oportunidad perdida o a las protestas de sus tropas. No sólo se había negado a los soldados la batalla, sino que pronto se les privaría también de entrar en Ulm, pues su guarnición era excesivamente fuerte para superarla mientras la Liga se hallara próxima.

La campaña estaba resultando una serie de encuentros aislados, con escaramuzas libradas contra merodeadores entre barro y brumas. El día 18, Farnesio y gran parte de sus fuerzas italianas regresaron a su país, pero el ejército de la Liga se desintegraba aún más rápidamente que el del emperador. Escaso de fondos e imposibilitado de entrar en batalla, el Landgrave estaba dispuesto a abandonar hacia el final del mes. Una semana después, Fernando, hermano del emperador, y su aliado Mauricio de Sajonia atacaron los territorios del Elector, pero la Liga permaneció en sus puestos aún algún tiempo. Finalmente, el 27 de noviembre, los protestantes abandonaron el campo y marcharon hacia el Norte para regresar a sus territorios. Debido a que el mensajero que traía las noticias de la retirada se perdió entre la niebla, las tropas imperiales no salieron en su persecución. Cuando Alba tomó la caballería de Buren y se puso en camino, era ya demasiado tarde. Un ejército victorioso pero desanimado volvió a sus cuarteles en medio del frío y las nieves más duras en muchos años.[54]

La campaña del Danubio de 1546 no representó una gloriosa página bélica, pero las conclusiones allí obtenidas se convertirían en la base de la doctrina militar de Alba. El emperador había logrado un indiscutible control del sur de Alemania sin sacrificar su ejército, y a pesar de que algunos espíritus exaltados, como Buren, pudieran disentir, es difícil imaginar cómo habría podido favorecer la situación el entrar en batalla. El secreto del éxito había estado en unos medios económicos y una disciplina superiores, que permitieron al ejército imperial resistir más que sus enemigos, y eran éstas ventajas que podían aplicarse a otras circunstancias, dado que las fuerzas de la Liga Smalkalda eran prácticamente en todos los aspectos típicas de los ejércitos del siglo XVI. Sus soldados y sus capitanes eran, individualmente, valerosos y capaces, pero en conjunto sufrían los efectos de una mala coordinación entre las unidades y un mando superior dividido. En la batalla habrían sido formidables, pero ante una guerra de desgaste, acompañada de ataques nocturnos y constante hostigamiento, fueron incapaces de formular una respuesta concertada, y su ejército tendió a desintegrarse entre los diversos cuerpos que lo componían. La moral degeneró y, al escasear el dinero, su derrota se hizo inevitable.

Con el tiempo, estas ideas se convirtieron en preceptos generalmente reconocidos, y originaron un estancamiento táctico que paralizó el arte de la guerra en Europa hasta el advenimiento de Gustavo Adolfo.[55] Desde que Clausewitz codificara lo que él entendía como los ingredientes del éxito napoleónico, los teóricos militares han insistido en la ofensiva y reservado sus mayores elogios para aquellos que supieron romper el tipo de limitaciones que inmovilizaron a Alba y a sus contemporáneos. Pero es evidente, no obstante, que estrategia y táctica no sólo están dictadas por circunstancias militares, sino también por los fines políticos que han de servir. Como primero de los grandes capitanes en asimilar las lecciones recibidas en Ceresole, Alba no tenía motivos para ir más allá. Él era, y siguió siéndolo a lo largo de su vida, agente militar de un gran imperio mundial. Su finalidad no era la de conquistar nuevos territorios o aniquilar «enemigos nacionales», sino neutralizar a aquellos que perturbaban el vacilante equilibrio de un orden heterogéneo y esencialmente conservador. Tanto el deber como el sentido común exigían que ello se realizara con el mínimo riesgo posible y el mínimo derramamiento de sangre de sus soldados. Las acusaciones de cobardía y excesiva cautela que le dirigieron sus coetáneos no tienen sentido, y como tales las reconocieron los más sagaces cronistas del día. Su sistema adolecía, sin duda, de un terrible defecto, pero éste no se haría manifiesto hasta muchos años después. Mientras tanto, las censuras de personas como Buren le interesaban menos que el ladrido de los perros. Nunca confundió el éxito con la gloria y probablemente no habría podido entender a Napoleón.

Es posible, por consiguiente, que Alba se encontrara satisfecho con su modo de obrar en aquel otoño, pero no dispuso de mucho tiempo para felicitarse por ello. La sierpe de la Liga Smalkalda estaba herida, pero no destruida, pues entre las nieves de enero, el elefantino Elector Juan Federico de Sajonia estaba lanzando una campaña de sorprendente eficacia contra los invasores de sus ancestrales territorios. Era evidente que el ejército imperial tenía que intervenir, pero antes había que estabilizar el Sur y volver a poner las tropas en condiciones para el combate. Mientras Carlos V negociaba con el Duque de Württemberg, Alba, junto a un prominente jurista frisón, Viglius de Zwichem, acordaba las capitulaciones de Augsburgo, Frankfurt y Ulm. Después dedicó toda su atención a sus hombres, y a comienzos de marzo estaba preparado para el acto final.

La celeridad y la totalidad de la victoria fueron asombrosas. Hacia el 10 de abril, las fuerzas imperiales se unieron a Mauricio y Fernando en Tischenreuth. El Elector conocía sus movimientos, pero no tomó otra acción que cruzar el Elba con la esperanza de emplear el río como línea defensiva. Avanzó río abajo siguiendo la orilla izquierda, alcanzando la aldea de Mühlberg en la noche del 23 de abril. Entretanto, Carlos y Alba habían ascendido desde el Suroeste y acamparon en la orilla opuesta del río.

La noche era oscura y brumosa, pero, como siempre, Alba se hallaba en movimiento. Entre las nieblas que preceden al amanecer, pudo de algún modo localizar a un campesino que le mostró un punto por el cual vadear el río y, ya sobornándole, ya con amenazas, logró que el hombre le sirviera de guía. A la mañana siguiente, un domingo, Juan Federico asistió a misa y desayunó tranquilamente. Confiado en que el río le protegía, permaneció alegremente ignorante de los preparativos que se efectuaban en el campamento imperial, y no hizo nada por estorbarlos, a excepción de situar unos cuantos hombres armados en barcas para vigilar la orilla opuesta. Entre las diez y las once, los protestantes reanudaron su marcha río abajo, y comenzó la ofensiva. Los arcabuceros españoles, vadeando el río con el agua helada hasta el pecho, asaltaron a los ocupantes de las barcas y, cuando hubo cesado el fuego defensivo, otros españoles salieron en tropel y abordaron las embarcaciones como piratas, con los cuchillos apretados entre los dientes. Así consiguió Carlos el medio para transportar sus pertrechos y víveres en perfecto estado. Mientras, el grueso del ejército empezó a cruzar a pie y a caballo por el vado encontrado por Alba. Hay que atribuir a la disciplina impuesta por el duque y a la estrategia –que el tiempo iba a justificar– de hacer cruzar a la caballería por la parte alta del río, para interponerse a la corriente, el que las pérdidas fueran mínimas. Una vez en el otro lado, la situación satisfacía en todo las exigencias de Alba para entrar en combate. El enemigo fue sorprendido; su ejército se extendía en formación de marcha a lo largo de varios kilómetros a la orilla del río. En el tiempo con el que contaban era imposible disponer las tropas de modo que se aproximara siquiera a una formación de batalla , y además la artillería había sido enviada por delante el día anterior. No quedaba al Elector otra opción que dirigirse a toda prisa hacia la densamente boscosa reserva de caza de Lochau y rezar para que la mayoría de sus hombres pudieran refugiarse en ella antes de que la vanguardia imperial les hiciera pedazos.

Vana esperanza. Mühlberg sería, en efecto, una cacería, no una batalla, y Alba era aún lo bastante joven para ataviarse de acuerdo con la ocasión. Vestido con armadura blanca y montando un caballo blanco,[56] dirigió el asalto y rastreó todo el bosque en busca del Elector, mientras sus tropas practicaban una matanza sistemática sobre los desperdigados sajones. Tan sólo en este empeño quedó decepcionado. Cuando por fin apareció ante el emperador, bañados él y su caballo en sangre enemiga, supo que Juan Federico había entregado su espada a un caballero alemán, Thilo von Trotha.[57]

Años más tarde, cuando su afán de gloria había superado a su gratitud, Carlos V quiso atribuirse el mérito de la victoria,[58] pero en el momento reconoció abiertamente que pertenecía a Alba.[59] El duque fue enviado para escoltar a Juan Federico hasta presencia del emperador, y aquella noche fueron las negras barbas de los tercios las que vigilaron al prisionero.[60]

La batalla de Mühlberg supuso el momento decisivo de las guerras alemanas, pero no fue suficiente para acabarlas. A pesar de que Lutero había muerto el año anterior, Wittenberg prometió una tenaz defensa, y Magdeburgo, siguiendo río abajo, parecía ofrecer un obstáculo aún mayor a los designios del emperador. Sólo ante la amenaza de ejecutar a su príncipe consiguió Carlos hacer ceder a los sajones. La Capitulación de Wittenberg del 19 de mayo le costó a Juan Federico su electorado y otorgó a Mauricio el gobierno de toda Sajonia, pero cuatro días después, cuando la ciudad de Lutero abrió sus puertas, un ejército imperial bajo el mando de Erik von Calenburg fue destruido por los protestantes cerca de Bremen. La pérdida no era, en sí misma, irreparable, pero había motivos para temer una unión entre los vencedores y el Landgrave, cuyas intenciones aún se desconocían.

Fue probablemente providencial para Carlos V que *der Grossmütige* hubiera perdido toda inclinación por la guerra. Convencido por su yerno Mauricio de Sajonia, inició una serie de negociaciones que le llevaron irremediablemente a su caída. Es posible que Mauricio y su colega, el Elector Joaquín de Brandemburgo, no supieran las intenciones del emperador cuando convencieron a Felipe de Hesse para que se reuniera con él en Halle, pero es muy improbable. Bajo el acuerdo tácito de que no sería ejecutado ni encarcelado de por vida, Felipe se sometió sin recibir la menor señal de reconocimiento imperial. Alba le invitó después a su alojamiento de Moritzburg. Después de una cena que debió ser bastante incómoda, fue conducido a una sala adyacente y arrestado como medida para asegurar su buena conducta.

Ni Carlos V ni Alba, ni un tercer hombre de estado que empezaba a descollar, Antoine Perrenot de Granvela, Obispo de Arras, abrigaban la menor duda de que una medida tan drástica fuera necesaria, ni fue ésta impedida por el acuerdo firmado dos semanas antes por el Landgrave.[61] Fueron Mauricio de Sajonia y Joaquín de Brandemburgo quienes convencieron al crédulo hombre de Hesse de que «*ohne ewige Gefägnis*» (sin encarcelamiento eterno) significaba en realidad «*ohne einige Gefägnis*» (sin encarcelamiento alguno), y Alba y el obispo se pasmaron de que los electores les tuvieran en pie hasta las dos de la mañana, protestando por la detención de su compañero luterano. En líneas generales, todas estas gesticulaciones de los electores deben entenderse como gran representación teatral de carácter político, pero Carlos V se

mantuvo firme. Cuando salió hacia la Dieta de Augsburgo se
aseguró de que ambas cabezas rebeldes le acompañaban.[62]

La triunfante conclusión de las guerras Smalkaldas fue un
hito en la carrera de Alba. Se había revelado como uno de los
grandes capitanes de la época, formándose en el transcurso de
ellas una concepción bélica que perduraría toda una vida.
Cualesquiera que fueran las dudas que Carlos V pudiera abrigar en 1543, éstas se habían desvanecido en 1547. Desde ese
momento en adelante, se confiarían al taciturno castellano no
sólo los campos de batalla, sino las más delicadas maniobras
políticas. Con el obispo de Arras, se convirtió en una de las
grandes fuerzas de la corte, mientras el reinado de Carlos V
avanzaba vacilante hacia su fin.

1. Antonio Ossorio, *Vida y hazañas de don Fernando Álvarez de Toledo, Duque de Alba*, ed. José López de Toro (Madrid, 1945), pp. 48-49. Esta opinión ha sido aceptada por una serie de historiadores más recientes, entre ellos J. L. Motley, *The Rise of the Dutch Republic* (Londres, 1886), II, p. 104.

2. R. B. Merriman, *The Rise of the Spanish Empire* (Nueva York, 1962), III, p. 335.

3. Los pormenores se conservan en AGS GA20.

4. Alba a Carlos V, 20 de septiembre de 1541, *EA*, I, pp. 10-11; Ossorio, p. 49.

5. Ossorio, p. 49.

6. Alba a Carlos V, 2 de septiembre de 1541, EA, I, 5.

7. Ossorio, 50.

8. Para un relato completo, véase Mendoza a Carlos V, 15 de octubre de 1541, AGS E. K1968, f. 68; véase también Alba a Carlos V, 7 de octubre de 1541, *EA*, I, pp. 11-12, y 13 de octubre, *EA*, I, pp. 12-13.

9. Carta del Comendador Vañuelos, 10 de noviembre de 1541, *DIE*, I, p. 229; Prudencio Sandoval, *Historia de la vida y los hechos del Emperador Carlos V* (BAE 80-82), III, p. 109.

10. Carta de Vañuelos, 10 de noviembre de 1541.

11. Alfonso de Ulloa, *Vita dell' invittissimo e sacratissimo imperator Carlo V* (Venecia, 1589), p. 126.

12. El cálculo es de Merriman (III, p. 339).

13. Sandoval, III, p. 112.

14. *Ibíd.*, III, p. 125.

15. Véase AGS E. K1702, ff. 24, 31, 36, 48, 49, 54-56, 60, 69, 79 y 85.

16. Ossorio, pp. 52-56.

17. La idea de que el Príncipe Felipe se hallara presente ha sido desechada por Erika Spivakovsky, «The Legendary First Campaing of Philip II», *Renaissance Quaterly*, XXI, núm. 4 (1968), pp. 413-19.

18. Véase más adelante, n. 20.

19. Reproducido en F. de Laiglesia, *Estudios Históricos* (Madrid, 1918), I, pp. 41-67.

20. El original de este pasaje está reproducido en Laiglesia, I, pp. 84-85.

21. Brandi, *Charles V*, p. 491. La traducción de C. V. Wedgwood no es del original, sino de la defectuosa traducción de Brandi al alemán (véase la obra en alemán [Munich, 1937], 421). Irónicamente, la transcripción que hace Brandi del documento es exacta: *Karl V, Berichte und Studien* (Munich, 1914), pp. 78-81.

22. BN MS 10, p. 300.

23. Hayward Keniston, *Francisco de Cobos, Secretary of the Emperor*

*Charles V* (Pittsburgh, 1960), p. 269.

**24.** M. de Foronda y Aguilera, *Estancias y viajes del Emperador Carlos V* (Madrid,1914).

**25.** Keniston, p. 268.

**26.** Alba a Juan Vázquez, 6 de mayo de 1543, *EA*, I, p. 28.

**27.** Alba a Carlos V, 29 de julio de 1543, AGS E60, f. 230 (traducción inglesa en *CSP-Spanish, Henry VIII*, VI, pp. 448-50); Alba a Carlos V, 6 de mayo de 1543, EA, I, p. 25; Alba a Juan Vázquez, 9 de mayo de 1543, *EA*, I, p. 28, y 16 de mayo, EA, I, pp. 32-33; Alba a Cobos, 19 de julio de 1543, *EA*, I, p. 43. Para el fogonazo final, véase Alba a Cobos, AGSE63, f. 100.

**28.** *Instrucción secreta* de 6 de mayo, Laiglesia, I, p. 83.

**29.** L. Fernández y Fernández de Retana, *Historia de España*, ed. R. Menéndez Pidal (Madrid, 1966), XIX, parte 1, p. 239.

**30.** Alba a Mateo Vázquez, 18 de mayo de 1580, *EA*, III, pp. 671-72.

**31.** Geoffrey Parker, *Philip II* (Boston, 1978), p. 82.

**32.** La casa misma se utiliza hoy día para almacenar equipo agrícola, pero todavía pueden verse en los alrededores los restos de obras de irrigación.

**33.** RAH Salazar MSS A48, f. 34.

**34.** Juan de Zúñiga a Carlos V, 10 de septiembre de 1543, reproducida en J. M. March, *Niñez y juventud de Felipe II* (Madrid, 1941), I, p. 259. Véase también Alonso Enríquez de Guzmán, *Libro de la vida y costumbres de don Alonso Enríquez de Guzmán*, ed. H. Keniston (Madrid, 1960), pp. 236-37.

**35.** Mariano Berrueta, *El Gran Duque de Alba* (Madrid, 1944), pp. 38-39.

**36.** March, II, p. 89.

**37.** Magdalena de Bobadilla a Diego Hurtado de Mendoza, RAH Salazar MSS A52, n. f.

**38.** M. Fernández Álvarez, *Charles V* (Londres, 1975), p. 129.

**39.** La mejor exposición de esta polémica se encuentra en F. Chabod, «¿Milán o los Países Bajos?», *Carlos V: Homenaje de la Universidad de Granada* (Granada, 1958), pp. 331-72. La minuta de la reunión (AGS E67, ff. 13-16) se reproduce en las pp. 365-72.

**40.** Las ceremonias se describen en M. de Foronda y Aguilera, *Fiesta del Toisón de Oro celebrada por Carlos V en Utrecht en 1546* (Madrid, 1903).

**41.** Para la primera opinión, véase L. de Ávila y Zúñiga, *Comentario de la Guerra de Alemania* (BAE 21), pp. 410-19. Para la segunda, véase Brandi, *Charles V*, p. 550.

**42.** Ésta era, desde luego, la opinión de algunos de sus coetáneos. Véase J. Janssen, *History of the German People* (St. Louis, 1905-1925), V, pp. 337-38; F. Martín Arrue, *Campañas del Duque de Alba* (Toledo,

1880), I, p. 151, y M. Fernández Álvarez, *La España del Emperador Carlos V, en Historia de España*, XVIII, ed. R. Menéndez Pidal (Madrid, 1966), pp. 697-99.

43. Alba fue designado capitán general de las fuerzas imperiales de Regensburg el 22 de julio de 1546 (Alonso de Santa Cruz, *Crónica del Emperador Carlos V* [Madrid, 1920-1922], IV, p. 503). Los detalles sobre sus emolumentos y gastos, que no se pagaron hasta 1553, están en AGS E506, ff. 126 y 128.

44. Hay una descripción de la batalla en C. Oman, *A History of the Art of War in the Sixteenth Century* (Nueva York, 1937), pp. 229-43.

45. Brandi, Charles V, p. 551.

46. Sandoval, III, p. 243; Santa Cruz, IV, p. 509.

47. Ávila y Zúñiga, p. 415; Brandi, *Charles V*, pp. 552-53.

48. Ávila y Zúñiga, p. 416.

49. Ávila y Zúñiga, p. 417; Brandi, *Charles V*, pp. 553.

50. Ávila y Zúñiga, p. 418.

51. Esta descripción está casi totalmente extraída de Ávila y Zúñiga, pp. 416-24, el único relato coherente de la campaña que ha sobrevivido.

52. Sandoval, III, p. 267.

53. *Ibíd.*

54. Ávila y Zúñiga, pp. 426-29.

55. Véase Michael Roberts, «The Military Revolution, 1560-1660» (Belfast, 1956), reproducido con algunas alteraciones en M. Roberts, *Essays in Swedish History* (Londres, 1967), pp. 195-225.

56. Pierre Brantôme, *Les vies des grands capitaines*, en *Oeuvres complètes* (París, 1858), I, p. 158.

57. La batalla de Mühlberg se describe en el capítulo 36 de Pedro de Salazar, *Crónica de nuestro invictissimo Emperador Carlos quinto... en la qual se tracta la justissima guerra a su Magestad mouio contra los luteranos y rebeldes del Imperio* (Sevilla, 1552), reproducido como «La batalla de Mühlberg», *Revista de Archivos, Bibliotecas y Museos*, XXV (1911), 432-50; hay una referencia específica a la rendición en la p. 444. Véase también Brandi, *Charles V*, pp. 556-68, y M. Lenz, Die Schlacht bei Mühlberg (Gotha, 1879).

58. Carlos V, *Mémoires*, en A. Morel-Fatio, *Historiographie de Charles-Quint* (París, 1913), p. 173.

59. Carlos V a María de Hungría, 25 de abril de 1574, *KKK*, II, pp. 561-63.

60. Salazar, 448. Esto, al parecer idea de Alba, causó gran resentimiento entre los sajones: G. Mentz, *Johann Friedrich der Grossmütige, 1503-1554* (Jena, 1903-1908), III, p. 314.

61. M. Van Durme, *El Cardenal Granvela* (Barcelona, 1957), 87.

62. El incidente está descrito en Van Durme, pp. 80-83; Ávila y Zúñiga, p. 448; Sandoval, III, p. 305, y Brandi, *Charles V*, pp. 572-73.

## IV
## El caudillo

Carlos V, a pesar de no ser un rey genial, era un hombre valeroso, concienzudo y fundamentalmente respetable, cuyas responsabilidades eran abrumadoras. Durante treinta años las había asumido con dignidad y sentido común, pero sus dificultades habían dejado huella. A los cuarenta y ocho años estaba muy avejentado, agotado y torturado por la gota. Mientras presidía las interminables pendencias de una nueva Dieta, era consciente de que no podía demorar por más tiempo el poner en orden sus asuntos.

Su primera preocupación era la disposición de su vasto legado. Hacía ya mucho tiempo que había aceptado su división, otorgando a su hermano Fernando el título imperial y la posesión de las tierras de los Habsburgo en Alemania. Su hijo Felipe heredaría todo lo demás, incluidos los Países Bajos e Italia. Carlos inició entonces una serie de infructuosas negociaciones con el fin de que el imperio volviera a manos de Felipe al morir Fernando, pero también le preocupaba, comprensiblemente, la formación política de su hijo. Felipe tenía veinte años por entonces, era un hombre menudo, rubio y apuesto, con un talante reservado y una visión general que era enteramente española. Había llegado el momento de que conociera a sus súbditos de los ricos, pero turbulentos, Países Bajos.

Para preparar el terreno antes de su visita, Carlos se decidió por dos vías de acción, las cuales sabía que no iban a ser bien recibidas en España. Una de ellas fue el nombramiento de su sobrino Maximiliano como regente, en ausencia de Felipe. Maximiliano era hijo de Fernando, Rey de los Romanos, el hombre cuya herencia intentaba ahora Carlos desviar de sus manos. Era, además, tan austriaco como Felipe era castellano y, por consiguiente, a ojos españoles, un extranjero. Es evidente que la regencia tenía la intención de acallar posibles recelos,[1] pero la reacción de este joven, sagaz y enigmático, era tan imponderable como la acogida que le depararían los españoles.

La segunda decisión tenía relación con un aspecto de la gran distancia cultural que separaba España de los Países Bajos. Los Duques de Borgoña habían acostumbrado a sus súbditos a un grado de magnificencia y ostentación en la vida cortesana, que admiró a Europa hasta los días de Luis XIV, mientras que los orígenes de Castilla como sociedad de frontera se reflejaban en las sobrias y francas costumbres de su corte. Como rey de Castilla, Felipe habría de contentarse con un puñado de servidores, un mínimo de ceremonia y una alta nobleza que conservaba el sombrero en su presencia. Como Duque de Borgoña y Conde de Flandes, sería el centro de una copiosa serie de rituales inspirados, en última instancia, en el acto de la misa, y tan elaborados que traerle un vaso de agua exigía la colaboración de cuatro cortesanos.[2] Carlos V sabía por propia experiencia que sus súbditos de los Países Bajos quedarían consternados ante el inceremonioso funcionamiento del ámbito inmediato de su hijo, y que despreciarían su sencilla dignidad por considerarla mezquina e indigna de respeto. Resolvió, en consecuencia, conseguir algo que fue mucho más serio de lo que él pudo haber imaginado: la reorganización de la corte española sobre el modelo borgoñón.

En enero de 1548, Carlos V redactó sus disposiciones, junto a una nueva y voluminosa *Instrucción*, y las envió a España con Alba como su mensajero y representante. El duque no sólo debía alisar el camino para la venida de Maximiliano, sino también, como nuevo «mayordomo mayor», asumir plena responsabilidad de la reorganización de la corte.

La elección de Alba era en cierto sentido lógica. Siempre se había observado su interés en el protocolo. Aparte de esto, su capacidad organizativa era bien conocida, su actuación en Mühlberg le había granjeado gran prestigio y, sobre todo, era indiscutiblemente castellano. Cualquier alteración de sus ancestrales costumbres agraviaría a la nobleza, pero al menos no podrían acusarle de ser esclavo de modas extranjeras.

En realidad, este hombre que llevaba siempre sombrero en presencia de reyes y que incluso a sus caballos daba nombres inconfundiblemente castellanos,[3] no podía alegrarse de semejante misión.[4] Simultáneamente, debía ser consciente de que le abría amplias perspectivas de poder personal: el mayordomo mayor no sólo estaba a cargo del ritual y la disciplina de la corte, sino también de su aprovisionamiento y de muchos de sus nombramientos.[5] Con el incremento de personal que exigía el nuevo ceremonial, sus derechos de patronazgo serían sólo inferiores a los de la Corona. Es probable que las posibilidades inherentes a esta situación no se le hicieran manifiestas de inmediato, y tampoco podría aprovecharlas al máximo a corto plazo, pero en años subsiguientes se haría evidente que Carlos V había creado precisamente la clase de personaje contra el cual había advertido a su hijo en 1543: un noble con una base de poder que se extendía más allá de sus propios dominios y que poseía, por consiguiente, su propia facción o bando.

Pero la prioridad inmediata era hacer que se aceptara el proyecto. Alba alcanzó a Felipe en Alcalá, cuando regresaba de asistir a las Cortes de Aragón en Monzón. Las Cortes de Castilla iban a reunirse en Valladolid y, puesto que ambos hicieron el viaje juntos, hablaron sobre la manera de sofocar lo que con certeza sería una vigorosa oposición.[6] La regencia de Maximiliano y la reforma de la corte estaban sin lugar a dudas dentro de las prerrogativas regias, pero era esencial evitar una indecorosa disputa pública. En consecuencia, Felipe decidió excluir a los estamentos noble y eclesiástico, convocando tan sólo a los representantes de las ciudades, cuya elección estaba sujeta a la obstrucción de los corregidores reales. Aun así, la reunión fue tensa. Las Cortes objetaron fuertemente a la anunciada marcha de Felipe y no ocultaron su disgusto ante las innovaciones flamencas. Los nobles, aún más irritados si cabe por haber sido excluidos, vertieron toda su bilis sobre Alba, que era el único blanco próximo de su categoría. Algunos llegaron incluso a preguntarle cuál sería su recompensa por prestar un servicio tan bajo. Su respuesta de que no era idea suya sino del emperador, y que él no hacía más que transmitir los deseos de éste, fue recibida con mal disimulado desdén, y Ossorio nos dice que respondió «con los ojos bajos».[7]

Fue en general una experiencia muy desagradable, pero los resultados habían sido preordinados. Hacia el 15 de agosto la corte había quedado reorganizada, y Alba estaba en posesión de la silla de terciopelo del mayordomo y de las llaves de palacio. Para aparente sorpresa de Felipe, Maximiliano fue recibido con cortesía, y el 1 de octubre el regio grupo se hallaba ya en camino.

Su ruta les llevaría por Barcelona y, desde allí, una galera les transportaría a Génova. Antes de alcanzar los barcos, la tragedia se cernió sobre ellos. En Monteagudo, Alba supo que su hijo mayor, don García, había muerto en Alba de Tormes de un mal no especificado. Tenía dieciocho años. Con entereza muy admirada por sus coetáneos, Alba se negó a permitir actos de duelo por temor a demorar la expedición, y cumplió con sus obligaciones sin alteración visible de su compostura.[8] El episodio agrandó la leyenda de impasibilidad y carácter férreo que estaba formándose en torno a él, pero íntimamente debió suponer un terrible golpe. El cronista Santa Cruz nos da un indicio cuando afirma: «La muerte fue un mal aceptado por la casa de Alba, porque era la primera llamada del destino a la puerta del duque».[9]

El resto del viaje no precisa una relación detallada, aunque duró dos años y medio y terminó por ser, probablemente, más contraproducente que provechoso para todos. En un esfuerzo por presentar a Felipe ante sus futuros súbditos, se había dispuesto una interminable secuencia de torneos, festejos y entradas triunfales; pero Felipe detestaba los viajes, no soportaba la bebida y tendía a desmayarse en los torneos. Los habitantes de los Países Bajos le hallaron desdeñoso e insignificante, y él a su vez quedó con la impresión de que eran muy dados a la bebida y vulgares.[10]

Alba, en su capacidad de mayordomo, presidió muchos de estos actos, pero el placer que pudieran suponerle, si es que fue alguno, se desconoce. Como siempre que se hallaba en la corte, su correspondencia mermó hasta llegar a desaparecer, y no se encontraba precisamente en situación de poder dar rienda suelta a sus opiniones, dada la presencia de tantos murmuradores. Gran parte de toda esta vida social debió resultar gravosa para un hombre que era aún más severo y ascético que su señor, pero durante aquellos activos meses puso los cimientos de su relación con Felipe y de su futuro papel como una de las grandes fuerzas de la política española.

En la monarquía Habsburgo, absolutista de hecho y de derecho, las carreras dependían en gran medida del favor del príncipe. Es, por consiguiente, irónico que la prolongada asociación entre Alba y Felipe no fuera ni fácil ni especialmente cordial. Alba había sido una figura casi familiar para Felipe desde que éste tuvo uso de razón. Como todos los grandes de España, recibía oficialmente tratamiento de «primo», pero a sus espaldas la corte le denominaba «tío».[11] Éste había sido durante mucho tiempo un apelativo que designaba a un jefe político o patrón, pero la concepción del propio Alba sobre su función era realmente avuncular. Veinte años mayor que Felipe, se consideraba como mentor del príncipe. Si Felipe le aceptaba casi siempre como tal, era debido a que en su interior le asociaba al emperador. Y no es extraño que así fuera. Alba había estado más próximo a Carlos V que ninguno de los restantes consejeros de Felipe, y cuando el emperador envió sus instrucciones a su hijo en 1548, fue Alba quien las entregó y explicó su contenido. En los días difíciles e inseguros que siguieron, Felipe se vio inevitablemente forzado a buscar en Alba no sólo orientación, sino las claves del pensamiento de su venerado padre.

Esta situación casi tutelar formó durante muchos años la base de su relación, a pesar de que para Felipe la actitud de Alba resultara cada vez más irritante y presuntuosa. Con frecuencia revocaba las decisiones de su consejero o incluso le reprendía,[12] pero en escasas ocasiones se permitía no prestarle atención, pues el duque era un auténtico depositario de las ideas paternas. Es más, sus cualidades personales tendían a reforzar su mensaje. Un pasquín aparecido en Valladolid en las Cortes de 1548 se refería al duque como «Duque Gravedad».[13] Alto, sombrío y ascético, su presencia física era casi opresiva. Sobre todo, poseía el don de la absoluta certeza. El joven príncipe se convirtió en un hombre muy concienzudo y de considerable perspicacia, pero sus hábitos mentales fueron siempre tan complicados y sinuosos como su propia escritura. La indecisión le oprimió hasta su muerte, pero en Alba encontró un consejero que raramente dudaba sobre ninguna cuestión, o al menos así parecía. A Felipe no le agradaba su compañía y es posible que incluso le disgustara, pero era indispensable no sólo por su talento militar, sino por su habilidad para dar expresión a los valores del propio Felipe en situaciones en que había muchas posibilidades de que se confundieran. No era exactamente favor lo que le dispensaba, pero a todos los efectos era prácticamente lo mismo.

Esta singular, y con frecuencia tensa, asociación constituía uno de los dos pilares sobre los que descansaba el poder de Alba. El segundo consistía en que, a pesar de muchas provocaciones, Felipe nunca dejó de confiar en el buen juicio militar del duque ni en la tosca honestidad de sus convicciones religiosas. Incluso al final de su carrera, cuando su opinión en cuestiones de Estado era casi enteramente pasada por alto, su influencia siguió siendo inmensa en cuanto a nombramientos militares y eclesiásticos. Es impresionante que aun en la tardía fecha de 1581, Alba y su mujer lograran anular la designación de un dominico como Provincial de Castilla después que hubiera sido anunciada, sustituyéndolo por un candidato propio.[14]

El vehículo inmediato para el ejercicio de su poder era el puesto de mayordomo. Además de un salario de 6.000 ducados anuales, otorgaba a Alba un acceso al príncipe prácticamente inigualado, un privilegio del que en ocasiones tendía a abusar. Acompañaba a Felipe a la capilla y en todos los actos oficiales, decidía toda cuestión de precedencia y disponía las audiencias a los embajadores. Sólo estas obligaciones le hacían digno de ser cultivado, pero aún había otras. Las cortes constituían un Estado dentro del Estado, con sus propias leyes y reglamentación. Los lunes y viernes el mayordomo celebraba sesión judicial para resolver disputas y juzgar delitos, y la extensión de sus poderes discrecionales, aunque sujetos a la aprobación regia, era muy amplia.[15] Felipe II no fue un *roi fainéant* y siempre mostró un vivo interés en su entorno inmediato, pero era evidente para todo el mundo que el duque se hallaba en una ventajosa posición para asistir a sus amigos y hostigar a sus enemigos.

Dicha condición se vio incrementada aún más por su influencia sobre los nombramientos para la corte. En ésta, bajo el nuevo sistema de tipo borgoñón, existían más de 1.500 puestos, algunos remunerados y otros puramente honorarios, pero todos proporcionaban a sus titulares cierto acceso al ámbito del favor real. El derecho de designación pertenecía al rey, pero, puesto que Alba era jefe de la casa real, sus recomendaciones tenían inevitablemente gran peso en muchos casos.

El duque era así el nexo entre tres instituciones clave: la corte, el Ejército y la Iglesia. No es sorprendente, por tanto, que su correspondencia contenga una verdadera avalancha de peticiones, recomendaciones y cartas de agradecimiento, y que él mismo adquiriera pronto una posición dominante en el gobierno de Felipe II. Por selectivo y meticuloso que el rey pudiera ser en cuestiones de nombramientos, el número de las personas que se sentían en deuda con el duque creció en proporción geométrica con el paso de los años, como también el número de aquellas que creían que el duque podía serles provechoso en el futuro. Esta rápida expansión de su clientela le convirtió en un auténtico caudillo, es decir, un soldado con fuerte base política, pero ello no suponía necesariamente un peligro para el Estado. Por un lado, su capacidad para satisfacer las peticiones de sus protegidos aún dependía totalmente de que el rey continuara deparándole su favor. Por otro, tenía rivales.

Ruy Gómez de Silva no parecía un adversario adecuado para un tan formidable personaje como el duque. Nacido en Portugal, había venido a España como paje de la casa de la emperatriz, pero pronto fue trasladado a la de su hijo menor. Once años mayor que el príncipe, fue primero su compañero de juegos, después su confidente. Al hacerse adulto, creció la estimación de Felipe II por su talante afable y obsequioso[16] y su absoluta lealtad. Con él no había sobresaltos ni comentarios paternalistas sobre lo que hubiera hecho el emperador en su lugar; era tan sólo un joven sosegado, adulador e inteligente, que era ante todo un compañero agradable. Si Felipe II conocía al otro Ruy Gómez, al autor ambicioso y endurecido de inescrupulosas intrigas, nunca dio muestras de ello. El antiguo paje tenía verdadero ingenio para ser humilde y un delicado sentido de hasta dónde podía llegar sin incomodar a un señor. Siendo el perfecto valido, era una opción lógica para el puesto de camarero mayor.[17]

Dicho cargo conllevaba escaso poder, pero suponía un servicio casi constante al príncipe. Él le despertaba por la mañana, le atendía al acostarse, y durante veinticinco años estuvo más próximo al príncipe que ningún otro cortesano. Extranjero sin título, no había nacido, como Alba, con una hueste de personas allegadas, ni disponía de extensos vínculos con la nobleza castellana, pero su íntima asociación al príncipe pronto le permitió adquirir ambas cosas. A los pocos meses de su nombramiento, muchos de los que buscaban el oído regio se habían alistado a su bandera, y en la década de 1550 sus adeptos igualaban a los de Alba.

La aparición de Ruy Gómez como influencia decisiva quedó marcada por su matrimonio, en 1552, con doña Ana de Mendoza y de la Cerda, hija única del Conde de Melito. El linaje de los Mendoza, al cual pertenecía aquélla, era equiparable en prestigio al de los Toledo, y muy superior en número. A pesar de que en conjunto sus títulos y rentas eran impresionantes, las necesidades de atender a su numerosa descendencia eran aún mayores, y hacia 1548 tenía escasa representación en los niveles más altos de la corte. No es extraño, pues, que vieran en aquel favorito sin tierras la clase de oportunidad que sólo se presenta una vez en la vida, y le cortejaron con una insistencia casi indecorosa.[18] El matrimonio no se consumó hasta 1556, pues doña Ana no tenía más que doce años el día de su boda; si bien luego se convirtió en una mujer hermosa y temible, su función primera fue la de proporcionar una herencia al valido, mientras se le unía para siempre a los intereses de algunas de las más grandes familias de España.

El resultado fue la formación de dos grandes facciones, dos bandos que dominaron la política cortesana hasta los escándalos de 1579-80. En un lado se encontraban Alba y los Toledo, y con ellos el Prior de León, Antonio, hermano de la duquesa. Antonio era un valioso aliado. Amable y discreto, desempeñó el cargo de palafrenero mayor en la nueva corte, y fue más tarde miembro de los consejos de Estado y Guerra.[19] Y estaban también los tíos de Alba. El más famoso de ellos, don Pedro de Toledo, el «virrey de hierro» de Nápoles, murió en 1553, pero su hijo García, Marqués de Villafranca, fue siempre un firme aliado, no obstante la insistente tendencia de Alba a darle órdenes.[20] Esta rama de la familia había aumentado su poder mediante matrimonios con la nobleza italiana. García estaba casado con Victoria Colonna, hija y homónima de la famosa figura intelectual, mientras que Eleonora, hermana de aquél, se casó con Cósimo de Médicis, mandatario de Florencia. En Roma, la familia estaba muy bien representada por otro tío de Alba, Juan Álvarez de Toledo, Cardenal-Obispo de Santiago. Tras la muerte de éste, fue sustituido por otro pariente, más lejano pero igualmente leal, el Cardenal Francisco Pachecho Osorio de Toledo. Entre los miembros de este bando se hallaba también la familia Enríquez de Guzmán y, con el tiempo, dos hombres cobrarían importancia por derecho propio: Francisco de Zapata, primer Conde de Barajas, y el ladino don Diego Cabrera de Bobadilla, tercer Conde de Chinchón.

El bando que encabezaba Ruy Gómez era mayor, aunque en él se contaban menos hombres de talento reconocido. El núcleo era la familia Mendoza, pero el grado de su participación variaba. La figura más activa era la de el padre de doña Ana, que llegaría a ser Príncipe de Melito y Duque de Francavilla en el curso de su larga carrera como Virrey de Aragón y Cataluña. El embajador y estudioso Diego Hurtado de Mendoza, su hermano, el Marqués de Mondéjar y el miembro señero del clan, el Duque del Infantado, también estuvieron, en algún momento u otro, implicados en las contiendas cortesanas y, más tarde, se les unirían el Duque de Medinacelli, el Duque de Béjar y el Conde de Feria.

Sería un error suponer que estos bandos eran, en modo

alguno, inamovibles. No sólo cambiaron sus componentes en el transcurso de los años, sino que en ocasiones algunos de sus miembros individuales apoyaron a la oposición en asuntos determinados. Además, había siempre cortesanos como el influyente Juan Manrique de Lara, que escuchaban a su conciencia o a su interés particular según lo exigieran las circunstancias. La argamasa que los mantenía unidos era una curiosa amalgama de elementos que no admite una generalización simplista. Los lazos de parentesco eran claramente importantes, pero no decisivos del todo. Chinchón estaba lejanamente emparentado con doña Ana, y Bernardino de Mendoza, capitán de las galeras reales y hermano del Marqués de Mondéjar, era amigo de Alba. Su hijo (del mismo nombre) sirvió a las órdenes del duque, y lo ensalzó en sus *Comentarios de los Países Bajos*, y se mantuvo fiel a esta postura en años subsiguientes como embajador en Francia y tesorero de la Liga Católica francesa.[21]

Sería igualmente erróneo exagerar las diferencias ideológicas entre ambos campos. Tanto J. H. Elliott como Gregorio Marañón apuntan que la facción de Alba era castellanista y belicosa, mientras que la de Ruy Gómez era imperial y conciliatoria, aunque, como ambos autores admiten, Alba era militante con respecto a los Países Bajos, pero conciliador con respecto a Inglaterra.[22] Ruy Gómez era exactamente lo contrario. Por lo demás, hay escasos indicios de que los virreyes Mendoza fueran más respetuosos con los privilegios locales que sus equivalentes de los Alba, y fue Alba, después de todo, quien introdujo el ceremonial borgoñón en la corte española. La confusión pudiera deberse parcialmente a que Marañón creía que existía una base histórica para esta rivalidad, pero su afirmación de que la casa de Toledo había compartido las simpatías comuneras de los Zapata es, sin duda, falsa.[23] Como este mismo autor indica, ningún Toledo estuvo realmente implicado en la rebelión comunera, y la asociación de Alba y Zapata, primer Conde de Barajas, data de los años 1570. Por lo que respecta a los Mendoza, éstos eran, en las primeras décadas del siglo, prácticamente los únicos aliados, entre los grandes nobles, de los Toledo en su lucha por adelantar las pretensiones del rey Fernando.[24]

Puede que existieran otras diferencias más sutiles. Entre los Mendoza había una tradición familiar de adhesión a la Nueva Ciencia que caló mucho más hondo y fue mucho más perdurable que las breves aproximaciones de los Toledo. Aún más, como adelantados de Granada, la rama de los Mondéjar había preconizado medidas de tolerancia para con los moriscos, y el primer marqués había incluso adoptado ciertos gustos de tono superficialmente moruno.[25] No es que fueran herejes o siquiera liberales, sea cual fuere el significado de dicho término en el contexto de la corte de Felipe II, pero en comparación con los Toledo se respiraba en torno a ellos un aire de audacia intelectual, un olor leve pero inconfundible a azufre infernal.

Pero lo cierto es que nada de esto era tan importante como el hecho personal. Alba y Ruy Gómez eran personalidades antitéticas y, a pesar de que lograban convivir, en ocasiones durante largas semanas, en términos de una cortesía aceptable, su antagonismo era profundo y visceral. Si un cortesano se entendía bien con uno de ellos, era improbable que el otro deseara su amistad. En última instancia, sus mutuos seguidores estaban impulsados por la misma combinación de intereses, lazos de parentesco y de carácter personal que han determinado la composición de las facciones políticas desde la España del siglo XVI a la Inglaterra del siglo XVIII, y su postura en cada cuestión estaba más informada por las rivalidades inherentes a la situación que por convicciones ideológicas.

Lo que hacía a este faccionalismo tan virulento era el hecho de no estar circunscrito a la aristocracia. En paralelo a estos grupos, aunque en relación con ellos, existían similares divisiones entre los secretarios. Bajo el sistema de consejos heredado por Felipe II, gran parte de la carga administrativa cotidiana descansaba sobre los secretarios reales y los de los diversos consejos. Estos hombres no sólo transmitían información y recomendaciones a los distintos cuerpos asesores, sino que resumían sus deliberaciones y las hacían llegar al rey. Muy próximos a los secretarios por formación y extracción social se hallaban los burócratas, que administraban la contaduría y la hacienda y, por extensión, las remuneraciones y los suministros de las fuerzas armadas.[26] Hacia la década de 1550, si no antes, también estos hombres se habían dividido en facciones enconadamente enfrentadas, una de ellas adepta a Alba y la otra a Ruy Gómez.

Las raíces de dicha división se encontraban en el método empleado para reclutar, formar y destinar a los secretarios en la administración real. En líneas generales, un poderoso secretario se hacía cargo de un joven y le educaba sometiéndole a una especie de aprendizaje extraoficial. Las responsabilidades de éste y el acceso a información sustanciosa iban en aumento con el desarrollo de sus destrezas políticas y, por último, era recomendado para un cargo propio. Los secretarios más influyentes eran, por consiguiente, mecenas por derecho propio, con la responsabilidad implícita de apoyar a protegidos que luego extenderían a su vez la influencia de un señor en círculos cada vez más amplios, que alcanzaban a todo el gobierno. Dado que los grandes personajes de la corte disponían de lucrativos puestos en sus propias casas, y gozaban de considerable influencia sobre toda clase de nombramientos en general, el éxito de las «escuelas» de secretarios dependía, al menos parcialmente, de mantener estrechas relaciones con aquéllos.

Ambas escuelas rastreaban sus orígenes a Francisco de los Cobos. Cobos y el duque habían tenido una estrecha amistad en los años 1530, cuando el secretario se encontraba en la cúspide de su extraordinaria carrera y Alba era todavía, en gran medida, una personalidad desconocida. Estos dos hombres provenían de dos mundos aparte y eran muy diferentes en temperamento; sin embargo, la amistad del antiguo lugareño de Úbeda y el gran magnate sobrepasaba con mucho lo que una simple relación de interés habría dictado. Cuando Cobos murió en 1545, Alba fue albacea y el protector de su viuda frente a las numerosas demandas puestas a su herencia.[27]

Sucedió a Cobos su sobrino, Juan Vázquez de Molina, que, a su vez, tenía tres protegidos. Uno de ellos, Gonzalo Pérez, había sido secretario del humanista Alonso de Valdés.[28] Los otros dos, Alonso de Idiáquez y Francisco de Eraso, habían salido aparentemente de la nada.[29] Los tres crearon «escuelas» propias, pero los sucesores de Idiáquez no son de interés aquí. Fue desalojado del escenario por Gonzalo Pérez, y hasta después de la caída de ambas facciones, en 1579, no surgió su hijo Juan como gran centro de poder.[30]

Pérez, por otra parte, heredó prácticamente a todos los adeptos de Cobos en España. Instruido, susceptible y extraordinariamente vengativo,[31] mantuvo, no obstante, íntimos lazos con Alba hasta un año o dos antes de su muerte, en 1566. Entre sus amigos y cómplices se encontraba Gabriel de Zayas, otro discípulo de Cobos y futuro Secretario de Estado, que se convertiría en ojos y oídos de Alba en la corte durante sus largos años de ausencia.[32] Su lealtad al duque era incondicional. Como Alba dijera a Zayas en una ocasión: «soy un hombre que ha de estar agradecido a vuestra excelencia hasta el sepulcro, y estimar la obra de vuestra excelencia es mi mayor lustre».[33] Y no era simple adulación. Otros partidarios de Alba, profesionalmente descendientes de Pérez y Zayas, eran Juan de Albornoz y Esteban de Ibarra, secretarios privados de Alba y su hijo en los años pasados en los Países Bajos. Ibarra era a su vez hermano menor de Francisco, otra creación de Cobos cuyo ingenio para la logística le hacía verdaderamente indispensable, y el hombre que más que ningún otro ayudó a Alba a lograr sus victorias. Hubo otros, pero éstos son los más conocidos.

De modo inevitable, el triunfo de Pérez suscitó la envidia de Eraso, que había quedado en Bruselas como secretario del emperador. A pesar de que en un principio no hizo extensiva su considerable malevolencia a Alba, su aversión a Pérez era muy intensa, y a fines de los años cuarenta empezó a formar su propia red de influencia.[34] Entre sus alumnos más destacados se hallaba Diego de Espinosa, el humilde canónigo de Sevilla que ascendió hasta llegar a presidente del Consejo de Estado, Cardenal-Obispo de Sigüenza e inquisidor general, y el aún más humilde Mateo Vázquez de Leca, que llegó a ser secretario privado de Felipe II y su más allegado confidente en los años finales de su reinado.[35] Eraso se adhirió a Ruy Gómez en 1555 y fue su más próximo aliado hasta que, diez años más tarde, cayó en desgracia. Se incorporó entonces a su puesto Antonio Pérez. Éste era hijo de Gonzalo, pero por motivos que serán evidentes, se enemistó con Alba en 1566 y terminó por suceder a Ruy Gómez como favorito del rey. En este momento, Mateo Vázquez inició una trayectoria propia, y se mantendría independiente de los dos bandos hasta que se produjo su triunfo sobre ambos en 1579. Todo esto es, sin duda, confuso, pero sirve para recordarnos que, como en el caso de los nobles, las alineaciones faccionalistas podían alterarse.

Este grupo tenía probablemente menor cohesión que el de los herederos políticos de Gonzalo Pérez, pero no era menos poderoso. Junto a sus numerosos cargos secretariales y en los consejos disponían, en 1556, de gran influencia en la contaduría mayor, donde encontraron acomodo muchos de los personajes menores en los años 1550 y 1560. Los principales artífices de esta infiltración fueron Eraso y Ruy Gómez, el cual, increíblemente, pasó a ser contador mayor en 1556. Puesto que dicha contaduría era responsable de todo desembolso, incluidos los envíos a virreyes y jefes militares en campaña, lograron con sus esfuerzos demorar e incluso negar fondos en situaciones en que semejante tipo de obstrucción podía ser sumamente perjudicial para sus enemigos. Es difícil creer que se permitiera a la rivalidad faccional obstaculizar campañas lanzadas por el rey, pero Alba fue víctima de dicha situación al menos en dos ocasiones: en Italia, en 1555-56, y más tarde en los Países Bajos.[36]

Este hecho da indicio de la importancia de estos alineamientos. Durante tres décadas influyeron sobre la vida política española –unas veces para bien, otras para mal–, pero son siempre un factor a considerar cuando quiera que se estudia la política de esta época. No significa ello que fueran todopoderosos. Del mismo modo que había nobles no alineados, había también burócratas no alineados, o quizá fuera más apropiado decir que su lealtad pertenecía a otros grupos de menor poder; pero una vez apuntadas las matizaciones pertinentes, la rivalidad entre Alba y Ruy Gómez sigue siendo lo que mayor influencia ejerció en las decisiones a los más altos niveles y lo que atraía la curiosa atención de los extranjeros. No se trataba de un conflicto ideológico, sino de hombres e intereses, arraigado en último término en la sociedad española misma, y que se extendía hasta los más humildes rincones de las grandes propiedades donde se originaba su fuerza. Si generaba interminables conflictos e intrigas, también garantizaba al rey que siempre dispondría de dos opiniones divergentes sobre las que fundamentar sus decisiones. En una monarquía absoluta, ni siquiera tan pobre alivio puede rechazarse con ligereza.

Los bandos, claro está, no surgieron ya formados de la reorganización de la corte, sino que se desarrollaron orgánicamente a partir de ella. Estaban, aparentemente, en estado embrionario durante la larga estancia en los Países Bajos, pero por entonces el funcionamiento interno del *entourage* de Felipe II está oscurecido por descripciones de atavíos, rituales y de la tediosa glotonería oficial. Cuando las facciones fueron ya blanco de la atención de observadores extranjeros, en 1555, habían ya casi madurado y existen indicios de su influencia en fechas muy anteriores.

El ejemplo más extraordinario fueron las maniobras que siguieron inmediatamente a la muerte del Papa Paulo III. La elección papal de 1550 constituyó una ordalía de nueve semanas, en gran medida orquestada por Cósimo de Médicis y sus parientes los Toledo, ante la obstinada intromisión de Diego Hurtado de Mendoza, embajador imperial en Roma. Cuando se inauguró el cónclave el 29 de noviembre de 1549, el candidato con mayores posibilidades era Jacopo Salviati, Cardenal de Florencia. Salviati era amigo de Mendoza y tío materno de Cósimo, pero éste le detestaba en silencio por sus anteriores implicaciones con los exiliados florentinos. En consecuencia, Cósimo, Alba y Pedro de Toledo emponzoñaron el espíritu del emperador contra Salviati, mientras le apoyaban aparentemente en público. Su finalidad era, en última instancia, favorecer la candidatura del tío de Alba, el Cardenal de Burgos, y al menos consiguieron asegurarse una orden del emperador a Mendoza instruyéndole para que actuara en oposición al florentino. Mendoza lo hizo al parecer con desgana, pero aunque Salviati no logró salir, tampoco el de Burgos tuvo mayor fortuna, y Alba acusó abiertamente al embajador de haber socavado su causa por motivos de interés personal. La idea de un Papa Toledo había tenido pocas posibilidades desde el principio, pero era evidente que Mendoza prefería otros candidatos incluso como segunda opción, y su conducta creó gran animosidad. La intriga fue, en su totalidad, mucho más complicada de lo que este breve resumen trasluce,[37] pero sigue siendo debatible si fue generada por el antagonismo faccional o simplemente contribuyó a él. Por último, la elección recayó en el Cardenal del Monte. Era éste un candidato de compromiso, en gran medida manejado por Cósimo, pero no por los Toledo, y cabe preguntarse si los problemas de Alba no eran aún mayores de lo que él creía.

El incidente no se olvidó. La memoria de Alba era robusta, y Mendoza nunca había sido de su agrado. El embajador tenía la lengua suelta y áspera, y su afición a importunar al duque era insoportable.[38] Los Toledo se afanaron en debilitarle, pero el emperador, que debía estar informado de lo que ocurría, parece no haber tomado en serio sus acusaciones una vez pasado el primer disgusto.[39] En todo caso, Alba pronto se vio ocupado en otros menesteres.

Sus deberes de ceremonia consumían gran parte de su tiempo. Además, el emperador estuvo presente en todo momento del viaje y solicitó con frecuencia su asesoramiento cuando se debatía el problema de la sucesión y las incesantes dificultades creadas por los protestantes alemanes. Finalmente, en el verano de 1550, la totalidad de la corte se trasladó a Augsburgo por motivo de una nueva Dieta, que se caracterizó por altercados, insultos y un intenso ajetreo político. Hasta el 26 de mayo de 1551 no se permitió al fatigado Príncipe Felipe regresar a casa. Alba fue con él.

Este respiro, largamente esperado, estaba destinado a ser breve.[40] Mientras Alba descansaba en sus tierras, la situación se deterioró rápidamente en Alemania y, hacia el verano de 1552, se hacía necesario rescatar al emperador del peor atolladero de toda su larga carrera. Las causas eran, como siempre, complejas. En Augsburgo, Carlos había presentado un plan para que se eligiera a Felipe Rey de los Romanos después que Fernando hubiera ascendido al trono imperial. Esto habría excluido virtualmente al hijo de Fernando, Maximiliano, aunque él debía suceder a Felipe en el caso improbable de que le sobreviviera. El acuerdo había sido arrancado a Fernando bajo fortísimas coacciones, y Maximiliano estaba comprensiblemente enfurecido tanto con el emperador como con su padre. Los electores estaban aterrados, temiendo los efectos divisorios de la candidatura de Felipe. Su intensa religiosidad y su aversión por lo alemán eran ya bien conocidos.

Para complicar aún más las cosas, el Concilio de Trento reanudó sus sesiones el 1 de mayo de 1551, y empezó de inmediato a publicar decretos sobre la comunión, la extremaunción y la confesión que hicieron imposible todo nuevo compromiso con los protestantes. El Interim de Augsburgo de 1548 había representado un intento por parte de Carlos V de dar largas a las diferencias religiosas, hasta que pudieran ser oficialmente resueltas por un concilio. Se había tratado la cuestión como una minucia, pero no se hizo nada más mientras hubo esperanzas. Ahora que éstas se habían esfumado, los príncipes se hallaron ante la sombría perspectiva de un emperador fanático y cada vez más español en alianza con una Iglesia de renovada militancia. Empezaron a urdirse oscuros planes.

El núcleo de la oposición lo formaban Hans de Küstin, Alberto de Prusia y Juan Alberto de Meklenburg. Pronto unieron bajo su bandera al resbaladizo, pero militarmente fuerte, Mauricio de Sajonia, así como a Alberto Alcibíades de Brandemburgo-Kulmbach y a los de Hesse, y terminaron su obra firmando una alianza con el rey de Francia. En abril de 1552 marcharon contra Carlos V, que se encontraba desapercibido en Innsbruck.[41]

La situación era extremadamente peligrosa. Carlos no contaba más que con una fuerza mínima a su disposición y no podía ni combatir ni retirarse hacia los Países Bajos, ya que los franceses habían obstruido esta vía. En el último momento, Mauricio se ofreció a negociar, pero pronto se hizo manifiesto que Carlos no iba a hacer concesiones de peso, y dos semanas más tarde las restantes fuerzas imperiales fueron rodeadas y capturadas en las gargantas de Ehrenberg. Encontrándose totalmente indefenso, Carlos huyó a través del Brenner hasta Villach, un lugar por lo demás insignificante que ofrecía dos posibles rutas de salida: hacia Italia o Estiria.[42]

Una vez más, se reanudaron las negociaciones, pero Carlos intentó esta vez ganar tiempo. Aunque se hallaban mal distribuidas, sus fuerzas eran inconmensurablemente mayores que las de los príncipes, y se enviaron llamadas de asistencia a todo lo largo y ancho. Entre las personas requeridas estaba Alba, que vino apresuradamente desde España acompañado de 7.000 hombres.[43] Ossorio afirma que en gran medida los había reclutado a expensas propias, empeñando bienes de su casa y redimiendo un censo de 8.000 ducados,[44] pero hay motivos para dudar de esta poco usual generosidad. Si hemos de fiarnos de Ruy Gómez, Alba había regresado a sus dominios muy enojado, a pesar de que «el príncipe le ha mostrado bastante estimación».[45] El 30 de junio, Felipe escribió a su padre recomendando que se concediera al duque lo que solicitaba, «para no recibir de él más importunaciones de las que yo he recibido, pues éstas han sido más que suficientes».[46] Al parecer, se hallaba otra vez resentido por lo que él consideraba un tratamiento mezquino o irrespetuoso, y había estado haciendo exaltadas demandas, pero ello no era en absoluto incompatible con los sacrificios a que hace referencia su biógrafo. Alba era perfectamente capaz de empeñar su mobiliario ante semejante contienda, primero porque era tan leal como decía, y después porque tal actuación cubriría de remordimiento a sus ingratos señores.

Desafortunadamente, su rápida respuesta no le proporcionó la oportunidad de una segunda batalla con los protestantes. Puede que Mauricio de Sajonia fuera un excéntrico, pero no era un necio. Sabía que el emperador estaba ya fuera de su alcance y que era tan sólo cuestión de tiempo el que su inmenso potencial fuera congregado en su ayuda. Una vez más, se imponía la negociación. Tras las acostumbradas vacilaciones por ambas partes, se llegó a un acuerdo varios días antes de que Alba y sus hombres, tan apresuradamente reunidos, pudieran llegar. Mauricio, en un acto típico, ni tan siquiera esperó a la firma del emperador. Tras haber firmado el tratado el 2 de agosto, se irritó por las protestas de sus tropas, quemó su propio campamento y marchó a batallar contra el turco.[47]

Había pasado la crisis, pero aún había mucho que hacer, pues habiendo escapado a un peligro, Carlos decidió de inmediato lanzarse a otro. Mientras bloqueaba la ruta a los Países Bajos, el Condestable Anne de Montmorency había tomado Metz en nombre de Enrique II. La ciudad, aunque impecablemente neutral en tiempos de normalidad, formaba técnicamente parte del imperio y tenía una gran importancia estratégica y moral para Carlos V. Éste resolvió recuperarla de inmediato o morir en el empeño.[48] Algunos historiadores, como Brandi y Van Durme hacen a Alba responsable de haber alentado dicha insensatez, pero las autoridades españolas en el tema aseguran que no fue así.[49] A menos que se suponga que al duque le había abandonado del todo su talento militar, estos últimos están probablemente en lo cierto. La temporada de campaña estaba tocando a su fin, y el invierno es sabidamente duro en aquellas regiones. Aún más, el Duque de Guisa era entonces el gobernador, y había empleado el verano para convertir la plácida ciudad medieval en una gran fortaleza moderna.

Alba sabía todo esto, pero su preocupación más apremiante era el Margrave Alberto Alcibíades de Brandemburgo-Kulmbach. El que estuviera dispuesto a tratar con semejante personaje da medida de su inquietud, y más aún el concluir una alianza con él en interés del emperador, pero creía que la situación era en exceso precaria para admitir escrúpulos de conciencia.[50] Alberto Alcibíades no se había unido al acuerdo del 2 de agosto, sino que, por el contrario, había pasado gran parte del verano hostigando las tierras del Arzobispo de Tréveris. Era un protestante vehemente, alcohólico, y estaba tan arruinado que, como Christian de Brunswick en la Guerra de los Treinta Años, vivía de cometer atropellos y amenazar con cosas aún peores, con la esperanza de que las ciudades le pagaran para mantenerlo alejado.[51] Se encontraba por entonces en las cercanías de Metz con 15.000 hombres, aliado putativo de los franceses, peligroso e imprevisible como un perro rabioso.

Alba, que había marchado antes que el emperador, entró en contacto con el Margrave en la primera semana de octubre.[52] Con suma habilidad, Alba jugó con su avaricia y su descontento con los franceses, tentándole con la perspectiva de un acuerdo imperial que confirmara sus exorbitantes acuerdos del año precedente. Esto era excesivo, y puede incluso que Alba y su señor estuvieran negociando de mala fe,[53] pero su táctica funcionó. Cuando Alba hizo su aparición ante las murallas de Metz el 19 de octubre, Alberto Alcibíades estaba firmemente bajo su control. Para guardarse de posibles sorpresas, se situó un espía en su campamento,[54] pero no había por qué preocuparse. El Margrave no estaba tan empapado en bebida como para olvidar el valor del dinero.

Era ya posible concentrarse en el sitio de la ciudad. Alba disponía de 4.000 hombres de infantería, igual número de caballería y nueve piezas de artillería.[55] Ni el emperador ni Alberto Alcibíades habían aún llegado, pero, consciente de que su más mortífero enemigo era el invierno que se aproximaba, el 31 de octubre Alba abrió fuego contra la sección inmediatamente al norte de la Porte des Allemands. Pareció disgustarle el resultado, y el 2 de noviembre trasladó sus baterías a un punto al sur de la ciudad, entre el Seille y el Mosela. Los dos ríos le proporcionaban mejor protección frente a las posibles salidas, y acaso pensara que las murallas eran más débiles en este sector. El 10 de noviembre inició un bombardeo sostenido del Pont des Mores. Puesto que Alba había dejado una partida de holandeses en su primer campamento al Norte, la ciudad se hallaba ahora sitiada por tres lados. El día 20 llegó el emperador, habiendo estado retenido por motivos de salud. Su presencia levantó la moral e incrementó las fuerzas imperiales hasta un total de casi 50.000 hombres. Alba les recibió con tres sonoras salvas, pero se negó a desperdiciar municiones: la ceremonia se realizó con andanadas de fuego dirigidas contra las murallas de la ciudad.

En un principio, la presencia del emperador pareció producir resultados, pero eran ilusorios. Abandonando su anterior objetivo, Alba se concentró en el sector de la muralla que se extendía –en dirección oeste– desde la Porte de Champenoise a la Tour d'Enfer, extremo suroccidental de la ciudad. El 24 de noviembre, el increíble número de 1.448 andanadas derribaron el baluarte en el ángulo de la torre, y el 28 se abrió finalmente una brecha de al menos veinte pies de anchura. Cuando el polvo empezó a disiparse, las desalentadas fuerzas imperiales comprobaron que había otra muralla detrás de reciente construcción, guarnecida por una multitud de franceses gesticulantes. El Duque de Guisa tenía abundantes motivos para felicitarse.

En días posteriores se amplió la brecha, pero la muralla

interior hacía imposible un asalto. Las últimas semanas habían sido ya frías, pero entonces el invierno vino con toda su crudeza. A mediados de diciembre la nieve era tan alta que impedía el movimiento en las trincheras, y las tropas italianas y españolas, que carecían en gran medida del equipo necesario para los rigores del invierno del Norte, sufrían terriblemente. Hizo su presencia la enfermedad y hacia Navidades incluso los alemanes empezaban a morir. Alberto Alcibíades había perdido la mitad de sus hombres, y era evidente que se fraguaba un gran desastre. Fue quizá inevitable que ante este inexorable deterioro empezara a desintegrarse el alto mando. Hans de Küstin, principal responsable de la reciente rebelión, se había enemistado con sus aliados franceses, pero con magnífica insolencia se negó después a combatir bajo las órdenes de Alba. Era, en su opinión, indigno de un príncipe del imperio. También los flamencos estaban descontentos, y no parece que Alba hiciera demasiadas concesiones a su malestar. Carlos V apoyó lealmente a su general, pero las disputas no hicieron sino intensificarse. El día de año nuevo, tras un último y vano intento de minar el campo, el emperador ordenó la retirada y, agotado en cuerpo y espíritu, se dirigió hacia Bruselas.[56] Muchos años después, el Obispo de Arras –por entonces ya Cardenal Granvela– diría que aún sentía el frío de Mezt en los huesos.

El fracaso del sitio no benefició la reputación de Alba. Flamencos y alemanes pasaron mucho tiempo lamiendo su herido amor propio. El embajador veneciano declaró que Carlos V no tenía buenos generales y que Alba «carecía del talento de un gran capitán».[57] Una crónica en verso de un tal Jean Bauchert, cronista de la villa de Plappeville, era abiertamente despectiva: «*L'autre tiers fut menez par un homme ygnorant, Duc D'Albe il s'appeloit, estant lieutenant*».[58] Entre los expertos y aquellos cuya opinión importaba, no prevalecieron juicios tan precipitados. Los franceses continuaron considerándole con prudente respeto.[59] Carlos, escribiendo a Fernando, hizo responsable de la retirada al frío, la nieve, el hielo y las enfermedades[60] y, en palabras de Griessdorf, «no podría tener en más alta estima a Alba si hubiera tomado Metz y París juntos».[61]

El hecho es que el ataque a Metz fue tan atolondrado como había sido el anterior ataque a Argel, y por motivos muy similares. Precipitadamente planeado, inadecuadamente coordinado, dirigido en parte por capitanes que eran claramente hostiles al emperador y lanzado en una época del año imposible, estaba condenado desde el principio. Carlos V fue un gran gobernante; más noble y constante que la mayoría de sus coetáneos, investió su tarea de una grandeza moral que los hombres sabían apreciar y estaban dispuestos a seguir. Era también un juez bastante atinado del carácter humano, y su valor personal era universalmente reconocido. Su defecto residía en una suerte de fatalismo que surgía parcialmente de su convicción en la rectitud de su causa, y en parte del *Weltschmerz* que acabó por llevarle al retiro de un monasterio. En la ocasión que nos ocupa le llevó a un desastre entre las nieves.

Alba permaneció con él en Bruselas durante varios meses antes de embarcarse hacia España en el verano de 1553. Zarpó de la isla de Walcheren con una flota de 10 barcos, y tuvo que luchar con vientos adversos y mares borrascosos hasta la misma costa cántabra.[62] Era ya octubre cuando se unió a Felipe en Aranjuez. Por entonces se encontraba totalmente agotado, física y económicamente, y a pesar de que el príncipe le concedió permiso para pasar el invierno en Alba de Tormes, su ánimo, como queda expresado en sus cartas a Eraso, siguió siendo sombrío: «te prometo por la fe del caballero y te juro por el Sacramento que mi casa y mis tierras se encuentran en tales condiciones este invierno que he visto con mis propios ojos que será imposible que se recuperen en toda mi vida y en la de mi hijo». La perspectiva de nuevas misiones le amedrentaba, pero sabía que ni su ambición ni su severo código personal le iban a permitir evitarlas. Esperaba ser enviado de modo diferente a previas ocasiones –es decir, a expensas de otra persona y no propias–, pero reconocía que «los reyes nacen para hacer su voluntad, y nosotros, sus vasallos y servidores, nacemos también para cumplirla, y yo sin duda más que nadie, porque nunca he pensado en tener más voluntad que la suya; si alguna vez no me he guiado por ella, ha sido por desconocerla».[63]

154

La temida convocatoria llegó en febrero de 1554, y cumplió con palabras. Carlos V había quedado profundamente desalentado por su fracaso en Metz y, en gran medida, había abandonado los complejos asuntos de Alemania,[64] pero aún pudo intentar un último golpe diplomático. El «muy Divino Bribón», Eduardo VI de Inglaterra, había muerto antes de alcanzar la mayoría de edad, y la regencia protestante que había gobernado en su nombre había perecido con él. Regía ahora Inglaterra María, hija de Catalina de Aragón, una mujer triste y sin encantos, cuya supervivencia a una espantosa infancia se había debido ante todo a la fuerza de su fe católica. Gracias a los esfuerzos de su embajador, Simón Renard, Carlos pudo asestar un duro golpe a los franceses: el matrimonio de la reina de Inglaterra y el futuro rey de España.

La ceremonia debía celebrarse en Inglaterra y, como mayordomo, Alba había de tener parte muy activa en sus preparativos. Le correspondía también la misión mucho más delicada de reducir en lo posible las fricciones entre la delegación española y sus anfitriones, pues el matrimonio desagradaba a muchos ingleses, e incluso auténticos católicos temían que se perdiera su soberanía al vincular su nación al imperio más poderoso del mundo. Los protestantes y criptoprotestantes eran declaradamente hostiles. En una afectuosa carta personal enviada desde Bruselas el 1 de abril, el emperador encargaba a Alba que controlara la conducta de toda la corte y especialmente la de soldados y marineros, que quedarían confinados en sus barcos mientras duraran los actos. Era una tarea casi del todo imposible, pues se produciría una situación rayana en el motín entre los marineros, y los demás serían objeto de constantes provocaciones, pero había cosas más graves. En una posdata que es casi un *cri de coeur*, Carlos evocaba dolorosos recuerdos del viaje por los Países Bajos: «Duque, por el amor de Dios, procura que mi hijo se comporte del modo adecuado, pues de otro modo te digo que hubiera preferido no ocuparme nunca en este asunto».[65]

Era una orden excesiva. El duque salió bastante airoso del compromiso, aunque en nadie encontró gran colaboración, incluida su esposa. El regio matrimonio fue, sin duda, un patético fracaso, y la estancia de Felipe entre los ingleses marcó el comienzo de una gran animadversión por ambas partes. Además, en la tensa atmósfera de una tierra extraña, el antagonismo entre Alba y Ruy Gómez estalló. No obstante, de no haber sido por el severo control ejercido por el duque, las cosas podrían haber ido mucho peor.

La flota zarpó de La Coruña el viernes 13 de julio, y tras un pasaje sin incidentes, ancló seis días más tarde en Southampton. Los ingleses, ya molestos por la negativa de Felipe a trasladarse a uno de sus barcos,[66] se irritaron aún más cuando éste decidió permanecer a bordo durante las veinte horas posteriores a su llegada.[67] Cuando al fin el príncipe pisó tierra, Alba le acompañó en una visita nocturna a su prometida, durante la cual besó a todas sus damas, pero se comportó, por lo demás, correctamente.[68] La boda se celebró sin incidentes, pero era, en muchos sentidos, una calma engañosa. No se había logrado sin esfuerzos.

El primero, y mayor, de los problemas de Alba era el alojamiento. Desde un principio se había esforzado sin descanso junto al *Privy Council* (Consejo del Rey) en encontrar lugares para todo el séquito de Felipe, una tarea dificultada por la necesidad de protegerlos de la hostilidad inglesa. Finalmente se decidió alojarlos exclusivamente en residencias reales o en el campo, donde sus contactos serían limitados, pero incluso así surgieron complicaciones casi a diario.[69] A Alba, por su parte, junto a su esposa y al menos uno de sus hijos, le fue adjudicada una casa modesta que para muchos españoles no era mucho más que un insulto en piedra.[70] Alba era asimismo responsable de la seguridad y, dado que también los españoles se encontraban ya en el disparadero, la misión era ardua.

Es probablemente tributo a la fama de Alba el que fueran escasos los incidentes serios. Su función como primer oficial de enlace en esta, tan tensa, situación exigía mayor tacto y diplomacia de los que podría creerse que poseía, pero sus modales habían sido siempre impecables y puede que su natural reserva le beneficiara, pues le prestaba una apariencia de imparcialidad. En esta experiencia aprendió mucho sobre los ingleses, con quienes sorprendentemente parece haber congeniado. En años posteriores fue encargado de tratar con ellos con frecuencia, e incluso ganó la aprobación del señor Man, acaso el más difícil de los embajadores acreditados en una gran potencia por Isabel I.[71] Como mínimo, Alba adquirió la suficiente comprensión del país y su política para oponerse, virtualmente solo, a los planes de invasión de los años setenta, y proporcionar opiniones más eficaces sobre los asuntos ingleses que ninguno de los restantes consejeros de Felipe II.

El trato con la duquesa fue menos fácil. Después de la boda se le concedió una audiencia con la reina en el *Presence Chamber* (Cámara de la Presencia). Cuando entró, María se puso en pie para recibirla, pero la duquesa se hincó de rodillas y rogó poder besar sus manos. María entonces se inclinó, la levantó y la besó en los labios. Después la llevó hacia el estrado, donde no había más que una silla. María se sentó en el suelo, pero la duquesa se negó, naturalmente, a admitir precedencia ante la reina. Fueron entonces traídos dos taburetes, pero cuando María se hubo sentado en uno, la duquesa se sentó en el suelo, ante lo cual también lo hizo la reina. Finalmente, ambas se levantaron y se sentaron en los taburetes, y hablaron largamente, en su mayoría sobre el tiempo. Esta apasionante conversación exigía un intérprete, pues María entendía español, pero no lo hablaba, y María Enríquez no sabía otro idioma. Pasado un rato, la reina quiso marcharse a descansar, pues había de recibir a una serie de embajadores, mas la duquesa se mostró deseosa de permanecer entre sus damas. Quiso la suerte que los embajadores se retrasaran; así pues, hablaron aún algún tiempo más, pero finalmente la duquesa tuvo que regresar andando a su residencia, una distancia considerable, acompañada por dos condesas y «el viejo embajador que había estado en Coruña».[72]

Ahí acabó todo. La duquesa se negó durante algún tiempo a volver al palacio y permaneció en hosca soledad en su propio alojamiento. Pensaba que las damas inglesas eran de «maligna conversación»[73] y le desagradaba la costumbre inglesa de besar en los labios,[74] pero ante todo parecen haberle enfurecido los bien intencionados intentos de la reina de deshacerse de ella. Un caso típico de choque cultural, no facilitó a Alba las cosas. Para mayor complicación, cayó víctima de una de esas dolencias que asaltan a tantos extranjeros en su primera visita a Inglaterra. El 13 de agosto escribía a Eraso:

«He estado enfermo tanto tiempo con un catarro pernicioso, con fiebre y escalofríos por la noche, que en verdad casi me vuelvo loco».[75]

Las preocupaciones de Alba fueron realmente grandes, pero breves. La relación de sus andanzas inglesas es por necesidad incompleta –pues los cronistas de la época, como el moderno periodista, se veían obligados a concentrarse en manifestaciones superficiales y no hacer caso de corrientes más profundas–, pero aunque poco se habló de ello en un principio, el éxito de Alba le estaba conduciendo hacia una trampa política. Mediado el invierno, era el principal portavoz del Príncipe Felipe, no sólo en el *Privy Council*, sino en ambas cámaras del Parlamento. Los ingleses luchaban por entonces con temas tan espinosos como la ampliación de las leyes contra traición, para proteger a Felipe y la tutela de sus hipotéticos hijos en el caso de la muerte de su madre. Alba, como miembro de rango superior de la corte española y abogado de formidables dotes persuasivas, asumió inevitablemente el papel dominante. Fue la unión de su presencia, cada vez más perceptible, con su capacidad como jefe de facción lo que selló su suerte. Se había convertido en una amenaza mortal para las ambiciones de Ruy Gómez, y al parecer el propio Felipe II empezaba a preocuparse. Se fraguó una intriga para alejarle de la escena.

1. Karl Brandi, *The Emperor Charles V*, traducción al inglés de C. V. Wedgwood (Londres, 1939), p. 590.

2. Hay un perceptivo análisis de la naturaleza y finalidad del ritual de la corte borgoñona en O. Cartellieri, *The Court of Burgundy* (Londres, 1929), y L. Pfandl, *Philipp II* (Munich, 1951), pp. 120-57. Para la aplicación del ritual en España, véase Jean Sigonney, «Relación de la forma de servir que se tenía en la casa del Emperador Don Carlos», BN MS 1080.

3. Antonio Ossorio, *Vida y hazañas de don Fernando Álvarez de Toledo, Duque de Alba*, ed. José López de Toro (Madrid, 1945), p. 22.

4. Ésta, al menos, es la opinión de L. Fernández y Fernández de Retana, *Historia de España*, ed. R. Menéndez Pidal (Madrid, 1966), XIX, parte 1, p. 246, quien también afirma que Felipe II estaba descontento con las innovaciones.

5. Una amplia descripción de las responsabilidades que implicaba se encuentra en A. Ballesteros y Beretta, *Historia de España* (Barcelona, 1927), II, parte 2, p. 519.

6. J. Calvete de Estrella, *El felicísimo viaje del muy alto y muy poderoso príncipe Don Felipe* (Madrid, 1930), I, p. 3; Alonso de Santa Cruz, *Crónica del Emperador Carlos V* (Madrid, 1920-1922), V, p. 178.

7. Ossorio, 165. Para otra exposición, véase Prudencio de Sandoval, *Historia de la vida y los hechos del Emperador Carlos V* (BAE 80-82), III, p. 337.

8. Luis Zapata, *Varia Historia*, I, ed. G. C. Horsman (Amsterdam, 1935), pp. 32-33.

9. Santa Cruz, V, p. 227.

10. Esta era una impresión generalizada entre los españoles; de aquí la expresión «¿estamos en Flandes?» como reproche ante un comportamiento grosero. Véase M. Herrero García, *Ideas de los españoles del siglo XVII* (2.ª ed., Madrid, 1966), pp. 423-33, para el estereotipo del holandés beodo.

11. A. W. Lovett, «A New Governor for the Netherlands: The Appointment of Don Luis de Requesens, Comendador Mayor de Castilla», *European Studies Review*, I, núm. 2 (1971), p. 102, observa su uso por parte de Requesens.

12. Véase el incidente citado en la supuesta carta de Cobos a Carlos V: Hayward Keniston, *Francisco de los Cobos, Secretary of the Emperor Charles V* (Pittsburgh, 1960), p. 270.

13. Reproducido en Santa Cruz, V, p. 178.

14. Los papeles pertinentes se encuentran en *DIE*, pp. 35, 225-27, 243-44 y 261-63.

15. Ballesteros y Beretta, II, parte 2, p. 519.

16. Véase el comentario de Tiepolo y Soranzano en *RAV*, V, pp. 68-69.

**17.** Ruy Gómez es tan oscuro en su muerte como en su vida. No existen biografías y sus papeles, con contadas excepciones, parecen haber sido destruidos. Algo de información sobre Ruy Gómez puede encontrarse en L. Salazar y Castro, *Historia Genealógica de la Casa de Silva* (Madrid, 1685), II, pp. 456-531, y en Gregorio Marañón, *Antonio Pérez* (Madrid, 1963). Hay un apunte breve pero clásico de él por el embajador veneciano Badoero en *RAV*, III, p. 241.

**18.** Erika Spivakovsky, «La Princesa de Éboli», *Chronica Nova*, IX (1977), p. 9.

**19.** Badoero le describe como bondadoso y agradable, pero no muy inteligente (*RAV*, III, 246).

**20.** Véanse las pormenorizadas instrucciones de Alba sobre todo lo que debía hacerse para la defensa de La Goleta en 1556 (*EA*, II, pp. 628-31). Véanse también las desagradables intimidaciones que acompañaron las negociaciones para la boda de don Fadrique, hijo de Alba, y doña María, hija de don García (Alba al Cardenal de Burgos, 4 de abril de 1569, *EA*, II, pp. 196-97, y don García a Alba, 20 de abril de 1569, AA, caja 52, f. 209).

**21.** Para Mendoza, véase DeLamar Jensen, *Diplomacy and Dogmatism: Bernardino de Mendoza and the French Catholic League* (Cambridge, Mass., 1964).

**22.** J. H. Elliott, *Imperial Spain, 1469-1716* (Nueva York, 1963), pp. 255-57; Marañón, I, pp. 154-55.

**23.** Marañón, I, p. 127.

**24.** Helen Nader, *The Mendoza Family in the Spanish Renaissance, 1350-1550* (New Brunswick, N. J., 1979), pp. 168-73.

**25.** Erika Spivakovsky, *Son of the Alhambra: Don Diego Hurtado de Mendoza, 1504-1575* (Austin, Texas, 1970), p. 17.

**26.** Hay una descripción de la administración española en el prólogo de J. M. Batista i Roca a la obra de H. G. Koenigsberger, *The Practice of Empire* (Ithaca, 1969), pp. 9-35, y en J. Gounon-Loubens, *Essais sur l'administration de la Castille au XVIe siècle* (París, 1860).

**27.** Keniston, p. 314.

**28.** La fuente más autorizada sobre Gonzalo Pérez es A. González Patencia, Gonzalo Pérez, secretario de Felipe II (Madrid, 1946). Véase también J. A. Escudero, Los Secretarios de Estado y del Despacho, 1474-1724 (Madrid, 1969), I, p. 110.

**29.** A. Yalí Román Román, «Origen y evolución de la Secretaría de Estado y de la Secretaría del Despacho», *Jahrbuch für Geschichte von Staat, Wirtschaft und Gesellschaft Lateinamerikas*, VI (1969), pp. 60-62.

**30.** *Ibíd.*, 75.

**31.** Badoero, en *RAV*, III, 248.

**32.** Fue él, por ejemplo, quien primero informó a Alba de la designación de Champagny para Amberes y de la de don Hernando, hijo de Alba, para el virreinato de Cataluña. Véase AA, caja 56, f. 89.

33. Zayas a Alba, 23 de abril de 1571, AA, caja 56, f. 89.

34. Yalí Román Román, p. 62.

35. Para información sobre estos dos hombres, véase A. W. Lovett, *Philip II and Mateo Vázquez de Leca* (Ginebra, 1977).

36. *CSP-Venetian* (1555-56), pp. 637-38.

37. G. de Leva, «La elezione di Papa Giulio III», *Rivista Storica Italiana*, I (1884), pp. 21-36.

38. Spivakovsky, *Son of the Alhambra*, pp. 35-36, 160 y 236.

39. *Ibíd.*, p. 245.

40. El viaje de Felipe II por los Países Bajos está descrito en Vicente Álvarez, *Relación del camino y buen viaje que hizo el príncipe de España Don Felipe* (Bruselas, 1551). Existe una edición crítica en traducción francesa por M. T. Dovillée (Bruselas, 1964).

41. Brandi, pp. 602-3.

42. *Ibíd.*, pp. 608-11.

43. La respuesta de Alba, fechada el 11 de mayo de 1552, se encuentra en AGS E89, f. 310.

44. Ossorio, p. 168.

45. Ruy Gómez a Eraso, 5 de abril de 1552, AGS E89, f. 129.

46. Felipe II a Carlos V, 30 de junio de 1552, AGS E504, f. 115.

47. Brandi, pp. 612-14.

48. M. Van Durme, *El Cardenal Granvela* (Barcelona, 1957), 140.

49. Brandi, p. 619; Van Durme, p. 140; Ossorio, p. 173, y F. Martín Arrue, *Campañas del Duque de Alba* (Toledo, 1880), I, pp. 229-30.

50. Alba a Arras, 15 de octubre de 1552, *KKK*, III, pp. 449-500.

51. Para un retrato elocuente, si bien escandalizado, véase J. Janssen, *History of the German People* (St. Louis, 1905-1925), VI, p. 450.

52. Alba a María de Hungría, 8 de octubre de 1552, *KKK*, III, pp. 494-95; Alba a Carlos V, 8 de octubre de 1552, *ibíd..*, III, pp. 495-96.

53. Brandi, p. 619.

54. Alba a Carlos V, 15 de octubre de 1552, *KKK*, III, pp. 497-98.

55. B. de Salignac, «Siége de Metz par l'empereur Charles-Quint en 1552», *Nouvelle collection des mémoires relatifs à l'histoire de France*, ed. Michaud (París, 1857), VIII, 524-25.

56. Existe una considerable cantidad de obras sobre el sitio de Metz, aunque, en relación con los problemas militares que supuso, todas ellas son algo precarias. Además de Salignac, véase Karl Brandi, «Karl V vor Metz», *Elsass-Lothringisches Jahrbuch, XVI* (1937), pp. 1-30; J. Griessdorf, «Der Zug Kaiser Karls V gegen Metz», *Hallische Abhandlung zur neuen Geschichte, XXVI* (1891), y «Brief discours du siége de Metz en Lorraine», *Archives Curieuses de l'Histoire de France*, ed. M. L. Cimber y F. Danjou, 1.ª serie (1834-1840), III, pp. 117-38. Ni Alba ni ningún otro de los participantes en el lado imperial lo describen con porme-

nor, pero el Duque de Guisa, como vencedor, es menos reticente en sus *Mémoires-Journeaux*, publicadas en Michaud, ed., *Nouvelle collection des mémoires pour servir à l'histoire de France*, 1.ª serie (París, 1851), VI, pp. 1-539.

**57.** *Venetianische Depeschen vom Kaiserhof: Dispacci de Germania*, ed. G. Turba (Viena, 1889-1896), II, p. 587.

**58.** Publicado en Guisa, pp. 86-89 n.

**59.** Véase la correspondencia de Guisa en *Mémoires-Journeaux*, pp. 112-59. Las opiniones de Montluc y Montmorency se citan en otro lugar.

**60.** Carlos V a Fernando I, 12 de enero de 1553, *KKK*, III, pp. 530-34.

**61.** Griessdorf, p. 54.

**62.** Ossorio, p. 183.

**63.** Alba a Eraso, 2 de noviembre de 1553, *EA*, I, pp. 57-59.

**64.** Brandi, p. 626.

**65.** *CSP-Spanish*, XIII, p. 185.

**66.** M. A. S. Hume, «The Visit of Philip II», *English Historical Review*, VII (1892), p. 264.

**67.** *Ibíd.*, p.256.

**68.** El incidente está descrito en J. de Figueroa a Carlos V, 26 de julio de 1554, *CSP-Spanish*, XII, p. 361.

**69.** Simón Renard a Carlos V, 3 de septiembre de 1554, *CSP-Spanish*, XIII, pp. 45-46. Véase también *Acts of the Privy Council*, V, pp. 61-62.

**70.** Véase la relación del episodio en *CSP-Spanish*, XIII, p. 31. Hume cree que esto fue escrito por un tal Pedro Enríquez, pariente de la Duquesa de Alba (p. 256).

**71.** CSP-Spanish, XIII, pp. 11-12.

**72.** *Ibíd.*, XIII, p. 33.

**73.** Ella fue ofendida de este modo por el Conde de Derby casi al comienzo de su visita (véase Hume, p. 274).

**74.** *EA*, I, pp. 64-65.

**75.** E. H. Harbison, Rival *Ambassadors at the Court of Queen Mary* (Princeton, 1940), p. 209.

Las tácticas de Ruy Gómez son siempre difíciles de seguir. Tenía un agudo sentido de autoconservación, y tanto su cargo como su instinto le hacían mantenerse muy próximo a la corona. Dado que, por consiguiente, tenía escasas razones para expresar sus opiniones por escrito, la evidencia existente sobre él es exigua y de segunda mano. En la primavera de 1555, sin embargo, daba a Francisco de Eraso una idea del cómo y porqué de su alejamiento de Alba.

Sus motivos para hacerlo son característicos. Tras unos cuantos años de extender en silencio su influencia, se encontró finalmente preparado para actuar contra su rival, y deseaba el apoyo de Eraso. El poderoso secretario había estado hasta el momento en aparentes buenas relaciones con Alba, pero debieron producirse indicios de tensión en su amistad, pues el empeño de separarlos fue muy oportuno y tuvo un éxito total.

Empezó Ruy Gómez por sugerir que el duque no gozaba ya de la gracia del príncipe. Alba, al parecer, había estado diciendo públicamente que los asuntos con Inglaterra no se estaban llevando con el debido cuidado y que a él se debía el que aún se mantuvieran en pie.[1] No se sabe con certeza si esto era cierto o simplemente una idea introducida en el pensamiento de Felipe por su camarero, pero parece haber sido aceptada como verdadera. Felipe recelaba cada vez más de su mayordomo, y aprovechó la oportunidad para deshacerse de él. El pretexto no sólo era honorable, sino providencial. La unión matrimonial con Inglaterra había reanimado el viejo temor francés de verse rodeados, y celebraron la boda con un ataque cruento y destructivo a los Países Bajos. A fines de 1554 fueron rechazados por Carlos V en persona en Renty, pero, como siempre, habían sido lo bastante precavidos para no concentrar sus energías en un solo frente. Una gran hueste mandada por Brissac había tomado gran parte del Piamonte con la fortaleza clave de Volpiano, y otra bajo Blaise de Montluc aprovechó una revuelta popular para dejar una guarnición en Siena. Las tropas imperiales eran muy superadas en número y, al iniciarse la nueva temporada de campañas, el mismo Milán se vio amenazado. Se requería claramente la presencia de un gran capitán.

Felipe, que por entonces había detenido todos sus asuntos para que Alba no pudiera atribuirse el mérito de su consecución,[2] persuadió a su padre para que ofreciera al duque los puestos de Virrey de Nápoles y Capitán General de Milán. Éste aceptó, pero no sin grandes temores. Sabía que la situación allí era desesperada y que nada de lo que pudiera hacer beneficiaría a su fama. Aún más, conocía el papel desempeñado por Ruy Gómez, el cual se declaraba aterrado ante la posibilidad de su venganza. Como dijera a Eraso:

«Ahora que el duque me ha hablado acerca de los nombramientos para Nápoles y Milán, como os escribía, y me ha asegurado que me estará eternamente reconocido por ello, temo que cuando vea a Su Majestad no me trate con la ternura que acostumbra cuando habla con vos. Por lo que os imploro que hagáis lo que podáis para protegerme, pues yo ciertamente le temo. Es un tirador certero. Quiera Dios iluminarle y permitirle reconocer sus propias flaquezas.»[3]

El que Alba aceptara todo esto da medida de las dificultades de un caudillo. Por una parte, no podía negarse sin comprometer irremediablemente su posición como soldado y leal vasallo de la Corona. Por otra, su familia, con sus extensos intereses en Italia, veía en su nombramiento una oportunidad única para engrandecerse mediante una política de nepotismo. Su sensibilidad a esta segunda clase de presión queda revelada en una carta admirablemente acerba a su primo Francisco de Toledo:

«Lo que ahora hay que decir es que mi partida se ha retrasado tanto que no podré encontrar a la duquesa casada, como dices, sino a sus nietos retozando ante mi vista. Llevo a don Juan de Figueroa conmigo, que podrá ayudarnos en las labores que nos esperan en esa maldita Italia. Te prevengo que muchas veces he estado movido a regresar y sacarte los ojos por lo que me has persuadido de hacer, esto es, dar gracias a esos caballeros que me envían a ir allí, pero está determinado y puesto que he montado la yegua, tengo que agarrarme a sus crines.»[4]

La familia y las obligaciones personales son centrales en la dirección de una facción, pero tan sólo una persona con funciones de patronazgo que sea al mismo tiempo un gran general puede verse ante una disyuntiva de tan formidables proporciones. Es acaso irónico que el talento militar al que Alba debía su influencia resultara ser también el arma que sus enemigos emplearon contra él.

Podría argumentarse que cualquier persona puede ser enviada a una misión al exterior, pero las expediciones militares conllevan un potencial único de catástrofe e ignominia. Consciente de ello, Ruy Gómez se proponía no sólo alejar a su rival, sino destruirlo una vez estuviera en el campo. Con este fin había cultivado a Eraso.

Sus esfuerzos fueron en un principio infructuosos. El duque había tratado siempre a Eraso con cordialidad y no le había dado motivo para afrontar los peligros de una ruptura abierta. Hasta junio no abandonó el exasperado Ruy Gómez toda pretensión de sutileza o reserva. Denominando a Alba «bellaco», le acusó de influir en el rey para que concediera ciertas rentas monásticas a Bernardino de Mendoza en lugar de destinarlas al secretario. Para poner broche de oro a sus cargos, incluyó una carta del Marqués de Mondéjar en la que éste declaraba que «ese perro de Alba me ha mordido a mí también».[5] Aunque no está confirmado en otras fuentes, el agravio relativo a las abadías era muy plausible. Como indican sus cartas a Eraso, Alba deseaba conservar la benevolencia del secretario, pero de verse obligado a elegir, Alba tendría que apoyar a Mendoza, soldado y uno de los suyos.

Sea como fuere, Eraso fue desde aquel día partidario de Ruy Gómez, y así quedó el escenario dispuesto para los sucesos que estuvieron a punto de costarle la carrera a Alba y que pudieron haber resultado con la pérdida del norte de Italia. No contentos con mantenerlo lejos de la corte, aquéllos conspiraron para privarle del dinero y los suministros necesarios para realizar su misión. Desde el punto de vista de la política interior, fue un golpe magistral. Ruy Gómez envió a su rival ya con muletas y luego se las arrebató hábilmente. Desde la perspectiva de los intereses regios fue un acto de irresponsabilidad rayano en la traición.

Los problemas empezaron antes de que Alba alcanzara Italia. En un principio había abrigado esperanzas de una asignación de 600.000 ducados, pues sabía que los hombres esperaban a su llegada grandes sumas en sueldos atrasados.[6] Descubriría más tarde que esta pasmosa suma no llegaba a cubrir la inmensa deuda ya contraída y que, incluso de haberla recibido, habría quedado endeudado por valor de 200.000 ducados y totalmente desprovisto de medios para las campañas que se avecinaban.[7] Desatendiendo anteriores deudas, podía arreglarse con una cantidad menor, pero los 200.000 ducados que le fueron finalmente asignados era un mínimo irreductible que bastaría tan sólo si se le enviaban sumas más cuantiosas en cuestión de semanas. Gracias a Eraso, estuvo a punto de ser privado incluso de la primera.

En un principio, su reciente enemigo procuró demorar todo envío insinuando que incluso 200.000 ducados era una cifra exorbitante, ya que no se habían dedicado más de 300.000 para ninguno de los gastos de Felipe II.[8] Era ésta una excesiva doblez, incluso para el rey. Sus estipendios nunca habían estado destinados a situaciones críticas del imperio, y Eraso fue encargado de emitir un préstamo en el mercado financiero de Amberes.[9] Fue ésta una operación extremadamente lenta, si no cómoda, y el 17 de mayo Alba en persona llegó de Inglaterra para ver de acelerar el asunto. No pudo hacerlo. Aún más, Eraso le informó en términos nada ambiguos que todo dinero recibido sería distribuido por él mismo como creyera conveniente, y según los procedimientos regulares de la contaduría mayor.[10] Alba estaba descompuesto, pero nada podía hacer. Continuó viaje hacia Augsburgo para una consulta con el rey Fernando, esperando que las necesarias cédulas le alcanzaran allí, pero no encontrando ni indicios de ellas siguió hacia Innsbruck. Al fin se vio obligado a informar a Felipe II de que no entraría en Italia sin el dinero a su disposición,[11] mas la cantidad que finalmente llegó a Innsbruck el 4 de junio se había reducido en 37.000 ducados, y gran parte de lo que restaba se había destinado específicamente a la guarnición de Cásale. Como dijera Alba: «ese viejecillo insensato no hizo más que pagar 120.000 ducados en viejas deudas».[12]

Quizá no haya que sorprenderse de que Eraso y su secuaz, Domingo de Orbea, se negaran también a pagar el salario del duque.[13] La suma en cuestión era de sólo 12.000 ducados, pero el hostigamiento mezquino se había convertido en regla general. Aun cuando Alba tenía en teoría plenos poderes sobre los puertos de Italia, pronto comprobó que ni siquiera podía lograr un nombramiento militar para su propio hijo. Fadrique, con diecisiete años por entonces, se estaba convirtiendo rápidamente en víctima de las esperanzas paternas una vez depositadas en su desaparecido hermano, y Alba estaba decidido a que comenzara su carrera con brillantez. Alguien, con toda probabilidad Ruy Gómez, convenció al rey de que el muchacho no era apto para un puesto de responsabilidad, y este juicio le persiguió de un modo u otro durante el resto de su vida. Fadrique fue a Italia tan sólo como acompañante supernumerario de su padre.[14]

Era virtud de Alba el que semejantes perturbaciones no parecieran alterarle en lo más mínimo. Aunque le preocupaba su aislamiento, el deterioro de sus finanzas privadas y una seria enfermedad contraída por la duquesa,[15] tomó medidas drásticas para remediar las cosas en todos los frentes. En Nápoles se ordenó a Bernardino de Mendoza que recogiera un subsidio del *parlamentum local* y que investigara la posibilidad de pedir un préstamo al Monte, un fondo destinado a retirar la deuda pública de la circulación. Este segundo expediente resultó infructuoso, ya que el Monte había sido vaciado por anteriores administraciones y el subsidio, cuando se concedió, llegó tarde y era decepcionantemente reducido.[16]

En el frente personal, Alba se lanzó a una actividad febril cuya finalidad era la de incrementar las rentas de sus bienes. En Coria, se inauguró un importante plan de desarrollo que incluía nuevas obras de irrigación y la plantación de moreras, y se iniciaron también sustanciales reformas en La Abadía. Dado que todo ello suponía grandes gastos, puede que su pobreza fuera menos onerosa de lo que él pretendía, pero estas mejoras parecen haber sido parcialmente financiadas con especulaciones en aceite y otras mercancías.[17] Es una pena que tan poco se sepa sobre la administración de sus propiedades, pues sus instrucciones en esta ocasión revelan una sólida comprensión de tales cuestiones y un apasionado interés en el desarrollo agrícola.

Todavía pueden verse los restos de sus proyectos de irrigación, pero los problemas del norte de Italia se mostraron menos maleables que las tierras resecas de Extremadura. Los franceses ocupaban virtualmente todas las plazas fuertes desde Valenza hacia el Noroeste y hasta Ivrea, aunque sus guarniciones estaban necesariamente desperdigadas y las fuerzas imperiales conservaban un precario control de diversos lugares tras sus líneas de avanzada. El más importante de éstos era la gran fortaleza de Volpiano. Situada a tan sólo unas pocas millas al noroeste de Turín, su valor se había hecho más simbólico que real. No obstante ser fuerte y estar bien defendida, su guarnición era excesivamente reducida para representar una amenaza a la marea de franceses que había cubierto la zona y había dejado varada la plaza fuerte. Sin refuerzos, era improbable que pudiera resistir hasta el otoño. Desde un punto de vista puramente estratégico no habría tenido sentido socorrerla, a no ser que Alba pudiera establecer un control permanente sobre la región que se extendía desde la fortaleza a los límites de Milán; pero desde una perspectiva moral, era vital. Cuando llegó el duque a mediados de junio, tenía solamente 38.000 hombres, de los cuales 18.000 estaban dedicados al servicio de guarnición.[18] Ello significa que para cualquier acción contaría con un ejército de campaña de 20.000 hombres desmoralizados, sin pagar y casi dispuestos al motín, sin una lengua común y con sólo una levísima lealtad. Si hubo una campaña necesitada de un punto de atención, fue ésta, y la perspectiva de auxiliar a sus compañeros en peligro podría muy bien proporcionarlo.

Existían, desde luego, ciertas ventajas del lado de Alba, aunque no fueran evidentes de inmediato. Si sus tropas estaban inquietas y difícilmente podía satisfacer sus demandas, al menos era él su único capitán. Sus poderes eran prácticamente proconsulares tanto en el ámbito civil como en el militar, mientras que el mando francés estaba dividido entre Brissac y el Duque de Aumale, los cuales, en el transcurso del verano, empezaron a discrepar cada vez más sobre qué hacer y cómo. Eran, al fin y al cabo, una fuerza de ocupación en territorio más o menos hostil, y estaban forzados a conservar lo que habían tomado con fuerzas que inevitablemente menguaban de día en día. En términos generales, Brissac tendía a la preocupación, mientras que Aumale defendía una actitud más activa,[19] pero el carácter exacto de sus disensiones carece de importancia. Lo cierto es que la campaña francesa había perdido su ímpetu antes de que Alba partiera hacia los Países Bajos.

También Siena había vuelto al redil, pero ello suponía una fortuna ambigua. Por su autoridad en la zona, se esperaba que Alba decidiera la adjudicación de su posesión entre Felipe II y su aliado personal, el Duque de Florencia. Naturalmente, ambas partes desconfiaban de él,[20] y el asunto se complicó aún más con la intervención del emperador, el cual quiso en un momento dado conceder al duque el derecho de aprobación sobre cualquier acuerdo final.[21] Alba no quería saber nada de la cuestión, pero para cuando Felipe le relevó de esta responsabilidad, estaba «como un fraile enloquecido con las dos manos llenas de confituras, que no sabe con cuál empezar».[22] Es más, aunque la captura de Siena había eliminado un peligro militar, había creado otro. Gran parte del mérito de la rendición de Montluc pertenecía a las tropas imperiales de Orbitello y Port'Ercole. En opinión de los franceses, ello aumentaba la importancia estratégica de estas dos bases, y a instancias de ellos una flota turca se hallaba en camino para destruirlas.[23] En situación de normalidad, esta amenaza podía haber sido contrarrestada por los genoveses, pero por una serie de motivos internos no pudieron éstos aportar el esperado esfuerzo,[24] y a Alba sólo le quedó rezar para que la costa umbría resistiera.

Los gobiernos civiles de Nápoles y Milán se hallaban asimismo en desorden y, mediado el verano, se hizo manifiesto que la cosecha de trigo iba a ser un desastre.[25] Casi pareció profético que, a las pocas horas de su llegada a Milán, Alba se enfrentara a un escándalo insólito en la casa donde había de residir.

El Príncipe y la Princesa de Ascoli eran españoles del clan de Leyva, herederos del Antonio de Leyva que había sido comandante de Alba en Provenza. Como tales, eran bastante representativos de los españoles italianizados, cuya prominencia en la península italiana empezaba a irritar cada vez más a sus habitantes. Una de sus damas se había visto implicada en tórridos amoríos con Pedro de Mendoza, un capitán de caballería ligera que se había aficionado a introducirse en la casa de noche. La princesa lo descubrió e informó a su marido, que ordenó a su chambelán que acechara escondido. El Jueves Santo, Mendoza fue hallado en la casa y levemente herido antes de escapar por una ventana abierta, pero ya era demasiado tarde. La ciudad entera hablaba del escándalo y de cómo afectaba éste al honor de la princesa, de la cual se pensaba generalmente que era el objeto de las atenciones de Mendoza. Éste, con la vanidad y la instintiva autoexaltación de los hombres de su clase, fomentó todo lo posible dicha impresión.

Unos días más tarde, el príncipe, que había estado fuera de la ciudad, regresó, y poco después un cadáver decapitado fue hallado en el jardín, enterrado dentro de un saco. De modo inevitable, las murmuraciones afirmaron que eran los restos de Mendoza, el cual era culpable de *flagrante delicto* contra la princesa; pero no era así. Al poco tiempo de la llegada de Alba, Mendoza fue visto en la ciudad vivo y sano. En la noche de la vigilia de San Juan, 10 ó 12 hombres de la casa de Leyva pusieron remedio a esto: invadieron la casa de Mendoza, lo degollaron en el sitio y mataron a varios de sus acompañantes para rematar el hecho. Como dijera Alba: «Fue una gran violencia y un caso terrible para ser el primero que se me ofrecía, ya que fue cometido en mi presencia, los agraviadores provenían de la casa donde yo residía, y los principales promotores de él eran el Príncipe y la Princesa de Ascoli, españoles, parientes míos y personas de importancia». Sin vacilar, encerró al príncipe y la princesa en el castillo.[26]

El episodio fue traumático, pero su firme severidad le dio gran prestigio entre los italianos, y le permitió iniciar su mandato con una nota de aprobación popular. Sólo una pregunta resta al empedernido aficionado a los misterios. Si el cadáver del jardín no era de Mendoza, ¿de quién era?

Alba permaneció en Milán hasta el 14 de julio. Después, tras inspeccionar las defensas de Pavía, se trasladó hacia el Po con el grueso de su ejército, barriendo las guarniciones francesas menores con que topó en su camino.[27] No encontró una resistencia efectiva; sin embargo, no pudo hacer otra cosa que reforzar la guarnición de Volpiano. Los franceses, aunque de opiniones divididas, eran muy numerosos y controlaban la totalidad de la región. En palabras de Alba: «se mueven como si estuvieran a dos millas de París».[28] En un intento de desviar su atención, puso sitio, brevemente y sin resultados, a Santhia, pero finalmente hubo que reforzar Volpiano con 750 hombres bajo el mando de Lope de Acuña, los cuales se abrieron paso entre las líneas francesas luchando por la noche.[29] Fue una acción valiente e incluso brillante, pero nada se consiguió con ella. Los franceses respondieron con un asalto furioso, y el 18 de septiembre, tras una memorable defensa, cayó Volpiano.[30] Simultáneamente, se hizo evidente que nada podía hacerse para salvar Cherasco, Fossano y Cuneo, los restantes puestos de avanzada imperiales en el alto valle del Po.

Fue una suerte que la temporada estuviera muy avanzada y que los capitanes franceses estuvieran a punto de un enfrentamiento violento.[31] Ambos lados se acuartelaron para el invierno, y al poco tiempo se compuso una tregua en Cambrai. La falta de pagas había llevado por entonces a algunas unidades de Alba a un motín abierto, y hacia diciembre se vio forzado a ofrecer a su hijo a los alemanes como rehén. Habla en favor de éstos que rechazaran semejante, increíble, garantía, pero pocas dudas caben de que la tregua, que se inició en febrero, fue providencial.

La campaña del Piamonte no fue ni un triunfo ni el abyecto fracaso que los enemigos de Alba deseaban. El duque hizo lo que pudo y salió con su reputación intacta, aunque hubo quien, como Brantôme, hiciera observaciones desairadas,[32] y sus enemigos de la corte sacaron todo el posible provecho de los reveses sufridos. Pudo haber realizado un intento serio en Volpiano, pero esto le habría supuesto lanzarse a una batalla campal contra fuerzas enormemente más numerosas. De haber ganado, los franceses habrían seguido siendo dueños del Piamonte; de haber sido vencido, habría perdido Milán.[33]

Al fin, la crisis se resolvió por una simple pérdida de ímpetu, pero aun cuando la campaña del Piamonte no fuera un acontecimiento que pueda figurar en la época, admira a quienes estudian la figura de Alba como hombre. Hasta aquel momento, su conducta en la guerra había sido escrupulosa y aun humanitaria. No hay indicio alguno de su aspecto más sombrío en sus primeras acciones, a excepción, quizá, del humor trágico y las metáforas impropiamente violentas que en ocasiones saturan su correspondencia. Hay violencia en ella, y una profunda ira, pero están rígidamente controladas. Puede que en algún momento, en el Piamonte, dicho control fallara.

Por motivos que no son aparentes de inmediato, Alba insistió en la matanza de toda guarnición francesa que presentara resistencia en su breve avance siguiendo el curso del Po.[34] Cuando Brissac le envió una protesta formal, invocó las leyes de la guerra que, según se entendían en la época, permitían la ejecución de toda persona que se negara a aceptar condiciones.[35] Técnicamente tenía razón, pero semejante comportamiento era infrecuente. Sólo unas semanas más tarde, los franceses le avergonzaron permitiendo que las fuerzas que quedaban en Volpiano salieran con todos los hombres de la guerra, tras un sitio al que se había opuesto una resistencia más encarnizada que todas las que había encontrado el duque en Italia. Y, lo que es peor, su crueldad no tuvo ninguna finalidad útil. Querer intimidar a un enemigo más fuerte con semejantes métodos es sencillamente descabellado. Sus propias dudas al respecto están expresadas en una carta a Antonio de Toledo: «Dios me guíe: he empezado a hacer la guerra como hay que hacerla, pues ahorco y mando a galeras a docenas de aquellos que son capturados con vida, como no puedo con la caballería ligera que matan»,[36] pero este *cri de coeur*, si es que de eso se trataba, no salvó la vida de un solo francés.

Lo cierto es que ante una verdadera adversidad, Alba podía ser un hombre brutal. Era capaz de luchar con fuerte desventaja y soportar pésimas condiciones con ecuanimidad, pero ante la perspectiva de una misión imposible en el campo de batalla, unida a ataques insidiosos en su propio país, le invadió una especie de desesperación y la ferocidad subyacente de su carácter surgió, con espantosas consecuencias. En toda su prolongada carrera esto ocurrió tan sólo en dos ocasiones. En el Piamonte las muertes fueron relativamente escasas y mínimas las repercusiones. Más adelante, en los Países Bajos, dicha tendencia contribuyó profundamente al desastre.

Existe otro aspecto, menos ominoso, en el que la breve estancia de Alba en el norte de Italia es en cierto modo reveladora de su carácter y de sus ideas sobre el gobierno y la sociedad. En enero de 1556, tras haber apaciguado a los amotinados casi únicamente mediante su personal influencia en las tropas, se dispuso a zarpar hacia Nápoles. Mientras su galera esperaba vientos favorables, dictó un memorándum sobre el gobierno de Milán que no sólo demuestra su interés en las reformas institucionales, sino también su comprensión de los asuntos milaneses y las directrices generales de su pensamiento político. Es un documento extraordinariamente práctico que comprende diecisiete recomendaciones específicas, y su intención de conjunto es abundantemente clara. Las ocho primeras tratan sobre la reforma del senado, el cual, junto al tribunal del Capitán de Justicia, constituían el principal tribunal de la ciudad. Había sido establecido por Luis XII y sus funciones, como señala el duque, eran esencialmente similares a las del *Parlement* de París.

Ninguna, o muy pocas, de sus actuaciones habían encontrado aprobación. Ocho de sus veinte miembros no eran hombres de leyes; éstos tendrían que salir, pues no tenían conocimientos de derecho, introducían complicaciones y cometían injusticias. Además, los procedimientos en uso eran pésimos. No debía permitirse al tribunal juzgar casos sin la presencia de las partes interesadas, ni debía el fiscal presentar casos en los que él mismo estuviera implicado. Los aplazamientos debían reducirse a tres, dado que los procesos serían pronto «inmortales», y el senado debía cesar de ver causas que pertenecían propiamente a tribunales menores. Esta cuestión de delimitar jurisdicciones era especialmente complicada. Alba pensaba que el senado estaba usurpando la autoridad administrativa de Felipe II y que podía prohibírsele hacerlo constitucionalmente, «pues deben ceder a vuestros derechos como rey». Ante todo, no se le permitiría nombrar funcionarios. El gobernador, de acuerdo con el senado y el consejo, debía presentar una lista para aprobación de la corona. De otro modo, los senadores seguirían atestando los despachos oficiales con sus parientes y sus compinches.

El resto de las recomendaciones es de espíritu muy similar. Tanto el presidente del senado como el Capitán de Justicia debían ser extranjeros, como los *Podesti* de Cremona y Piacenza. Se crearía un archivo, las funciones de tesorería se centralizarían, y se nombraría un fiscal para supervisar los asuntos de la cámara. Ordinarios, contadores y otros funcionarios debían seleccionarse según el sistema empleado a la sazón en Nápoles, y se realizaría un enérgico esfuerzo para evitar que hubiera personas emparentadas en el mismo tribunal. No interesa aquí el carácter preciso de todos estos cargos, pero los principios que informan su propuesta reorganizativa son claramente afines a los que más tarde desarrollaría Felipe II. La finalidad primordial es la justicia; la segunda, la eficacia. En opinión de Alba, dichos fines podrían lograrse óptimamente con la centralización y la extensión de la autoridad real. Si ello suponía la modificación de la tradición local, que así fuera.

Marañón, entre otros, considera esto como «castellanización», a diferencia de las tendencias más «imperiales» de otras personas que, como Ruy Gómez, estaban dispuestas a tolerar un grado mayor de autonomía local.[37] Si lo que esto significa es que Alba quisiera imponer instituciones castellanas, no es así: es evidente por sus recomendaciones que deseaba imitar las formas italianas y conservar organismos que no tenían equivalente español. Pero sí significa que sus opiniones eran acordes con las de los pensadores de Salamanca y de la mayoría de clase gobernante castellana; es cierto: Alba creía que la justicia tenía sus raíces en principios universales, y era prerrogativa y deber religioso de la Corona el mantenerlos a todo trance. Era, por consiguiente, monárquico y centralista intransigente, con una tolerancia limitada para los privilegios locales.

La segunda preocupación que informa su memorándum es un deseo apasionado de erradicar el clientelismo y el nepotismo donde quiera que se encontraran. Puede que él practicara ambas cosas con fruición, pero por entonces pocos hombres había que fueran más expertos en sus perniciosas consecuencias.

Pareció, así, durante un tiempo que se iniciaba en una nueva carrera de reformas administrativas, pues aunque Alba no pudiera estar presente en Milán para implementar sus indicaciones, la situación política de Nápoles era, si cabe, aún peor. Había sucedido como virrey al formidable don Pedro de Toledo otro pariente de Alba, el Cardenal Pacheco. Atormentado por problemas financieros, y careciendo de la implacable severidad de su predecesor, había permitido que las facciones napolitanas perdieran todo freno. Cuando volvió a Roma en la primavera de 1555, la administración estaba en gran medida deshecha y la tesorería estaba vacía. Su lugarteniente, Bernardino de Mendoza, procuró después volver a tomar las riendas, pero sus nueve meses de gobierno fueron un desastre. El viejo soldado era, al parecer, poco versado en otras cuestiones que no fueran las bélicas, pues se vio irremediablemente implicado con la seductora Marquesa del Vasto, comprometiendo con ello su posición como mandatario de la ciudad. La marquesa, como miembro eminente de uno de los grandes grupos clientelísticos que habían siempre infestado la problemática ciudad, tenía intenciones que sobrepasaban el simple adulterio. Alba conocía estos hechos antes de llegar a Italia, y había intentado devolver a su antiguo amigo y compañero de armas al camino de la rectitud y el sentido común. Sus esfuerzos fracasaron, pero dado que constituye uno de los pocos ejemplos en que el austero Alba quiso aparecer como hombre mundano, merece una cita breve:

«No ha habido dos hombres que se conozcan mejor que nosotros dos. Sé que eres un tortolito. Cuida que la Marquesa del Vasto no te hechice. Es allí el mismísimo diablo y tengo por cierto que es peligrosa y desea una parte del Reino. Quizá pienses, conociéndome, que escribo esto asimismo como el tortolito que soy, pero tú eres muy amante de las matronas gruesas y por ello corres más peligro que yo, aunque me veo en Milán alojándome con la de Ascoli.»[38]

Como suele ocurrir con esta clase de consejos, no fue bien recibido. Las relaciones se hicieron tensas entre los dos amigos, y cuando la situación siguió deteriorándose en Nápoles, Alba se vio obligado a protegerse informando sobre el asunto con cierta pormenorización.[39] Mendoza no le perdonó nunca, pero sus oportunidades de venganza fueron limitadas: murió en 1557 de las heridas recibidas en San Quintín.

La llegada de Alba a Nápoles estuvo nublada, pues, por un gran número de problemas, la mayor parte aparentemente insolubles. El gobierno estaba desmoralizado, la población hambrienta y los campos infestados de bandidos. Como tantos otros antes y después de él, el duque se sentía abrumado. La enorme y desparramada ciudad, en su magnífico marco natural, era quizá la mayor de Europa, y las tierras circundantes parecían tan ricas,[40] que no comprendía cómo había «tanta necesidad y pobreza que no hay casi nada que vender en tierras o rentas en todo el reino».[41] Era éste un punto sensible, pues no había otro remedio que vender algo. En 1555 se habían agotado los recursos y la buena voluntad del parlamento napolitano, y a pesar de que el Monte daba muestras de recuperación, el ritmo de crecimiento era tan pausado que su utilidad era casi nula. Cuando Alba volvió a confiscar sus fondos en junio de 1556, sólo se habían acumulado 25.000 ducados.[42] Comparada con las vastas sumas que se debían al ejército imperial, esto no merecía casi mención, y de un extremo a otro de la península italiana las guarniciones amenazaban con amotinarse.[43]

Una vez más, Alba atacó sus dificultades frontalmente.

Pensando que había pocas probabilidades de recibir dinero de España, pidió un fuerte préstamo a la reina de Polonia,[44] y envió 180.000 ducados a Milán como crédito propio.[45] Para limpiar los campos de salteadores de caminos, despachó unas compañías españolas de infantería,[46] y al menos en una ocasión siguió los movimientos de un bandido sobornando a sus familiares.[47] La función de vigilancia le agradaba, al parecer, pues le dedicó una gran cantidad de energía. Los tribunales adolecían de una antigua e irredimible corrupción que le habría exigido una atención sostenida de años, pero sus funcionarios policiales estaban a su alcance, y reformó sus cuerpos con ahínco.[48]

En esto, su actitud draconiana rindió beneficios, pero en otros sectores produjo situaciones embarazosas. Pensando que la prevaleciente especulación en feudos perjudicaba la autoridad del rey, Alba ordenó que ninguno cambiara de manos sin el permiso regio. Después, puesto que en sus derechos no se incluía tal capacidad, se vio obligado a enviar una apremiante solicitud de aprobación a Felipe II.[49]

Puede, sin duda, que estuviera simplemente presionando para forzar una decisión, dado que la propensión del rey a la demora era ya conocida. El que Alba tuviera, efectivamente, capacidad para la previsión administrativa queda demostrado por el hecho de que, como en Milán, insistiera en la creación de un archivo.[50] Sería grato creer que esta afición a los archivos nacía de su antigua amistad con Cobos, protector de Simancas, o de un benevolente, si errático, sentimiento hacia los historiadores, pero la verdad es más siniestra, al menos desde la perspectiva italiana. No puede haber nada más inquietante que asumir un nuevo cargo sin esperanza de conocer la política, los precedentes o las decisiones de los predecesores, y nada más fatídico para la afirmación de privilegios locales que una permanente constancia por escrito de todos ellos. No existió un archivo real en España hasta 1545, pero la creación de depósitos locales había constituido una característica de la política real desde las Cortes de Toledo de 1480. En este sentido al menos, Alba estaba en efecto aplicando un precedente castellano a otras zonas del imperio, en modos que tendían a comprometer sus autonomías.

Estos ejercicios en administración son interesantes como indicio significativo de las opiniones de Alba sobre los modos de gobierno, pero no eran, claro está, la razón por la que se encontraba en Nápoles. Como siempre, su presencia allí estaba vinculada a la guerra, o a los rumores de guerra, en esta ocasión con el adversario más difícilmente imaginable.

La llegada del duque a Milán había coincidido con la elección de Gian Pietro Carafa para la silla de San Pedro. Carafa, que tomó el nombre de Paulo IV, era uno de los espíritus más firmes de la Contrarreforma, y un hombre cuya postura religiosa no distaba mucho de la de Alba. Nacido en el seno de una poderosa familia napolitana, había formado la Orden de los Teatinos y había dedicado su vida a la reforma de la Iglesia con una orientación tradicional. Se había opuesto a las medidas conciliatorias de Contarini, y por ello Paulo III le había confiado la restauración de la Inquisición papal. En ella mostró tal celo en la representación que su acción se desbordó sobre otros terrenos, como la confección del *Index librorum prohibitorum*. Alto, delgado y autocrático, con un temperamento cruel y una aparente afición al fuerte vino napolitano, carecía absolutamente de esa cualidad melancólica que con tanta frecuencia protegía a Alba de los peores excesos de su carácter. Era también un patriota napolitano, y estaba muy influido por su parentela, no toda ella tan honesta como él.

Los conflictos empezaron casi inmediatamente después de su elección. El nuevo Papa deseaba fervientemente librar a Italia de los bárbaros, y por bárbaros entendía agentes del imperio. Ellos gobernaban su ciudad natal, rodeaban los territorios papales al Norte y al Sur, y protegían a la rebelde nobleza romana. Y, lo que era aún peor, habían favorecido el Concilio de Trento, que representaba para él poco más que un ataque a la autoridad papal, y el cual se había opuesto a su propia elección.[51] Era claro que estos pecados tenían categoría babilónica. Eran los representantes imperiales, decía, «bribones, renegados, moriscos, hijos del diablo y de la iniquidad».[52] Felipe II era «esta bestezuela engendrada por ese padre diabólico [Carlos V]»,[53] y se le figuraba, aunque parezca increíble, que éste tenía simpatías luteranas.[54]

La aversión de Carafa por los Austrias es comprensible,

pero al enfrentarse a ellos abiertamente permitió una vez más que los asuntos de Italia tomaran precedencia sobre los de la Iglesia. Ésta, al menos, es la explicación más benigna. Podría no haber tenido consecuencias, pero su malevolencia se vio fomentada por sus consejeros, una mezcolanza de exiliados florentinos, simpatizantes de Francia y descontentos napolitanos, encabezados por su sobrino, el Cardenal Cario Carafa. Antiguo *condottiere*, el Cardenal no había dejado que su ascenso a la púrpura acallara sus instintos. En pocas palabras, deseaba Siena para sí y se afanaba en conseguirla provocando una nueva guerra franco-papal contra el imperio.[55]

El precipitante que hizo cristalizar todos estos elementos fue la cuestión de Civitavecchia. El Sforza Conde de Santa Fiore había sido ya mucho tiempo un defensor del imperio, pero tenía dos hermanos, Cario y Mario, que capitaneaban galeras en pro de los franceses. Tras la caída de Siena en abril de 1555, pudo al fin convencer a ambos de que desertaran y trajeran sus navíos consigo. Esto se efectuó persuadiendo a las tripulaciones francesas de que entraran en el puerto de Civitavecchia para hacer ciertas reparaciones, y allí otro hermano, Alessandro, se hizo con los barcos y los sacó del puerto gracias a una carta obtenida del gobernador papal, Conde de Montorio. Ello se logró con la mediación de Lottini, secretario de un quinto hermano, el Cardenal Guido Ascanio Sforza.[56] Cuando el Papa supo lo ocurrido, arrestó a Lottini y envió una vehemente protesta al embajador español, pero las galeras no fueron devueltas hasta el 15 de septiembre. Alba mismo fue en gran medida responsable de la dilación, pues se había sentido muy ofendido por la conducta del Papa,[57] pero la impresión que crearon estos hechos fue extremadamente penosa, y los consejeros papales sacaron todo el posible provecho de ellos. Observaron éstos que ciertos papeles de Lottini parecían sugerir la existencia de intrigas españolas, y que los Colonna y los Orsini estaban fortificando sus plazas fuertes de Paliano y Bracciano, respectivamente. Convencido de que se hallaba en peligro, Paulo IV llegó a un acuerdo con los franceses el 14 de octubre.[58]

Desde aquel momento en adelante las relaciones se deterioraron inevitablemente. Fueron arrestados ciertos emisarios imperiales, se interceptaron correos y el embajador, Marqués de Sarria, fue insultado con estudiada regularidad. A diferencia de su reacción en la crisis de Civitavecchia, Alba permaneció tranquilo. No tenía el menor deseo de guerrear contra el Vicario de Cristo, especialmente dado que dicho personaje era tan viejo que podrían «encontrárselo frío una mañana». Incluso cuando el Papa confiscó las tierras de dos protegidos de Felipe II, Ascanio y Marc'Antonio Colonna, el duque no propuso medidas más enérgicas que ciertas sanciones económicas y diplomáticas.[59] Su moderación, aunque ejemplar, fue en vano. El Papa empezó a reclutar hombres y a robustecer sus fortificaciones situadas en la frontera napolitana. Puesto que Felipe empezaba a insistir en sus derechos, Alba no tuvo otra opción que redactar un ultimátum que es un modelo en el género. Tras enumerar los delitos del Papa pormenorizadamente, describía vivamente la tragedia de la guerra, y amenazaba «por la sangre de mis venas asombrar a Roma con mano rigurosa, y Vuestra Santidad, aunque sería respetado entonces como ahora, no podría librarse de los horrores de la guerra o acaso de la ira de algún soldado muy ofendido por las sanguinarias acciones cometidas en abundancia por Vuestra Santidad».[60]

El texto fue presentado al Papa por un emisario que, al parecer, añadió algunos adornos propios. Su Santidad declaró que lo que deseaba era habérselas con Alba «*con la spada e cappa*», pero lo que prometía ser un clásico intercambio de peroratas, quedó interrumpido por un ataque de diarrea.[61] No hubo más respuesta y el 1 de septiembre de 1556, Alba salió de Nápoles con un ejército de 12.000 hombres.

Una vez más se hallaba el duque en pie de guerra, pero ésta era una guerra algo diferente y su perspectiva no le complacía.[62] Fuera cual fuera el desprecio que sintiera por Carafa, era el Papa, y como devoto católico, Alba no tenía deseos de cometer ningún acto injurioso ni contra la fe ni contra su propia alma, particularmente dado que, como observaba en su ultimátum, las desavenencias entre España y el papado no tenían lugar «en estos tiempos tan llenos de herejías y opiniones nocivas». Era una situación de las más temidas por el soldado profesional: una guerra que prefería no ganar. A pesar de sus bravatas, Alba no quería dirigir un segundo saqueo de Roma, pero había que encontrar algún modo de devolver la sensatez al Papa.

En consecuencia, se decidió por una especie de *blitzkrieg* contra ciudades estratégicamente importantes de la frontera napolitana, a lo cual seguiría de inmediato una oferta de paz. Sabía que muchos cardenales eran contrarios a la guerra, y esperaba poder explotar su insatisfacción en pro de un acuerdo rápido.

En el plazo de dos semanas, y no obstante las fuertes lluvias, se habían conseguido los objetivos militares de Alba. Estableciéndose en Anagni, envió a su primo García de Toledo con Vespasiano Gonzaga a capturar Bauco, Veruli y Frosinone, después de lo cual otra media docena de plazas se rindieron. Para cerciorarse de que el Papa era bien informado, el desposeído Marc' Antonio Colonna dirigió una expedición para provisión de forraje que llegó hasta la vista de Roma.[63]

La situación en la Ciudad Santa era de «indescriptible confusión» y pánico.[64] Los cardenales –y entre ellos Carafa, que, aunque parezca increíble, pensó que era un buen momento para tratar sobre Siena–[65] exigieron que el Papa escuchara las propuestas de Alba, y el 16 de septiembre éste las presentó. Eran la esencia de la sencillez. Su única condición para la paz era que se concediera a Felipe II la tenencia de las tierras recientemente ocupadas, bajo administración del Colegio Cardenalicio, durante la duración de la vida del actual Papa. Acaso fuera significativo que la carta se dirigiera al Cardenal de París, y que Alba tuviera cuidado en señalar que tenía capacidad para concluir semejante acuerdo sin el permiso del rey.[66]

La oferta era un intento evidente, aunque justificado, de dividir al Papa y sus cardenales, y estuvo a punto de prosperar. A instancias de una comisión especial, el Papa accedió a un encuentro entre Alba y dos cardenales, Carafa y Santiago (tío de Alba), a celebrarse en Grottaferrata el día 25. Alba fue de buena fe y esperó hasta las diez y media de la noche, pero los cardenales no aparecieron. Paulo IV había cambiado de idea.[67]

No quedaba ya otra alternativa que seguir con la campaña. La costumbre dictaba que su próximo objetivo fuera Paliano, una ciudad de montaña fuertemente fortificada a unas pocas millas de Anagni, pero Alba decidió no hacerlo. Su guarnición podía defender la plaza, pero poco podía hacer contra el invasor si éste la pasaba por alto. En lugar de ello, cayó sobre Tívoli. Tívoli se encontraba a una jornada de marcha pausada desde Roma, y estaba virtualmente indefensa, pero era algo más que un simple objetivo oportuno. Situada en el punto en que el valle de Aniene se abre a la Campagna romana, domina la ruta de los Abruzos. Las despensas estaban casi desnudas en Nápoles, y Alba esperaba poder aprovisionar a sus tropas desde esta región, mientras arrebataba al Papa sus algo flacas riquezas.

Tívoli misma quedó pronto sitiada, pero para asegurar el resto de su ruta de aprovisionamiento era necesario tomar alguna medida con respecto a Vicovaro, un lugar más reducido a 15 kilómetros río arriba. Aquí Alba se encontró con dificultades. La política de los Estados papales era tan compleja como su geografía, y no había extranjero que permaneciera mucho tiempo en la región sin topar con alguna antiquísima *vendetta*. En esta ocasión, Alba, ignorando del todo la situación, envió a Vespasiano Gonzaga a reducir Vicovaro. El padre de Gonzaga había sido muerto allí hacía unos años, y ni Vespasiano ni los habitantes del lugar lo habían olvidado. Sabiendo que proyectaba una matanza, éstos se negaron a rendirse y montaron una vigorosa defensa a la que ayudaron mucho las lluvias torrenciales. Al fin supo el duque lo que yacía tras este inusitado heroísmo y sustituyó a Gonzaga de inmediato.

Los siguientes días pasaron en actividades prácticamente inútiles, mientras Alba seguía buscando el modo para evitarse utilizar su ventaja estratégica. Pidió a los venecianos que intercedieran ante el Papa, y envió tropas para cortapisar lo que otro sobrino papal estuviera intentando hacer, fuera lo que fuera, en la lejana Ascoli; pero su principal triunfo fue dar a las fuerzas papales otra severa lección en el arte de la guerra. Dejando sus aprovisionamientos sin vigilancia en Tívoli, avanzó hacia Frascati en un intento de hacer salir a aquéllas, y fue recompensado con una demostración de todo lo que aún quedaba por aprender a sus adversarios. Con increíble ingenuidad, un destacamento de caballería se lanzó a galope hacia los suministros sin vacilar, y fueron capturados sin que quedara prácticamente ni uno. Alba regresó entonces hacia Frascati describiendo un círculo, e intentó que una fuerza de relevo dirigida por el Cardenal Carafa trabara combate con el grueso de su ejército. Tras una breve escaramuza, el cardenal se escabulló aprisa hacia la protección de Roma.

Increíblemente, ninguna de estas acciones pareció hacer la menor impresión en el Papa. Después de merodear en torno a Tívoli hasta el 1 de noviembre, Alba se puso en movimiento para aislar a Roma del mar, así como para capturar Ostia. A pesar de que sus intenciones seguían siendo limitadas, en el sentido de que no quería atacar la misma Roma, Ostia era un objetivo potencialmente arduo. Con la expectativa, y acaso la esperanza, de un prolongado sitio, construyó un puente de barcas sobre el Tíber y estableció una compleja red de abastecimiento con bases en Anzio y Nettuno. En todo esto invirtió diez días. Después, el 17 de noviembre, tras siete días de fuego artillero, se lanzó un ataque. Fue éste repelido con numerosas bajas, lo mismo que un segundo ataque efectuado más tarde en el mismo día. Alba no pudo sino considerar estos hechos como un innecesario sacrificio a un viejo insensato, pero no perdió los estribos. Visitó a los heridos, ocupándose personalmente de que estuvieran atendidos, y cuando la fortaleza se rindió, sorprendentemente, sin que se produjera un tercer ataque, no hubo represalias.[68]

Por entonces la temporada estaba ya muy avanzada. Alba resolvió regresar a Nápoles antes que hacer uso de su ventaja. El cronista Andrea proporciona una serie de motivos poco convincentes para esta decisión,[69] pero lo cierto es que existen indicios bastante seguros de que Alba consideraba ésta una guerra limitada, en la cual había que evitar una auténtica victoria. En la última semana de noviembre se reunieron él y Cario Carafa en la Isola Sacra, que separa el Tíber del Fiumicino, y negociaron una tregua que expiraría el 9 de enero. Fue un intento poco entusiasta de convenir sobre los puntos más esenciales, que zozobró en la intransigencia de Carafa. Éste sostenía que Alba no hacía sino defender a sus parientes de los Colonna y que, si deseaba la paz, tendría que retirarse y solicitarla del Papa como un favor. Alba preguntó si él haría tal cosa de estar en su situación. Carafa contestó que sí lo haría, «por enmendarse».[70]

No es sorprendente que la tregua expirara tres días antes del tiempo convenido. Las fuerzas papales habían dedicado la temporada navideña a construir un fuerte sobre la aldea de Fiumicino. El 6 de enero obligaron a los españoles a abandonar su posición en aquel lugar, dejando Ostia rodeada y expuesta al sitio. La fortaleza de Ostia estaba bien abastecida y tenía una guarnición de 500 hombres, pero inexplicablemente se rindió ante Pietro Strozzi tras el primer asalto. Su comandante, Francisco Hurtado de Mendoza,[71] fue casi con certeza culpable de traición, y Alba dispuso más tarde su ejecución,[72] pero el daño estaba hecho. Se habían invertido las posiciones de los combatientes. Era el duque ahora quien tenía sus guarniciones esparcidas en una extensa zona, mientras que Strozzi podía permitirse, como había ocurrido a Alba el año precedente, el concentrarse en cada una de ellas por separado. Mientras tanto, muy al Norte, se producían sucesos aún más aciagos. Cumpliendo con retraso su promesa al Papa, el rey de Francia envió un ejército bajo el mando del Duque de Guisa. Este, que entró en el Piamonte cuando Ostia caía, inició una lenta pero inexorable marcha siguiendo las pendientes meridionales de los Apeninos, la clásica ruta de invasión hacia el sur de Italia.

Ante la probabilidad de un ataque conjunto franco-papal al reino de Nápoles, Alba y su consejo se afanaron en organizar un plan para su defensa. Un cierto número de sus ayudantes quería tan sólo defender Nápoles y sus alrededores, pero Alba resolvió, sin embargo, fortificar y dotar de guarniciones los Abruzos. Argumentaba éste que esta importante fuente de abastecimiento debía conservarse a ser posible, y creía que al replegarse dentro de los límites del reino perdía la ventaja moral y psicológica lograda en la campaña precedente. Consecuentemente, se encargó al Marqués de Treviso la fortificación de Civitella, Atri, Pescara y Chieti. Entre éstas, era Civitella la más fuerte, y Alba esperaba poder detener allí a los franceses, mientras forzaba a Strozzi a una serie de cercos estériles en la Campagna romana. Para mayor seguridad, situó al grueso de sus tropas en Venafro, en la frontera de Nápoles. Desde esta posición de ventaja podía vigilar la ruta de Roma, así como la más prolongada vía hacia Pescara, los Abruzos y, en último término, las Marcas.[73]

El plan era bueno, pero quizá fuera una suerte que los franceses fueran premiosos y las fuerzas papales relativamente débiles. Éstas continuaron sus ataques a las guarniciones españolas, pero, aunque consiguieron destacados triunfos, no supieron, o quizá no quisieron, aprovecharlos antes de unir sus fuerzas con las francesas. Guisa, mientras tanto, estaba, como preveía el plan, empeñado en Civitella. Tras un tranquilo avance por la Romagna y la costa adriática, había encontrado allí la primera resistencia seria y, comprendiendo que no podía dejarla pasar, decidió reducir la plaza. En mayo todavía seguía allí.

El sitio de Civitella fue un suceso heroico en el que participaron incluso las mujeres, y rompió la columna vertebral de la invasión francesa. Guisa, que no era precisamente un necio, había abrigado dudas sobre la expedición desde hacía mucho tiempo, y esta obstinada resistencia no hizo sino intensificarlas. No sólo no aparecieron fuerzas papales para socorrerle, sino que empezó a preguntarse si había sido víctima de un engaño. Desde un principio, el Cardenal Carafa había insistido en que viniera por vía de Siena, lo cual no tenía ningún sentido a menos que no fuera éste el verdadero objetivo de la operación.[74] Aún más, el Papa se había mostrado remiso a concederle su recompensa por entrar en la alianza: la entrega de Nápoles en favor de Enrique II, ayuda financiera y el nombramiento de nuevos cardenales franceses.[75] En su situación, eran éstos pensamientos amargos. Se encontraba enfrentado a un enemigo decidido y a amigos que no eran dignos de confianza. Aun si caía Civitella, estaría atrapado entre las montañas y el mar, y habría de reducir al menos otras tres ciudades antes de poder abrir el camino hacia Nápoles. Las probabilidades de fracaso se incrementaron aún más cuando Alba abandonó Venafro y apareció en Pescara el 10 de mayo con un ejército ampliado hasta un número de 28.000 hombres. Guisa, con valentía, decidió hacerles frente y envió un cuerpo de franceses a situarse en Giulianova, en la costa. A pesar de que era una posición fuerte y estaba casi a la vista el grueso del ejército francés, las tropas de Alba no tuvieron ninguna dificultad para repelerlos. El 15 de mayo Guisa levantó el sitio.[76]

El resto fueron acciones de menor interés. El duque de Guisa se replegó hacia la llanura próxima a Nereto, y Alba respondió trasladándose una corta distancia a lo largo de la costa. La principal razón de este movimiento era que el calor, la suciedad y los insectos se estaban haciendo insoportables en el campamento de Giulianova, pero el de Guisa lo interpretó como un intento envolvente y huyó. Actuando sobre el principio de que al enemigo que huye han de tendérsele puentes de plata, Alba permitió su marcha.

Mientras, en la campaña que circunda Roma seguía ardiendo una cruenta guerra de pequeñas proporciones que revivía antiguas rivalidades. Aprovechando la concentración de fuerzas en los Abruzos, un ejército papal dirigido por Giulio Orsini había saqueado Montefortino, y avanzaba contra Pilla cuando fue repelido por Marc' Antonio Colonna. La *vendetta*, cuyo origen se remontaba a varios siglos, entre los Colonna y los Orsini no hizo sino añadir fuerza a la determinación de Marc' Antonio de recuperar sus tierras. Empezó a ganar prestigio, haciéndose con una ciudad tras otra, y por último venció a Orsini en el campo de batalla el 27 de julio.[77] La población debió de sufrir intensamente los efectos de este conflicto, pues la destrucción fue extensa y se produjeron ajustes de cuentas generalizados, pero el Papa se mostró indiferente a estos hechos. Confiando en Roma, con todos sus aliados desorganizados, solicitó la paz, pero se negó tanto a restituir a Colonna lo suyo como a rendir Paliano. Acaso tuviera esperanzas de una victoria francesa en las lejanas fronteras de los Países Bajos. Si era así, se vería decepcionado. El 10 de agosto, el principal ejército de Enrique II fue destruido en San Quintín, y los parisienses más impresionables empezaron a huir de la capital. Hasta un demente podría haber comprendido entonces que nada podía ya hacerse, pero Paulo IV se mantuvo firme.

Alba estaba pasmado. La guerra había concluido, pero no parecía haber ningún modo fácil de convencer de ello al Papa sin atacar Roma, una profanación cuya perspectiva era entonces más impensable que nunca. Alba había pasado la mayor parte del verano en la costa adriática, castigando a aquellas ciudades que habían ayudado a los franceses y vigilando los movimientos de Marc'Antonio Colonna. Puesto que todo marchaba bien, Alba no había considerado necesario intervenir e incluso había licenciado a una parte de sus hombres. Después regresó a su anterior posición entre Roma y Paliano para ponderar su próximo movimiento.

El 25 de agosto, avanzando con celeridad no obstante una lluvia ligera, Alba trasladó la totalidad de su ejército ante las murallas de Roma, donde, pensativo y ominoso, permaneció durante una o dos horas antes de volver a desaparecer entre los montes.[78] Fue puramente un gesto, sin preparación y con plena conciencia de que Guisa había vuelto y permanecía al acecho a sólo unas millas de allí, en las proximidades de Monterotondo. Nada hubiera conseguido mostrar más gráficamente su desprecio del enemigo. El Papa supo interpretar el hecho, y al fin se decidió a moverse, aunque sin rapidez y no muy lejos.

Teniendo en consideración la relación de fuerzas de ambas partes, las negociaciones con las que terminó la guerra fueron extraordinariamente complejas. La obstinación del Papa y las diferencias entre sus consejeros conducían a interminables conflictos, mientras que la negativa de Alba a aceptar acuerdo alguno que no protegiera a sus aliados estaba abocada a interferir directamente en el gobierno de los estados papales. La figura que más descolló en la solución de estas cuestiones fue Guido Ascanio Sforza, Cardenal Camarlengo, en quien confiaban ambos lados, no obstante su implicación en la crisis de Civitavecchia dos años antes.

El Papa, siguiendo su costumbre, empezó por proponer unos términos que podrían haber sido adecuados de haber ganado la guerra, pero que en opinión de Alba eran del todo impropios. Quería aquél conservar Paliano, y que se le permitiera tratar el asunto de Colonna y su familia como creyera oportuno. Alba no podía aceptar en modo alguno semejantes condiciones; respondió poniendo cerco a Paliano. En dicha coyuntura, el Camarlengo, que sabía que no se podía tratar directamente con el Papa, se dirigió al Cardenal Carafa y le sugirió que Paliano quedara bajo un síndico que fuera aceptable para ambas partes, una idea que había ya propuesto Alba en noviembre. Carafa respondió con una perorata sobre Siena.[79] El Camarlengo tardó algo en convencer a Carafa de que Siena era irrelevante y estaba irremediablemente perdida, pero al fin triunfó la cordura y se envió un emisario a Alba el 2 de septiembre. Incluso entonces no habría de hacerse ninguna propuesta específica: su misión era simplemente la de saber qué condiciones serían aceptables para el duque.

El emisario encontró al duque de un humor negro, preparándose para asaltar Paliano. Después de hacer esperar a aquél toda la noche, Alba le recibió en la cama y le dijo que había de concederse el perdón a todos los participantes, y que no era posible devolver la mayoría de las ciudades sin poner en peligro la seguridad de Nápoles.[80] Estas nuevas produjeron consternación, por no decir histeria, en Roma. Nadie se atrevía a entregar al Papa la carta de Alba, y el embajador véneto informaba de que corrían rumores de una huida a Venecia o Avignon.[81] Por último, como era de esperar, las partes acordaron simplemente volver a reunirse, pero el camino hacia la paz seguía siendo abrupto. Alba sermoneó al emisario enviado para disponer la reunión y amenazó con reconsiderar su negativa a atacar Roma. Ese mismo día, Paulo IV emitió un breve de excomunión contra Alba, pero los cardenales le disuadieron de que lo empleara.[82] Finalmente, en una sala con cortinajes de terciopelo carmesí y rodeada de soldados españoles, se logró componer un acuerdo extraordinariamente sensato: Alba devolvería las ciudades, pero destruiría sus fortificaciones, se buscaría un símbolo para Paliano y se darían perdones a todos en ambos lados.[83] Había concluido otra guerra.

Haciendo balance, los dos años y medio en Italia pueden contarse entre las victorias de la carrera de Alba, y demostraron claramente lo que podía hacer cuando su capacidad de juicio operaba libremente dentro de los límites de la política no ideológica. Había empezado con enorme desventaja, con tropas próximas al amotinamiento, sin dinero, y poderosos enemigos en su país que obstaculizaban cada uno de sus pasos. A pesar de todo ello había impedido la caída española en el Piamonte, para luego dedicar sus esfuerzos a tratar de modo eficaz con una situación delicada creada por la guerra papal. En esto, su talento militar y su templanza personal evitaron lo que pudo haber sido una espantosa tragedia, sin sacrificar los intereses españoles en modo alguno. Paulo IV era un auténtico campeón de la Iglesia, cuya conducta a todo lo largo de su vida había sido ejemplar desde la perspectiva de católicos como Alba. Aun en su aparente senilidad, cuando pareció ser víctima de un amor inmoderado por su patria y su parentela, no desatendió del todo las exigencias del papado, pues los defensores del imperio, tales como los Colonna o los Sforza, representaban una amenaza a la integridad de su puesto. Difícil parece decidir qué habría sido peor: haber gratificado a los enemigos de la iglesia con otro saqueo de Roma o haber consentido a las más insensatas acciones del Papa.

El que Alba lograra tomar una línea intermedia es doblemente excepcional cuando se recuerda su posición. Él era, al fin y al cabo, una figura de la política italiana por derecho propio, con protegidos y aliados en toda la península italiana. Cualesquiera que fueran sus actos, siempre se le acusaba de velar por sus asuntos personales, y sus enemigos se valieron con entusiasmo de la toma de Siena por Cósimo, y de la animosa defensa de los Colonna por Alba, como pruebas de su deslealtad al rey. Para agravar las cosas, estos sucesos ocurrieron mientras se desarrollaba un juicio entablado por Alba contra el Arzobispo de Toledo por motivo de los diezmos de Huéscar. Huéscar había sido entregado a su abuelo en encomienda tras la caída de Granada, concediéndole así un derecho hereditario, si bien disputado, sobre los diezmos.[84] En el momento en que el duque y el Papa se aprestaban a una confrontación, el tío de Alba, Cardenal de Santiago, defendía su causa ante la Curia. La cautela de Alba se consideró, pues, inevitablemente y erróneamente, como prueba de un acuerdo secreto, y dicha impresión fue reforzada cuando el caso se dirimió a su favor.[85]

En semejantes circunstancias, es asombroso que Alba tuviera capacidad para actuar, y mucho más que saliera airoso del conflicto, pero la resolución de la guerra papal le proporcionó una general aclamación. Incluso Brantôme, que nunca entendió la lección recibida en Ceresole y era muy crítico del proceder de Alba en el Piamonte, creía que en 1557 había demostrado ser un maestro en el arte de la guerra.[86] Aun Enrique II tuvo alabanzas para él,[87] pero fue la recepción en la corte de Felipe II lo que verdaderamente tuvo importancia. El emperador Carlos estaba ausente. En su retiro de Yuste, es indudable que debió encontrarse complacido, pero era su hijo el que controlaba ahora los asuntos del reino, y Felipe, según el embajador de Venecia, estaba «admirado» de Alba.[88] El duque regresó a Bruselas en enero de 1558, y fue recibido por toda la corte a excepción de Ruy Gómez, «quien, por una indisposición, real o fingida, no salió de su casa».[89] El duque, que sabía ser magnánimo e hiriente al mismo tiempo, se fue luego a ver a Ruy Gómez, pero el camarero no se mostró excesivamente complacido por la visita. En días subsiguientes los cortesanos se arremolinaron en torno a Alba, y se rumoreaba que su antiguo rival iba a retirarse.

El rumor demostró, desde luego, ser infundado, como tantos otros. Se decía que Alba había exigido el ducado de Bari o la regencia de los Países Bajos, cuando en verdad sólo deseaba volver a España con Felipe. Es cierto que declaró que iba a retirarse a Alba de Tormes, aunque ésta no existía ya –patente indicación de lo que había tenido que gastar en el servicio de la Corona–,[90] pero, no obstante sus lamentaciones, había aprendido la lección. El poder se encontraba cerca del rey, y como diría uno de sus servidores más tarde, «el Duque de Alba no estaba hecho para andar por los desiertos».[91] Esta vez el camino hacia su casa era seguro, pero no sería rápido.

1. Ruy Gómez a Eraso, 15 de abril de 1554, *CSP-Spanish*, XIII, pp. 162-64. (El editor no estaba seguro sobre el destinatario, pero las referencias a la esposa de Eraso, doña Mariana, y a otras cuestiones personales garantizan la atribución.)

2. *Ibíd.*

3. *Ibíd.*

4. Alba a Francisco de Toledo, 15 de abril de 1555, *EA*, I, pp. 68-69.

5. *CSP-Spanish*, XIII, p. 213.

6. Alba a Bernardino de Mendoza, 7 de abril de 1555, EA, I, p. 66; Alba a Felipe II, 20 de abril de 1555, EA, I, pp. 71-73; Ramón Carande, *Carlos V y sus banqueros* (Madrid, 1967), III, pp. 43-448, describe pormenorizadamente los problemas financieros de Alba, pero sin hacer referencia a los problemas políticos implicados en ellos.

7. Alba a Bernardino de Mendoza, 14 de junio de 1555, *EA*, I, pp. 170-74.

8. *CSP-Spanish*, XIII, p. 213.

9. *CSP-Venetian* (1555-1556), p. 49.

10. Alba a Felipe II, 18 de mayo de 1555, *EA*, I, pp. 118-20.

11. Alba a Felipe II, 28 de mayo de 1555, *EA*, I, pp. 125-26.

12. Alba a Ruy Gómez, 29 de junio de 1555, *EA*, I, pp. 234-37.

13. Alba a Ruy Gómez, 11 de mayo de 1555, *EA*, I, pp. 102-5.

14. *CSP-Venetian* (1555-1556), pp. 74-76.

15. Alba a Francisco de Toledo, 14 de junio de 1555, *EA*, I, pp. 178-80.

16. Alba a Bernardino de Mendoza, 21 de junio de 1555, *EA*, I, pp. 202-3.

17. Alba a Cristóbal de Mendoza (su mayordomo), *EA*, I, pp. 263-65.

18. *CSP-Spanish*, XIII, p. 243.

19. Alba a Cósimo de Médicis, 8 de septiembre de 1555, *EA*, I, pp. 301-3.

20. Alba a Francisco de Toledo, 9 de junio de 1555, *EA*, I, pp. 253-56; Alba a Cósimo de Médicis, 14 de junio de 1555, *EA*, I, p. 168.

21. Alba a Carlos V, junio, *EA*, I, pp. 237-41.

22. Alba a Francisco de Toledo, 5 de julio de 1555, *EA*, I, pp. 248-49.

23. Las cartas de Alba sobre el avance de la flota se encuentran en *EA*, I, pp. 190-92, 257, 284-86 y 289-90.

24. Alba a Carlos V, 5 de agosto de 1555, *EA*, I, pp. 284-86.

25. *Ibíd.* Los primeros indicios se produjeron mucho antes: véase Alba a Felipe II, 8 de junio de 1555, *EA*, I, pp. 159-64.

26. El informe oficial de Alba, fechado el 28 de junio de 1555, se encuentra en *EA*, I, pp. 231-33. La cita está en la p. 232.

27. Alba a Carlos V, 24 de julio de 1555, *EA*, I, 272-76. Véase también *CSP-Foreign* (1555-1556), p. 180.

28. Alba a Cósimo de Médicis, 4 de septiembre de 1555, *EA*, I, pp. 299-301.

29. *Ibíd.*

30. Alba a Carlos V, 13 de septiembre de 1555, *EA*, I, pp. 310-11; Alba a Cósimo de Médicis, 23 de septiembre de 1555 (incorrectamente fechada en 13 de septiembre), *EA*, I, pp. 304-5.

31. Alba a Carlos V, 10 de septiembre de 1555, *EA*, I, pp. 303-4.

32. Pierre Brantôme, *Les vies des grands capitaines*, en *Oeuvres complètes* (París, 1858), II, pp. 159-60.

33. F. Martín Arrue, *Campañas del Duque de Alba* (Toledo, 1880), I, p. 237.

34. Prudencio de Sandoval, *Historia de la vida y hechos del Emperador Carlos V* (BAE 80-82), III, pp. 452-53.

35. Alba a Brissac, 10 de agosto de 1555, *EA*, I, pp. 286-87.

36. Alba a Antonio de Toledo, 3 de agosto de 1555, *EA*, I, pp. 277-79.

37. Gregorio Marañón, *Antonio Pérez* (Madrid, 1963), I, pp. 154-55; J. H. Elliott, Imperial Spain, 1469-1716 (Nueva York, 1963), p. 254. El documento original, fechado en Portofino el 11 de enero de 1556, se encuentra en *EA*, I, pp. 352-56.

38. Alba a Bernardino de Mendoza, 31 de mayo de 1555, *EA*, I, pp. 135-36.

39. Estas cartas a Ruy Gómez y Antonio de Toledo se encuentran en *EA*, I, pp. 340-41, 341-45, 364-65 y 365-67.

40. Alba a Felipe II, 14 de febrero de 155, *EA*, I, pp. 362-63.

41. Alba a la Princesa de Portugal, 29 de marzo de 1556, *EA*, I, pp. 390-91.

42. Alba a Felipe II, 18 de junio de 1556, *EA*, I, pp. 412-17.

43. Véanse las cartas de Alba a Felipe II y a la Princesa de Portugal, *EA*, I, pp. 381-91.

44. Alba a Felipe II, 18 de junio de 1556, *EA*, I, p. 408.

45. Alba a Felipe II, 18 de junio de 1556, *EA*, I, pp. 412-17.

46. Alba a Felipe II, 28 de marzo de 1556, *EA*, I, pp. 383-85.

47. Alba al Marqués de Sarria, 1 de mayo de 1556, *EA*, I, pp. 394-95.

48. Giuseppe Coniglio, *I vicerè spagnoli di Napoli* (Nápoles, 1967), pp. 94-95.

49. Alba a Felipe II, 28 de marzo de 1556, *EA*, I, p. 387.

50. Alba a Felipe II, 28 de marzo de 1556, *EA*, I, pp. 383-85.

51. El mejor análisis de la situación y del carácter de Paulo IV sigue siendo el de Ludwig von Pastor, *The History of the Popes from the Close of the Middles Ages* (St. Louis, 1936), XIV, pp. 56-137.

52. CSP-Venetian, VI, parte 2, pp. 850-57.

53. *Ibíd.*, pp. 800-802.

54. *Ibíd.*, pp. 850-57.

55. Pastor, XIV, p. 148.

56. *Ibíd.*, p. 92.

57. Alba a Cósimo de Médicis, 4 de septiembre de 1556, *EA*, I, pp. 299-301.

58. Pastor, XIV, p. 93.

59. Alba a Felipe II, 18 de junio de 1556, *EA*, I, pp. 409-12.

60. El texto completo está reproducido en *DIE*, 2, pp. 437-46.

61. *CSP-Venetian* (1556-1558), parte 1, pp. 592-95.

62. Alba a Juan Vázquez de Molina, 21 de agosto de 1556, *EA*, I, p. 430.

63. Alejandro Andrea, *De la guerra de campaña de Roma y del reyno de Nápoles en el pontificado de Paulo IV* (Madrid, 1589), pp. 39-45.

64. Pastor, XIV, 140.

65. *Ibíd.*, 144.

66. Alba al Cardenal de París, 16 de septiembre de 1556, *EA*, I, pp. 432-33.

67. Alba a Cósimo de Médicis, 29 de septiembre de 1556, *EA*, I, pp. 433-34.

68. La mejor descripción, y en realidad la única coherente, de esta campaña es la proporcionada por Andrea, pp. 46-85.

69. Andrea, pp. 86-87.

70. *CSP-Venetian*, VI, parte 2, pp. 815-18.

71. Aunque era primo de Diego Hurtado de Mendoza, sus actos parecen haber estado inspirados por la avaricia antes que por el faccionalismo.

72. Andrea, P. 147; *CSP-Venetian*, VI, parte 2, PP. 925-30; *CSP-Foreign* (1553-1558), P. 286.

73. Andrea, 114-16 y 155. Las instrucciones de Alba se encuentran en *EA*, I, PP. 450-61.

74. Pastor, XIV, PP. 152-58.

75. Duque de Guisa, *Mémoires-J'ourneaux*, en Michaud, ed., *Nouvelle collection des mémoires pour servir à l'histoire de France, 1.ª serie* (París, 1851), pp. 347-51.

76. Andrea, pp. 235-48.

77. *Ibíd.*, pp. 260-272.

78. *Ibíd.*, pp. 306-8.

79. *CSP-Venetian*, VI, parte 2, pp. 1268-69.

80. *Ibíd.*, pp. 1272-74.

81. *Ibíd.*, pp. 1274-76.

82. *Ibíd.*, pp. 1298-99.

83. *Ibíd.*, pp. 1304-6; Pastor, XIV, p. 167.

84. La concesión original de los diezmos se encuentra en AA, caja 29, f. 67, junto a un documento fechado en Roma el 18 de junio de 1554 verificando que la concesión había sido confirmada por el Papa Alejandro VI.

85. *CSP-Venetian* (1555-1558), parte 1, pp. 457-58. Se apeló contra la decisión en 1564, pero los derechos de Alba fueron nuevamente confirmados. Véase AA, caja 27, ff. 68-77, para una serie de informes sobre el avance del litigio.

86. Brantôme, II, pp. 159-60.

87. *CSP-Venetian*, VI, pp. 1152-54.

88. *Ibíd.*, pp. 1456-57.

89. *Ibíd.*, pp. 1436-37.

90. *CSP-Venetian* (1557-1558), parte 3, pp. 1438-39.

91. Licenciado Espinosa a Alba, 3 de abril de 1567, AA, caja 34, f. 136.

# VI

# EL PROBLEMA DE LOS PAÍSES BAJOS

El motivo de la larga demora en regresar a España fue, al menos, provechoso. Aunque no podía saberlo, su campaña contra el Papa sería la última en aquella larga serie de conflictos conocida como las Guerras Italianas. A lo largo de más de medio siglo, el rey de Francia había corrido en pos de una quimera: un imperio italiano. Sus esperanzas se fundaban en un poderoso ejército y en ciertos derechos, bastante dudosos, sobre Nápoles y Milán, los cuales, dadas las consecuencias de San Quintín, parecían puramente académicos. Francia estaba agotada, sus ejércitos en gran desorden. En Italia, prácticamente todas sus plazas estratégicas se habían perdido. Milán y Nápoles se hallaban bajo el control directo de España, el papado había dejado de contar como factor a tener en cuenta, y toda la Toscana estaba en manos de un amigo de España, Cósimo de Médicis. Enrique II, a instancias de su concubina, Diana de Poitiers, y los aliados de ésta del poderoso clan Montmorency, estaba al fin dispuesto a entrar en tratos para una duradera paz europea, y Felipe, el aparente vencedor a todos los efectos, aceptó.

El resultado fue el tratado de Cateau-Cambrésis, un oasis en la historia política del siglo XVI. Después de seis meses de duras negociaciones, las cuestiones que separaban a España y Francia fueron resueltas una por una, y se elaboró un nuevo acuerdo que perduraría con escasas alteraciones hasta el final del siglo. Pervivieron antiguos recelos, e hicieron erupción ocasionales hostilidades, pero, en términos generales, el tratado marcó la vuelta hacia su propio interior de las grandes potencias europeas. En décadas posteriores, Francia se vería cada vez más absorbida por una serie de trágicas guerras civiles, mientras España se concentraba en mantener la integridad de su imperio.[1]

Alba fue una de las figuras más activas de entre aquellos que negociaron el tratado. Se procuró que las delegaciones de ambas partes fueran ampliamente representativas y, como cabeza de una facción de la corte, su presencia era esencial si se quería que el acuerdo resultante recibiera una general aprobación. No es sorprendente, pues, que se unieran a él Ruy Gómez, el Obispo de Arras, el Príncipe Guillermo de Orange y Viglius van Aytta de Zwichen, presidente del Consejo de Flandes.

En mirada retrospectiva se advierte que esta conjunción de personas pudo ser muy importante. Alba y Ruy Gómez eran enemigos y seguirían siéndolo, pero Arras, que pronto sería Cardenal Granvela, era otra cuestión. Ésta era la primera vez en que colaboraba estrechamente con el duque desde Metz y, a pesar de que la relación había sido tensa en aquella ocasión, formaron una alianza en Cateau-Cambrésis que perduraría (con interrupciones periódicas) hasta la muerte de Alba. No se trataba de un entendimiento afectuoso, pero con tanta frecuencia coincidían en asuntos de política que se desarrolló entre ellos un vínculo de mutuo respeto que poco debía a la amistad o incluso a la confianza.[2]

El caso era muy otro con respecto a los restantes miembros de la delegación. Guillermo de Orange contaba tan sólo veintiséis años, era un príncipe magnífico, si bien algo frívolo, que aún no había dado muestras de convertirse en el indómito padre de su patria. Estuvo éste ausente durante la mayoría de las deliberaciones, para dedicarse a juegos amorosos con una muchacha flamenca llamada Eve Elincx,[3] y Alba, quizá comprensiblemente, concluyó que era persona de escasa solidez. Viglius, por otra parte, era uno de los más distinguidos juristas de la época. Nacido en una remota aldea frisona diez días antes que Alba, había ascendido hasta la presidencia de la suprema autoridad judicial de los Países Bajos, y era tan conocido por su erudición como por su avaricia. Ciertos asuntos legales le impidieron tener parte decisiva en Cateau-Cambrésis, pero años más tarde serviría a Alba con entusiasmo en otra labor más triste.[4]

Por parte francesa, los principales negociadores eran el Condestable Anne de Montmorency y Charles, Cardenal de Lorena. Ambos se detestaban mutuamente, privada y públicamente. Como Alba, Montmorency cultivaba la imagen del soldado fanfarrón y honrado, mientras que el cardenal no hacía el menor esfuerzo por ocultar su carácter sutil y sinuoso, ni su refinamiento. Hermano del antiguo rival de Alba, el Duque de Guisa, era un católico ferviente, pero su desmedida ambición y vastas riquezas hacían que muchos le creyeran una amenaza a la monarquía.[5] Las familias de los Guisa y los Montmorency habían sido rivales durante mucho tiempo, y quizá fuera inevitable el que, dado que Montmorency deseaba la paz a cualquier precio, el cardenal tendiera a oponerse a ella. Les asistían en sus deliberaciones Jean de Morvilier y Claude de L'Aubespine, ministros y hombres de letras cuyas funciones eran primordialmente secretariales.[6]

La historia de las negociaciones en sí, fascinante a su propio, y triste, modo, ha sido relatada por Romier y no precisa ser repetida aquí, pero merece consideración el papel de Alba en ella. Desde un principio estableció una relación personal con Montmorency que facilitó las conversaciones y abrió líneas de comunicación que, de otro modo, habrían quizá permanecido cerradas. En el oscuro, si bien esencial, nivel de las iniciativas secretas y los compromisos ocultos, la importancia de dicha amistad fue tan sólo inferior a las iniciativas de Christine, Duquesa viuda de Lorena.[7]

La segunda realización de Alba fue negociar la delicada cuestión de Calais. La suerte de ésta, último bastión inglés en el continente, fue un escollo en el que estuvo a punto de zozobrar el tratado no una, sino varias veces. Los franceses habían tomado Calais en el transcurso de la última gran acción de la guerra, y se mostraban comprensiblemente reacios a renunciar a un logro de tan grande valor simbólico, pero Felipe, aún unido en matrimonio a la reina de Inglaterra, sentía que era deuda de honor el devolverla, puesto que era él el motivo de la pérdida sufrida por Inglaterra.[8] Durante la primera sesión celebrada en Cercamp, en octubre de 1558, ambas partes se mostraron inflexibles. Alba salvó la situación acordando con Montmorency el aplazamiento de los debates sobre este punto, mientras los delegados se sumergían en los asuntos, laberínticos, pero más tratables, de Italia.[9] Estando así las cosas, murió María. Las deliberaciones se suspendieron para las ceremonias de sus funerales y los de Carlos V, que había muerto en septiembre,[10] pero, al menos durante un cierto período de tiempo, su muerte no alteró las cosas. Felipe II, que esperaba poder desposar a su sucesora, Isabel, creía que la defensa de los intereses ingleses era entonces más esencial que nunca.

La oportunidad para una solución se presentó en febrero, cuando los delegados reanudaron las sesiones en Cambrésis. Cuando Isabel rechazó una boda española, se abrió el camino para un acuerdo negociado, aunque Felipe no se decidía a abandonar a la reina enteramente. Necesitaba un aliado en el norte de Europa, y no veía ventaja alguna de lanzarla en brazos franceses. El resultado fue una solución de compromiso que mucho debió a la habilidad de Alba, y acaso más a su especial comprensión de aquel reino insular.

Como mayordomo en el período de 1554-1555, Alba había desarrollado una eficaz relación con los ingleses. Entendía a éstos mucho mejor que otros españoles, cuyos contactos habían sido en gran medida de índole social. Debido a ello, Felipe II le permitió tratar casi autónomamente con los comisionados ingleses en Cateau-Cambrésis.[11] Fue una decisión afortunada. Alba sabía que Calais era una cuestión con caracteres emotivos que planteaba serios riesgos para una reina sin experiencia. Sabía también que ésta carecía de los medios para recuperarlo, y suponía que era lo bastante inteligente para conocer su debilidad. Se precisaba una fórmula por la cual los franceses conservaran Calais sin comprometer seriamente a Isabel ante la opinión de sus súbditos, y esto precisamente fue lo que se propuso crear.

Tras abundantes y acres debates, se persuadió a los franceses de que enviaran una propuesta que a primera vista podía parecer ridícula, pero que proporcionó a Isabel una salida a su dilema. Se le presentó la siguiente opción: en caso de que contrajera matrimonio y tuviera un hijo, y si este hijo desposara a su vez a una hija del rey o el Delfín, él recibiría Calais. Si, por otra parte, dichas condiciones no le agradaban, los franceses aceptarían sencillamente ceder la ciudad tras un período de ocho años.[12] No existían muchas dudas sobre la vía que la reina elegiría, pero la opción misma, y mucho más la propuesta de matrimonio, era valiosa para una mujer que había sido declarada ilegítima por su propio padre, y cuyo trono estaba lejos de ser seguro. Era también apreciable el que se le ofrecieran o bien rehenes nobles o 500.000 coronas como garantía del acuerdo. Unos cuantos caballeros franceses inactivos eran de poca utilidad para Isabel, y sabía asimismo que el dinero sería depositado en Venecia y no en Londres,[13] pero también ella sabía participar en el juego.

El 19 de febrero dijo a sus comisionados que exigieran Calais «imperiosamente» mientras Alba continuara amenazando a los franceses con la guerra, pero si se mostraba reacio a hacerlo, debían ceder.[14] Éste debía de conocer dichas instrucciones, pues unos días después Alba recibió a los representantes ingleses en la cama, donde una vez más se encontraba recuperándose de un mal desconocido. La guerra por Calais, dijo, se libraría en dos frentes, pues con certeza los escoceses apoyarían a los franceses. En semejantes circunstancias la ayuda española sería de escaso valor.[15] No era preciso añadir más. Una semana más tarde, aunque Isabel seguía regalando a sus súbditos con amenazas de «gastar un millón de coronas al año en la guerra»,[16] se había llegado a un acuerdo. El tratado se firmó a finales de mes. Calais se había perdido irremediablemente, pero pasarían ocho largos años antes de que nadie adquiriera conciencia cierta del hecho; la desventurada María, no Isabel, sería responsable de ello en la memoria de los ingleses.

Tras la conclusión del tratado, el 29 de marzo, Alba, Ruy Gómez y Orange, entre otros, se dirigieron hacia París. Allí permanecerían hasta agosto como garantes del acuerdo, pues al parecer había una interminable lista de fortalezas que ambas partes debían devolver, y un número ingente de prisioneros que habían de ser repatriados. Estaba, asimismo, la proyectada boda de la hija de Enrique, Isabel de Valois. Se había pensado en un principio casarla con el hijo de Felipe II, don Carlos, pero, desaparecidas las posibilidades de un matrimonio inglés, se decidió que contrajera nupcias con el mismo Felipe. Se firmó un acuerdo el 21 de junio y las bodas se celebraron al día siguiente, por poderes, con Alba como representante.

La celebración se recordaría durante mucho tiempo como una de las últimas en que la nobleza europea se reunía en concordia. Alba, que hasta el momento había asombrado a los parisienses con sus sombríos atavíos negros, se presentó ante la catedral de Notre Dame vestido en paño de oro y tocado de corona imperial. Le acompañaban su viejo rival, Ruy Gómez, Orange –Némesis del duque– y Lamoral, Conde de Egmont, al cual ejecutaría un día. La nueva reina, con su frágil belleza realzada por joyas innumerables, iba acompañada por su madre, Catalina de Médicis, y su padre, que sostenía su mano. Alto, atlético y en plenitud vital, quedaban a Enrique menos de tres semanas de vida. Cristina de Lorena y María Estuardo, futura reina de Escocia, sostenían la cola de su vestido. Tras ellos desfilaban todos los personajes de las guerras civiles que más tarde arderían: Montmorency, Guisa, Borbón y también Valois. Después de la ceremonia, celebrada sobre un estrado levantado ante la fachada occidental de la catedral, todos los asistentes comieron en el palacio del arzobispo. Más tarde, observando la costumbre de la época, Alba se retiró a la cámara nupcial, colocó brevemente un brazo y una pierna sobre la cama, y marchó.[17]

Los días siguientes se dedicaron a festejos y torneos. Alba parecía haber adquirido una cierta aversión por estos últimos, o acaso tuviera una premonición. Sea como fuere, dijo a Thockmorton, embajador inglés, que «algunos habían montado bien, otros mal, pero, en su opinión, ninguno destacó mucho sobre los demás».[18] Su juicio importaba poco. Enrique II era claramente muy aficionado a las justas, y ésta fue una oportunidad para el más brillante ejercicio de caballería que se recordara. El 30 de junio, ya caída la tarde, insistió en participar en un último encuentro contra un joven oficial de la guardia escocesa. En el instante del choque, la lanza de su contrincante se rompió y una astilla se introdujo bajo la visera del rey, atravesándole el ojo derecho. Se hizo patente de inmediato que había afectado al cerebro, pero el rey era un hombre de inusitado vigor y se creyó durante algún tiempo que podría recuperarse. Alba hizo venir a Vesalius, el más eminente médico de la época, pero era demasiado tarde. El 10 de julio murió Enrique II, dejando cuatro hijos, ninguno de edad suficiente para reinar.[19]

En cierto sentido, la muerte del rey selló la paz de Cateau-Cambrésis como ningún otro acontecimiento podría haberlo hecho. Tratados semejantes habían sido firmados anteriormente y quebrantados a los pocos meses. Este último perduraría, porque Francia no podía ya contemplar la posibilidad de una guerra. Francisco II, un niño endeble y desgarbado, no podía gobernar solo y, al nombrar a los Guisa como regentes, Enrique forzó prácticamente a sus rivales a la rebelión. Felipe II tenía las manos libres, algo nunca logrado por su padre, para perseguir sus propios intereses.

De entre ellos, dos iban a dominar la primera mitad de su reinado. Uno era el turco, cuyas depredaciones seguirían siendo un problema durante muchos años por venir. Alba, a pesar de que lo hubiera querido de otro modo, tuvo un papel tan sólo marginal en estas luchas mediterráneas, y hubo de concentrarse en el segundo gran foco de la política de Felipe II, los Países Bajos. Allí se vería inmerso en uno de los más enconados conflictos históricos, y adquirió la reputación que ha perseguido su memoria hasta la actualidad.

Durante generaciones enteras, las diversas provincias de los Países Bajos se habían resistido a los esfuerzos de sus gobernantes por integrarlas en un Estado viable. Carlos V, como sus predecesores borgoñones, había intentado centralizar sus instituciones y aprovechar su enorme riqueza, pero su empeño había tenido escaso éxito. Cuando se produjo la sucesión de Felipe, este retazo de lenguas, costumbres y privilegios diversos era ya prácticamente ingobernable.

El primordial problema era el financiero. A pesar de ser ricos, la contribución de los Países Bajos a los gastos de la

Corona era reducida. Su aportación se hacía en forma de *aides*, impuestos recaudados por los Estados para fines específicos. Cada aide había de votarse por separado, y cada uno de ellos proporcionaba casi siempre ocasión para procurar arrancar nuevas concesiones políticas de la monarquía. Los Estados se habían mostrado siempre reacios a apoyar empresas imperiales que no parecían tener una relación directa con sus propios intereses. Hacia los años 1550, una economía inestable y las interminables luchas con Francia les habían vuelto realmente mezquinos, y dicha tendencia había sido reforzada por una especie de quiebra de los cuerpos representativos mismos. Las fuertes disputas entre los habitantes de las ciudades y la nobleza sobre la pretensión de esta última de quedar exenta de los aides afectaron a cuestiones no fiscales e hicieron imposible la cooperación. La Corona no podía tener seguridad ni sobre sus rentas ni de una acción efectiva en ninguna otra área de gobierno.[20]

La situación religiosa era igualmente compleja. Como comunidad cosmopolita intensamente dependiente del comercio, los Países Bajos habían tendido desde hacía ya mucho tiempo a la tolerancia religiosa, y habían sido centro de una serie de movimientos religiosos que los ortodoxos contemplaban con recelo. Floreció la herejía. Luteranos, anabaptistas y, finalmente, calvinistas encontraron en las populosas ciudades tanto refugio como una fuente de nuevos conversos. Era frecuente que los magistrados no creyeran necesario intervenir en sus actividades y la Iglesia, según estaba entonces constituida, parecía impotente para responder al desafío.

Había tan sólo cuatro obispos en la totalidad de la región, tres de los cuales residían en el extremo sur. Sus diócesis habían sido establecidas en fecha temprana, y los subsiguientes movimientos de población habían dejado las ciudades más importantes sin una autoridad eclesiástica efectiva. Carlos V había intentado paliar este hecho estableciendo un tribunal de la Inquisición, pero extensas zonas, entre ellas Brabante, estaban libres de su autoridad. Para agravar la situación, la totalidad de la jerarquía eclesiástica quedaba, al menos nominalmente, fuera del alcance real. Tres de los obispos estaban bajo jurisdicción de la archidiócesis de Reims, mientras que el cuarto era competencia de Colonia. Una serie de ciudades eran directamente administradas por estas dos autoridades, mientras que otras pertenecían a las diócesis de Tréveris, Münster, Osnabrück, Metz o Verdun. En semejantes circunstancias, una política religiosa unificada habría sido imposible aun si la nobleza no hubiera controlado en la práctica los derechos de nominación de candidatos. Respondiendo los nombramientos principalmente a los intereses financieros o dinásticos de las grandes familias, la vida religiosa era extremadamente débil. Puede que el clero de los Países Bajos no fuera del todo corrupto, pero en fervor religioso, instrucción y celo raramente equiparaba a los herejes.[21]

Para un monarca del talante de Felipe II tal situación era intolerable. Creía éste firmemente que era deber del rey el proporcionar no sólo gobierno, sino también justicia y protección a las almas de sus súbditos. El fracasar en este sentido, como estaba evidentemente fracasando en los Países Bajos, suponía traicionar un deber sacro y arriesgar su propia salvación.[22] Consecuentemente, uno de sus primeros cuidados fue realizar una completa reforma de Iglesia y Estado en los Países Bajos.

La primera medida de la acción de Felipe II fue frenar el poder de la nobleza, que había percibido como peligrosa en primer lugar en el transcurso de los Estados Generales de 1556 y 1558. Los nobles habían dirigido la oposición contra nuevos subsidios para las guerras con Francia, y protestaron enérgicamente contra la presencia continuada de las tropas españolas. Felipe había concluido –no sin motivo– que los intereses de los nobles y los de la monarquía eran irreconciliables, y probablemente no se equivocaba. Todo lo que hiciera para incrementar su autoridad había de conseguirse a expensas de los privilegios de la nobleza y, por tanto, de sus fondos. En una época en que la inflación había ya erosionado su posición financiera hasta un grado alarmante, sabía que podía encontrar seria resistencia.

De modo característico, el rey no hizo nada abiertamente, pero las medidas que dispuso antes de volver a España reflejaban su determinación de restringir la influencia de los nobles. Los principales órganos de gobierno quedaron con las mismas características que habían tenido bajo su padre, pero se entregaron al control de personas a quienes no agradaba la nobleza. La regencia fue concedida a su hermanastra Margarita de Parma, y el Obispo de Arras adquirió rápida preeminencia en el Consejo de Estado. Aunque era hombre de talento, el obispo era detestado tanto por su arrogancia y ostentación como por sus orígenes burgueses, y parece que devolvió con creces similares sentimientos a figuras como Orange y Egmont.[23] El Consejo de Justicia quedó bajo dirección de Viglius, mientras que se entregó la Hacienda a Carlos, Conde de Berlaymont. Ambos eran monárquicos declarados. Berlaymont, claro está, era noble, pero su pobreza y la necesidad de proporcionar puestos a sus numerosos hijos le hacían totalmente dependiente del favor regio.[24]

Estos nombramientos excluían de hecho a la nobleza del acceso a los resortes de poder, pues las decisiones eran generalmente tomadas por Arras, Viglius y Berlaymont actuando en «consulta». De ellos tres, Arras poseía sin duda la personalidad más fuerte, y puede decirse, en efecto, que dominaba el gobierno: estaba en constante comunicación con el rey, y la regente parecía depender de su asesoramiento. Era prácticamente inevitable que la oposición se centrara en cierto momento sobre este gran ministro, que pronto uniría en su propia persona Iglesia y Estado.

Si la organización de la regencia resultaba ofensiva para la nobleza, las posibilidades que abría eran verdaderamente aterradoras. Conocían los nobles la propensión de Felipe II a la reforma, y estaban seguros de que se proponía cambiar el sistema judicial y encontrar algún medio para recaudar impuestos directamente. Dependiendo del tipo de recaudación de que se tratara, la tributación sistemática podía o no representar una amenaza a su posición, pero la influencia regia en los tribunales les privaría indudablemente de una importante fuente de riqueza y poder. Estaba aún lejos Felipe II de imponer semejantes medidas, pero, como con tanta frecuencia sucede, los nobles no estaban dispuestos a que los acontecimientos siguieran su curso. De modo casi instintivo, obstaculizaron el crecimiento del poder real por miedo a lo que pudiera venir.

Su preocupación se vio legitimada por la primera gran cuestión surgida tras la marcha de Felipe II: la reforma de la jerarquía eclesiástica. Nada había de nuevo o inesperado en ella. Carlos V había propuesto reformas generalizadas en 1551-52, pero, debido a los múltiples problemas de estos sombríos años, poco se realizó más allá de abolir el obispado de Thérouanne, dominado por los franceses. Al abdicar, Carlos V confió el cumplimiento de esta labor a su hijo, y en 1558 Felipe había empezado a avanzar hacia su realización.

En esquema, el plan equivalía a una total reconstrucción de la jerarquía sobre principios racionales y dinásticos. La Iglesia de los Países Bajos sería totalmente extirpada de la jurisdicción de obispos extranjeros, y se agruparía en tres provincias que se correspondían aproximadamente con las divisiones lingüísticas y regionales. La más extensa de ellas sería Flandes y el Brabante flamenco, las cuales contarían con seis nuevos obispados (Brujas, Ypres, Gante, Amberes, Roermond y 's Hertogenbosch) bajo la nueva archidiócesis de Mechelen. En el Norte se crearían nuevos obispados en Haarlem, Middelburg, Leeuwarden, Groninga y Deventer, los cuales quedarían bajo la jurisdicción de Utrecht, que sería elevado a la categoría arzobispal. Las regiones francófonas serían agrupadas bajo Cambrai e incluirían Tournai, Arras, Namur y St. Omer. El rey tendría el derecho de presentación en todas a excepción de Cambrai, y la candidatura quedaría limitada a aquellos que tuvieran títulos en teología o derecho canónico.

El 12 de mayo de 1559, el Papa confirmó estas disposiciones en la bula *Super Universalis*, y se nombró una comisión de cinco miembros para elaborar los pormenores necesarios. De modo específico, la creación de diócesis *ex nihilo* es un asunto costoso, y era esencial proporcionar seguridad financiera a los nuevos obispados. La comisión terminó sus labores con encomiable diligencia. Se emitieron bulas de circunscripción el 11 de mayo y el 7 de agosto de 1561. Según sus términos, una parte de las rentas sería transferida desde diócesis españolas, pero la mayoría serían creadas con la directa incorporación de fundaciones monásticas a los nuevos obispados. Amberes, por ejemplo, absorbería la Abadía de San Bernardo, a lo que se añadirían dos contribuciones anuales de 500 florines procedentes de las abadías de St. Michel y Villers, mientras que 's Hertogenbosch se fundaría casi enteramente mediante la incorporación de la Abadía de Tongerlo. En estos casos, la plena incorporación significaba el desplazamiento del abad titular en favor del nuevo obispo, que recibía tanto sus funciones como sus rentas.[26]

Puede imaginarse la reacción a este proyecto. Los abades protestaron enérgicamente, mientras que los de Brabante fueron aún más lejos y recogieron la opinión de las universidades de París, Bologna y Colonia en apoyo de su afirmación de que las incorporaciones eran anticanónicas. Se invocó el *Joyeuse Entrée*, el documento que había garantizado los derechos de los brabantinos desde los días borgoñones, y los nobles se aprestaron de inmediato a defender a los acosados clérigos.[26]

No es sorprendente que lo hicieran. Los nobles mismos se veían seriamente amenazados por las reformas, pues ellos habían disfrutado hasta el momento del derecho de presentación a muchos puestos que ahora revertían al rey. Era un duro golpe a su poder de patronazgo, que se vio muy agravado por los nuevos requisitos educativos, los cuales excluían en la práctica a sus hijos menores de los altos cargos eclesiásticos. Comprendieron también que la incorporación de las abadías escondía una amenaza puramente política, al margen de las aparentes intenciones de la comisión. Tres de los abades eran miembros tradicionales de los poderosos Estados de Brabante. Si eran sustituidos por obispos designados por la Corona, disminuiría consecuentemente la influencia de la nobleza en este importante cuerpo.[27] A la vista de todo ello, la transformación del detestado Arras en Cardenal Granvela, Arzobispo de Mechelen y primado de los Países Bajos suponía, sencillamente, rematar la operación.

La oposición no se limitaba a los nobles y a sus adeptos de la Iglesia. Los protestantes, que tenían plena conciencia del alcance de estos cambios, estaban enormemente alarmados, y el ciudadano medio quedó con la impresión, errónea pero comprensible, de que se iba a implantar una inquisición a la española. A este clamor vino a añadirse el que las provincias del Noroeste anexionadas por Carlos V concluyeran que la reorganización comprometía su autonomía, y se opusieron a los nuevos obispos con tal fuerza que no pudieron éstos tomar posesión hasta que Alba en persona lo consiguiera siete años más tarde.[28]

Granvela, aunque no había tenido una responsabilidad directa en el plan de reorganización,[29] se encontró en el centro de la tormenta. De todos los rincones llegaron enérgicas peticiones para su expulsión y Simón Renard, antiguo protegido suyo, lanzó contra él una insidiosa campaña de difamación.[30] Encabezaban el movimiento los grandes nobles, capitaneados por Orange, Egmont y Hornes. Aunque no incurrieron éstos en los excesos del alocado Barón Brederode, que se había dedicado a hacerse pasar por el cardenal en beodas mascaradas, su encono era auténtico. En la asamblea del Toisón de Oro, en mayo de 1562, estalló una violenta disputa entre los descontentos y los defensores de Granvela, Bossu, Berlaymont y Noircarnes. No sorprendió que los Estados provinciales denegaran poco después una petición de fondos de la regente, y que el hermano de Hornes, el desventurado Montigny, pasara gran parte de su primera visita a Madrid sermoneando a todo el que quisiera escucharle sobre los defectos del cardenal.

En su respuesta a todo esto, Granvela demostró una vez más su sutileza y su comprensión del carácter del rey. Sin dejarse ganar por el rencor, y sin denunciar abiertamente, dejó muy claro que la oposición era una respuesta previsible a la política regia y que, al menos parcialmente, estaba influida por consideraciones de orden personal, de índole sumamente ambigua. Sosegada y deliberadamente, y con tono de martirio, sus cartas al rey fomentaron los recelos de éste, mientras procuraba, por los menos en público, dejar francas las líneas de comunicación entre su persona y los disidentes.[31] Fue una actuación magistral no del todo infundada en la verdad, pero acabó en fracaso. El rey no sentía simpatía alguna por los nobles insolentes y acaso habría aceptado la versión de los hechos del ministro sin cuestionarla, de no haber tenido el asunto implicaciones en la política de bandos en España.

Alba había regresado a España en agosto de 1559, con la plena confianza de que se incorporaría a las funciones de primer consejero de Felipe. Pensaba que sus servicios le acreditaban para un cargo no inferior a éste, y dado que Felipe II le había concedido recientemente una merced de 160.000 escudos,[32] no tenía motivos para suponer que el rey fuera de otra opinión. Fue, por consiguiente, un duro golpe el verse nuevamente excluido con frecuencia de los consejos más cerrados.

Las razones que explican esto eran muy claras. El rey estaba agradecido a Alba, pero su gratitud no disminuía su afecto por Ruy Gómez. Si el duque se había hecho ilusiones a este respecto, se debía únicamente a haber confundido sus deseos con la realidad, o haber sido víctima de los halagos interesados de ciertos cortesanos. Cuando Alba recibió su merced, Ruy Gómez fue nombrado Príncipe de Éboli, y no existe evidencia, más allá de las simples murmuraciones, de que en ningún momento quedara excluido de los favores regios.

Aún de mayor importancia era el ascendiente de Francisco de Eraso, por entonces primer secretario del rey y el hombre en quien confiaba ampliamente para la resolución de sus asuntos. Desconsiderado, vengativo y arrogante, Eraso odiaba a Alba con una intensidad no mitigada por el paso del tiempo. Puesto que había conseguido mantenerse en buenas relaciones con el de Éboli, ambos, indispensables como eran, no tuvieron dificultad para mantener a Alba a cierta distancia.

Ello era intolerable para el duque, y fue sólo cuestión de tiempo el que su resentimiento explotara en una escena que suscitó muchos comentarios adversos. Encontrando al rey encerrado con Eraso, Alba golpeó la puerta exigiendo admisión. Cuando le fue negada, insultó a Eraso con grandes voces. Después, quejándose amargamente del rey, se retiró a sus posesiones.[33] Hay que acreditar a la paciencia de Felipe II el que consiguiera calmar los ánimos e hiciera volver a Alba a la corte, pero el reconocimiento de este hecho no alteró la situación. Desagradaban al rey los enfrentamientos, y esta exhibición de malos modales, rayana en lesa majestad, no hizo sino reducir aún más la influencia de Alba.

Fue este un doble infortunio, pues en el momento en que Granvela luchaba por su supervivencia política, se vio desprovisto de su aliado más poderoso. Alba quedó prácticamente aislado durante los tres años siguientes, y Eraso, que siguió gozando de gran estima con Felipe II, detestaba a Granvela incluso más que al propio duque. Granvela se había ganado su enemistad hacía mucho tiempo, y no simplemente por ser amigo de Alba y de Gonzalo Pérez, sino porque en los años 1550 aquél había acusado a Eraso de corrupción.[34] La acusación no había prosperado, pero Eraso la recordó. Cuando marchó de los Países Bajos en 1559 dejó tras él dos de los suyos, a los cuales encargó que le informaran con diligencia sobre las actividades del obispo, poniendo especial atención en cualquier falta de la que pudiera hacérsele responsable. Estos hombres, Alonso Del Canto y Cristóbal de Castellanos, eran contadores con abundante acceso a información de carácter interno, y del Canto desempeñaría el papel de intrigante con méritos.

Al poco tiempo de la marcha de Eraso, Del Canto topó con un fraile agustino a quien preocupaba intensamente el abandono de Granvela en la supresión de herejías. Lorenzo de Villavicencio no era parte interesada, en el sentido de que no era partidario de ninguna de las dos facciones, pero esto tan sólo le hacía aún más eficaz. Tras un breve devaneo con ideas heterodoxas en Lovaina, se había convertido en un cabal conservador, encrespado de sospechas y proclive a definir la herejía en los términos más amplios. Sus informes, como los de Del Canto, eran escrupulosamente transmitidos al rey por Eraso y, no obstante su exageración, colaboraron en gran medida a conformar las opiniones de aquél sobre los Países Bajos.[35]

En términos generales, Del Canto y Villavicencio creían que Granvela mostraba escaso celo en hacer cumplir los edictos contra la herejía, y que la autoridad real se veía amenazada por su personal impopularidad. Ambas acusaciones se fundaban en expectativas poco realistas, pero, fanáticos como eran, ninguno de los dos se había molestado en considerar las alternativas. Puede que Granvela fuera reacio a juzgar por herejía en casos que no podía ganar, pero los nobles no deseaban que se procesara por ello a nadie. Muchos de ellos creían en una especie de tolerancia religiosa, y todos eran manifiestamente contrarios a la ampliación de la autoridad real. Éboli lo sabía, y también Eraso. Éstos se mantenían en próximo contacto con los nobles, y parecían compartir su visión de un imperio descentralizado en el que incluso la política religiosa fuera principalmente determinada por la costumbre local. Villavicencio y el rey terminaron por comprender este hecho, pero su esclarecimiento llegó demasiado tarde para salvar al cardenal.

Durante los años 1562 y 1563, Felipe II aceptaba al parecer los informes de Villavicencio sin cuestionarlos seriamente. Eran afines a su propia preocupación por la ortodoxia y a su tendencia natural a recelar de sus ministros, especialmente de aquellos que no se encontraban a su alcance inmediato. Simultáneamente, aumentaron las protestas de los nobles, y las insinuaciones de Simón Renard empezaron a preocupar a Margarita de Parma. En el centro de esta malla de intrigas se encontraba el antiguo amigo de Eraso, Cristóbal de Castellanos, por entonces confidente de Renard e íntimamente asociado a los nobles más destacados.

Todas estas presiones culminaron en la primavera y el verano de 1563. El 11 de marzo, Orange, Egmont y Hornes se retiraron del Consejo de Estado y enviaron un ultimátum al rey: su reintegración dependía de la expulsión de Granvela. En julio, los Caballeros del Toisón de Oro exigieron que se reunieran los Estados, y Brabante se negó a aprobar nuevas contribuciones mientras el cardenal conservara su cargo. Finalmente, el 12 de agosto, Margarita de Parma mandó a Madrid a su secretario, Tomás de Armenteros. Estaba convencida, aparentemente por obra de Renard, de que Granvela había obstruido su pleito con el rey por motivo del castillo de Plasencia y, más justificadamente, de que la presencia del cardenal le estaba haciendo prácticamente imposible el gobernar.[36] Armenteros debía añadir la voz de la regente al coro que exigía su destitución, y cumplió su cometido con entusiasmo. Desaparecido el cardenal, su propio poder se vería inmensamente incrementado.

Cuando el secretario llegó a Monzón, donde el rey escuchaba los constantes agravios de las Cortes aragonesas, comprobó que su misión iba a ser más fácil de lo previsto. Granvela no estaba todavía totalmente desprovisto de defensores, pero aquel cuya influencia y afilada lengua más se temía se encontraba ausente. Alba se había retirado a Huéscar, «un lugar mío que no estoy seguro que se encuentre en este mundo»,[37] y permanecería allí hasta las Navidades.

Huéscar era con toda probabilidad la más conflictiva de sus propiedades. Situada en una zona remota, a 150 kilómetros de Murcia, había sido cedida a su abuelo, don Fadrique, como recompensa por sus servicios en las guerras granadinas. Con numerosa población morisca, hervía de un malestar muy intensificado por la corrupción de sus gobernadores. Aprovechando bien su aislamiento, se llenaban los bolsillos a expensas del duque y cuando éste al fin apareció, tras muchos años de abandono, halló a la comunidad en un estado próximo a la rebelión.[38] Convencido de que una adecuada administración del lugar podría producirle unos 30.000 ducados al año, se dispuso a enderezar las cosas a su propia manera.

Su marcha de la corte no fue, por consiguiente, un deliberado gesto de protesta, como había sido en 1560, pero estaba claramente relacionado con su desazón ante el ascendiente de Éboli. Tras su salida en 1560, había retomado sus funciones como primer consejero en asuntos exteriores, pero todas las noches, cuando se habían ya tratado los asuntos del día, Felipe II se reunía durante una hora o dos con Éboli y se dejaba convencer de que, de un modo u otro, las recomendaciones del duque eran impracticables. La erosión que sufría la posición de Alba quedó aún más patente con el nombramiento de Juan Manrique de Lara como mayordomo mayor de la reina. Este cargo había sido desempeñado en un principio por el Conde de Alba de Liste, y era considerado por los Toledo como patrimonio familiar. El 12 de febrero de 1562, el conde murió de una hemorragia dental y Alba asumió el puesto personalmente de modo transitorio. Al parecer sirvió a la reina en este cargo de modo satisfactorio hasta agosto, en que se designó a Manrique de Lara en lugar del candidato familiar, el Prior don Antonio de Toledo.[39] En pocas palabras, sintió dolorosamente su falta de influencia y creyó que nada conseguía quedándose en la corte.[40]

Una vez en Huéscar, Alba quedó, como él mismo dijera, más aislado de los asuntos de la corte que si hubiera estado en Perú,[41] y su facción se vio sin dirección y totalmente desmoralizada.[42] El duque continuó presentando sus opiniones por correo, pero era éste un mal sustitutivo de su presencia en el centro de los acontecimientos, haciendo frente directamente a los argumentos de Armenteros y los nobles. Cuando el rey sometió a su consideración la proyectada destitución de Granvela, su respuesta fue un modelo de decepción e ira que ha sido muy citado por los historiadores: «cada vez que veo los despachos de esos tres caballeros, Orange, Egmont y Hornes, me producen tal cólera que, de no templarse mucho, creo que mi opinión podría parecer a Vuestra Majestad la de un loco».[43]

Tenía motivos sobrados para estar alterado. Si un hombre no puede proteger a sus amigos, ha cesado su utilidad como cabeza de bando, y el caso de Granvela era mucho más crucial que el de don Antonio de Toledo. Aún más, Alba pensaba que, como medida política, la expulsión del cardenal sería fatal para la autoridad real, así como para la propia. Estaba convencido de que la animadversión contra Granvela se fundaba en su negativa a someterse a la voluntad de los Estados, y dado que éstos eran bastiones de privilegios locales contrarios al rey, Granvela, o alguna persona similar, era esencial para el programa de reforma de Felipe II. En otras palabras, si Éboli y Eraso favorecían un imperio descentralizado, Alba era partidario de un imperio directamente controlado por el rey, si bien no necesariamente conformado sobre el modelo de las instituciones castellanas.[44]

Las protestas de Alba fueron inútiles. Hacia la Navidad, Granvela estaba condenado, y en marzo había ya marchado. Eraso se había vengado, y los nobles controlaban los Países Bajos en la práctica. Éste debió parecer a Alba el punto más bajo de su carrera, pero el triunfo de sus enemigos sería más transitorio de lo que imaginaba. Una vez en el poder, los nobles fueron lamentablemente incapaces de satisfacer los niveles de ortodoxia y justicia exigidos por el rey. Sus fines eran otros, y aumentaron tanto la herejía como los incidentes de corrupción judicial. Fue así como Del Canto y Villavicencio se convirtieron en una especie de aprendices de brujo, pues continuaron enviando voluminosos informes que hacían ahora referencia a Orange y Egmont en lugar de Granvela. Villavicencio, en particular, no había sido nunca partidario de los designios de Eraso, y se sentía entonces más profundamente ofendido por la situación de lo que había estado antes. Cuando Egmont se embarcó hacia España en un esfuerzo por arrancar nuevas concesiones al rey, el estimable fraile había pasado del desaliento a un ataque abierto a la ortodoxia de la junta de nobles.[45] Ocurrió, pues, que la llegada de Egmont coincidió con el inicio de una inversión en la política de Felipe II. Normalmente, los informes de una sola fuente no habrían tenido tanto impacto, pero eran los únicos desinteresados de que disponía, y tendían a despertar dudas sobre la prudencia de los consejos de Éboli. Desgraciadamente, el rey no podía simplemente girar hacia la posición de Alba sin crear grave desconcierto, y puede que estuviera convencido de que las soluciones del duque eran excesivas. Sea como fuere, decidió tratar a Egmont a su modo y sin consultas.

La misión de Egmont era en sí misma una excelente expresión de la arrogancia de la nobleza. No contentos con lo logrado, e ignorando que se habían despertado las sospechas del rey, enviaron al conde para solicitar una nueva ampliación de su autoridad. Deseaban, específicamente, que se añadieran otros cuatro nobles al Consejo de Estado y la presidencia del Consejo de Flandes. El momento era propicio, pues tras la destitución de Granvela, Viglius había sufrido una crisis cardiaca y deseaba retirarse, dejando por tanto vacante su puesto. Las restantes peticiones de los nobles, según se esbozaban en un memorial personalmente presentado por Egmont el 24 de marzo de 1565,[46] incluían una investigación de los abusos en diversos consejos y gobiernos provinciales y la moderación de las leyes contra la herejía. La idea, originalmente iniciada por Brantôme, de que deseaban también la reanudación de las guerras con Francia en alianza con los hugonotes, es casi con certeza falsa.[47]

Aun sin esto último, su proyecto era imposible, dada la postura de Felipe II con respecto a la herejía y la autoridad, pero la selección de emisario fue aún peor. Lamoral, Conde de Egmont, era un hombre apuesto, encantador y de buen carácter, pero extraordinariamente ingenuo. Era también derrochador y estaba muy endeudado. Cuando llegó a la corte tenía cuestiones personales por saldar, y tendía a confundir sus intereses con los de los Países Bajos en general. Felipe II le recibió con cordialidad, accedió a sus peticiones personales y le dejó marchar creyendo que su misión había tenido éxito. Lo cierto es que nada había más lejos de la verdad. El rey consintió en considerar una reorganización del gobierno, pero observó que era una cuestión compleja y que requería tiempo. Sabía apreciar el interés de Egmont en la inmediata designación de nuevos consejeros, pero hasta que los asuntos de suprema importancia no hubieran sido resueltos, dichos nombramientos serían claramente prematuros. En la decisiva cuestión de la herejía fue aún menos servicial. Egmont había argumentado que la ejecución de herejes debía cesar, pues tan sólo servía para crear mártires. Felipe II sugirió la conveniencia de que, siendo ese el caso, las ejecuciones se realizaran secretamente. Se mostró de acuerdo con que se celebrara un coloquio general sobre religión, pero sólo si se hacía en secreto y era mucho más reducido de lo que los nobles proponían. El rey era plenamente consciente de que aquéllos esperaban poder utilizar este medio para modificar los edictos contra la herejía, y no estaba dispuesto a permitirlo.[48]

En pocas palabras, el conde regresó a Bruselas con las manos vacías, pero en la sonrosada atmósfera producida por el aparente favor regio, hizo saber que Felipe II estaba dispuesto a hacer concesiones. Cuando el 13 de mayo de 1565 el rey envió despachos en que manifestaba su verdadera posición, protestó enérgicamente que había sido engañado, y los nobles así lo creyeron.[49] Se había introducido otra cuña entre la Corona y sus súbditos flamencos y, además, el primer intento de Felipe II de actuar por cuenta propia había resultado contraproducente. No había otro remedio que recurrir a Alba. Como había observado Villavicencio, la política de Éboli y Eraso no había hecho sino producir un aumento de la herejía y la sedición. Los esfuerzos del rey se habían estrellado contra su propia, y excesiva, sutileza. Era cada vez más patente que sólo una línea dura evitaría mayor deterioro en la causa real. Alba se había opuesto siempre a las concesiones y ahora, en visión retrospectiva, parece haber estado en lo cierto, pero algo más se preparaba en la primavera de 1565 que hizo su asesoramiento aún más deseable. Eraso, después de muchos años de dominar sobre cortesanos y burócratas, se encontraba ahora bajo sospecha. Se realizó una investigación que le halló culpable de nueve cargos distintos de corrupción.[10]

La investigación de Eraso debía poco a la acción de Alba, pero fue el acto final de la restauración del duque al poder. Desde comienzos de 1565 en adelante fue la figura dominante de la corte, y el rey parece haber aceptado sus opiniones sin serias rectificaciones. Éboli fue relegado a la ingrata tarea de servir como mayordomo del Príncipe Carlos, cuyo carácter era cada vez más difícil, y la correspondencia con Margarita quedó enteramente a cargo de Gonzalo Pérez, antiguo aliado de Alba, y Villavicencio, que lo era sólo recientemente. Éste había regresado a España poco después de la marcha de Egmont, y su venida reforzó la determinación del rey de actuar con mayor severidad. Tanto Éboli como Tisnacq, representante de los Países Bajos en Madrid, quedaron excluidos de las deliberaciones y con harta frecuencia ignoraban lo que se decidía. Fue un giro total de la personal fortuna del duque, y una revolución en la política española.

El primer indicio de la dirección que iban a seguir los asuntos fue el nombramiento de Alba como representante real en las deliberaciones de Bayona. Este gran escenario de la diplomacia renacentista había sido ideado por Catalina de Médicis, que esperaba poder fortalecer la vacilante monarquía de su hijo mediante una alianza más próxima con España. Durante meses enteros, Felipe II había aplazado una acción definida en respuesta a su solicitud de un encuentro personal, pero finalmente, a instancias de Éboli, había aceptado con desgana. Los cambios en el seno de la corte ocurrieron en medio de los preparativos, y destruyeron a todos los efectos la esperanza de una alianza más amplia entre ambas potencias. Alba, otra vez influyente, creía absurda la aproximación a un régimen inestable y, en su opinión, acosado por la herejía, y le irritaba que el rey hubiera accedido a parlamentar.

La principal preocupación de Alba se refería a la relación entre los hugonotes franceses y los herejes de los Países Bajos. Como veterano de la contienda Habsburgo-Valois, le inquietaba la idea de una monarquía francesa fuerte y unida, y se oponía rotundamente a que dicha monarquía pudiera tolerar a los protestantes, dejándolos en libertad para conspirar con sus correligionarios de los Países Bajos. Insistió, por tanto, en que todo acuerdo con Catalina debía depender de su disposición a tomar las armas contra aquéllos, con la certeza de que era improbable que lo hiciera.

Semejante política era acorde al sentir más profundo del rey, pero convirtió la conferencia en una charada sin sentido. Felipe II se negó a asistir e incluso sugirió que la presencia de la reina, su esposa e hija de Catalina, sería impropia, dado que sin duda habría herejes presentes. Al final cedió en este punto, pero envió a Alba como sustituto de su persona junto a Manrique de Lara, que, aun siendo adepto a Éboli, no podía quedar excluido por ser mayordomo de la reina. Cuando llegaron los españoles, con un retraso de casi un mes, los participantes expresaron lo que tenían que decir y marcharon sin intentar negociar en serio. Catalina habló de matrimonios y de la unión entre Francia y España para, como dijera Alba sarcásticamente, «dar leyes al mundo». El duque respondió sermoneándole sobre los males de la tolerancia y sugiriéndole, con no excesiva delicadeza, que pusiera orden en su casa. A Carlos IX le habló de «niñerías», de guerra y cacerías y, siempre que le fue posible, estimuló las pretensiones de los católicos más fanáticos, sobre todo las de Blaise de Motluc, cuya vanidad le divertía. Pero había dos puntos en los que tanto él como Manrique de Lara eran intransigentes: en que la actual alianza bastaba, sin nuevos matrimonios, y que no debía ni siquiera considerarse el invitar a los hugonotes a un consejo general de la Iglesia francesa.

La reunión se clausuró en este tono, entre la general insatisfacción de ambas partes.[51] Es irónico que los protestantes europeos se sintieran alarmados por este fracaso diplomático. Estaban convencidos de que presagiaba nada menos que una cruzada contra ellos, y cuando estallaron las noticias de la matanza del día de San Bartolomé, siete años después, quedaron convencidos, contra toda lógica, de que ésta se había tramado en Bayona.

Se realizaría, en efecto, una especie de cruzada, pero en ella no participó la monarquía francesa y tuvo lugar enteramente dentro de los dominios de Felipe II. Durante los ocho años subsiguientes no se harían concesiones ni a la herejía ni a los privilegios locales en los Países Bajos, y el símbolo de esta política sería el Duque de Alba.

La postura fundamental de su facción fue presentada en un memorial redactado por Gonzalo Pérez en respuesta a la regente.[52] Vivamente consciente de los peligros de su posición, ésta había contestado a las cartas del 13 de mayo defendiendo las pretensiones de los nobles.[53] Gonzalo Pérez, naturalmente, disentía. La Inquisición y los edictos contra la herejía, comenzaba por decir, habían de ser apoyados a todo trance, y debía realizarse de inmediato una investigación de los tribunales seculares. Bajo ninguna circunstancia debía la regente convocar los Estados Generales, y debía procurarse cultivar las diferencias entre Egmont y Orange. Entretanto, nada debía hacerse para reorganizar el gobierno, aunque, de ser preciso, podría ampliarse el Consejo de Estado, como habían solicitado los nobles, con personas «leales» como Aerschot y Meghen. «Y con esto», dice el documento en tono que recuerda al del mismo duque, «podemos pronosticar que los nobles afirmarán que no se requieren más miembros.» Finalmente, quedaba por tratarse el problema de Granvela y Viglius. El presidente, aunque era un malversador conocido, cuyas entendederas pudieran haberse marchitado con su ataque apoplético,[54] era demasiado importante para dejarle ir. Había que denegarle su solicitud de retiro. Granvela, por otra parte, no podía regresar a su puesto, pues era seguro que los nobles le asesinarían. Lo mejor sería destinarlo a Roma.

Debido a la constante presencia de Alba en la corte, es escasa, o nula, la correspondencia que pueda indicar su exacta participación en la formación de ésta, y en posteriores declaraciones políticas, pero sabemos que pasó el final del verano y los comienzos del otoño instando al rey a que respondiera con firmeza a lo que él consideraba falta de enereza por parte de la regente. Fue una tarea exasperante. Felipe estaba de acuerdo con el duque, pero no se decidía a contestar las cartas. Sabía que su respuesta crearía mayores conflictos y dudaba de que sus recursos le permitieran enfrentarse a ellos.

Finalmente, a comienzos de octubre, convocó una curiosa reunión del Consejo de Estado. Sólo Alba, don Antonio y

Gonzalo Pérez se hallaban presentes; la facción de Éboli fue excluida. Se decidió que no sólo se adoptarían las recomendaciones contenidas en el memorial de Pérez, sino también que Felipe II en persona debía ir a los Países Bajos, aunque no se determinó la fecha de su marcha. Para suavizar el golpe, se acordó, contra las enérgicas objeciones de Alba y don Antonio, que deberían concederse algunas de las peticiones personales de los nobles, pero el rey siguió dando largas al asunto.[55] Dos semanas más tarde, estando ya Pérez al borde de la crisis debido a la dilación, estalló al fin en una andanada de cartas en que los consejos de Alba se convirtieron, con alteraciones mínimas, en política oficial. Algunas de ellas, en especial las dirigidas a Egmont y Granvela, fueron corregidas por el mismo duque.[56]

Felipe II podría haber esperado unas semanas más. Sus misivas alcanzaron los Países Bajos en el momento en que la nobleza se congregaba para celebrar la opulenta boda del hijo de Margarita, Alejandro Farnesio. Las bodas les proporcionaron una buena oportunidad para dar expresión a sus agravios y lo hicieron con entusiasmo, acaso animados por el propio representante de Felipe II, Diego Guzmán de Silva. Guzmán de Silva era por entonces embajador en Inglaterra y un decidido partidario de Éboli. Apoyaba abiertamente las ideas de los rebeldes, y puede que les diera la errónea impresión de que las divisiones en el seno de la corte real podían aún producir una alteración en la política.[57] Durante la semana de festejos que siguió, una serie de nobles redactaron y firmaron el fatídico *Compromise*, un documento en que se protestaba de la Inquisición y se enunciaban sus opiniones sobre otras cuestiones.[58] Aunque lo vieron con buenos ojos, Orange, Egmont y Hornes se abstuvieron, pero fue a pesar de ello un documento de importancia histórica, una declaración de independencia, y el mero hecho de firmarlo se consideró dos años más tarde un delito capital.

A lo largo de todo el invierno las protestas se acumularon al ponerse en vigor los términos de las instrucciones de Felipe II. Para conservar su popularidad, Orange, Egmont y Hornes dimitieron del Consejo de Estado. Miles de protestantes cruzaron la frontera hacia Alemania o huyeron a Inglaterra, mientras los propagandistas anunciaban que estaba a punto de establecerse un tribunal de la Inquisición a la española.[59] Ello era, desde luego, falso, pues, como había observado el rey hacía ya varios años, «la que tienen allí es más despiadada que la de aquí»,[60] pero se estaba convirtiendo en artículo de fe y generando mucha inquietud. No es sorprendente, pues, que se produjeran desórdenes ocasionales y que la vida de Villavicencio, que había regresado en octubre, se hallara en constante peligro.[61] Quizá lo más grave fue la creciente disposición de la facción de nobles dirigida por el hermano de Orange, el protestante Luis de Nassau, a considerar la posibilidad de una sublevación armada.[62]

Tras prolongadas deliberaciones, Orange persuadió a su grupo de que el derramamiento de sangre podía aún evitarse, y que el curso de acción adecuado era enviar una petición formal a la regente para que reparara sus agravios. Él, por su parte, con típica prudencia, no quiso acompañarles. El 5 de abril de 1566, una gran procesión de 300 nobles avanzó por las calles hasta el palacio de los Duques de Brabante, donde Hendrik, Barón Brederode, presentó a Margarita la *Petición*. Fue un momento de gran contenido dramático, digno de las descripciones que le han dedicado en abundancia muchas generaciones de historiadores.

En esencia, el documento afirmaba que las cartas del rey del 17-20 de octubre llevarían probablemente a una rebelión abierta y que, para evitarlo, debía ordenarse a la Inquisición que cesara en sus actividades de inmediato. Se suspenderían del todo las ejecuciones y se enviaría a Madrid una representación de los agravios de los Estados. Una vez que Brederode hubo concluido la lectura, los peticionarios desfilaron valerosamente ante la regente, en modo semejante a la maniobra de caballería conocida como *caracole*, de modo que pudiera verlos individualmente y percatarse de quiénes eran.[63] La regente, cuyos nervios se hallaban tensos por los sucesos de los meses precedentes, estaba visiblemente alterada. En un desatinado intento de tranquilizarla, se dice que Berlaymont, noble y leal a la Corona, pronunció las palabras que dieron nombre al movimiento: *Et comment, Madame, votre Alteza a-t-elle crainte de ces gueux?*.[64]

Valientes palabras, pero Margarita sabía que no podía permitirse tomarlas al pie de la letra. Tras instar a la Inquisición a emplear la discreción, publicó una *Moderación*, que permitía en efecto la tolerancia de los protestantes en aquellas zonas en que estaban ya establecidos. Aunque ello no satisfizo a nadie en los Países Bajos, produjo una verdadera conmoción en Madrid. El 26 de julio, Felipe II informaba a Montigny de que la susodicha *Moderación* era totalmente inadmisible. Cinco días después escribió a Margarita en tono conciliatorio, pero sin hacer concesiones en ningún punto de importancia. Accedió a la suspensión de la Inquisición papal y a la promulgación de un perdón general, pero insistió en conservar las inquisiciones episcopales y en excluir los delitos religiosos de todo perdón.[65] Poco después, en una pintoresca ceremonia secreta en que Alba estuvo presente, Felipe II se eximió de acceder aún a estos modestos cambios.[66]

Cuando estas cartas llegaron a Bruselas a mediados de agosto, los calvinistas estaban lanzados a una orgía de predicación indiscriminada y proselitismo, incitada y, desde luego, abiertamente protegida por la nobleza. No es, sin duda, una coincidencia que la recepción de las cartas fuera seguida por una gran explosión iconoclasta que destruyó imágenes y propiedades eclesiásticas de todos los Países Bajos y que, aun si fue repudiada por último por los nobles, pudo con probabilidad haber sido fomentada por ellos.[67]

Las nuevas del *Beeldenstorm*, como fue denominado, resonaron en los bosques segovianos como un trueno. Satisfará saber a aquellos que crean en la teoría psicosomática de las dolencias físicas que virtualmente la totalidad de la corte cayó enferma de un mal u otro. El rey fue víctima de sus acostumbrados dolores de cabeza y fiebres de origen incierto. Alba contrajo gota, el primer ataque conocido de una enfermedad que le afectaría intensamente, especialmente en momentos de tensión.[68] Todos se recuperaron con el tiempo, pero ya era evidente para los convalecientes que se requerían medidas drásticas.

Muchas cosas, sin embargo, habían cambiado en la corte desde el año precedente. Alba seguía siendo la figura dominante, pero se estaban produciendo alteraciones en los alineamientos que harían su dominio menos completo. Lo más importante fue la deslealtad y muerte de Gonzalo Pérez. En agosto de 1564, Pérez había escrito una carta casi brutal a Granvela quejándose de que Alba le había engañado en el asunto de un capelo cardenalicio, pero que estaba preparando a un sobrino suyo que le vengaría.[69] El sobrino era, por supuesto, su hijo Antonio, que en deferencia a la condición eclesiástica de su padre no había sido en un principio reconocido. El origen de esta diferencia es oscuro, pero la conjetura más razonable es que Alba frustrara en algún modo los conocidos deseos de Pérez de ser nombrado cardenal.[70] Es indudable que tenía el suficiente poder para hacerlo, dado el respeto de Felipe II por sus opiniones en materia de patronazgo eclesiástico y sus contactos con Roma, pero si lo hizo, sus motivos son inciertos. No había figura que pudiera reclamar dicho privilegio con mejores razones que Pérez, y a pesar de que pudo haberse producido algún previo altercado, la indignación y el sentimiento de engaño de la carta de Pérez parecen excluirlo. Puede que, en última instancia, todo se redujera sencillamente a un asunto de conciencia. El secretario era sin duda un hombre de talento, pero nadie le habría llamado santo.

La cuestión parece haber sido suavizada, o tácitamente pasada por alto, durante el período en que Alba y Pérez trabajaban juntos en las cartas de octubre de 1565. Su proximidad debió originar mayor violencia en una atmósfera ya tensa, pero al menos el secretario no tenía posibilidad de evitarla. Su propia opinión sobre la crisis de los Países Bajos era conocidamente acorde con la de Alba, ahora compartida por el rey. Habría sido impensable trasladar sus lealtades incluso si el campo de Éboli le hubiera recibido con los brazos abiertos. Ante todo, su salud empezaba a flaquear. Sabía que no le quedaba mucho tiempo de vida, y su último invierno lo dedicó casi exclusivamente a asegurar el futuro de su hijo. Estaba resuelto a que Antonio le sucediera como secretario del Consejo de Estado, pero también en esto encontró la oposición de Alba y, al hacerlo, hizo públicas, una vez más, sus diferencias.[71]

Los motivos del duque son bastante claros, aunque era el tipo de situación que más temía el caudillo de un bando. El rival de Antonio para el secretariado era Gabriel de Zayas. No podían desatenderse las pretensiones de este último, que había apoyado al duque durante veinte años con escrupulosa devoción. Además, el duque no podía ignorar la cólera de Pérez, e incluso puede que conociera sus amenazas. El carácter vengativo del secretario era legendario. Sólo un necio habría dejado de prestar atención al menor gesto de desafecto, el más leve susurro de murmuración. Antonio Pérez tenía una buena formación, pero era joven e inexperto. Era además un «joven licencioso»,[72] cuya lealtad a Alba era cuestionable. El duque puso todo el peso de su influencia de parte de Zayas.

Pérez murió en abril. En diciembre del año siguiente, Felipe II resolvió la cuestión de su relevo dividiendo el puesto entre sus dos aspirantes.[73] Fue una decisión digna de Salomón, pero Alba se había ganado un enemigo sutil y enconado que, desde aquel día, respaldó al Príncipe de Éboli y acabó por sucederle como privado.

La pérdida de Pérez y la defección de su hijo se agravaron con la simultánea designación de Diego de Espinosa para el Consejo de Estado. Espinosa había sido desde largo protegido de Éboli y, no obstante su celo personal como inquisidor general, se había unido al Conde de Feria en defensa de una política de moderación.[74] Para equilibrar este suceso, Juan Manrique de Lara pasó al campo de Alba en julio de 1566,[75] así como el confesor del rey, Bernardo de Fresneda. Es muy revelador del ambiente reinante en la corte de Felipe II que la deserción de su confesor estuviera impulsada por los celos que le produjo la subida de Espinosa.[76] Incluso Éboli empezaba a hacer su reaparición. Aunque todavía muy ocupado con el cuidado del demente don Carlos, asistía con mayor regularidad a las reuniones del consejo.

El resultado final de todas estas maniobras no debilitó en un principio la posición del duque. Los sucesos de agosto no hicieron sino reforzar la convicción del rey de que Alba había estado en lo justo desde el principio, y la restitución de la facción de Éboli ni demoró ni alteró la puesta en práctica de sus medidas. Por el contrario, ejerció una sutil pero decidida presión sobre el proceso que terminaría por forzar a Alba a ser ejecutor de sus propios planes.

La conmoción que produjeron los desórdenes iconoclastas y el *Accord* con que Margarita había capitulado una vez más ante los nobles tardó en desvanecerse. El rey permaneció en cama gran parte del mes de septiembre hasta que Alba, exasperado, le acusó de simular su enfermedad y amenazó con abandonar la corte para que el rey fuera hecho responsable de las consecuencias de su inactividad.[77] A finales de mes, Felipe II escribió anunciando que iría, pero no decía la fecha y mantenía silencio sobre el asunto del *Accord*.[78] Hasta el 29 de octubre no se trató en el consejo sobre medidas más concretas.

Hay una serie de descripciones de esta reunión, ninguna de ellas enteramente convincente. La mejor es la de Ossorio, primer biógrafo de Alba, pero incluso ésta está desfigurada con discursos imaginarios al estilo de Tucídides. Al parecer, Éboli abrió la sesión. Afirmó que no se precisaban soluciones extremas y que rebajaría al rey el ir en persona. Todo lo que se necesitaba para restaurar la confianza era enviar a un español de «clemencia y buena voluntad». Éboli parecía creer que se había exagerado el alcance de los desórdenes, pero que a una demostración de fuerza se debía contestar con la fuerza, un punto de vista que contenía evidentes inconsistencias. Sus opiniones no habrían hecho mella en un rey decidido a defender la autoridad real, pero su último argumento tuvo efecto: Felipe, dijo, era necesario en España, especialmente en vista de la condición de su único heredero, don Carlos.

Alba respondió que España podía valerse. Sabía tan bien como Éboli que ciertos nobles habían amenazado con oponerse por la fuerza de las armas a la venida del rey, y, con su brusquedad característica, declaró que aquello era traición. Tanto la Iglesia como el Estado se hallaban en extremo peligro y sólo un rey ungido podía restaurar el orden. Felipe II debía ir en persona, acompañado de un general capacitado, y una vez allí no debía mostrarse excesivamente benigno. Los sucesos de años recientes habían demostrado que la clemencia sería tomada por debilidad. El mal debía ser totalmente erradicado antes de que pudiera llegarse a una reconciliación. Como era normal en aquellos casos, invocó la sagrada memoria del emperador –casi podemos oírle decir «que está en el cielo»–, y declaró que él no tendría dudas con respecto al curso que debía seguirse. Fue, en breve, una típica actuación de Alba.

Así las cosas, Manrique de Lara sugirió, quizá con duplicidad, que como medida de precaución debía ir primero un general, y que Alba sería perfecto para esta misión. Sus palabras, recordadas más tarde, casi se perdieron entonces en la apasionada diatriba de Feria, que defendió a Éboli en los términos más extremados. Fue bruscamente interrumpido por el generalmente flemático Antonio de Toledo, ante lo cual Felipe II, que detestaba semejantes escenas, aplazó repentinamente la reunión.[79] Al día siguiente, el rey anunció que estaría dispuesto a partir en la primavera de 1567.

La decisión del rey era sincera, pero casi tan pronto como fue tomada empezó a inquietarse por las complicaciones que suponía. Había en perspectiva otra celebración de las cortes y era esperable una vehemente oposición a su marcha. También don Carlos le preocupaba. Era ya evidente que su irracionalidad, su sadismo y su absoluta falta de disciplina le incapacitaban para el trono, y Felipe empezaba a dudar de la posibilidad de engendrar otro heredero.[80] A sus cuarenta años, su historial no era tranquilizador; además, la salud de Isabel de Valois era delicada. Había, sea como fuere, mucha sensatez en las palabras de Manrique de Lara. ¿No sería más aconsejable que fuera antes un general que dominara a los insurgentes, dejando a Felipe el papel de pacificador, portador de perdones para todos? Evidentemente esto sería lo más inteligente, pero no estaba seguro de que Alba fuera el candidato perfecto. El duque había cumplido cincuenta y nueve años en el día mismo de la reunión, y estaba envejeciendo a ojos vista. Un visitante inglés le había calculado en una ocasión ochenta años, y se quedó pasmado al saber que tenía veinte años menos.[81] Era, además, castellano, y odiado con motivo por los habitantes de los Países Bajos como enemigo de sus intereses. Habría sido más adecuado enviar a alguien como el Duque de Saboya, o incluso al marido de Margarita, el Duque de Parma, pero al parecer ambos se negaron a ir. Finalmente no hubo otra alternativa. El 29 de noviembre, con gran desgana y malos presentimientos, Alba accedió a encargarse de la misión.

Si hubo un hombre atrapado en su propia retórica, éste fue

Alba.[82] No tenía nada que ganar con el nombramiento y sí mucho que perder. No era tan sólo cuestión de su conveniencia personal, aunque temía el viaje y sabía que afectaría tanto a su salud como a su bolsa, sino de consideraciones más serias. Una vez alejado de España, aumentaría la influencia de Éboli y estaría inerme para contrarrestar sus intrigas. Aún tenía frescos los recuerdos de 1554. El duque había ido a Italia para enfrentarse a una situación desagradable y quizá incluso desesperada, y Ruy Gómez le atacó con medios que pudieron llevar al desastre. Su reputación había sobrevivido, pero había tardado casi una década en recuperar su influencia. No había motivos para pensar que las cosas fueran ahora a ser distintas. Éboli criticaría sus medidas, bloquearía sus fondos, y obstruiría sus asuntos en general, mientras designaba amigos y parientes para puestos que de otro modo habrían podido otorgarse a los Toledo. Los partidarios de Alba, comprendiendo esto, le instaron a que se quedara.[83]

Aun si no hubiera existido Éboli, había razones sobradas para permanecer. Alba nunca había buscado la popularidad. Su talante altivo e irritable le libraba de ese habitual pecado de espíritus más débiles, pero era celoso de su buen nombre. El cumplir una misión de fuerza, para que Felipe II pudiera aparecer como un ángel de clemencia, era benéfico para el rey, pero expondría a Alba a la calumnia y a la posibilidad de que, como última concesión a la opinión pública, fuera del todo repudiado. Aún estaban por escribir sus mejores cartas sobre la ingratitud de los príncipes, pero no se hacía ilusiones a este respecto y no podía esperar grandes recompensas.[84]

Alba aceptó tan sólo porque no tenía opción. No podía retractarse de sus afirmaciones ante el consejo, pues creía en ellas sinceramente, ni podía tampoco negar que era él el único candidato plausible para la tarea. Ni tan siquiera sus enemigos le dieron cuartel. En algún momento de aquel caótico noviembre, Éboli y sus seguidores cambiaron de actitud y apoyaron con entusiasmo sus designios.[85] Es difícil saber si lo hicieron porque era ya inútil oponerse más, o porque vieron en la marcha de Alba nuevas y magníficas oportunidades para crearle conflictos. La respuesta habría sido obvia, de no ser por los intentos de aquéllos de sustituir a Éboli incluso cuando había sido ya tomada la decisión final. La única evidencia de estas intrigas se encuentra, por supuesto, en los rumores que registran los embajadores,[86] y puede que fueran simples «filtraciones» destinadas a mantener la reputación de Éboli entre sus adeptos de los Países Bajos, o las ilusiones que se hacían Tisnacq y Montigny. Sea como fuere, el duque se vio ante un respaldo unánime al que no podía resistirse, pero accedió tan sólo bajo la condición de que Felipe prometiera reunírsele a los pocos meses. Si había algo peor que el repudio, era la escalofriante posibilidad de que se le abandonara para recoger personalmente la cosecha de resentimiento que había de sembrar.

*Fatídico* no es palabra que el historiador deba emplear con ligereza, pero la decisión de enviar a Alba a los Países Bajos con un ejército merece plenamente el adjetivo. Tomada entre intrigas banderizas y asumida con negros presagios por su principal autor, abrió el camino a uno de los grandes holocaustos de comienzos de la Edad Moderna. Y, con todo, no tenía necesariamente que haber sido un error. Los sucesos de 1564-66 convencieron tanto a Alba como al rey de que ni la autoridad real ni la ortodoxia religiosa podían subsistir en los Países Bajos sin su intervención activa. En este sentido, probablemente no se equivocaron. El haber seguido las recomendaciones de Éboli habría evitado con probabilidad ocho años de desastrosos conflictos, pero su paz se habría logrado sólo en términos inaceptables para Felipe II, y acaso para la mayoría de su pueblo. Según el criterio general, la reafirmación de la autoridad real era esencial, pero no tenía por qué haber producido una catástrofe. A pesar de que el plan original no carecía de méritos y aun de astucia, como si justificara los temores del duque, sus estipulaciones más decisivas no fueron nunca llevadas a la práctica. La intriga deliberada y ciertas contingencias inevitables hicieron realidad todas sus pesadillas, dejándole, a él y a su estrategia, suspendidos en el aire, por así decirlo. La acción de Alba en los Países Bajos representó una tragedia personal sin paliativos y, aún más grave, un desastre del cual España no se recuperaría nunca del todo.

1. La idea de Braudel (*La Méditerranée et le monde méditerranéen à l'époque de Philippe II* [París, 1966. Hay traducción española: *El Mediterráneo y el mundo mediterráneo en la época de Felipe II*], II, pp. 265-66) de que con el tratado se completaba la evolución hacia una política basada en el Mediterráneo debe tomarse con alguna precaución. Es cierto que se dedicó gran cantidad de atención a España, Italia y el problema del turco, pero también se invirtieron enormes esfuerzos en los Países Bajos y en los reinos americanos.

2. Gran parte de la enorme correspondencia entre estos dos hombres puede encontrarse en los *Papiers d'état du Cardinal de Granvelle*, ed. C. Weiss (París, 1841-1852), y en la *Correspondance du Cardinal de Granvelle, 1565-1586*, ed. E. Poullet y C. Piot (Bruselas, 1877-1896), pero existen sin publicar grandes colecciones en la Biblioteca de Palacio, Madrid, y en la Bibliothéque Municipale, Besançon.

3. C. V. Wedgwood, *William the Silent* (Londres, 1956), p. 28.

4. Puede encontrarse mucha información sobre Viglius en C. P. Hoynck van Papendracht, *Analecta Belgica seu vita Viglii ab Aytta Zwichemi ab ipso Viglio scripta* (La Haya, 1743). Sus *Mémoires* se encuentran en la *Collection de mémoires relatifs à la histoire de Belgique* (Bruselas, 1858), II.

5. James Wesfall Thompson, *The Wars of Religion in France*, 1559-1576 (Nueva York 1909), p. 21.

6. Lucien Romier, *Les origines politiques des guerres de religion* (París, 1913-1914), I, p. 299.

7. M. Van Durme, *El Cardenal Granvela* (Barcelona, 1957), p. 213.

8. *CPS-Venetian* (1558-1580), pp. 29-39.

9. *PEG*, V, pp. 338-45.

10. Los funerales están descritos en *CPS-Foreign* (1558-1559), I, pp. 66-71.

11. Los informes de los delegados se encuentran en *CPS-Foreign* (1558-1559), I, pp. 122-23, 137-39 y 155-58.

12. *CSP-Venetian* (1558-1580), pp. 33-35.

13. *Ibíd.*, p. 49.

14. *CSP-Foreign* (1558-1559), pp. 137-39.

15. *Ibíd.*, I, pp. 155-58.

16. *CSP-Venetian* (1558-1580), pp. 44-45.

17. A. de Amezua y Mayo, *Isabel de Valois: Reina de España* (Madrid,

1949), I, pp. 57-62.

**18.** *CSP-Foreign* (1558-1559), I, pp. 324-29.

**19.** Una excelente descripción de todo el episodio se encuentra en Thompson, 1-4.

**20.** H. G. Koenigsberger, *Estates and Revolutions* (Ithaca, N. Y., 1971), 135-36.

**21.** Para un amplio examen de la cuestión, véase M. Dierickx, *De Oprichting der nieuwe bisdomment in der Nederlanden onder Filips II*, 1559-1570 (Amberes, 1950). Véase también Pieter Geyl, *The Revolt of the Netherlands* (Londres, 1962), p. 71.

**22.** La idea de gobierno de Felipe II, inspirada en última instancia en su padre, se trata en M. Fernández Álvarez, *Política mundial de Carlos V y Felipe II* (Madrid, 1966), y en Peter Pierson, *Philip II of Spain* (Londres, 1975). Para un nuevo retrato psicológico de Felipe II y de la forma en que su personalidad influyó en sus métodos de gobierno, véase Geoffrey Parker, *Philip II* (Boston, 1978).

**23.** Las relaciones de Granvela con la nobleza, y en particular los orígenes de sus diferencias con Orange, se analizan en Van Durme, 240-44.

**24.** Existe una cantidad enorme de obras sobre los problemas que llevaron a la sublevación de los Países Bajos. Entre los mejores resúmenes se encuentra el de Geoffrey Parker, *The Dutch Revolt* (Londres, 1977), pp. 41-67, y Geyl, pp. 69-79, aunque las ideas de Geyl sobre la formación del nacionalismo holandés han sido muy criticadas. Una obra más antigua y mucho más pormenorizada es la de Felix Rachfahl, *Wilhelm von Oranien un der Niederländische Aufstand* (Halle y La Haya, 1906-1924), II, parte 1, 3-288. Véase también la soberbia disertación de P. D. Lagomarsino, «Court Factions and the Formulation of Spanish Policy toward the Netherlands, 1559-1567» (tesis doctoral, Universidad de Cambridge, 1973).

**25.** El problema se examina en Dierickx, pp. 177-88.

**26.** *Ibíd.*, pp. 115-27.

**27.** Granvela a Felipe II, 12 de mayo de 1576, IVDJ 47, f. 49; observado por Parker, *Dutch Revolt*, p. 283, n. 24.

**28.** Geyl, p. 74.

**29.** Van Durme, p. 232.

**30.** Esta campaña de difamación se describe con cierta extensión en M. Tridon, *Simon Renard* (Besançon, 1882), y en L. Febvre, *Philippe II et la France-Comté* (París, 1911), pp. 411-18.

**31.** Para esto y su contraataque a Renard, véase *PEC*, VII, 11-44, p. 151 y p. 208.

**32.** *CSP-Venetian (1558-1580)*, pp. 88-89.

**33.** *Ibíd.*, p. 256.

**34.** Granvela a María de Hungría, 17 de noviembre de 1551, en A. von Druffel, *Beiträge zur Reichsgeschichte*, I, pp. 805-6. Véase también *PEG*, IV, pp. 298-300, y V, pp. 683-86.

**35.** Sus cartas, que se encuentran en AGS E523, ff. 52-53; E526, ff. 96, 100, 125 y 133, y E529, f. 38, son analizadas en profundidad por Lagomarsino, pp. 49-57.

**36.** Sus instrucciones se encuentran en *CPh*, I, p. 265.

**37.** Alba al Obispo de Osma, 11 de marzo de 1564, *EA*, I, pp. 574-75.

**38.** Alba al Cardenal Pacheco, 13 de marzo de 1564, *EA*, I, pp. 573-74.

**39.** Amezua y Mayo, II, pp. 44-45.

**40.** Alba a García de Toledo, 4 de octubre de 1563, *EA*, I, pp. 562-63.

**41.** Alba a García de Toledo, 1 de octubre de 1563, *EA*, I, p. 566.

**42.** Véanse las cartas casi indescifrables de don Antonio de Toledo a Alba en AA, caja 52, ff. 105-10.

**43.** Alba a Felipe II, 21 de octubre de 1563, *EA*, I, p. 557.

**44.** Su postura parece ser paralela a la expresada en sus recomendaciones sobre Milán en 1555-1556 (véase el capítulo V).

**45.** Lagomarsino, p. 89 y pp. 129-31.

**46.** Las peticiones de Egmont con los comentarios al margen de Felipe II se encuentran en AGS E527, f. 51.

**47.** Pierre Brantôme, *Les vies des grands capitaines*, en *Oeuvres complètes* (París, 1858), II, p. 78. Esta opinión fue aceptada por Kervyn de Lettenhove, *Les Huguenots et les Gueux* (Brujas, 1883), I, pp. 217-20, pero es inherentemente improbable. Los nobles se habían opuesto anteriormente a las guerras con Francia y una vuelta atrás les habría costado gran parte del favor recientemente conseguido.

**48.** Un borrador de esta respuesta, con notas, se encuentra en AGS E527, ff. 4-5. Sólo el borrador está reproducido en *CPh*, I, p. 346.

**49.** Las cartas de Felipe II se encuentran en *CFMP*, I, pp. 40-49.

**50.** Muchos de los documentos relativos a la visita de Eraso están contenidos en AGS E147.

**51.** Los informes de Alba sobre el encuentro se hallan en *EA*, I, pp. 582-607. Véase también Amezua y Mayo, II, pp. 191-332, para una descripción detallada de las ceremonias y las personalidades que asistieron.

**52.** AGS E527, f. 14. Este documento es analizado extensamente por Lagomarsino, 176-79.

**53.** Véanse las cartas del 22 de julio (una serie de cinco), *CFMP*, I, pp. 53-77.

**54.** Un memorial en que se resume la investigación de Villavicencio sobre Viglius se encuentra en AGS E526, f. 97.

**55.** El informe de Pérez sobre la reunión en CPh, II, p. 564.

**56.** AGS E527, f. 16 (a Egmont) y ff. 6 y 94 (a Granvela).

**57.** Para un retrato de don Diego, véase M. Fernández Álvarez, *Tres embajadores de Felipe II en Inglaterra* (Madrid, 1951), pp. 137-90. Sus informes a Felipe II sobre los Países Bajos se encuentran en *DIE*, p. 89, p. 239 y p. 246, y en *CPh*, I, p. 385. Para su informe a Éboli, véase *CPh*, I, p. 383.

**58.** Para un examen de este encuentro, véase L. van der Essen, *Alexandre Farnèse, Prince de Parme* (Bruselas, 1933 1934), I, p. 139.

**59.** Para el éxodo, véase Assonleville a Granvela, 15 de enero de 1566, *CPh*, I, p. 342. Gran parte de la propaganda se confeccionó en las propiedades de Brederode en Vianen. Para un examen de esta producción, véase H. de la Fontaine Verwey, «Hendrick van Brederode en de drukkerij van Vianen», *Het Boek*, 30 (1949-1951), pp. 3-42.

**60.** Felipe II a Margarita de Parma, 17 de julio de 1562, *DIE*, 4, pp. 278-84.

**61.** Lagomarsino, pp. 219-20.

**62.** *Ibíd.*, p. 214.

**63.** Como siempre, la descripción más viva en la lengua inglesa es la de J. L. Motley, *The Rise of the Dutch Republic* (Londres, 1886), I, pp. 478-81. Un testimonio presencial puede encontrarse en L.-P. Gachard, ed., *Correspondance de Marguerite d'Autriche, Duchesse de Parme, avec Philippe II* (Bruselas, 1867-1881), III, xii-xiii. Las peticiones mismas se encuentran reproducidas en *AON*, 1.ª serie, II, pp. 80-89.

**64.** La polémica sobre esta cuestión se trata en L.-P. Gachard, «Sur l'origine du nom de Gueux», *Études et Notices Historiques Concernant l'Histoire des Pays-Bas* (Bruselas, 1890), I, pp. 130-41.

**65.** *CFMP*, II, pp. 269-274.

**66.** *CPh*, I, p. 445.

**67.** Véase W. S. Maltby, «Iconoclasm and Politics in the Netherlands, 1566», *The Image and the World*, ed. J. Gutmann (Missoula, Mont., 1977), pp. 149-64.

**68.** Para un estudio de estas enfermedades, véase Luis Cabrera de Córdoba, *Felipe II, Rey de España (1619)* (Madrid, 1876-1877), I, p. 487; *Dépêches de M. de Fourquevaux*, ed. E. Douais (París, 1896-1904), I, p. 124, y el informe de Man en *CSP-Foreign*, VIH, p. 129. La teoría psicosomática fue primeramente aventurada en Nuncio a Alessandrino, 25 de septiembre de 1566, *CDS*, I, p. 352.

**69.** Esta carta fue citada parcialmente por Arteaga en «Breve noticia de Gonzalo Pérez», *DIE*, 7, p. 541. El original se encuentra en la Bibliothéque Municipale, Besançon, tomo 13, f. 224. Estoy en deuda con P. D. Lagomarsino por haberme proporcionado una fotocopia del original.

**70.** A. González Palencia, *Gonzalo Pérez, secretario de Felipe II* (Madrid, 1946), I, p. 9, pp. 323-25. Toda esta cuestión está plagada de confusiones. Como hemos visto, Marañón creía, equivocadamente, que Alba y Pérez siempre habían sido enemigos. González Palencia, por otra parte, estaba tan convencido de su amistad que consideraba la carta a Granvela como una falsificación malevolente (p. 324).

**71.** Para la evidencia de que la deserción de Antonio era reciente, véase Cabrera de Córdoba, I, p. 491.

**72.** El calificativo proviene de Cabrera de Córdoba, I, p. 491.

**73.** Sus patentes se reproducen en J. A. Escudero, *Los Secretarios de Estado y del Despacho, 1474-1724* (Madrid, 1969), III, pp. 645-46.

**74.** Véase el informe de Cavalli en *RAV*, serie I, V, p. 180.

**75.** Antonio Ossorio, *Vida y hazañas de don Fernando Álvarez de Toledo, Duque de Alba*, ed. José López de Toro (Madrid, 1945), pp. 331-32.

**76.** Lagomarsino, p. 234.

**77.** *Dépêches de M. de Fourquevaux*, I, p. 133.

**78.** Un extracto de esta carta se encuentra en *CPh*, I, p. 465 (anotado por Lagomarsino, p. 249).

**79.** Ossorio, pp. 336-41; véase también Cabrera de Córdoba, I, pp. 490-97.

**80.** Los problemas de don Carlos eran generalmente conocidos. Para un estudio moderno, véase C. D. O'Malley, *Don Carlos of Spain: A Medical Portrait* (Los Ángeles, 1969).

**81.** *CSP-Foreign*, IX, núm. 1225.

**82.** Estas deliberaciones están descritas en Fourquevaux, I, pp. 133, 139 y 148, y por Morillon, *CG*, II, pp. 105 y 114, Granvela a Alba, 16 de mayo de 1576, *GC*, II, p. 442.

**83.** Véase, por ejemplo, Licenciado Espinosa a Alba, 3 de abril de 1567, AA, caja 35, f. 136.

**84.** La renuncia de Alba era generalmente conocida. Véase Morillon a Granvela, 29 de marzo de 1567, *CG*, II, p. 327, y Granvela a Alba, 16 de mayo de 1567, CG, II, p. 442.

**85.** Cabrera de Córdoba, I, p. 495.

**86.** Fourquevaux, I, 164; *CDS*, I, p. 419.

# VII

# LA AFIRMACIÓN DEL RÉGIMEN

Los problemas empezaron casi de inmediato. Se concedió a Alba el pleno control de los preparativos para su marcha a los Países Bajos y, con su acostumbrada atención al detalle, se hundió en una marea de cálculos y correspondencia. Se trató sobre las rutas a seguir, se procuraron barcos y transportes, se adquirieron abastecimientos y se redactaron encomiendas para los oficiales. Con un sentido de previsión nacido de una larga experiencia, intentó anticiparse a toda posible contingencia. ¿Qué ocurriría si era atacado por los franceses, o la escuadra turca salía para desviar recursos hacia el Mediterráneo después que él se encontrara por entero empeñado en el Norte?[1] Las líneas generales de la campaña se habían ya elaborado hacia fines de diciembre, pero no pudo marchar hasta que hubieron pasado otros cuatro meses.

Este retraso ha sido atribuido a las intrigas de sus enemigos,[2] pero es más probable que existieran formidables problemas de logística. De cuatro a seis meses parece haber sido el plazo de tiempo normalmente exigido para disponer una expedición de estas dimensiones y, como siempre, se produjeron dilaciones imprevisibles, como la pérdida de 29 de sus naves en una tormenta frente a Málaga. Las intrigas contra Alba fueron numerosas y violentas, pero en gran medida ineficaces. El nuncio del Papa informaba de que se había fraguado un plan para enviar a Éboli por delante con el fin de lograr la paz, mientras Alba aguardaba en Italia,[3] pero hay pocos indicios de que Felipe II tomara esta posibilidad en serio.[4] Hubo también documentos secretos que alcanzaron los Países Bajos por misteriosas vías, y una descabellada maquinación de don Carlos para escapar de la corte y huir hacia Bruselas, pero fueron muy pocas las órdenes de Alba invalidadas, y sus disposiciones quedaron en su mayoría intactas hasta después de su marcha. Es casi seguro que los funcionarios relacionados con el bando de Éboli obstruyeron sus preparativos con los tradicionales medios burocráticos, y que Éboli hizo lo posible por crear fricciones en torno a asuntos de estipendios y nombramientos, pero es improbable que éste deseara impedir la marcha. Por el contrario, su plan parece haber sido una repetición de 1554. El duque iría, pero bajo condiciones que harían difícil su éxito.

Alba sabía todo esto y le encolerizaba. Después de su marcha hizo que su secretario, Juan de Albornoz, redactara una extraordinaria enumeración de agravios, es de suponer que para poder meditar sobre ellos con tranquilidad.[5] El duque era un hombre, al fin y al cabo, que gustaba de alimentar su ira. La principal de sus quejas era una que llegaría a ser una causa célebre. Alba había solicitado que se permitiera a su hijo, don Fadrique, ir a Flandes, pero en lugar de esto el rey lo deportó a Oran por haber contraído matrimonio en secreto con una dama de la corte, una cierta doña Magdalena de Guzmán.[6] El duque consiguió asegurarse su exoneración, pero su destierro fue el primer acto de la tragedia que arruinaría las carreras de padre e hijo, y sería fuente de inagotable satisfacción para los enemigos de su casa.

El resto de los agravios forma un catálogo de vejaciones menores: intromisión en sus prerrogativas en un asunto de nombramientos militares y las consabidas disputas sobre pagos y gastos. Ya era bastante grave que «le hubieran enviado a servir sin concederle una merced o un solo real de ayuda de costa», como para que además le arrebataran la mitad de sus remuneraciones. A pesar de que no aparece en la lista, se negó también a Alba lo que él consideraba «entretenimientos» (fondos de manutención) adecuados para su cuerpo personal de oficiales.[7] Una vez alcanzada Italia sin percances, libró desafiantemente una orden de pago por casi el doble de la cantidad que le había sido asignada en un principio, pero semejantes medidas no podían aplicarse cuando estaban en juego cantidades más grandes.[8]

Acaso lo más irritante de todo fueran las pormenorizadas instrucciones que recibió en la víspera de su marcha. Escritas ni más ni menos que por el desfavorecido Eraso, provocó una agria, y totalmente justificada, respuesta del duque, cuya paciencia con el rey y sus consejeros civiles por igual estaba ya agotada.[9]

Mientras que ninguna de estas cosas podían verdaderamente impedir su marcha, ilustran vivamente la atmósfera mezquina y venenosa en que se desarrollan los preparativos. La situación se hizo tan intolerable que hubo de convenirse una solemne reconciliación entre Éboli y Alba, pero, a pesar de que se abrazaron obedientemente, ambos sabían que nada había cambiado. Aún más extravagante fue la conducta de don Carlos, del que se dice que atacó a Alba con un puñal.[10] Dadas las circunstancias, debió ser un alivio dedicarse una vez más a los complejos, pero solubles, problemas de transportar un ejército a través de media Europa.

La elección de la ruta hacia los Países Bajos quedó determinada por una serie de factores tanto políticos como geográficos. No se tomó en consideración la ruta por mar, parcialmente por los riesgos que suponía, pero sobre todo porque la mayoría de los hombres que habían de transportarse se encontraban en servicio de guarnición en los presidios de Italia. Aunque Alba había pensado en una fuerza superior a 30.000 hombres, se proponía llevar consigo tan sólo a los tercios de Nápoles, Lombardía, Cerdeña y Sicilia, para reclutar el resto en Alemania y los Países Bajos. Ello significaba que emprenderían la marcha aproximadamente 8.646 soldados de infantería y 965 de caballería ligera, aunque finalmente la caballería quedó compuesta por casi 1.200. Con criados, seguidores del campamento y equipaje, habría que hacer provisiones para 16.000 personas y 3.000 caballos, una cifra bastante modesta que refleja la determinación de Alba de mantener al mínimo el número de no combatientes.[11]

La ruta más lógica habría sido la de Francia, pero ésta denegó el paso alegando razonablemente que la presencia del ejército español podría perturbar la delicada paz religiosa. La segunda posibilidad, navegar el curso del Rin con tranquilidad, fue excluida por la implacable hostilidad del calvinista Conde Palatino de Renania. Sólo quedaba, por tanto, la difícil opción de trazar una ruta a través de los territorios amigos o neutrales que se encontraban a lo largo de la frontera francesa.

Tras muchas deliberaciones, se decidió dirigir las tropas por el Piamonte y Saboya, atravesando el paso del monte Cenis y entrando en el Franco Condado, bordeando con cuidado los territorios de la calvinista Ginebra, cuyos habitantes se encontrarían en un previsible estado de alarma. El Franco Condado formaba parte del patrimonio de Felipe II, pero aun así hubo que ejercer gran cautela para evitar la ciudad libre de Besançon. Desde St. Loup, que se convertiría años más tarde en un importantísimo campo de acción, el ejército pasaría hacia los territorios neutrales del Duque de Lorena y, desde allí, por Thionville a Luxemburgo .

Puesto que Saboya, Lorena y Lieja estaban todas en manos de poderes independientes, si bien amigos, se enviaron misiones diplomáticas destinadas a evitar ofensas y garantizar el paso. También hubo que tranquilizar a los franceses, y don Francés de Álava se vio obligado a serenar al nervioso Carlos IX incluso después de que la marcha se hubo iniciado. Nada se hizo en relación a los ginebrinos, aunque se suponía que habría que vigilarlos —así como a los franceses, que acabaron por enviar un ejército para seguir los movimientos de Alba.

Las maniobras diplomáticas exigían tiempo, y la geografía de la ruta originó problemas de índole no política. A pesar de que el paso del monte Cenis y otros puntos del camino eran utilizados por los mercaderes, e incluso contaban con lugares de descanso perfectamente equipados, se dudaba de que fueran adecuados para el paso de un ejército. Don Juan de Acuña Vela había sido enviado, con el encargo de reconocer la ruta, inmediatamente después de la designación de Alba, y sobre la base de su informe se despacharon un ingeniero y 300 zapadores para ampliar el camino desde Novalesa hasta el paso.

Les acompañaba un artista cuyos dibujos del terreno debían facilitar, así se esperaba, nuevos trazados.[12]

Alba y su comisario general, el temible Francisco de Ibarra, prodigaron este esmerado cuidado a cada uno de los aspectos de los preparativos. Se contrataron guías de las localidades, se compusieron mapas y se dispusieron pasos sobre los ríos por adelantado. Aún de mayor importancia fueron las *étapes* (depósitos de abastecimiento) establecidas a lo largo de toda la ruta, separadas entre sí por una jornada de marcha, y los contratos que se negociaron para el suministro de las tropas en cada etapa del camino. Eran territorios amigos, y se prohibiría el saqueo bajo pena de muerte.

Éste fue, pues, el Camino Español, creación de Alba, el cual, con algunas modificaciones en las *étapes*, pero escasas en los procedimientos básicos, perduraría hasta que fuera cerrado por el Duque de Saboya en 1622. En él descansarían las comunicaciones militares del imperio.

El 17 de abril, Alba se despidió del rey y salió hacia Cartagena, donde esperaba Gian Andrea Doria con una flota de 37 galeras. Llevaba con él a su nuevo confesor, el teólogo tridentino Alonso de Contreras, y a uno de los médicos reales, Juan Muñoz de Benavides.

Las primeras etapas del viaje no fueron nada propicias. Nada más salir de Cartagena, la escuadra fue retenida por fuertes levantes y tramontanas que les sacudieron de un lado a otro como si, en palabras de Alba, «estuviéramos en un barco esférico».[13] El temporal amainó levemente, pero fue aún una travesía difícil, con escalas no proyectadas en Niza y Savona. Alba consideró un gran tributo a la pericia de Gian Andrea como navegante que no se vieran forzados a entrar en un puerto francés, y estaba convencido de que esta experiencia era la responsable no sólo de la reaparición de su gota, sino también de un severo ataque de fiebres tercianas.[14] Cuando arribaron a Génova, el 24 de mayo, llevaban casi un mes de viaje.

El duque, resintiéndose de su edad, permaneció varios días en Génova antes de trasladarse a Alessandria, donde consolidó sus planes y pasó revista el 2 de junio. Otra recaída de fiebre le retuvo en Asti hasta el 15 de junio, pero desde este punto en adelante, la empresa avanzó con la tranquila certeza de una serpiente pitón enroscándose en su presa.

Para evitar apiñamientos y desorden en las *étapes*, se dividió el ejército en tres segmentos, separados cada uno por un día de marcha, la vanguardia bajo el mando de Alba, el cuerpo central bajo su hijo don Hernando, y la retaguardia bajo el mando de Chiappino Vitelli. La disciplina fue estricta. Cuando tres arcabuceros montados robaron unas ovejas pertenecientes a un campesino, Alba ordenó que fueran colgados y aquéllas inmediatamente restituidas. Sólo uno de ellos fue en realidad ejecutado, pues el Duque de Lorena intervino con lo que sus súbditos pudieron quizá considerar excesiva benevolencia,[15] pero el propósito quedó claro y los coetáneos de Alba quedaron impresionados. Desde la antigüedad, ningún ejército había estado tan bien disciplinado, tan bien equipado ni, según los criterios prevalecientes de estética militar, había parecido tan elegante.[16]

Alba, como es natural, no estaba de acuerdo. Sus cartas son, desde el comienzo mismo, una letanía de lamentaciones. La infantería no estaba toda compuesta de españoles; muchos, afirmaba, eran «de no sé qué naciones» y, fueran lo que fueran, no le gustaba su aspecto. «La compañía más grande son ocho filas de muchachos imberbes y descalzos.» La disciplina, en su opinión, era inexistente.[17] Además, había disputado a causa de las obstrucciones del viejo compinche de Eraso en Bruselas, el veedor Cristóbal de Castellanos. Este funcionario se negaba a pagar a los alemanes que debían reunirse con Alba en Luxemburgo.[18] Los comentarios del duque revelan gráficamente su estado de ánimo en la víspera de la más delicada misión de su carrera:

«Ayer recibí una carta de Castellanos, una copia de la cual os será mostrada por Antonio de Lada, y me ha encolerizado de tal modo que he tomado con él la determinación de hacerle arcabucear si se me acerca, porque me parece que no se contenta con ser veedor y contador y general de la artillería, sino que desea ser capitán general y ha levantado un enredo endiablado para que me escriban de Flandes que se dice públicamente entre los soldados valones que... no me permitirán la entrada en su país. Este Castellanos es gran amigo de

Egmont. Me temo que son sus creencias las que han creado estas bestialidades aunque sea un perfecto asno, como todos los funcionarios que han enviado aquí.»[19]

Le irritaba también la nueva insistencia del rey en recibir informes detallados, pero, como le dijera Zayas, ello no carecía de ventajas del todo. Ahora que Felipe II había reorganizado los procedimientos administrativos y todo debía «ir por tantos arroyos», el caos era endémico y dependía más que antes de su secretario. En el proceso de ponerlo todo en orden, Zayas creía que podía ser de más utilidad que nunca a amigos y protectores como el duque.[20] No parece que Alba disintiera de esto.

A pesar de todo, poca duda cabe de que este estado de ánimo truculento e imprudente le acompañó hasta su llegada a Luxemburgo y aun más allá. No se puede explicar de otro modo que recibiera a Egmont con las palabras: «Veis aquí a un gran hereje»,[21] o la creciente aspereza de sus cartas a Madrid. Consiguió hacer pasar por una broma sus palabras a Egmont, y éste las aceptó como tal, sabiendo por experiencia que el duque era aficionado al humor amargo, pero el incidente no deja de ser revelador. Alba era, después de todo, un hombre mayor, con mala salud, que cumplía una misión no deseada entre gentes que ni quería ni entendía. Creyendo que el rey vendría pronto a relevarle, subestimaba la complejidad del empeño y tendía a verse como un simple policía llegado para restaurar el orden y erradicar la herejía. Como consecuencia, abandonó la sensibilidad política como algo innecesario, y permitió que afloraran sus sentimientos personales.

Sólo en un aspecto reprimió Alba su cada vez más habitual irritación: en las necesariamente delicadas relaciones con Margarita de Parma. Durante los momentos de pánico del año anterior, Margarita había solicitado que fuera enviado un capitán general,[22] pero en los meses intermedios se había convencido de que semejante medida no era ya precisa. Su actitud era perfectamente comprensible. Con la ayuda de Meghen y Noircarnes había logrado sofocar los desórdenes que siguieron a los disturbios iconoclastas y pensaba, con razón, que no existía ya una situación de emergencia militar. La aparición de

Alba y su ejército fue, por consiguiente, tan ominosa para ella como para sus súbditos. Temía represalias que desbarataran su afortunada labor de pacificación, y preveía que la sola presencia del duque representaría un serio desafío a su propia autoridad. Su patente era puramente militar –al parecer, ella ignoraba la existencia de una segunda patente que le otorgaba autoridad civil en caso de emergencia–,[23] pero sabía que en este tipo de ocasiones la autoridad civil y militar eran prácticamente inseparables. ¿Quién recaudaría fondos para las tropas de Alba, se ocuparía de las ramificaciones políticas de su acuartelamiento, o determinaría el modo de emplearlas ahora que había pasado el peligro de una sublevación abierta? Las posibilidades de conflicto eran infinitas.

En cierto momento estuvo en boga entre los historiadores denigrar a Margarita de Parma. Mujer gruesa y poco atractiva, con un bigote apreciable y una tendencia a sollozar sin reparos en momentos de tensión política, no fue ni amada ni respetada en su propia época, pero tampoco fue una necia ni una simple peón de sus consejeros. Con una moderación semejante a la de Catalina de Médicis o Isabel de Inglaterra, pareció haber comprendido que los problemas de los Países Bajos exigían una cierta flexibilidad, y si se opuso al triunfo declarado de la herejía y a los intereses de la nobleza, no eran menores sus temores con respecto a la férrea represión que anunciaba la venida de Alba. Sabía que no podía contravenir abiertamente la voluntad regia, pero desde la misma semana de la salida de Alba, ella, no menos que Éboli o Castellanos, empezó a poner obstáculos en su camino.

En primer lugar, presentó su dimisión. Cuando no fue aceptada, protestó por la introducción de tropas extranjeras.[24] Después hubieron de escribirse varias cartas antes de que diera a Castellanos la orden de pagar a los alemanes. Alba, que era plenamente consciente de que ciertos nobles habían amenazado en una ocasión con oponerse a la venida de Felipe II acompañado de fuerzas, no deseaba ser recibido por tropas locales cuando llegara a Luxemburgo. Éste fue otro motivo de enfrentamiento con Margarita. Se pusieron incontables dificultades para licenciar a las guarniciones de Luxemburgo y Amberes, y se esgrimieron argumentos contra el traslado de los soldados alemanes de Alberico Lodron al lugar de encuentro.[25] Cuando el duque se reunió finalmente con la regente, el 22 de agosto, ésta inmediatamente protestó que el acuartelamiento de sus tropas iba a representar grandes penurias para los más pobres.[26] En todo momento, Alba fue el espíritu mismo de la cortesía, desahogando toda su contrariedad sobre Castellanos *in absentia*, pero era patente que el duque y la regente no podrían colaborar mucho tiempo.

La ruptura final se produjo tras la detención de Egmont y Hornes. No obstante las repetidas señales de peligro y las ominosas circunstancias que presidieron la primera entrevista entre Egmont y el duque, aquél y Hornes seguían alegre e ingenuamente ignorantes del peligro que corrían. Midiendo su propio comportamiento con la vara de sus motivos y, al parecer, desconocedores de que las tradiciones de la corte española eran totalmente distintas de las suyas, estaban confiados en que nada habían hecho que fuera traición, y en que su ortodoxia era incuestionable. No podían imaginar que Felipe II y Alba les habían considerado desde un principio como la clave de la conspiración de la nobleza, o que hubieran tomado ya hacía tiempo la determinación de hacer un ejemplo de ellos.[27] Después de todo, ¿no había confirmado Felipe II repetidamente su favor y su benevolencia? Sus ideas sobre las relaciones entre la nobleza y la Corona eran esencialmente feudales. No parecían haber comprendido que en España el rey se había convertido en una figura de orden totalmente distinto, intolerante incluso con la leal disensión de sus nobles, y no atado ya por las convenciones del espíritu caballeresco en su trato con ellos. Orange, más astuto y políticamente más imaginativo que sus compañeros, no compartía sus ilusiones; aprovechó la llegada de Alba para visitar a sus parientes de Alemania.

El arresto fue una curiosa repetición de lo ocurrido hacía veinte años, cuando Alba había dispuesto la captura de Felipe de Hesse. Como en las cuestiones militares, no veía motivo para alterar los métodos que había elaborado durante sus años formativos. El 9 de septiembre se invitó a los dos condes a un banquete ofrecido por el hijo de Alba, el Prior don Hernando. Hacia el final de la cena, el duque, que no se hallaba presente, envió una invitación a los congregados solicitando que fueran a su alojamiento y le aconsejaran sobre unos planes para la nueva ciudadela que se proponía levantar en Amberes. Al poco de su llegada se excusó, pretextando enfermedad, y los dejó conversando en la mesa. Cuando concluyó la reunión, Sancho Dávila pidió a Egmont que se quedara, y cuando estuvieron solos exigió su espada. Se aseguró de que el conde cediera con la súbita aparición de un cuerpo armado de soldados españoles; Hornes fue detenido cuando procedía a cruzar el patio. Ambos fueron encarcelados separadamente en unos aposentos situados en la parte superior de la residencia de Alba, y allí permanecieron dos semanas hasta que pudieron ser trasladados a la ciudadela de Gante.[28]

Margarita estaba indignada. Consideraba inocentes a aquellos hombres, y una afrenta a su autoridad el que el duque no se hubiera dignado consultarle antes de arrestarlos. Sus protestas al rey fueron entonces intensamente acres, pero Alba permaneció firme. No podía haberla consultado sin comprometer la seguridad del plan, y los resultados inmediatos de su acción eran, por lo demás, extremadamente gratificantes. Los arrestos habían atemorizado grandemente a la nobleza y sirvieron de aviso a la población en general de que nadie estaba por encima de la justicia real. Ciertos documentos encontrados en poder de los secretarios de ambos hombres no sólo iluminaron los sucesos de años recientes, sino que eran, además, en opinión de Alba, altamente incriminatorios.[29] Es cierto que habría que explicarlo todo al emperador, al Duque de Cleves y al capítulo del Toisón de Oro,[30] pero, en términos generales, Alba se sentía satisfecho y esperaba poder reunir un informe sobre sus víctimas con toda tranquilidad. «Tengo», dijo, «el mayor contento del mundo de que se haya hecho todo con tanta quietud y sosiego.»[31]

La regente pudo haberse ahorrado el esfuerzo de protestar. Comprendiendo por el contenido de sus anteriores cartas que nada podía ya ganarse conservándola en su puesto, Felipe II aceptó su dimisión el 13 de septiembre. Hacia octubre, Alba se halló gobernante *de facto* de una región casi tan populosa como Inglaterra y bastante más rica.

Era una situación para la que se encontraba totalmente

desprevenido. La dimisión de Margarita le dejó en libertad para asignar recursos y organizar procedimientos judiciales como gustara, pero al mismo tiempo le obligó a organizar un gobierno. Dadas las circunstancias, ello era extremadamente difícil. No existían modelos realmente útiles en que poder basarse: las estructuras gubernativas de los Países Bajos estaban casi totalmente desacreditadas a ojos españoles, y las alternativas castellanas, aunque sin duda afines a Alba, con certeza encontrarían resistencia como intrusión extranjera.

El problema estaba agravado por el carácter transitorio y algo ambiguo de la autoridad de Alba. Aunque se le había encargado la realización de vastas reformas si lo permitían las circunstancias, él creía que en el período de seis meses se habría marchado. Había, por consiguiente, escaso aliciente en el desarrollo de complejos procedimientos administrativos y, sea como fuere, su propia idea sobre su papel era esencialmente proconsular. Debía sofocar la herejía y la rebelión para preparar la venida del rey. Ese propósito excluía, en efecto, la organización de una administración permanente con fuertes vinculaciones locales, mientras que fomentaba la creación *ad hoc* de disposiciones que pudieran ser fácilmente desmanteladas cuando llegara el momento de desecharlas.

El resultado fue una especie de dictadura militar que no satisfizo a nadie, y aún menos al duque. Aunque gozaba del título de capitán general, su autoridad era la de un regente o un virrey no constreñido por la presencia de una audiencia. La audiencia –un tribunal que unía funciones administrativas y judiciales, y que constituía quizá la institución central de las dependencias españolas en el Nuevo Mundo– podría haber frenado los frecuentes abusos de poder de Alba, pero los Países Bajos se habían opuesto siempre a su establecimiento. Quedaron así, sin otra cosa que sus propios, débiles –y, para los españoles, poco fiables– Estados. El capitán general siguió con las manos libres para pisotear los derechos y costumbres del país como le dictara la necesidad o su propia impaciencia. La autoridad de Alba dependía, claro está, de la voluntad regia, pero el rey se hallaba lejos. Si el duque deseara ocultarle algo o incluso no obedecer una orden directa, como hizo en más de una ocasión, podía hacerlo por lo general impunemente.

Su sistema de gobierno, si es que puede denominársele así, era consecuencia directa de dichas circunstancias. Era, ante todo, intensamente personal. Como su regio señor, Alba se hundió en una masa de detalles y halló cada vez más difícil delegar su autoridad de modo racional o sistemático.[32] Ello no se debía a una inclinación personal, sino a la desconfianza que le inspiraban la administración existente y los habitantes de los Países Bajos en general. No sin justicia, Geoffrey Parker ha caracterizado esta actitud como producto de una mentalidad de raza superior,[33] pero, a pesar de que la preferencia de Alba por los castellanos no precisa de mayor consideración, sería poco adecuado atribuirlo a una teoría racista. El gobierno de los Países Bajos había sido corrupto e ineficaz durante muchos años, y había motivos fundados para dudar de la lealtad y el celo religioso de sus servidores. Las sospechas de Alba eran exageradas, pero se debían a que sentía con terrible claridad que los valores de la sociedad que gobernaba no eran los suyos y eran, por consiguiente, peligrosos. Como tantos otros españoles, sufría con intensidad los efectos del choque cultural.[34] Con el tiempo llegó a confiar en algunos consejeros de Margarita –en especial Vigiáis, Berlaymont y Noircarnes–, pero incluso esta confianza fue siempre limitada, y cuando se vio obligado a recurrir a instituciones tradicionales en los niveles locales, lo hizo con desgana y negros presagios.

Lo que realmente necesitaba, o así lo creía, eran españoles, pero éstos nunca estaban disponibles en número suficiente. Rogó y protestó,[35] pero al fin tuvo que contentarse con la reducida *coterie* de burócratas que le había acompañado desde España. En su administración conducía los asuntos un puñado de hombres, la mayoría de los cuales estaba tan aislado como él mismo de la comunidad circundante. Esto significaba que eran, en general, detestados, estaban mal informados y escasos de personal y, sin embargo, dicho aislamiento no le evitó la corrupción.

No era posible que un hombre pudiera manejar esta inmensa carga de trabajo solo: se delegaron porciones cada vez más grandes en los inmediatos subordinados de Alba. Y se hizo sin establecer procedimientos administrativos sistemáticos, pues, durante el tiempo que duró su gobierno, pareció siempre inminente el relevo y la llegada de nuevos administradores. Al convertirse los meses en años, el secretario del duque, Juan de Albornoz, llegó a ser una figura de enorme poder, actuando con frecuencia en nombre de su señor de modo muy similar a como actuaba éste en nombre del rey, y las líneas divisorias entre las funciones gubernamentales se hicieron irremediablemente borrosas. El pagador del ejército, Francisco de Lixalde, acabó por estar en control de las finanzas en muchos niveles distintos, no sólo pagando a las tropas, sino recaudando fondos por medio de asientos con banqueros de Amberes,[36] la mayoría de los cuales, a su vez, formaban parte del círculo cada vez más apretado de genoveses que estaban en buenas relaciones con Albornoz. Normalmente, semejantes medidas habrían sido verificadas por un veedor o inspector general, pero a este funcionario, un tal Galíndez de Carvajal, le fue denegado el acceso al tesoro por Lixalde y dimitió en 1569.[37] No fue sustituido hasta 1572, y por entonces era ya demasiado tarde. Las cuentas de Lixalde habían adquirido tan monumental complejidad que la investigación que durante treinta años llevó a cabo la Contaduría Mayor de Cuentas no logró descifrarlas.[38]

Las querellas abundaban, y el contador Jerónimo de Curiel era origen de muchas de ellas. Curiel había servido con la regente y estaba asociado a Eraso, pero sus objeciones no parecen haber estado totalmente inspiradas por el faccionalismo. Evidentemente, era contrario a las irregularidades procesales de todo tipo y temía –con razón en este caso– que ello pudiera ocasionar conflictos. A menudo se negaba a pagar gastos sin una orden directa de Alba, y creó dificultades de todo tipo, grandes y pequeñas.[39] Zayas, siempre alerta a las maquinaciones de los enemigos de Alba, creía que Curiel era un buen hombre y simplemente cumplía con su obligación,[40] pero había otras acusaciones en las que el faccionalismo, sin duda, tenía parte. Entre ellas se encontraba una «relación de abusos» fechada en septiembre de 1571. Contenía poco más que habladurías mal intencionadas y alegaciones insustanciales y era, al parecer, obra de Antonio Pérez.[41]

Había, desde luego, auténticas y cuantiosas irregularidades en los asuntos de Lixalde, algunas de las cuales se debían a la corrupción. Se cree, por ejemplo, que entre 1567 y 1572 se guardaron las contribuciones deducidas de la paga de los soldados para subvencionar hospitales militares. Si fue así, la suma en cuestión excedía los 40.000 ducados, y no hay razón para suponer que fuera ésta su única aventura en una contabilidad imaginativa. [42] Simultáneamente, los procedimientos administrativos que le permitían esquilmar al por mayor generaron otros problemas que tenían poca relación con fines deshonrosos. Un ejemplo de lo que habría de afrontar Lixalde surgió inmediatamente antes de la marcha de Alba. Lixalde encontró que le faltaban 100.000 ducados y escribió a Albornoz presa del pánico, indicándole que todos debieran llegar a un acuerdo sobre sus cuentas antes de que el sucesor de Alba exigiera una auditoría.[43] Al parecer, el mayordomo de Alba y alcaide del castillo de Amberes, Sancho Dávila, había gastado el dinero en ciertas necesidades militares sin autorización y sin informar a nadie. El pagador, que debía tener pleno control de semejantes gastos, hubo de cargar con el asunto. Finalmente, cubrió el déficit con un préstamo de un banquero de Amberes llamado Gramoy, y convenció a Alba para que declarase el gasto legítimo,[44] pero semejantes maniobras no habrían sido precisas o posibles de haber existido medios de control eficaces. Es indudable que Lixalde era un tanto frívolo con sus cuentas, pero también lo es que estaba atrapado en una pesadilla administrativa. De haber sido un hombre honrado, no habría disminuido el caos.

En todo ello Alba actuó de modo menos que inútil. Lejos de escuchar los ruegos de Lixalde para que redujera sus responsabilidades, procuró aumentarlas, otorgándole el control de todas las fuentes de ingresos de la Corona en los Países Bajos.[45] Este increíble proyecto fracasó cuando el Consejo de Hacienda protestó ante Madrid, pero indica una vez más la determinación del duque a evitar las instituciones locales. Cuando, inevitablemente, empezaron a recaer sospechas sobre Lixalde, Alba permaneció impasible. Semejantes acusaciones, afirmó, formaban parte de su trabajo y, en todo caso, él ni entendía el sistema financiero ni le importaba demasiado siempre que se pagara a las tropas.[46] La actitud de Alba hacia la contabilidad era, en efecto, notoriamente despreocupada.

Cuando apareció un déficit de 12.000 florines en las cuentas de ciertos bienes confiscados a los rebeldes, dijo a su cuñado que «ni el diablo podría encontrarlos» y que, en todo caso, le interesaba más «la renta a perpetuidad de las Indias que quieran concederme».[47] No obstante, y a pesar de su ligereza, habría que observar que exigió a Lixalde informes detallados a todo lo largo del primer invierno de su gobierno, sólo abandonando dicha práctica cuando se convenció de la pericia del pagador.[48] El problema fundamental no era la tendencia del duque a pasar por soldado severo y sencillo, sino su resistencia a confiar en los habitantes del país y su consecuente incapacidad para crear una organización administrativa. Había que pagar al ejército: éste era el hecho central frente al cual cualquier otra consideración era secundaria. Habría preferido un sistema mejor, pero, careciendo de él, estaba dispuesto a pasar por alto las minucias burocráticas. Sus jefes militares compartían esta opinión.

Si los problemas de Lixalde eran producto de las circunstancias y de la propensión de Alba a los procedimientos *ad hoc*, éste era también el caso de las polémicas que rodearon a Albornoz. Originario de Cuenca y protegido de Zayas, llegó a secretario del duque en 1565, en el momento en que éste entraba una vez más en el escenario político. Hábil, ingenioso y ávido de trabajo, estaba más que dispuesto a aligerar el peso que soportaba su señor. Su afecto por el duque era auténtico, pero no era hombre para dejar pasar la riqueza y la influencia que tal amistad podía acarrearle. Unas veces altanero, otras servil, su control sobre tantos aspectos de los asuntos de Estado le hizo innumerables enemigos.

Destacaban entre ellos Jerónimo de Curiel, que parece haber repartido sus antipatías indiscriminadamente, y Francisco de Ibarra. Los motivos de su hostilidad no están claros. Ibarra era quizá el más antiguo y más apreciado de los hombres de Alba; habían servido juntos en Italia. El genio logístico de este oficial de intendencia, así como su absoluta lealtad, le habían procurado un lugar seguro en el régimen de Alba. Fueran cuales fueran las faltas de Curiel, no se trataba en este caso de faccionalismo. Es probable que al controlar el acceso al duque, y debido a su consecuente intervención en los asuntos cotidianos de gobierno, Albornoz hubiera ofendido profundamente a estos dos funcionarios profesionales, mientras que su habitual frivolidad habría repugnado al hosco y algo gazmoño Curiel. Puede dar indicio de la intensidad de los odios despertados por el secretario el hecho de que Ibarra y Curiel fueran a su vez enemigos declarados, que habían procurado su mutua destitución desde el principio.[49]

Estos enconados resentimientos hicieron crisis en el otoño de 1569. El desagradable incidente que resultó nos revela acaso más de lo deseable sobre la atmósfera de la pequeña corte de Alba. Era un rumor extendido que Albornoz había estado invirtiendo dinero real en su propio provecho en Amberes.[50] Puede que nunca se sepa qué hubo tras esta y otras acusaciones, pues una investigación en los asuntos del secretario fue bruscamente suspendida tras su regreso a España.[51] Sea como fuere, el 22 de octubre de 1569, Albornoz estaba convencido de que Ibarra había preparado «informaciones» contra él, que serían llevadas a España y presentadas ante los tribunales.[52]

Mientras tanto, los rumores habían atraído la atención del hijo de Alba, el Prior don Hernando, el cual, en beneficio de su padre, decidió indagar en ellos. Se dirigió en primer lugar a Ibarra, pero el oficial afirmó no saber nada y se negó a hablar más del asunto. Tras algunos ruegos, Hernando le convenció de que se tratara la cuestión con su hermano menor, Esteban de Ibarra, y con Curiel. Esteban redactó un memorial al respecto, que entregó a Curiel. De algún modo llegó una copia del documento a manos de Albornoz, que se lamentó tan amargamente ante el duque que éste ordenó que Curiel acudiera a Bruselas para interrogarle sobre el asunto.

Ésta fue, al parecer, la primera sospecha de Alba de que algo andaba mal. No siendo nunca un hombre sociable, se había hecho cada vez más solitario desde 1568, cuando se hizo patente que el rey no vendría. Encerrado en sus aposentos, comía solo y recibía a las personas imprescindibles. Nadie sabe lo que Curiel le dijo, pero al salir aquella noche del Hotel de Jassy, el contador fue atacado y herido con un puñal.[53]

Curiel sobrevivió, pero Albornoz estaba exultante. El secretario había estado escribiendo a Zayas e incluso a la esposa de Alba, difamando a sus detractores y rogando protección desesperadamente. El ataque a Curiel representó para él un juicio de significado casi bíblico,[54] pero ¿fue él el responsable? A una distancia de cuatro siglos, parece el candidato más probable, especialmente dado que los asesinos en intención le eran conocidos,[55] pero en el momento los hechos parecían más opacos. Los enemigos de Curiel eran tan numerosos que eran sospechosos los hermanos Ibarra y aun don Hernando –este último porque Curiel había escrito a la corte, exhibiendo un ordenancismo obsesivo, en el sentido de que las investigaciones de don Hernando eran una usurpación de la autoridad ducal–.[56] El duque se encolerizó, pero nada pudo probarse y, lamentablemente, no se inició ninguna otra investigación sobre Albornoz mientras permaneció en Bruselas.

Dada la personal rectitud de Alba, asombra a primera vista que estuviera dispuesto a tolerar semejante proceder, pero estaba arraigado en el carácter mismo de su administración. Considerándose como un gobierno transitorio de ocupación, muchos de los españoles que colaboraban con él procuraban beneficiarse lo máximo posible de una situación desagradable. Cuando lo hacían, Alba no tenía otra opción que encubrir sus transgresiones, por temor a que el escándalo desacreditara tanto a España como a la causa real. Era una respuesta natural y patriótica, si no necesariamente inteligente.

Éste era, pues, el gobierno doméstico que quería limpiar los Países Bajos de herejías y reformar la vida política. Aunque inadecuado prácticamente en todos sus aspectos, sobreviviría a Alba y serviría de pauta para subsiguientes gobernadores hasta las reformas de los años 1690.[57] Con él intentaría el duque realizar grandes proyectos, no siempre con éxito.

Las líneas generales de su política estaban dictadas por las instrucciones que venían de España. Debía crear la impresión de una omnipresencia militar, castigar a los responsables de los desórdenes de 1566 y restablecer la unidad religiosa. Una vez logrado esto, podía ordenarse un perdón general y Alba podría, supuestamente, volver a su tierra.[58] La primera parte del programa se inició antes de que alcanzara Luxemburgo, con el licenciamiento de las guarniciones locales de Amberes y otros puntos, y culminó con el acuartelamiento de sus tropas «en ciudades que han pecado.»[59] Fue finalmente decidido que se erigieran ciudadelas en todo el país. En mayo de 1567, Margarita presentó una lista de ciudades donde sería necesario construirlas, entre las que figuraban Amberes, Valenciennes, Amsterdam, Flesinga y Maastrich.

De entre ellas, Amberes era, evidentemente, la más importante. Alba derrochó tanto celo personal en la construcción de su ciudadela que es tentadora la idea de que la consideró como una especie de monumento a su persona. Si es así, era, en efecto, digna de un soldado cuyo ego se equiparaba a sus triunfos. Incorporada a la muralla de la ciudad, entre las puertas de Kronemburg y St. Joris, era una estructura pentagonal con un baluarte en cada uno de sus ángulos, denominados, en su honor: «Duque», «Fernando», «Toledo» y «Alba», y la quinta designada «Paciotto», para conmemorar al arquitecto italiano que la había concebido.[60] Sus murallas se inclinaban hacia el interior a partir del foso en un ángulo de aproximadamente treinta grados de la perpendicular, y estaban coronadas con parapetos redondeados dotados de aspilleras abiertas en su parte superior. La entrada principal se encontraba frente a la ciudad por el Norte, y estaba construida en un estilo clásico. Una vez dentro, el visitante se hallaba ante las bocas de una batería de artillería. A su izquierda había una iglesia, a la derecha una sólida construcción de ladrillo que servía como cuartel general. En los lados restantes, adheridos a muros de tierra recubiertos en el exterior con ladrillo y piedra, se encontraban filas dobles de barracones, suficientes para alojar a la guarnición completa de Amberes. En el amplio espacio que quedaba en el centro había árboles y, tras la campaña de 1568, una famosa estatua, de increíble mal gusto, del mismísimo duque.[61]

Alba la consideraba como «la plaza más hermosa del mundo»,[62] y viajaba hasta Amberes para inspeccionarla siempre que sus ocupaciones se lo permitían. Estudiaba los planos con atención, se ocupaba de los detalles e intentó dirigir en persona varios aspectos de la construcción. No sorprende que Paciotto abandonara el proyecto hastiado y regresara a Italia sin permiso,[63] pero fue sustituido por Bartolemeo Campi y las obras continuaron. Cuando las terribles inundaciones de septiembre de 1569 arrastraron «un fragmento del lienzo del bastión próximo al remate», Alba en persona abandonó el lecho donde se encontraba enfermo y cruzó en bote el foso para inspeccionar los daños,[64] y cuando los ciudadanos de Amberes se opusieron a sus cada vez mayores costes, les arrancó 400.000 florines con amenazas.[65] Tan esmerada atención resultó en una ciudadela que era, en efecto, una obra maestra, invulnerable ante la guerra, si no al cambio político: encontrándose temporalmente libres de la guarnición española, los resentidos habitantes de Amberes destruyeron la parte que miraba a la ciudad en 1577.

El entusiasmo de Alba por aquella fortificación igualaba a la energía con que persiguió a aquellos cuyos agravios habían producido la insurrección de 1566. Los repentinos arrestos de Egmont y Hornes tenían este fin, como el virtual secuestro del hijo mayor de Orange, el Conde de Buren. Dicho joven, al que evidentemente se pensaba convertir en rehén de la conducta de su padre, fue apartado de sus estudios en Lovaina y trasladado a la corte española con todos los honores, y allí permaneció durante veinte años, en aparente contento.[66] Otros presuntos cabecillas –entre ellos Anthony van Straelen, burgomaestre de Amberes– fueron apresados, pero la mayoría de las figuras principales pudieron salir al exterior, junto a miles de personas más insignificantes que habían estado implicadas en los desórdenes, o cuya religión hacía que pudieran potencialmente perder sus vidas y sus fortunas.[67]

Este éxodo afectó, naturalmente, a la persecución iniciada por Alba a los pocos días de su llegaba. Los historiadores han generado mucha confusión sobre la política del duque a este respecto, pero la realidad era bastante sencilla. Estaba decidido a extinguir la oposición a la autoridad real, fuera cual fuera su origen, y, puesto que ni él ni Felipe II podían concebir la autoridad real sin unidad religiosa, sus objetivos no sólo incluían a los nobles descontentos y a los sediciosos, sino a los ministros consistoriales y a todos aquellos cuyas creencias religiosas parecieran implicar resistencia a la Corona.[68] Como ha observado Van der Essen, la pretensión española de estar tan sólo interesados en la supresión de los rebeldes era falsa.[69] Alba no era un inquisidor, aunque en ocasiones expresara su deseo de serlo,[70] pero como tantos hombres en el siglo XVI, no hacía grandes diferencias entre rebelión y herejía, y tendía a aceptar la fe calvinista como prueba *prima facie* de desobediencia. Pero no tenía el menor propósito, sin embargo, de realizar una purga al estilo del siglo XX. Como Brantôme le hace decir, su finalidad era «pescar para encontrar y capturar las truchas y los salmones y dejar marchar a las sardinas»,[71] una cita que tiene tono de autenticidad, dada la afición del duque tanto al pescado como a las metáforas concretas. Sus propias cartas reiteran el hecho en términos más prosaicos.[72] Le preocupaban mucho, por ejemplo, los refugiados, «viendo el gran daño que recibirán estos Estados por la marcha de soldados, oficiales y otras gentes menores con las cuales siempre he creído que Vuestra Majestad deseaba emplear clemencia y misericordia, como con otras personas engañadas y que han pecado por ignorancia».[73] Su respuesta a este problema fue publicar un edicto «tranquilizador», pero que tranquilizó a pocos, y quizá por ello pareciera su red de malla más fina de lo deseado por él: sólo quedaron las sardinas.

El mecanismo a que Alba recurrió para encontrar y castigar a los enemigos de la corona fue un tribunal especial conocido como Tribunal de los Tumultos. Popularmente conocido como Tribunal de Sangre, sus operaciones, y la participación de Alba en ellas, quizá sean más responsables del oscurecimiento de su nombre que ningún otro episodio de su larga carrera. La idea que informaba este tribunal había sido forjada en España previamente a la marcha de Alba, y tenía la plena aprobación del rey. Parece haber sido una concepción de la cual no puede hacerse responsable a una sola persona, sino que fue producto de una decisión colectiva basada en una supuesta necesidad. Había que hacer algo, y era evidente para todos que los tribunales existentes no tenían capacidad para hacerlo.[74] La lealtad de éstos, como la de la administración, estaba bajo sospecha, y se veían atados por reglamentos procesales que podían resultar inconvenientes. Para ser eficaz, el tribunal tendría que ser independiente de las influencias locales, pero también había de estar libre de las anteriores limitaciones. Fue por esta razón por la que, al establecer Alba dicho tribunal en la primera semana de septiembre de 1567, adoptó la medida extraordinaria de reservarse personalmente toda decisión última. Sus motivos eran brutalmente claros:

«El primero, que, no conociendo a sus miembros, pueden éstos engañarme; el segundo, que los hombres de leyes sólo condenan los crímenes probados; mientras que Vuestra Majestad sabe que los asuntos de estado están gobernados por reglas muy diferentes a las leyes que aquí tienen.»[75]

Al cabo de un mes, el abrumador trabajo había obligado a Alba a alterar su edicto, permitiendo al tribunal condenar automáticamente a todos aquellos que hubieran firmado el *Compromise*, pero hasta el fin, la última palabra fue suya.

Todos estos recelos, que surgían, como sus problemas administrativos, de su indiscriminada desconfianza de los habitantes de los Países Bajos, quedaron desmentidos por los hechos. El tribunal se empeñó en su labor con ejemplar entusiasmo y, no obstante las quejas de Alba de que sus miembros encubrían los actos de sus compatriotas,[76] no se mostró ni independiente ni benigno. Dada la composición del grupo, era éste un resultado inevitable. Cinco de sus miembros eran del lugar: Noircarmes, Berlaymont, Jacob Hessels, y otros dos elegidos en consulta con Viglius, un hombre cuya aversión por los Mendigos y sus aliados calvinistas era bien conocida. De los restantes, Juan de Vargas era español, y Luis del Río, nacido en los Países Bajos pero de origen español. Del Río era una leal nulidad; tan sólo Vargas, de entre todos los miembros del tribunal, gozaba de la plena confianza del duque.[77] Ello es en sí mismo significativo, pues Vargas era, a decir de todos, un personaje dudoso. Antiguo oidor de la Cancillería de Valladolid, había dejado España perseguido por al menos tres graves pleitos judiciales, uno de los cuales le acusaba de haber violado a una pupila.[78] Además, no hablaba ni francés ni flamenco, lo cual le impedía entender los documentos que se presentaban al consejo y hacía necesario que las sesiones se celebraran en latín.[79] A pesar de todo ello, Alba confiaba en él ampliamente, intentó anular los pleitos en su contra,[80] e incluso le recomendó para un puesto en el Consejo de Estado de los Países Bajos81. Vargas debió comprender la función de los juicios políticos con una claridad digna de un señor.

Bajo la autoridad de este tribunal central se encontraban otros subordinados, que conducían investigaciones a nivel local y enviaban sus denuncias al de los Tumultos para que se tomaran las medidas pertinentes. Su número fue inicialmente reducido –a finales de 1567 sólo 15 habían sido designados–, pero aumentó con rapidez, hasta aproximadamente 170 a fines de 1569, dedicados a descubrir sediciones con la ayuda de vecinos malevolentes, amantes despreciados y descontentos rivales comerciales. Otros 23 fueron nombrados antes de que el tribunal clausurara sus archivos en 1567, pero al parecer éstos eran simples sustituciones.[82] Todos ellos estaban formados, claro está, por personas del país y, como el Tribunal de los Tumultos, realizaron su labor con energía. Se olvida en ocasiones que la sublevación de los Países Bajos exhibía muchas de las características de una guerra civil y que, como en toda comunidad, existían muchas cuentas por saldar. No obstante sus preocupaciones, el duque no careció nunca de personas nativas dispuestas a cooperar con entusiasmo con sus medidas más represivas.

La política seguida por este cuerpo había sido dictada por el duque en persona y era la sencillez misma. Los firmantes del *Compromise* debían ser ejecutados. Por lo demás, los edictos debían cumplirse al pie de la letra. En abril de 1568, Alba había decidido que sólo deseaba ver aquellos casos en que existiera evidencia de delitos no incluidos en los edictos.[83] Puesto que se había publicado una lluvia de estos edictos en años recientes, semejante decisión debió aligerar enormemente su tarea. Estaba muy necesitado del tiempo que así le quedó: no sólo estaba empezando a preparar su campaña contra el Príncipe de Orange, que había hecho su reaparición, sino que el primer goteo de denuncias se había convertido en una inundación. Los investigadores las presentaban generalmente en fajos, y en la semana precedente habían llegado 395 solamente de Ieper.[84]

Las confiscaciones eran un asunto más complejo y de gran importancia, pues Alba tenía presentes los enormes gastos en que habían incurrido sus expediciones. Los receptores de los bienes confiscados se designaban por regiones, pero surgieron problemas de inmediato. Los bienes de los condenados debían ser confiscados en su totalidad; ¿qué habría de hacerse, pues, con sus familias? Alba, mostrándose poco generoso, accedió a conceder a viudas y huérfanos una parte si corrían riesgo de morir de hambre, pero insistió en que, para evitar fraudes, se sometieran al tribunal sus nombres y se verificara su situación. Aquellos cuyos proveedores se hallaran en el exilio, no recibirían nada.[85] Estaba también el problema del dinero que ciertos gobiernos municipales debían a los condenados. El duque determinó que se pagara a la Corona, pero estipuló que la restitución se hiciera considerando caso por caso si se sospechaban irregularidades.[86] Habría de hacerse inventario de las armas confiscadas y enviar éstas a los arsenales de Amberes o Amsterdam, donde podrían ser utilizadas por el ejército o vendidas, y en cuanto a los barcos, debían desembarazarse de ellos a buen precio lo antes posible. Era una política dura y codiciosa, pero rindió beneficios. Las confiscaciones pueden haber proporcionado más de 45.000 florines, muy necesitados, en rentas anuales.[87]

Los resultados conseguidos con esta política representaron un auténtico reinado de terror, aunque no guarda relación alguna con el holocausto imaginado por posteriores historiadores y autores de panfletos.[88] Se condenó a un total de 8.957 personas entre 1567 y 1576, pero merced al éxodo general que precedió a la llegada de Alba, sólo se ejecutó a 1.083 y se desterró a 20.[89] Con todo, la impresión general debió ser aterradora, pues la gran mayoría de los casos se resolvieron en un período de cuatro años, y el mayor número de ejecuciones se realizó en 1568-1569. Esta concentración en los hechos, con sus adversos efectos sobre la opinión pública, fue una vez más consecuencia de la creencia de Alba en la inminente venida del rey. Pensaba que debía actuar con celeridad si había de hacer un lugar seguro de aquella tierra, y ordenar un máximo de confiscaciones antes de que se concediera un perdón general.[90]

Existía otro motivo más para aquella general impresión de terror indiscriminado. La mayoría de las personas ejecutadas eran artesanos, o gentes cuya posición en la sociedad era tan humilde que su ocupación no estaba registrada. Ello se debía parcialmente a que aquellos que podían permitirse marchar o se sabían irremediablemente comprometidos habían ya escapado hacía tiempo, y parcialmente a la dinámica interna de la organización del tribunal. Como vimos, Alba no tuvo nunca la intención de perseguir a los peces pequeños, pero las denuncias solicitadas por un Estado no son nunca monopolio de una sola clase. El agente que recibía una denuncia, aun si se refería al más insignificante desdichado del distrito, no tenía más opción que enviarla a Bruselas, pues si no lo hacía él y otra persona se ocupaba de ello, se vería peligrosamente comprometido. Además, existía siempre la expectativa de que pudiera lograrse un ascenso dando muestras de celo, de modo que el tribunal se vio inevitablemente inundado de denuncias, y difícilmente podía pasar por alto la evidencia de traición simplemente porque el autor fuera un desgraciado sin ocupación. Si las gentes tuvieron la sensación de que nadie estaba a salvo, puede que no les faltara razón.

Es difícil evitar la conclusión de que, si el Tribunal de Sangre no mereció del todo este nombre, no se debió a que escatimara esfuerzos para merecerlo. Posteriores persecuciones y masacres han oscurecido un tanto el horror que aquél supuso, pero en su momento causó gran conmoción, y su descripción en las páginas de historiadores holandeses como Hooft, Bor, Van Meteren y De Thou han dejado una impresión indeleble en épocas subsiguientes. El retrato que pinta Motley de Alba y su siniestro secuaz Vargas, condenando a miles de inocentes mientras su somnoliento Hessels musita *ad patibulum, ad patibulum* en el trasfondo, no será fácilmente olvidado por el lector de habla inglesa y, con la excepción de figuras excesivamente exageradas, no es ni tan siquiera realmente injusto.[91]

El tribunal ejecutó a más de mil personas, la mayoría de las cuales no representaban probablemente peligro manifiesto para nadie. Condenó a otros setecientos con la más leve pretensión de legalidad, y los habría ejecutado también de haber podido apresarlos. Alba organizó el tribunal, designó a sus miembros y revisó sus veredictos, interviniendo con impaciencia cuando quiera que alguno de ellos sufriera un momentáneo acceso de escrúpulos. Era en todos los sentidos un tribunal suyo, y lo dirigió del mismo modo que su administración: como extensión de su autoridad personal, sin dejar que le estorbaran las leyes, las costumbres o los procedimientos legales.

Es tentador calificarlo como el primer tribunal político y atribuir al duque todo el mérito de haber introducido uno de los rasgos más espantables del mundo moderno, pero supondría un serio anacronismo. En el pensar de Alba y de la mayoría de sus coetáneos, el tribunal tenía muchos precedentes en la antigüedad y la Edad Media. Era obligación del rey y de sus lugartenientes el sofocar la rebelión. Si los acontecimientos de 1566 constituían rebelión, y Alba así lo creía, sus actos no se diferenciaban mucho de los de Carlos V en Gante en 1540, o los de los Duques de Borgoña en numerosas ocasiones durante el siglo XV. La historia inglesa hasta la represión coetánea de la Rebelión del Norte por parte de Isabel I está repleta de ejemplos similares de la justicia real, algunos de ellos escasamente inferiores al de Alba en número de ejecuciones.[92]

¿Por qué se recuerdan, entonces, las persecuciones de Alba cuando aquellas otras ya hace mucho que han sido olvidadas? En primer lugar, el lado de Alba perdió. Los que él condenó se convirtieron en mártires fundadores de una nación nueva, y es sabido que la historia la escriben los vencedores. Aun para aquellos que no saben leer, está la inolvidable obra de Brueghel el Joven, *Matanza de los inocentes*, en que Alba, con larga barba bifurcada, mirada penetrante y ademán buitrero, observa mientras los soldados españoles matan a los niños de una apacible aldea.[93] En segundo lugar, la aparición de los Países Bajos como nación, como los acontecimientos que la precedieron de modo inmediato, tuvo dimensiones religiosas e incluso ideológicas. Esto ha quedado intrincadamente confundido con la cuestión puramente política de la autoridad real, a la que el tribunal estaba nominalmente asociado. Alba era consciente de ello en el momento, y las convicciones religiosas de algunos de los rebeldes sin duda fortalecieron su determinación, pero en nada alteró el carácter fundamentalmente tradicional de sus fines. El tribunal no tenía autoridad sobre los herejes, ni buscaba indagar en el sentir de sus presuntas víctimas. Estaba interesado en hechos, y aunque llega-

257

ría el momento de habérselas con la herejía, la tarea sería emprendida solamente por aquellos que podían legalmente definirla: el clero.

A ojos de sus contemporáneos, el verdadero defecto del tribunal era el mismo que el de la administración de Alba en general: su carácter era excesivamente personal, no estaba organizado siguiendo principios racionales y desdeñaba abiertamente el derecho vigente. Era, por consiguiente, injusto. Esto habría sido cierto aun si hubieran sido impecables sus juicios individuales, pero no lo fueron. Cuando llegó el momento de examinar los actos de Alba, este hecho inclinó la balanza contra él más fuertemente que ninguna otra cosa, pues el rey amaba la justicia tanto como su propia autoridad, e incluso en el caso de traidores, le costaba aceptar los juicios escasamente afinados de aquel que debió semejar un tribunal militar.

1. AA, caja 165, f. 27. AA, caja 159, contiene cuantiosos detalles sobre el plan.

2. P. D. Lagomarsino, «Court Factions and the Formulation of Spanish Policy towards the Netherlands, 1559-1567» (tesis doctoral, Cambridge, 1973), p. 271.

3. Nuncio a Allesandrino, 19 de diciembre de 1566, *CDS*, II, p. 29.

4. Alba, sin embargo, parece haber pensado que era una posibilidad real: véase AA, caja 160, f. 18.

5. Este documento, titulado «Los agravios hechos a 43 después salió nombrado aviendo acceptado El cargo de venir a Flandes», se encuentra en AA, caja 160, f. 18 («43» era el nombre en clave de Alba).

6. *Dépêches de M. de Fourquevaux*, ed. E. Douais (París, 1896-1904), I, p. 178 (febrero 13-15, 1567).

7. Alba a Felipe II, 27 de abril de 1567, *DIE*, 4, pp. 354-57.

8. La negativa de Felipe II a conceder la suma adicional se encuentra en AGS E149, f. 185; la orden de pago está en AGS CMC2a, f. 49. Una descripción de toda la transacción se encuentra en Geoffrey Parker, *The Army of Flanders and the Spanish Road, 1567-1659* (Cambridge, 1972), p. 108.

9. Alba a Eraso, 26 de abril de 1567, *DIE*, 4, pp. 349-50.

10. Luis Cabrera de Córdoba, *Felipe II, Rey de España* (1619) (Madrid, 1876-1877), I, pp. 525-26, y Antonio Ossorio, *Vida y hazañas de don Fernando Álvarez de Toledo, Duque de Alba*, ed. José López de Toro (Madrid, 1945), pp. 343-44.

11. Parker, 87; Bernardino de Mendoza, *Comentario de lo sucedido en las guerras de los Países Bajos* (BAE 28), p. 405, da el número de 8.780 soldados de infantería españoles, cinco compañías de caballería ligera española, tres de italianos, dos de albanos y dos de arcabuceros montados españoles.

12. Parker, p. 81.

13. Alba a Diego de Espinosa, 6 de mayo de 1567, *DIE*, 4, pp. 360-62.

14. Alba a Felipe II, 24 de mayo de 1567, *DIE*, 39, pp. 8-13.

15. Mendoza, 406.

16. Pierre Brantôme, *Les vies des grands capitaines*, en *Oeuvres complètes* (París, 1858), II, p. 162 y pp. 164-65.

17. Alba a Diego de Espinosa, 1 de junio de 1567, *EA*, pp. 646-47.

18. Alba a Margarita de Parma, 6 de junio de 1567, *CFMP*, III, pp. 285-86.

**19.** Alba a Espinosa, 1 de junio de 1567, *EA*, II, pp. 646-47.

**20.** Zayas a Alba, 30 de junio de 1567, AA, caja 56, f. 61.

**21.** Estos hechos fueron muy comentados. Su primera mención parece ser la contenida en Khevenhüller, *Historia de mi vida*, BN MS 2751. Véase también P. C. Bor, *Oorspronk, begin en vervolgh der Nederlandsche oorlogen* (Amsterdam, 1679), IV, p. 182, y P. C. Hooft, *Neederlandsche Histoorien sedert de ooverdraght der heerschappye von Kaiser Karl den Viffden op Philips zinjen zoon* (Amsterdam, 1641), IV, p. 150.

**22.** Margarita a Felipe II, 19 de julio de 1566, *CFMP*, II, p. 258.

**23.** Existían dos patentes originales: la primera, fechada el 1 de diciembre de 1566, se encuentra en *CPh*, II, p. 600. La segunda, fechada el 31 de enero de 1567, de encuentra en *CPh*, II, p. 619, con la versión española en *DIE*, 4, p. 388. Un tercer documento, en que se le conceden poderes extraordinarios en caso de presentarse la necesidad, está fechado el 1 de marzo de 1567, *CPh*, II, p. 626.

**24.** Margarita a Felipe II, 10 de abril de 1567, *CFMP*, I, pp. 334-35.

**25.** Alba a Espinosa, 11 de julio de 1567, *EA*, I, pp. 656-57.

**26.** Margarita a Felipe II, 29 de agosto de 1567, *CFMP*, I, pp. 409-11.

**27.** Aunque Geoffrey Parker tiene sin duda razón al afirmar que no se habían firmado penas de muerte por adelantado (*The Dutch Revolt* [Londres, 1977], p. 293, n. 30), la destrucción de Egmont y Hornes fue claramente premeditada.

**28.** *DIE*, 4, pp. 416-21.

**29.** Alba a Felipe II, 18 de septiembre de 1567, *DIE*, 4, pp. 444-48.

**30.** Las cartas de Alba al emperador y al Duque de Cleves se encuentran en *EA*, I, pp. 673-75 y pp. 681-83, respectivamente. El resultado de su larga indagación sobre la apelación de aquéllos a la Orden está en Alba a Felipe II, 19 de enero de 1568, *EA*, II, pp. 12-16.

**31.** Alba a Espinosa, 10 de septiembre de 1567, *EA*, I, 669.

**32.** Véanse las numerosas cartas en que Alba personalmente autoriza el paso de determinados artículos transportados tras imponer el embargo a las mercancías inglesas: AGRB, Audience, Liasse, 1697.[2]

**33.** Geoffrey Parker, «Corruption and Imperialism in the Spanish Netherlands: The Case of Francisco de Lixalde, 1567-1612», *Spain and the Netherlands*, 1559-1659 (Londres, 1979), p. 160.

**34.** Para un examen de esta cuestión de gran importancia, que evidentemente se veía complicada por la religión, véase A. W. Lovett, «Some Spanish Attitudes toward the Netherlands (1572-1578)», *TvG*, LXXXV (1972), pp. 17-30, y A. Th. van Deursen, «Holland's Experience of War during the Revolt of the Netherlands», *Britain and the Netherlands*, VI.

War adn Society, ed. A. C. Duke y C. A. Tamse (La Haya, 1977), pp. 21-23.

35. En fecha tan tardía como mayo de 1573, Alba aún sostenía que se necesitaban más españoles e italianos, y que era preciso deshacerse de «esta antigua secta de dogmáticos, el cabrón de los cuales es Viglius» (Alba a Felipe II, 15 de mayo de 1573, *EA*, III, pp. 399-401).

36. A. W. Lovett, «Francisco de Lixalde: A Spanish Paymaster in the Netherlands (1567-1577)», *TvG*, 84 (1971), pp. 14-23.

37. Parker, «Corruption», p. 256, n. 21.

38. El caso quedó finalmente cerrado en 1612 con el pago de 13.000 ducados por parte de los herederos de Lixalde. El escándalo está tratado pormenorizadamente por Parker en «Corruption», pp. 152-61.

39. Hay algunos interesantes ejemplos en AA, caja 41, f. 128.

40. Zayas a Alba, 2 de septiembre de 1569, AA, caja 56, f. 71. Sin embargo, L. van der Essen sugiere que podría haber sido una especie de agente secreto al servicio de Margarita de Parma. Véase su «Rapport secret de Gerónimo de Curiel, facteur du roi d'Espagne à Anvers sur les marchands hérétiques», *Bulletin de la Comission Royale d'Histoire*, 80 (1911), p. 336.

41. BM, add. 28.702, ff. 261-62.

42. Parker, «Corruption», pp. 155-57.

43. Lixalde a Albornoz, 31 de agosto de 1573, AA, caja 41, f. 174.

44. AA, caja 41, ff. 179-784.

45. Lovett, «Lixalde», p. 17.

46. Requesens a Felipe II, 29 de diciembre de 1573, AGS E554, f. 166.

47. Alba a Antonio de Toledo, 23 de enero de 1571, *EA*, II, p. 503.

48. Estos informes se encuentran en AA, caja 41, ff. 113-37.

49. Albornoz a Zayas, 22 de octubre de 1569, AGS E541, f. 158.

50. Véase, por ejemplo, *CSP-Roman*, I, pp. 450-51.

51. Parker, *Army of Flanders*, p. 114.

52. Albornoz a la Duquesa de Alba, 23 de diciembre de 1569, *EA*, II, pp. 299-300.

53. Hernando de Toledo a Zayas, 12 de febrero de 1570, AGS E544, ff. 111-12.

54. Albornoz a Zayas, 31 de octubre de 1569, AGS E541, f. 161.

55. Parker, «Corruption», p. 153.

56. AGS E544, f. 112.

57. Parker, Army of Flanders, p. 170.

58. Véanse las «Instrucciones secretas» reproducidas en A. L. E. Verheyden, *Le Conseil des Troubles: liste des condamnés* (Bruselas, 1961), p. 508.

**59.** Alba a Felipe II, 6 de enero de 1567, *DIE*, 37, pp. 82-85.

**60.** J. L. Motley, *The Rise of the Dutch Republic* (Londres, 1886), II, pp. 147-48, otorga gran importancia a esto, pero es posible que fueran los soldados los que les dieran los nombres, de modo muy similar a como llegaron a adquirir nombres las piezas de artillería.

**61.** Para una ilustración de la ciudadela, véase el mapa de Amberes en grabado de Pauwles van Overbeke, 1568 (Amberes: Stedelijk Prentenkabinet), y los grabados de Frans Hogenburg en la Bibliothèque Royale, Bruselas. Hay también un dibujo en algunas copias de *CPh*, II.

**62.** Alba a Felipe II, 3 de junio, *DIE*, 38, pp. 120-22.

**63.** Los vitriólicos comentarios de Alba sobre este asunto se encuentran en *EA*, II, pp. 17-20, y *DIE*, 37, pp. 378-83.

**64.** Alba a Felipe II, 12 de septiembre de 1569, *DIE*, 38, pp. 182-86.

**65.** *CSP-Foreign*, VIII, 395.

**66.** El informe de Alba sobre esta cuestión se encuentra en *DIE*, 39, pp. 186-87.

**67.** Margarita de Parma calculaba que habían huido más de 100.000, pero es seguramente una cifra exagerada (*CFMP*, I, pp. 411-14). Parker calcula la población total de las comunidades de exiliados más importantes de Inglaterra y Alemania en 1570 en 28.200 (*Dutch Revolt*, p. 119).

**68.** Alba a Felipe II, 13 de abril de 1568, *DIE*, 4, 485-96.

**69.** L. van der Essen, «Croisade contre les hérétiques ou guerre contre des rebelles», *Revue d'Histoire Ecclésiastique*, LI, núm. 1 (1656), pp. 42-78.

**70.** Alba a Diego de Espinosa, 10 de marzo de 1569, *EA*, II, pp. 180-81.

**71.** Brantôme, II, p. 173.

**72.** Véase, por ejemplo, Alba a Felipe II, 13 de septiembre de 1567, *DIE*, 4, pp. 425-27: «Entiendo que la tranquilidad de estos Estados no consiste en decapitar a hombres movidos por el credo de otros».

**73.** Alba a Felipe II, 2 de octubre de 1567, *DIE*, IV, pp. 451-60.

**74.** Lagomarsino (p. 285, n. 68) señala que se atribuye a Hopperus y Villavicencio el mérito de la idea, pero que también Alba tuvo desde fecha muy temprana una idea muy clara de lo que había de hacerse.

**75.** Alba a Felipe II, 9 de septiembre de 1567, *DIE*, 4, pp. 416-18. La traducción es de Motley (II, p. 134).

**76.** Alba a Felipe II, 24 de octubre de 1567, *EA*, I, pp. 693-98.

**77.** Alba a Felipe II, 13 de abril de 1568, *DIE*, 4, pp. 487-96.

**78.** *CPh*, II, 5, pp. 11-12.

**79.** Alba a Felipe II, 4 de octubre de 1567, *DIE*, 4, pp. 466-70.

**80.** Él afirmó que las partes implicadas «no estaban exentas de prejuicio» (Alba a Felipe II, 6 de enero de 1568, *DIE*, 37, pp. 80-81). Véase también Alba a Felipe II, 23 de junio de 1568, *DIE*, 37, pp. 285-90.

**81.** Alba a Felipe II, 1 septiembre de 1568, *DIE*, 37, pp. 378-83.

**82.** Las cifras pertenecen a Verheyden, pp. 3-13.

**83.** Alba a Felipe II, 13 de abril de 1568, *DIE*, 4, pp. 487-96.

**84.** Verheyden, 16.

**85.** Alba a Stalpaert (receptor de los bienes confiscados en Amsterdam), 6 de diciembre de 1568; Verheyden, pp. 538-39.

**86.** Stalpaert a Alba, 1569 (con comentarios al margen de Alba), en Verheyden, pp. 540-42.

**87.** Véase el cálculo de Albornoz (Albornoz a Zayas, 23 de enero de 1571, *EA*, II, pp. 498-503).

**88.** Véase W. S. Maltby, *The Black Legend in England* (Durham, N. C, 1971), p. 48.

**89.** Verheyden, xi, da las cifras de 12.203, 1.085 y 20, respectivamente. Dichas cifras fueron corregidas por M. Dierickx, «De lijst der veroordeelden door de Raad van Beroerten», *Revue Belge de Philologie et d'Histoire*, 40 (1962), pp. 415-22.

**90.** Alba a Felipe II, 13 de abril de 1568, *DIE*, 4, pp. 487-96.

**91.** Motley, II, p. 138.

**92.** Hubo, por ejemplo, más de 600 ejecutados por complicidad en la rebelión del Norte de 1569-1570 (E. Neale, *Queen Elizabeth I* [Londres, 1934], p. 189).

**93.** El cuadro se encuentra en el Palais de Beaux Arts, Bruselas. No debe confundirse con una obra anterior de Brueghel el Viejo, de la cual existen dos versiones, una en el Kunsthistrisches Museum, Viena, y la otra en Hampton Court. Siguiendo una vieja tradición, S. Ferber, «Pieter Brueghel and the Duke of Alba», Renaissance News, XIX (1966), 205-19, sostiene que en la segunda también aparece la figura de Alba, pero no responde adecuadamente a las objeciones de Ch. Terlinden, «Pierre Brueghel le Vieux et l'histoire», *Revue Belge d'Archéologie et d'Histoire de l'Art*, III (1942), pp. 250-51. Además, la figura central de dicho cuadro no se parece a Alba sino en la barba. La copia del hijo cambió la composición básica y muchos detalles. La figura central guarda una excelente semejanza con Alba según fue representado por Tiziano y Moro, y es probable que Brueghel el Joven estuviera utilizando una anterior concepción histórica para transmitir un mensaje político muy diferente.

A lo largo del invierno de 1567-68, Alba procedió como si su autoridad sobre los Países Bajos fuera incontestable, pero siempre fue celosamente consciente de que no era éste el caso. Al otro lado de la frontera alemana, en su castillo de Dillenburg, Guillermo de Orange preparaba su vuelta.

Como el más importante de los nobles en haber escapado a la red de Alba, Guillermo era el jefe evidente de toda potencial resistencia, pero como consecuencia de su cautelosa conducta en 1566, sus esfuerzos por organizarla fueron recibidos con recelos e indiferencia. Los calvinistas se mantenían, en el mejor de los casos, a cierta distancia; algunos de los más conocidos, como Philip Marnix, señor de Sainte-Aldegonde, se negaron rotundamente a respaldarle. Al parecer, creían que el levantamiento de 1566 habría triunfado de haber tenido el apoyo decidido de Orange, y tendían a considerar a éste como traidor a su causa.[1] Dado su papel en la supresión de los disturbios, su actitud es comprensible, pero lo cierto es que aquél no había abandonado nunca su oposición a las medidas de Felipe II.

Mayor entusiasmo mostró un grupo de nobles entre los que se encontraban su hermano Luis de Nassau, los condes de Culemburg y Hoogstraten y toda una serie de figuras menores. Aunque eran todos leales y aun fervientes defensores de la causa, formaban un grupo turbulento y desenfrenado, profundamente perturbador para los más sobrios elementos de la población, a quienes Orange deseaba ganarse. Uno de los mayores problemas era el de mantenerlos en los límites de la prudencia, mientras se procuraba estimular a unas gentes totalmente acobardadas por la rapidez y la severidad de la represión de Alba. Todavía había en los Países Bajos personas con la suficiente valentía para enviarle dinero, pero no existía una base de opinión discernible a su favor.

Hacia noviembre de 1567 se hizo evidente que tendría que buscar ayuda en otros puntos, y varios príncipes protestantes del imperio, entre ellos el Landgrave de Hesse, fueron invitados a Dillenburg para la celebración del nacimiento del hijo de Guillermo, Mauricio. Le felicitaron y le prestaron gran aliento verbal, pero muy poco en forma de ayuda tangible. Como era de esperar, el emperador permaneció reservado.

Fueron momentos de desaliento, pero el invierno acabó por producir algo más que el niño enfermizo cuyo genio militar fue tan decisivo en lograr la total independencia de España. Gradualmente, las contribuciones de los disidentes de los Países Bajos y de los hugonotes franceses fueron acumulándose, y con mayor celeridad de lo que cabía esperar se reunió un ejército en las proximidades de Colonia.

Alba conocía estos acontecimientos y tomó medidas para contrarrestarlos antes del año nuevo. Después que se hubieron capturado dos naves repletas de armas de Nijmegen destinadas a Orange, protestó ante el emperador. Se contrataron mercenarios en Alemania que fueron dirigidos a Luxemburgo bajo el mando de Mansfeldt, mientras se ordenaba a Aremberg, que había sido enviado para asistir a Carlos IX contra los hugonotes, que permaneciera en Cateau-Cambrésis hasta nuevo aviso. «Sería una mala burla», dijo el duque, «apagar el fuego de una casa vecina cuando la tuya está empezando a arder».[2] Los informes sobre la creciente actividad de los Mendigos del Bosque también le preocupaban. Estos partidarios rurales de Orange, los equivalentes en tierra a los famosos *gueux de la mer* o Mendigos del Mar, no habían sido eliminados totalmente, y cuando mataron a un sacerdote en Ypres, Alba manifestó su nerviosismo enviando a 900 hombres para apresarlos.[3] En marzo inquietaban al duque la escasez de dinero, el reforzamiento de las guarniciones desde Walcheren a Groninga y el proyecto de contratar a 6.000 suizos para complementar sus tropas.[4]

Sus temores estaban plenamente justificados. En abril, Orange acaudillaba unas fuerzas mucho más cuantiosas que las de Alba, y su plan, de ejecutarse adecuadamente, podía representar una grave amenaza para el régimen español. En esencia, se trataba de obligar a Alba a combatir en dos frentes. Un ejército, bajo el mando de Orange, invadiría la zona sur de los Países Bajos, cerca de Maastrich, y avanzaría hacia el Oeste para unirse a un contingente de hugonotes que estaban siendo reclutados en Francia. Un segundo ejército, bajo Luis de Nassau, pasaría simultáneamente a Groninga y Friesland desde los territorios del simpatizante Conde de Emden. Orange estaba casi seguro de que la población se movilizaría a su favor, pero aunque no fuera así, era difícil que Alba pudiera enfrentarse a semejante ataque concertado.

Desgraciadamente, Guillermo se vio pronto ante la disyuntiva de un dilema: su ejército, aunque numeroso, no había alcanzado todavía su plenitud de fuerza, ni tampoco le convencían sus medios de abastecimiento. Precavido en extremo, vacilaba en lanzarse a la contienda. Al mismo tiempo, no podía dejar pasar mucho tiempo de la probable temporada de campaña sin entrar en acción. Sus soldados no eran, en su mayoría, patriotas, sino mercenarios alemanes a los que había que pagar mensualmente so pena de que regresaran a sus hogares. Reunió una cuantiosa suma de dinero y aportó 100.000 florines de su propiedad, pero no bastaba para mantener a un ejército indisciplinado y cada vez más desmoralizado, acampado a lo largo de todo un interminable verano.[5]

Su solución al problema revela que, fuera cual fuera su talento político, Guillermo de Orange era, en el mejor de los casos, un soldado inexperto. Sacrificando el elemento de simultaneidad del cual dependía su plan, envió a su hermano Luis al Norte con unos 12.000 hombres, mientras despachaba una fuerza mucho más reducida bajo el mando de Hoogstraten hacia Maastrich. Su plan parece haber sido que Hoogstraten creara al mismo tiempo una diversión militar en pro de

Luis, y una cabeza de puente para que el propio Guillermo cruzara el Maas en fecha posterior, pero no se lograron ninguno de los dos objetivos. Hoogstraten cayó enfermo en la víspera de su marcha, guardándose con ello para un destino mucho más ignominioso.

El sucesor de Hoogstraten, Jean de Montigny, señor de Villiers, pasó la frontera el 20 de abril con sólo 3.000 hombres y sitió Roermond. Para su mortificación, el lugar se negó a rendirse. Puesto que ni él ni los sitiados disponían de artillería, intentó quemar las puertas, pero fue un recurso demasiado lento. Mientras, Alba había reaccionado con la velocidad del rayo. Percatándose de que se encontraba a su alcance una fuerza reducida y aislada, envió a Sancho de Londoño a combatirla, casi como quien mata una mosca. El ejército de Londoño, aunque era aún menor que el de Villiers, era una especie de cuerpo de élite. Formado por cinco compañías de veteranos españoles de infantería –tres de a caballo mandadas por Sancho Dávila– y un pequeño destacamento de piqueros alemanes conducidos por Eberstein, estaba comandado por hombres cuyos nombres, como el de Londoño, estaban ya empezando a ser legendarios.

Villiers, que hasta la semana previa había sido intendente general de Guillermo, no se paró a comprobar sus credenciales, sino que huyó hacia Erkelenz y desde allí, buscando quizá una posición más defendible, volvió hacia Dahlheim. Su movimiento fue prudente, pero no lo bastante rápido. Londoño le alcanzó entre Erkelenz y Dahlheim y en cuestión de momentos destruyó la mitad de sus fuerzas, incluida la totalidad de la dotación de caballería. Con lo que le quedaba, Villiers se replegó en orden hacia Dahlheim siguiendo un sendero angosto y duro y se atrincheró delante de la aldea. De poco le sirvió. La caballería española se vio obstaculizada por la dificultad de la ruta, pero al final no se precisó de ella. Con las cinco compañías de españoles, incluso superados en número por las tropas restantes de Villiers, Londoño capturó las trincheras en menos de media hora, dejando tan sólo un puñado de supervivientes que se refugiarían en Dahlheim con su capitán. También ellos fueron apresados. Villiers, que no era precisamente un héroe, comunicó todo lo que sabía sobre los planes de Orange a Londoño, el cual envió de inmediato la información a Bruselas. Había concluido la primera ofensiva del Sur. Los españoles habían perdido 20 hombres; los rebeldes, 3.000.[6]

La expedición de Villiers fue una inútil pérdida de buenos hombres y un comienzo intensamente desfavorable para una guerra de liberación. Siguió casi de inmediato al fracaso de un intento de asesinar a Alba, y estos dos desaciertos en el período de un mes probablemente desanimaron a algunos posibles partidarios de Orange. El abortado asesinato por sí sólo era ya suficiente para hacerle recapacitar. Un cuantioso y variado grupo de civiles y antiguos soldados había planeado reunirse en el bosque de Soigny, a la salida de Bruselas, y montar desde allí un ataque frontal contra la guardia de Alba. Bien cargados de vino, no uno solo sino varios de los conspiradores descubrieron la conjura, salvando con ello a sus compatriotas de una casi cierta aniquilación, pero el daño estaba ya hecho. Su cabecilla era, al parecer, un partidario de Egmont llamado Chiarlot, y puede ser que Orange no conociera sus designios, pero una vez más su capacidad quedó en entredicho.[7]

Las cosas iban mejor en el Norte, al menos en un principio. Luis de Nassau pasó a los Países Bajos el 24 de abril y tomó el castillo de Wedde, que pertenecía a Aremberg, el Estatúder de Groninga, leal al rey. Después estableció campamentos en Wedde, Dam y Slocheren y procuró incrementar sus fuerzas reclutando hombres entre la población local, gran parte de la cual era protestante. Alba, informado de sus movimientos por el lugarteniente de Aremberg, Zegher de Grosboeck, envió de inmediato a aquél con cinco de sus propias compañías y un pequeño cuerpo de caballería, todos los cuales debían unirse al Conde de Meghen, acompañado de una fuerza similar, en Arnhem. Ninguno de los dos debía intentar ninguna acción por separado. La intención de Alba era que ambos aguardaran la venida del tercio de Cerdeña, capitaneado por Gonzalo de Bracamonte, cuya llegada por mar era esperada en Harlingen.

Aremberg consiguió unir sus fuerzas a las de Bracamonte, pero, a causa de un breve amotinamiento debido a la paga de los soldados, Meghen se retrasó. Entretanto, el 22 de mayo

Aremberg y Bracamonte habían entrado en contacto con el enemigo cerca de Dam y, puesto que Meghen les había informado que llegaría al día siguiente, decidieron al parecer tomar la ofensiva. Desgraciadamente para ellos, Luis de Nassau se movió con desusada astucia. Hacia la medianoche abandonó el campamento de Dam y tomó posición a tres leguas de distancia, cerca del monasterio de Heiligerlee. Desde el punto de vista defensivo era una excelente decisión. Cuando Aremberg llegó a la mañana siguiente, encontró al enemigo resguardado en un pequeño promontorio rodeado de los pantanos, lagos y zanjas tan característicos de esta anegada región. Prudentemente, optó por no intentar nada más ambicioso que una o dos escaramuzas mientras aguardaba la aparición de Meghen.

En este caso le traicionó el celebrado ardor bélico de los españoles. Envalentonados por la aparente retirada de Luis la noche anterior, no hubo modo de contenerlos cuando una tropa de escaramuzadores, al parecer de modo premeditado, huyó hacia los cuadros centrales del ejército rebelde. Incitado por las acusaciones de cobardía de los soldados e incluso de Bracamonte, que debió ser más avisado, «cedió al humor bravucón de sus soldados, que no sabía aún, como Alba, moderar o despreciar».[8] Permitió a los españoles que se lanzaran hacia delante; pronto se vieron atrapados en las pozas profundas y cubiertas de impurezas de una turbera, y fueron sacados de allí con toda tranquilidad por los mosqueteros de Luis, y finalmente acabados en su totalidad por sus piqueros.

Con la vanguardia destruida, fue relativamente fácil deshacerse del resto. Luis había ocultado una parte de sus fuerzas tras los flancos de la elevación en que estaba situado el grueso de su ejército. Cuando la retaguardia de Aremberg avanzó en socorro de sus compañeros, quedó rodeado y casi instantáneamente exterminado por dicho contingente, y el mismo Aremberg pereció en un combate cuerpo a cuerpo frente a una desventaja insuperable. Cuando Meghen llegó todo había concluido y nada pudo hacer sino refugiarse en Groninga.[9]

La batalla de Heiligerlee fue una estimable victoria para los partidarios de Orange, pero en realidad no consiguió gran cosa. Alba, cuando se enteró de ella, se enfureció. En su informe al rey lamentaba la muerte de Aremberg como una gran pérdida, pero añadía que debió haber sido capaz de desoír la insensatez de sus hombres. En cuanto a éstos, ordenó a Meghen que les impidiera protegerse en Groninga, «no sólo por su impúdica huida», sino porque al ser capturados habían hecho el juramento de no combatir contra Luis durante tres meses.[10] Esto último era práctica común en las guerras del siglo XVI, pero el duque había ya fijado su fatídica mirada en el tercio de Cerdeña por lo que él consideraba su falta de disciplina en la marcha hacia el Norte. Los días de esta unidad estaban contados.

Era evidente que debía hacerse cargo de la situación personalmente, pero antes había otras cuestiones cuya solución había sido ya mucho tiempo diferida. Los esfuerzos del invierno precedente habían producido una rica cosecha de prisioneros nobles, todos los cuales podrían, en circunstancias críticas, representar un peligro para la autoridad real. Alba creía que la situación era propicia, pero no había hombre que mejor supiera ponderar la incertidumbre de la guerra. Si la perdiera, o incluso si la ganara, pero fuera muerto por una bala perdida o un accidente, los problemas de su sucesor se verían enormemente acrecentados por la presencia de hombres tan generalmente considerados como héroes populares. Sus responsabilidades eran claras. El 28 de mayo publicó un edicto de destierro contra Orange, Luis de Nassau, Hoogstraten y el resto de los nobles que habían huido el año anterior. El 1 de junio otros 18 nobles, cuyas condenas se habían conseguido del Tribunal de los Tumultos, fueron ejecutados en el Mercado de Caballos de Bruselas, y en la tarde del 5, ante una multitud sollozante, perecieron también bajo la espada del verdugo los condes Egmont y Hornes en la Gran Plaza.

Su ejecución produjo un escalofrío de horror en toda Europa. La conmoción no se debió tan sólo al elevado rango y antiguos servicios de las víctimas, sino a que eran casi con certeza inocentes, en el sentido legal, de delito alguno. En el peor de los casos, habían hecho poco más que jugar a la revolución, protestando contra el orden nuevo, pero fueron contrarios a abjurar de su lealtad o tomar las armas contra el rey.

Careciendo de la inteligencia de Guillermo de Orange, habían juzgado mal el talante de Felipe II, y pagaron su ceguera con sus vidas. Pero en cierto sentido, también Alba y Felipe II tuvieron que pagar. Parece probable, con la claridad que da la visión retrospectiva, que aquellos dos hombres podían haber sido recobrados para la Corona con poca dificultad. Por el contrario, su asesinato legal no consiguió sino convencer a muchos otros de que ningún hombre estaba a salvo, y de que Felipe II era sin duda un tirano en el sentido clásico: vengativo, caprichoso e innecesariamente cruel.[11]

De modo irónico, esa impresión tan sólo difería ligeramente de la que el rey y Alba intentaban crear. Querían demostrar a la nobleza que nadie estaba fuera de su alcance, y Alba se mostró claramente complacido por el pánico ocasionado por los arrestos.[12] Los detenidos eran, después de todo, amigos de Orange y los defensores más prominentes, si no precisamente los más entusiastas, de la causa noble. Habían sido, además, increíblemente indiscretos, según parece. Como escribía Alba con respecto a los papeles de Hornes, «no hay casi ninguna cosa que no hayamos descubierto».[13] Durante meses enteros sus agentes habían estado reuniendo datos, y la evidencia así acumulada era, según el amplio criterio del Tribunal de los Tumultos, suficiente para condenarlos varias veces.[14] Sin duda, no habría sido aceptable en un tribunal ordinario, pero esto, como había ya observado Alba, era irrelevante. El mayor problema era el relativo a su calidad de miembros de la Orden del Toisón de Oro. Según su reglamento, sus integrantes sólo podían ser juzgados por sus pares. Felipe II había proporcionado a Alba, precavidamente, una cédula para circunvenir este requisito,[15] pero el duque cuidó, sin embargo, de buscar precedente, particularmente en casos de *crimen lesae maiestatis*.[16]

Todo ello precisó de tiempo, pero hacia mediados de abril, Alba había informado al rey de que estaba dispuesto para dictar sentencia. Como no le pareció apropiado hacerlo durante la Semana Santa, y era sensible a la acusación de que impartía «la justicia de Peralvilla» (un pueblo de La Mancha donde la Hermandad local era proverbialmente dada a los linchamientos sumarios), había decidido atrasarla.[17] Después ya no hubo más tiempo. El 3 de junio los prisioneros fueron conducidos con numerosa guardia desde sus aposentos en la ciudadela de Gante, y alojados en el Broodhuis, la casa gremial de los ballesteros, situada frente a la Gran Plaza. Al día siguiente Alba examinó los documentos presentados por el Tribunal de los Tumultos y, declarando que éstos demostraban la participación de los hombres en las conspiraciones de Orange, los condenó a muerte. Poco después de las cinco de la tarde siguiente, Egmont murió como había vivido, con coraje, elegancia y una esencial incomprensión. La conmovedora carta que escribió a Felipe II en la mañana de su ejecución revela no sólo su lealtad, sino también su auténtica confusión sobre el porqué de la terrible muerte que iba a acaecerle. Cuando cayó la espada, el duque, en el balcón del Hotel de Jassy, lloró —y bien podía,[18] pues aún recordaba sus cacerías y juegos con Egmont en días más felices, y si recordaba también que Egmont procuró al rey la gran victoria de San Quintín, no pudo dejar de reflexionar sobre la gratitud de los príncipes.[19] Poco después, el rígido Conde de Hornes se enfrentó a su muerte con igual compostura, y la multitud, llorando y maldiciendo, se acercó a mojar sus pañuelos en la sangre de los mártires.[20]

Estas últimas acciones tuvieron que serle extremadamente ingratas al duque, pues los paralelos entre la vida del propio Alba y la de Egmont eran excesivamente patentes para no verlos; pero el hombre que años antes se había negado a detener una marcha por la muerte de su hijo primogénito, sólo se demoró el tiempo necesario para completar sus preparativos antes de salir para combatir contra el victorioso Luis de Nassau. Entre sus disposiciones finales se encontraba una carta en interés de la viuda de Egmont que merece citarse:

«Siento gran compasión por la Condesa de Egmont y la pobre gente que deja. Ruego a Vuestra Majestad se apiade de ellos y les haga una merced con la cual puedan sustentarse, pues con la dote de la Condesa no tienen suficiente para alimentarse un año, y Vuestra Majestad me perdonará por dar mi opinión antes de que se me ordene hacerlo. La condesa es aquí considerada como una santa, y es cierto que desde que su marido fue encarcelado ha habido pocas noches en que ella y sus hijas no hayan salido tapadas y descalzas a visitar muchos lugares de devoción de esta ciudad, y antes de ahora tenía una buena fama, y Vuestra Majestad no puede de ninguna manera del mundo, dada su virtud y devoción, dejar de darle algo de comer a ella y sus hijos.»[21]

Finalmente, el 25 de junio, Alba salió de Bruselas para reunirse con el tercio de Nápoles en Mechelen. Deteniéndose tan sólo lo suficiente para ahorcar a un soldado por desobedecer órdenes, se dirigió a Amberes, principalmente para comprobar que todo iba bien en su ciudadela, y llegó a s' Hertogenbosch el 2 de julio.

Ante él se encontraba la Línea del Agua, el sistema formado por tres grandes ríos que iba a ser un factor tan decisivo en las campañas de los años 1580. Entonces carecía de defensas y era un simple problema de logística que Alba resolvió en modo característico. Envió a su hijo don Hernando y a Francisco de Ibarra por delante, con una compañía de caballería ligera, para ver de proveerse de barcas y reparar los puentes. Como en 1567, se establecieron *étapes* a lo largo de las diversas líneas de marcha. Las fuerzas fueron después divididas y se ordenó el cruce del Rin, el Maas y el Waal por puntos muy separados para impedir la inevitable confusión que produce el que un gran número de hombres se reúna en un solo paso. Desde allí debían proceder a Deventer para una revisión general que tendría lugar el 10 de julio. El que se hallaran todos presentes y se diera razón de todos en el día señalado es, en sí mismo, casi un milagro de planificación y disciplina. Quince mil hombres, con su bagaje e impedimenta, habían cubierto un promedio superior a las 70 millas y habían cruzado tres grandes ríos en menos de una semana.[22]

Desde Deventer la marcha siguió la ruta tomada por Aremberg hacía casi dos meses. El 14 de julio el duque se hallaba en Rolde, a «tres largas leguas» de Groninga, y sin una idea clara de la posición o las intenciones del enemigo, gracias al hostil silencio del campesinado. Pronto supo que Luis había establecido su campamento en la linde norte de Groninga, y al día siguiente condujo a sus tropas a través del centro de la ciudad sin detenerse. Se proponía ofrecer a las huestes rebeldes un anticipo de la suerte que les esperaba.

Siguiendo su costumbre, el duque dirigió en persona el reconocimiento. Pronto descubrió que Luis estaba atrincherado en la orilla opuesta del canal Groninga-Dam. Un ancho puente de madera cruzaba la corriente, defendido por una casa de ladrillo que había sido fortificada y provista de combustibles para el caso de que el puente hubiera de ser destruido. Al parecer, Luis sabía, como Alba observó más tarde en su informe al rey, que se trataba de un buen puente, pero «tan útil para el uno como para el otro».[23]

La tarde era cálida y bochornosa, y era ya casi medianoche cuando las repetidas provocaciones de 1.500 escaramuceros españoles lograron hacer salir a los renuentes rebeldes de sus posiciones. Los hombres de Luis, que se encontraban en estado próximo al amotinamiento por las consabidas cuestiones de sus sueldos desde la victoria de Heiligerlee, mostraban escasa inclinación a arriesgarse frente a los veteranos de Alba. Como resultado, Gaspar Robles y sus tropas valonas consiguieron con poca resistencia tomar otra casa fortificada en el flanco izquierdo del enemigo. Finalmente, hacia las seis de la tarde, Alba resolvió hacerlos salir con un fingido ataque al puente. El ardid tuvo mayor éxito de lo esperado. Un nutrido cuerpo avanzó con ímpetu para proteger aquel decisivo punto, pero fue recibido con tan feroz contraataque que, atemorizado, huyó hacia su campamento, sembrando el terror a su paso. El duque, que había contenido cautamente a sus hombres durante aquella larga tarde, dejó entonces salir a Chiappino Vitelli y sus 2.000 españoles en su persecución. A pesar de que las tropas en retirada habían conservado la suficiente presencia de ánimo para quemar el puente, de poco les sirvió. Los españoles se abalanzaron a través del armazón en llamas y se lanzaron a la persecución con las ropas y las barbas ardiendo. Otros simplemente cruzaron el canal a nado, algunos asidos a la cola de sus caballos y aguijoneándolos con las lanzas. Ante semejante visión, el enemigo no realizó intento alguno por retener sus previstas posiciones, y los españoles les dieron caza a voluntad durante varias horas. Eran las diez de la noche antes de que Vitelli pudiera reunir a sus hombres y hacerlos regresar al campamento.

La victoria fue alentadora, pero no fue ni total ni, a la larga, significativa, excepto quizá como presagio de hechos venideros. Luis había perdido más de 300 hombres frente a los 10 de los españoles, pero consiguió reagruparlos y trasladarse hacia el Este. Alba, complacido pero no menos precavido que anteriormente, regresó a Groninga y empezó a hacer planes para su seguimiento. Durante la noche fue reconstruido el puente quemado, y a la mañana siguiente Vitelli y sus 2.000 arcabuceros fueron enviados por delante para seguir los movimientos de los esquivos rebeldes y hostigarlos a ser posible. Alba salió después con la mayor parte de los españoles en la vanguardia, con valones y alemanes en la retaguardia. Dejó 1.500 hombres enviados por el Duque de Brunswick como guarnición de Groninga, junto a un pequeño número de infantería alemana, pues había concluido que en un terreno empantanado como aquél, la caballería supondría un gran impedimento a su avance. Pero un impedimento aún mayor era que no sabía exactamente qué dirección tomar. Parecía como si el ejército de Luis se hubiera esfumado en las brumas matutinas que cubrían aquel paisaje desolado de pantanos y tremedales. Cuando una tropa de arcabuceros montados lo localizó al fin en las orillas del río Ems, Alba avanzó hacia el Este con cautela, pasando por Heiligerlee y Wedde y llegando en la tarde del 20 de julio a Rhede, en lo que es actualmente Alemania.

Fue aquí donde el duque descubrió en parte lo que debió parecer una milagrosa buena fortuna. Rhede, o Reyden (como se denomina en holandés), es un lugar pequeño y por lo demás insignificante, pero en aquellos días poseía el mérito de ser el punto más extremo del Norte que disponía de un puente para cruzar el Ems. Era, en efecto, el único sitio en que Luis tendría la posibilidad de pasar a territorio imperial, y no sólo no lo había hecho, sino que ni siquiera se había tomado la molestia de guarnecerlo frente a una eventual retirada. Los españoles se quedaron mudos de asombro ante semejante error estratégico. Cuando descubrieron la localización de los rebeldes, el asombro pasó a alborozo. Luis de Nassau había llevado a sus hombres a una trampa de la cual no había escapatoria.

La aldea de Jemmingen, hoy llamada Jemgun, se encuentra en la orilla occidental del Ems, aproximadamente a 25 kilóme-

276

tros al norte de Rhede y a unos cinco río abajo de la actual ciudad de Leer. El río es en este punto un estuario de mareas que corre, describiendo una amplia curva hacia el Noroeste, hasta encontrarse con el Dolland. Jemmingen está situada, por consiguiente, en una península con el Dolland al Oeste y el Ems al Norte y el Este. En palabras de Alba, Luis había colocado su ejército «en el fondo de un saco».[24]

Los motivos de este error suicida no son claros. Nadie ha pensado nunca que Luis fuera un genio, pero era un comandante experimentado que debía estar por encima de semejante error de principiante. La única respuesta concebible es que deseara situar a sus inquietas tropas en una posición donde tuvieran que luchar o morir. Llevaban mucho tiempo sin recibir sus sueldos, y aun encontrándose, como ocurría, casi literalmente entre el infierno y el mar, eran perfectamente capaces de amenazar con el amotinamiento y la deserción hasta el momento mismo de entrar en acción. Obstinado, valeroso y no excesivamente prudente, su capitán debió pensar que este acto desesperado era su única oportunidad para sostener el frente del Norte y proporcionar la diversión de fuerzas que necesitaría su hermano, el cual, por increíble que parezca, seguía en Alemania. Fueran cuales fueran sus razones, Luis había atrincherado a 10.000 hombres de infantería en dos grandes zonas cuadradas, con Jemmingen a la espalda y las hondas y vivas corrientes del Ems a su izquierda. Su reducida caballería se encontraba estacionada a la derecha, y el estrecho camino que formaba la única entrada a su campamento estaba guardado por dos revellines repletos de arcabuceros, y cinco piezas de artillería. La única posibilidad de supervivencia que le quedaba a Luis residía en explotar el carácter del terreno, pero incluso en esto, aunque era consciente de sus posibilidades, se mostró fatalmente vacilante. La región que circunda Jeringuen está cruzada por doquier por zanjas y canales de desagüe. Dado que el terreno es bajo, son necesarias compuertas de esclusas para evitar la entrada del mar en marea alta, y Luis esperaba beneficiarse de ello abriendo las esclusas e inundando la zona que rodeaba su campamento. Su desgracia fue que no empezara a hacerlo hasta la mañana del 21 de julio, y por entonces ya tenía encima a los españoles.

La noticia de que Luis proyectaba inundar la región no permitía demoras. A primera hora de la mañana del 21, Alba salió de Rhede hacia Jemmingen bajo una densa niebla que se disipó al progresar el día. En su avance, tuvo cuidado de cerrar toda posible vía por la cual pudieran escapar los soldados del enemigo. El decisivo puente de Rhede fue fortificado y dotado de una guarnición de alemanes, y se situaron arcabuceros en todos los puentes, aldeas y otros puntos estratégicos de la vecindad. Iba a ser una masacre, no una batalla.

A pesar de tantos preliminares, el duque y un puñado de fieles había llegado a la vista del campamento enemigo hacia las ocho de la mañana. La vanguardia española se encontraba aún a dos horas de distancia. Para el duque, la espera debió de ser un verdadero suplicio, pues los rebeldes estaban ya destruyendo las esclusas y el agua subía rápidamente en determinadas zonas. Pero cuando al fin llegaron 1.500 arcabuceros y un destacamento de voluntarios nobles, o «particulares», no tuvieron grandes dificultades para hacer retroceder a los hombres de Luis hacia sus campamentos. Luis, como era de esperar, contraatacó con todas sus fuerzas, pero los españoles resistieron hasta que aparecieron los refuerzos y rechazaron a los rebeldes por segunda vez.

Fue en este momento cuando Alba decidió, al parecer, emplear una variante del plan que tan útil le había sido en Groninga. Además de ser muy adecuado para utilizarse con tropas de disciplina deficiente, concordaba con el hecho de que sus propias fuerzas se encontraban extendidas a lo largo de la carretera de Rhede, y no se hallarían reunidas como ejército hasta mucho más avanzado el día. En consecuencia, trasladó al mismo destacamento que había salvado las esclusas más cerca del enemigo, esperando enzarzarle en escaramuzas de creciente intensidad. Los hombres de Luis se mostraron, en un principio, lógicamente cautos, pero al avanzar el día y no hacer su aparición el grueso de las fuerzas españolas, fueron perdiendo su cautela. Ésta era precisamente, desde luego, la intención del duque. Hacia mediodía había llegado la mayor parte de sus destacamentos, pero según iban llegando los situaba hacia la derecha del elevado camino, donde los numerosos diques les ocultaban del campamento enemigo. Entre tanto, las escaramuzas se intensificaron. Londoño y Julián Romero, viéndose ya en apuros, solicitaron refuerzos repetidamente. El duque, que por razones psicológicas no les había hecho saber sus intenciones, rehusó una y otra vez. Finalmente, tras haber enviado una partida de reconocimiento en barcas que, naturalmente, no logró localizar a los españoles, ocultos por los diques, Luis concluyó que el grueso del ejército español no había llegado y que sería posible salir si lanzaba un ataque vigoroso.

Era el momento para el que Alba se había preparado durante todo el día, y se produjo justo a tiempo. Cada vez más nervioso por las aguas que se elevaban y la aparición de nubes que presagiaban lluvia, el duque aumentaba la presión con la esperanza de hacer salir a Luis antes de que se viera obligado a combatir en un elemento para el cual, careciendo de barcas, no se hallaba preparado. Cuando a la una y media Luis y sus hombres avanzaron con toda pompa, debió parecerle que sus ruegos habían sido escuchados. La conclusión era inevitable. Descubriendo españoles en toda clase de puntos imprevistos, el ejército enemigo dio la vuelta y huyó antes de haber marchado 300 yardas. Una vez más, como en Groninga, fue perseguido por los españoles, que arrasaron sus trincheras y revellines, volvieron contra él su propia artillería y le dieron caza por todo el campamento, la aldea y los campos hasta que no quedó otra opción que lanzarse al Ems en un intento desesperado de escapar.

Hay pocas derrotas que hayan sido tan completas y seguidas por una matanza tan generalizada. Durante toda aquella prolongada tarde, los restos del ejército de Luis fueron acosados como fieras. Los que huyeron a una isla del río fueron rastreados hasta allí a la mañana siguiente en marea baja, y matados. Se calcula que 7.000 hombres perdieron la vida. El resultado de la batalla se conoció casi de inmediato cuando los ciudadanos de Emden vieron los sombreros de los vencidos flotando por cientos hacia el mar. Los cálculos de las bajas españolas, por otra parte, eran de entre 60 y 80. Luis de Nassau, tras intentar reunir a sus hombres valerosamente, escapó nadando hasta que fue recogido por un bote y puesto a salvo.[25]

Como Mühlberg, Jemmingen fue más una cacería que una batalla. El duque se había arriesgado a un ataque frontal tan sólo porque su enemigo se encontraba en tan gran desventaja que la victoria era segura. Se consideró como un gran triunfo, pero Alba, siempre atento a una perspectiva más amplia, sabía que era improbable que la segunda fase de la campaña fuera igualmente fácil. Se retiró apresuradamente a Groninga y empezó sus preparativos, no sabiendo, y acaso incapaz de creer, que Guillermo esperaría hasta septiembre para realizar su próximo movimiento.

Había mucho que hacer. El tercio de Cerdeña había consumado su historial de iniquidad desahogando su decepción por lo ocurrido en Heiligerlee sobre la población civil de Jemmingen. Puesto que los hombres implicados en ello eran un simple remanente de la fuerza original, y la unidad había tenido serios problemas de disciplina desde la salida de Italia, Alba resolvió sencillamente disolverla y distribuir sus restantes fuerzas entre otros tercios.[26] Existía también el problema general de la seguridad en el Norte. El 27 de junio el rey ordenó a Alba la toma de Emden, si podía hacerlo sin ofender al emperador. «Durante más de cuarenta años ha sido otra Ginebra y el recipiente de herejes de Frisia, Holanda y otras partes de mis estados».[27] Mientras siguiera libre sería un punto donde se fraguarían invasiones y ataques piráticos, una predicción que se cumpliría cuando, en 1571, se convirtió, junto a Delfzijil, en base primordial de los Mendigos del Mar. Alba comprendía el peligro, pero no hizo otra cosa que ordenar la construcción de la ciudadela de Groninga. La orden del rey no le había llegado hasta que hubo salido hacia Utrecht y era, en cualquier caso, imposible obedecerla. Un ataque a Emden habría representado una pérdida de tiempo valioso y habría creado grandes problemas no sólo con el emperador, sino con un gran número de príncipes alemanes. Solamente la breve incursión de Alba en el territorio imperial de Jemmingen había levantado una tempestad diplomática que no había aún amainado cuando llegó la Navidad.[28]

Otra potencial fuente de dificultades eran los hugonotes. Mientras el duque marchaba hacia el Norte para enfrentarse a Luis, una fuerza de 2.500 hombres bajo el mando del señor de

Conqueville había entrado en la región de Hesdin, que lindaba con la frontera francesa. Había sido rechazada por el Conde de Roeulx, y exterminada casi hasta el último hombre por el católico gobernador francés de Picardía, el Mariscal de Cossé, pero las dimensiones totales de las fuerzas protestantes y el carácter de sus intenciones seguían siendo oscuros.[29] Por entonces incluso existían dudas con respecto a Guillermo de Orange. Ante la eventualidad de que pudiera utilizar su ejército para recuperar sus antiguas posesiones en el Franco Condado, Alba se vio obligado a enviar fondos a su gobernador, François de Vergy, con el fin de que contratara a suizos.[30]

El dinero, al menos, no era problema. Para Felipe II la posible invasión representaba un asalto personal a su autoridad real por parte de un súbdito desacreditado, si bien poderoso. Estaba, por consiguiente, dispuesto a gastar cuanto fuera necesario,[31] y ni Éboli ni todos los burócratas de España podrían haberle convencido de lo contrario. Se trataba de una situación novel y en cierto sentido determinó la estrategia de Alba, pero aún se encontraba superado en número por la horda que tomaba cuerpo en Alemania, y no quedaba ya tiempo para nuevos reclutamientos. Su escasez de caballería era particularmente crítica. Si, como parecía probable, Orange decidía atacar cerca de Maastrich para después avanzar hacia las grandes ciudades de Brabante, su superioridad en este sector le proporcionaría una clara ventaja en los campos abiertos y relativamente llanos. Cuando Alba comunicó estos temores al rey, éste le recomendó que no se preocupara: Dios intervendría a su favor.[32]

Pero en algunos momentos la ayuda de Dios parecía lejana. Guillermo seguía vacilante y, en el transcurso de unas semanas, la salud de Alba empezó a deteriorarse alarmantemente. A lo largo de todo el otoño de 1568 y hasta muy empezado el año siguiente, pasaría mucho tiempo en cama o en una litera, atacado por fiebres, diarrea y síntomas de gota. La naturaleza exacta de su enfermedad, o serie de enfermedades, no se puede diagnosticar a partir de las descripciones existentes, pero era motivo de inquietud para el duque y sus oficiales.

Afortunadamente, existía otra cara de la moneda en la situación. Tras mucho importunar, Alba había logrado al fin la liberación de Oran de su hijo Fadrique. El rey no había reducido el período de destierro, pero había concurrido finalmente en que el joven sería de mayor utilidad a su padre en los Países Bajos que comandando una plaza que, al menos temporalmente, se hallaba fuera de peligro. Fadrique llegó a Utrecht poco después de los sucesos de Jemmingen, y le fueron concedidos de inmediato dos compañías de arcabuceros y una guardia personal. Para mal disimulado horror de Felipe II, pronto se le otorgó también el mando de toda la infantería.[33] Dicho nombramiento procuró mucha munición a los enemigos de Alba en la corte y era, en realidad, del todo injustificable dada la falta de experiencia del joven. No obstante, Alba estaba convencido de que el riesgo merecía la pena. Fadrique estaba muy necesitado de hacerse un nombre a base de motivos que no fueran las intrigas y los infortunios matrimoniales. Necesitaba también recuperar el favor regio. ¿Qué mejor modo de lograrlo que procurándole un papel importante en una campaña que, a pesar de las preocupaciones de Alba, se esperaba acabar con fortuna? Las circunstancias eran especialmente propicias, porque el hijo actuaría bajo la mirada benévola y la protección del padre, en lugar de bajo el mando de alguien que acaso no estuviera dispuesto a ocultar sus errores.

En privado, Alba parece haber dudado de la capacidad de su hijo. A sus 31 años, Fadrique no era ni un necio ni, como demostrarían los hechos, un mal soldado. Carecía del inquieto ingenio que su padre prestaba a la guerra, la constante y agresiva búsqueda de oportunidades ocultas, pero ése era el caso de prácticamente todos los demás. El verdadero problema parece haber residido en un oscuro defecto de carácter, un fallo en su capacidad de discernimiento, quizá, o incluso simplemente en su mala suerte. Fadrique era uno de esos hombres a quienes las cosas no acaban nunca de irles bien. Alba era consciente de ello, y también lo era el rey, pero los motivos sólo pueden ser objeto de conjetura. Su padre era, desde luego, una figura abrumadora. Pudiera ser que el hijo de un hombre que era capaz de intimidar al rey tuviera dificultades para confiar en su propio juicio o prescindir del peso agobiante de su herencia. Sea como fuere, su llegada a Utrecht proporcionó a su padre una inmejorable oportunidad. Si su actuación era poco brillante, podía concedérsele una proporción exagerada del mérito.

Existían otras razones de satisfacción. Guillermo había tenido la gentileza de permanecer en Alemania durante un mes y medio tras la acción de Jemmingen. De haber iniciado sus operaciones de inmediato, las consecuencias habrían sido probablemente desconcertantes. Aún más, el duque confiaba en que su ejército, aunque reducido, era mejor que el de su adversario, y él mismo mejor general. En la tarde anterior a su salida de campaña, Alba escribía al rey: «Siempre atenderé a las mayores necesidades y buscaré las ocasiones en que demostrar que pocos hombres pueden algunas veces producir grandes efectos».[34] Era tanto una predicción como la clave de su estrategia.

El 11 de septiembre, Guillermo cruzó el Rin y avanzó hacia la frontera. Alba le esperaba. Previendo que Maastrich o Roermond serían nuevamente los objetivos más probables, había permanecido en Maastrich dos semanas con 5.500 hombres de a caballo y 15.000 de infantería.[35] El ejército de Orange era considerablemente mayor: aproximadamente 9.000 de caballería y más de 20.000 a pie.[36] Durante casi quince días se movieron por la orilla oriental del Maas buscando un punto donde cruzarlo. Guillermo solicitó permiso para cruzar los territorios de Lieja, pero el obispo se lo denegó. Finalmente, en la noche del 6 de octubre, con luna llena, Orange giró repentinamente y vadeó el Maas cerca del castillo de Stokhem, con la caballería situada en la parte alta del río para quebrar la fuerza de la corriente, mientras la infantería cruzaba con el agua hasta el cuello. A las pocas horas le fue enviado un heraldo para requerir que se intercambiaran prisioneros, en lugar de ejecutarlos, en la próxima campaña. Halló éste a Alba acampado, mostrando cierta afición por los paralelos históricos, en Keiserslagen, la antigua Catrum Caesaris, donde Julio Cesar había establecido su cuartel general de operaciones en la antigüedad,[37] pero no logró entregar su mensaje. Bajo las leyes de la guerra, según se entendían en la época, los rebeldes no gozaban de los derechos otorgados a un combatiente ordinario. Alba hizo que le arrastraran de su caballo y le ahorcó en el momento.[38] Las esperanzas de éxito de Guillermo dependían de poder iniciar la batalla tan pronto como fuera posible. Aunque disponía de una considerable superioridad numérica, el tiempo jugaba a favor de su adversario. Es sabido que la disciplina y la paga regular ganaron más campañas que las batallas campales, y Alba fue de los primeros en incorporar este factor a su estrategia. Hacía más de veinte años, en la campaña del Danubio, se había limitado a seguir los movimientos de los príncipes de la Liga Smalkalda hasta que su ejército se disgregó en desorden, y pronto comprendió que la actual situación no era totalmente distinta. Sabía que los mercenarios de Orange serían cada vez menos efectivos a medida que el otoño se convirtiera en invierno y la magra bolsa del príncipe se desgastara progresivamente. Si Orange era lo bastante avisado para buscar batalla, Alba debía evitarla por todos los medios. Como en 1546, perseguiría a su enemigo pisándole los talones, no perdiendo nunca contacto, pero replegándose si Orange dirigía un golpe hacia él. Dicha estrategia no sólo debilitaría al invasor, sino que virtualmente le impediría entrar en acción contra las grandes ciudades de Brabante. La posición relativamente expuesta de Bruselas, Mechelen y Lovaina nunca dejó de estar presente en el pensamiento de Alba, y estaba decidido a mantener a su enemigo en los campos abiertos, lejos de los ricos centros de población, con sus vastos recursos y su incierto talante político.[39]

Para poner en práctica su estrategia, el duque adoptó la innovación de viajar en la vanguardia con los zapadores. Así se hallaría en permanente contacto personal con el enemigo e informado de su posición. Si Guillermo acampaba o se mostraba beligerante, Alba podía tomar sus propias medidas y, puesto que los zapadores le acompañaban en la vanguardia, fortificarse sin demora. Sabía que en esta clase de guerra Guillermo contaría siempre con una ligera ventaja de tiempo, y quería que el grueso de su ejército pudiera situarse en una posición prevista en breve aviso. Para protegerse de la caballería y cubrir a sus arcabuceros en caso de que se tratara de un combate importante, llevaba consigo ciertos inventos recientes del ingeniero italiano Bartolomeo Campi. Eran éstos unos enrejados plegables de cuerda atados a fuertes armazones de madera, que podían tenderse en el suelo para enredar las patas de los caballos a galope.[40]

Puede que estas trampas no hubieran sido muy efectivas, pero la estrategia general logró sus objetivos. Es ello un tributo a la maestría de Alba en el arte de la guerra, pero ayudaron sin duda la indecisión de Guillermo y su relativa falta de experiencia militar. A pesar de que desde un principio procuró éste precipitar la batalla, se mostró totalmente incapaz de llevar al duque a una posición que pudiera otorgarle alguna esperanza de éxito. El 8 de octubre los dos ejércitos se encontraron cara a cara, por vez primera, en orden de batalla, cerca de la aldea de Eigenbilzem en las proximidades de Maastrich. Orange, al parecer creyendo su posición más débil que la de Alba, se retiró tras algunas escaramuzas inconexas y tomó Tongeren. En lugar de atacar, como Orange deseaba, Alba se trasladó hacia la parte oeste de la ciudad y acampó cerca de Borgloon en la carretera mayor a Bruselas. Resuelto a forzar un encuentro, Guillermo avanzó hacia él, pero el ladino duque abandonó su posición, describió un círculo en torno al cuerpo central de las fuerzas rebeldes y reocupó Tongeren, bloqueando así su línea más directa de retirada. Al menos en asuntos militares, Guillermo era extremadamente precavido. Su voluntad de combate se esfumó ante tal acción estratégica.[41] Se desplazó hacia la zona de Sint-Truiden y allí permaneció varios días en aparente perplejidad. Enterado de que un destacamento de hugonotes bajo el mando del señor de Genlis había penetrado en las Ardenas y marchaba hacia el Norte en su busca, decidió al fin continuar avanzando y reunirse con él en Wavre, a 27 kilómetros de Bruselas.

Entretanto, sus fuerzas empezaban a desintegrarse, como Alba había previsto. Ni los habitantes del campo ni las ciudades estaban dispuestos a acogerlo o ayudarle en modo alguno. Parecían, por el contrario, unirse en favor de Alba. Su actitud era, como dijera Albornoz, «como la joven esposa de un hombre mayor que corre a abrazarle cuando entran ladrones en casa».[42] La verdad es que les perturbaba la presencia de los alemanes de Orange, que saqueaban a voluntad, y temían las represalias del duque. Orange, en un esfuerzo por mejorar la situación, ordenó a sus hombres que cesaran su pillaje, pero sólo consiguió crear un desagradable alboroto entre los alemanes, que se negaron, y las tropas francófonas, en su mayoría gascones, valones y lorenanos, que estaban dispuestos a obedecer. Consiguió controlar el incidente, pero no antes de que la empuñadura de su espada hubiera detenido una bala probablemente destinada a su persona.[43] En pocas palabras, la moral estaba muy baja: se acababa el dinero, los alimentos eran escasos, y los hombres se encontraban intensamente desalentados por las tácticas de Alba, que les obligaban a buscar y atrincherar un campamento distinto cada noche, mientras los escaramuceros les tenían en vilo con incesantes salidas y emboscadas.

Alba tenía, desde luego, sus propios problemas. En ocasiones casi incapaz de levantar la cabeza de la litera, debía tener dificultades para concentrarse en las innumerables complejidades de la campaña. Debía también llenarle de aprensión el ver que su enemigo iba a unirse a un segundo ejército a tan sólo un día de marcha a Bruselas. No tenía por qué preocuparse, pues el camino a Wavre demostró ser más costoso de lo previsto.

Para acudir a su cita en Genlis, Guillermo tuvo que cruzar el río Geete, que formaba la frontera entre Brabante y los territorios de la diócesis independiente de Lieja. No tiene una corriente muy ancha, pero sus orillas, en las proximidades de la aldea de Jodoigne, son empinadas y estaban resbaladizas por las lluvias otoñales. Orange alcanzó aquel lugar en la tarde del 16 de octubre, y los hombres de Alba, marchando hacia el Norte por una ruta convergente, toparon con su flanco derecho hacia las 2:30 de la tarde. Antes que presentar batalla, quedando sólo dos horas de luz solar, Orange prefirió replegarse a posiciones fuertes y, al hacerlo, salvó probablemente a su ejército: Alba, menos cauto ahora que en Brabante estaba en peligro, le había tendido sagazmente una emboscada en un bosque cercano.

En realidad, parecía como si ambos comandantes hubieran invertido temporalmente sus estrategias. Si Alba estaba ahora dispuesto a aventurarse a dar batalla –siempre, claro está, que la ventaja fuera abrumadora–, Orange estaba firmemente resuelto a evitarla. Sus hombres se encontraban situados en formación de cuadro sobre su línea de retirada. Ya no estaba seguro de que su superioridad numérica por sí sola fuera a constituir una ventaja decisiva, y anhelaba con desesperación entrar en contacto con Genlis. Estas fuerzas adicionales le serían muy útiles, y la inyección de moral podría ser de valor inestimable. Con estas reflexiones decidió cruzar el río de noche, como había cruzado el Maas dos semanas antes. La diferencia residía, claro está, en que esta vez tendría que cruzar ante la mirada de Alba, y ello no podía realizarse sin sacrificios.

El plan de Guillermo consistía en proteger el cuerpo central de sus tropas situando arcabuceros, casi 3.000, en la aldea que yacía en el lado del río donde estaba Alba, junto a unas pocas compañías de soldados alemanes de caballería. Éstos debían cubrir los caminos que llevaban al punto de cruce y mantener a los españoles a distancia hasta que la maniobra hubiera concluido. Todo salió como fue planeado, y por la mañana su retaguardia se encontraba sola en la orilla derecha del río.

Casi no sería necesario decir que fueron exterminados prácticamente en su totalidad. Orange no parece haber pensado que Alba pudiera realizar un ataque en regla. De haberlo hecho, no habría comprometido una parte tan vital de sus fuerzas sin proporcionarle algún medio de retirada segura. No hay que atribuir a Alba el mérito de la masacre. Hizo siempre lo que cualquier capitán sensato habría hecho. Se emplazaron compañías de arcabuceros en las partes alta y baja de la orilla del río, mientras que una fuerza aproximada de 4.000 hombres a pie y a caballo, bajo el mando de don Fadrique, realizaron un ataque frontal en los caminos del Este. Los defensores, bajo Hoogstraten y el señor de Louverval, estaban, en efecto, rodeados. Los refuerzos de caballería que Orange intentó despachar no lograron cruzar un río cuyas orillas, en pendiente y enfangadas, habían convertido los españoles en una mortal galería de fuego. Por añadidura, los españoles habían girado y se habían incluso introducido en la orilla izquierda, que Orange, inexplicablemente, no había protegido. La retaguardia luchó con ejemplar coraje, pero al fin perecieron más de 2.000 de sus hombres.[44] También Hoogstraten murió. Se disparó accidentalmente, y la herida, al infectarse, acabó con su vida en cuestión de días.[45]

Este encuentro fue la acción mayor de la campaña. Supuso un grave revés para Guillermo porque, a pesar de que el grueso de su ejército quedó intacto, había perdido a sus arcabuceros, el más importante elemento de una guerra basada en la escaramuza. Y lo que era aún peor, el sacrificio había sido inútil. Cuando llegó a Wavre comprobó que la alardeada fuerza de hugonotes era más reducida de lo esperada, estaba mal equipada y lastrada por una horda de mujeres y niños. No sería de gran utilidad frente a los veteranos de Alba, y las bocas adicionales acrecentarían sus ya serios problemas de provisiones. Orange sabía que había perdido su oportunidad. No había logrado forzar la batalla, ni una sola ciudad le había ofrecido apoyo y los desórdenes de su propio campamento se estaban haciendo incontrolables. No cabía otra cosa que regresar a Alemania.[46]

Con Alba en sus talones, Orange volvió sobre sus pasos hasta llegar al Maas. Para su consternación, encontró que el río, crecido por las lluvias, no era ya vadeable. Una vez más solicitó permiso para cruzar por Lieja, y una vez más el obispo se lo negó. Sus tropas, fatigadas, hambrientas y sediciosas, dieron la vuelta y se dirigieron hacia la incierta hospitalidad de Francia. Continuamente hostigadas por los escaramuceros de Alba y sufriendo penosamente por el hambre, vagaron bajo las incesantes lluvias de noviembre hasta que, el día 17, cruzaron la frontera en Cateau-Cambrésis, saqueando e incendiando iglesias a su paso.[47] Allí Alba se detuvo. Permaneció en Cateau-Cambrésis con su ejército mientras el temible Cossé se encargaba de la labor de acoso. Carlos IX, por entonces empeñado en su tercera guerra civil contra los hugonotes, había llegado a un punto muerto con Condé en la zona del Loira. Decidido a todo trance a evitar la conjunción entre Orange y sus adversarios, llegó incluso a permitir a Alba servirse del campo francés y, de ser necesario, de las ciudades amuralladas para su sustento.[48] Pero no tenía por qué preocuparse. Orange estaba acabado. Sus alemanes se negaron a combatir contra el rey de Francia, el tiempo siguió empeorando y el Loira se hallaba muy lejos. El 6 de diciembre Alba escribía: «El ejército del Príncipe de Orange (…) va ahora por el camino de Alemania, tan deshecho como merece y de tal modo que él y sus demás cómplices no volverán a hacerse ilusiones desde hoy en adelante de volver para perturbar los Estados de Su Majestad».[49]

El duque tenía la certeza de que la autoridad regia había quedado establecida sobre los más sólidos cimientos, pero se equivocaba. Orange estaría totalmente desacreditado, su salud quebrantada y su fortuna perdida, pero en modo alguno estaba destruido. Aquel hombre poseía una obstinación implacable, una firmeza de propósito que Alba, que lo había conocido durante su irresponsable juventud, no supo percibir. Orange volvería, y al fin sería su causa, y no la del duque, la que triunfaría. Es, por consiguiente, razonable preguntarse si fue adecuada la conducta de Alba en la campaña. Desde luego había muchas personas en el momento, especialmente entre sus oficiales, que pensaban que no lo había sido, y sus críticas hicieron mella. Mientras el duque, aquejado de gota y fiebre, regresaba hacia Bruselas, su ánimo estaba lejos de ser entusiasta. «Sigo con tan poca salud y tan pocas esperanzas de tenerla, gracias a la adversidad de la tierra, que me duele el pensar que acaso no pueda acabar de servir a Su Majestad en este asunto como desearía.»[50] Y por primera vez en su vida se dignó responder a las quejas de sus soldados. «No es el menor de los problemas de un soldado el que tanto el que es soldado como el que no lo es quiera juzgar sus acciones según su ánimo, y no se contentan con que se haya ganado una victoria, sino que cada uno desearía que se hubiera hecho del modo que a él le parece mejor.»[51] Creía que tenía razones para felicitarse, pues había superado dificultades que no podrían haber sido comprendidas «por nadie que no hubiera puesto la mano en las yagas»,[52] e incluso se inclinaba a atribuir su propia conducta a la guía divina,[53] pero la vehemencia de sus protestas le traiciona. En semejantes circunstancias es natural una segunda reflexión sobre los acontecimientos, pero si lo hizo, tuvo razón en abandonar su meditación. El ejército de Orange estaba tan totalmente aniquilado como si hubiera perdido una batalla, y por mucho que hubiera hecho cabían pocas esperanzas de coger al príncipe en persona. Aun así, mientras Alba yacía luchando contra la enfermedad y soñando con las truchas de La Abadía,[54] debía preguntarse si acaso, sólo acaso, no pudiera haber ido la cabeza de Orange a reunirse con las de Hornes y Egmont en los clavos de hierro de la Gran Plaza, en lugar de seguir maquinando nuevas traiciones en Dillenburg.

En todo caso, algo fallaba claramente, pues el duque celebró su regreso a Bruselas con un importante lapso de discernimiento político. Tras hacer en Bruselas una entrada triunfal que recordaba a la de Carlos V en Milán, encargó una estatua suya que debía ser erigida en la ciudadela de Amberes. Este increíble monumento, que exhibe gran parecido a la estatua que de Carlos V hiciera anteriormente Pompeo Leoni, le representaba vestido con armadura aplastando las figuras de la Sedición y la Herejía. La inscripción le describe como «el más grande servidor del rey». Forjada con los cañones capturados en Jemmingen y ejecutada con cierta destreza por el escultor Jonghelink, ofendió a todo el mundo. Para muchas personas de los Países Bajos constituía un insultante recordatorio de su avasallamiento, mientras que para los españoles era una usurpación arrogante y de mal gusto de la gloria regia.

Los enemigos de Alba explotaron el asunto al máximo en su momento, y desde entonces ha servido como evidencia de su vanidad, su arrogancia y su falta de sensibilidad. Sería difícil, al menos en un primer acercamiento, disputar dicho veredicto, pero los hechos del caso no son, en modo alguno, claros. Para empezar, habría que tomar en consideración la participación de Benito Arias Montano. El infatigable humanista había ido a los Países Bajos para hacerse cargo de un preciado proyecto de Felipe II: la publicación de la Biblia de Amberes. Debía también colaborar en la búsqueda de libros heréticos y elegir libros para la biblioteca de El Escorial. Mientras se encontraba allí hizo una extraordinaria amistad con el duque, y fue él quien ideó el simbolismo de la estatua y dio las instrucciones precisas a Jonghelink y es muy posible que fuera él quien sugiriera la obra en primer lugar.[55] Aunque admiraba al duque, no era un simple oportunista, y se ha pensado que pudo considerarla como un monumento no a Alba en persona, sino a la idea de la monarquía cristiana que representaba.[56]

Existe también la idea, repetida por el Conde de la Roca,

de que fue erigida por previo acuerdo con el rey. Al tomar toda la responsabilidad de los aspectos represivos de su régimen, Alba podía concentrar todo el odio que de otro modo pudiera haberse dirigido contra Felipe II.[57] Aunque dicha opinión ha sido ridiculizada por Ossorio, ha sido aceptada por toda una serie de recientes autoridades en el tema como compatible con la misión de Alba, y con la posibilidad de que Requesens solicitara y recibiera el permiso del duque para desalojar la estatua en 1574. De ello resulta un dilema. ¿Qué es más increíble: que Alba hubiera cometido semejante insensatez frente a la desaprobación regia, o que, como lo expresara Ossorio, el rey hubiera accedido a un gesto tan «pueril y ridículo»?[58]

Puesto que Alba no ofrece ninguna aclaración al respecto, las lagunas han de llenarse otra vez en conjeturas. Para empezar, la estatua es claramente una aberración. Alba era capaz de una gran arrogancia, pero ésta adoptaba generalmente otras formas. Puede que se vanagloriara de sus éxitos en su correspondencia privada, que fuera inflexible en relación con sus privilegios, y que tratara a los pobres mortales con mal disimulado desdén, pero al encargar dicha estatua desafiaba normas de conducta que nunca previamente había cuestionado. Su sola existencia indicaba que algo muy grave ocurría.

Ese algo pudiera ser acaso la mayor desgracia que ocurrió a Alba en toda su carrera. Después de su regreso a Bruselas, indignado por la impertinencia de sus críticos y sufriendo lo que, en su opinión, podría ser su postrer enfermedad, supo que el rey había resuelto no ir a los Países Bajos para relevarlo.

La decisión de Felipe no se debía al temor o a las intrigas de Éboli, sino a una angustiosa conjunción de sucesos que no le dejaba otra opción. En enero de 1568 se había visto obligado a recluir a su único hijo y heredero, don Carlos. La conducta del joven había sido siempre extraña y, al crecer, empezó a ser peligrosa para sí mismo y para los demás. El 24 de julio murió, primordialmente a consecuencia de sus excesos. En octubre, la reina, Isabel de Valois, murió también, y el día de Nochebuena de 1568 los moriscos de Granada se levantaron en una sangrienta sublevación que duraría años y que sería extremadamente difícil sofocar. Dejar su país en estado de agitación y emprender un viaje peligroso cuando nadie había para sucederle era impensable.[59]

Alba no objetó a ello, pero sabía que se habían hecho realidad sus peores temores. Se encontraba ahora realmente abandonado en una tierra fría y triste, incapaz de protegerse de sus enemigos y aislado de las fuentes de su poder. Pronto se vería imposibilitado de gobernar. Su política le había producido una rica cosecha de malestar, y la resistencia del rey a repudiarla llevaría a muchos a la desesperación. Al mismo tiempo, todo intento de modificarla sería mirado con recelo o, aún peor, tomado como señal de debilidad. Alba estaba, en otras palabras, irremediablemente aprisionado en el papel que originalmente había sido encargado de desempeñar.

Su primera reacción fue sumirse en una especie de depresión, agravada por su debilidad física. Durante los primeros meses de 1569 se aisló en una atmósfera enfermiza, arropado en sus dolencias como en una capa. Con el tiempo recobró la salud y, hasta cierto punto, también el ánimo, pero fue un proceso lento. Casi un año después escribía al obispo de Orihuela:

«Os digo que muchas noches me oprime la idea de que no despertaré; si esto ocurre cuando no tengo ansiedades e inquietudes, bueno sería para el alma, pero veo también las que hay. Creo que lo mejor para un hombre es buscar a las muchas gentes de honra que nos esperan en el otro mundo.»[60]

Como actitud más práctica, clamó por su sustitución, consciente, sin embargo, de que sus esperanzas eran escasas. Sencillamente, no había otra persona que pudiera asumir la tarea.[61]

Fue en este ambiente donde se hizo el encargo de la estatua. La idea surgió probablemente en el transcurso de una conversación con Arias Montano y la decisión fue tomada sin consultar al rey. Su propósito, podría aventurarse, era proporcionar un símbolo tangible de legitimidad a un régimen muy necesitado de ella. Alba, «el más grande servidor del rey», había sojuzgado la rebelión, pero ahora estaba dispuesto a abrazar a los que, como él, eran súbditos de Su Majestad. En el simbolismo de la estatua pisaba la rebelión, pero su cabeza estaba descubierta y su espada envainada. Su bastón de mando pendía bajo de su mano izquierda, y en el pedestal había un pastor y dos armaduras vacías colgadas de la rama de un olivo.[62] La alegoría era ambivalente y la concepción impropia, pero simbolizó, quizá mejor que ninguna otra cosa, el carácter del régimen de Alba después de 1568.

Era también el primer indicio auténtico de la decadencia de su discernimiento político. Posteriormente a 1568, Alba se encontró bajo una enorme tensión. En general supo acallarla, pero en momentos de crisis su irritabilidad y su incapacidad casi intencionada para comprender el país le traicionaban. Todavía conservaba ingenio para la guerra y la diplomacia, pero en lo que se refería a los Países Bajos, su tolerancia había desaparecido. Era casi como si su aversión por aquel lugar y su desolación por encontrarse allí le impidieran traspasar sus aspectos más superficiales. Como resultado, tendía a recurrir a respuestas instintivas que más se debían a su educación y a las tradiciones de su casa que a la realidad política. Podía seguir así algún tiempo, pero la catástrofe era inevitable.

1. C. V. Wedgwood, *William the Silent* (Londres, 1956), p. 103. Los esfuerzos de Orange para lograr apoyo están detalladamente descritos en F. Rachfahl, *Wilhelm von Oranien und der Niederländische Aufstand*, III, pp. 451-88.

2. Alba a Felipe II, 6 de noviembre de 1567, *EA*, I, pp. 703-4.

3. Alba a Felipe II, 10 de febrero de 1568, *EA*, II, pp. 23-24.

4. Alba a Felipe II, 11 de marzo de 1568, *DIE*, 37, pp. 183-84.

5. Los españoles comprendían perfectamente este hecho. Como lo expresara Mendoza, «todo lo que se precisa para reclutar un ejército es dinero para la primera paga» (Bernardino de Mendoza, *Comentario de lo sucedido en las guerras de los Países Bajos* [BAE 28], p. 428).

6. El informe de Londoño a Alba y el de Alba al rey se encuentran en *DIE*, 37, pp. 235-43. Véase también Mendoza, pp. 411- 14.

7. *CSP-Foreign*, IX, p. 590; Mendoza, p. 410.

8. J. L. Motley, *The Rise of the Dutch Republic* (Londres, 1886), II, p. 188.

9. El informe de Alba al rey, fechado el 9 de junio de 1568, se encuentra en *DIE*, 37, pp. 273-80. La mayor parte de la correspondencia relativa a la campaña está reproducida en L.-P. Gachard, *Correspondance du Duc d'Albe sur l'invasion du Comte Louis de Nassau en Frise en 1568* (Bruselas, 1850). La versión de Mendoza está en pp. 411-14.

10. Alba a Felipe II, 9 de junio de 1568, *DIE*, 37, pp. 273-80.

11. Incluso Granvela envió una suave protesta: Granvela a Felipe II, 2 de noviembre de 1567, *CG*, III, pp. 67-68.

12. Alba a Felipe II, 18 de septiembre de 1567, *DIE*, 4, pp. 444-48.

13. *Ibíd.*

14. Los documentos del Tribunal de los Tumultos se encuentran en AGRB Raad van Beroerten. Hay publicado un inventario de A. Jamées. El interrogatorio de Egmont puede encontrarse en Raad van Beroerten, 156. El de Hornes fue publicado en *Supplément à l'histoire des guerres civiles de Flandre sous Philippe II du pére Famian Strada* (Amsterdam, 1729), I, pp. 103-210.

15. Fechada el 24 de marzo de 1567 en IVDJ, envío 6, carpeta 1, núm. 4.

16. Alba a Felipe II, 19 de enero de 1568, *EA*, II, pp. 12-16.

17. Alba a Felipe II, 13 de abril de 1568, *DIE*, 4, pp. 487-96.

18. Esta historia tiene, al parecer, su origen en Morillon: *AON*, serie

I, suplemento, 81.

**19.** Años más tarde, Antonio Pérez recordaba que Alba le había dicho en una ocasión: «Los reyes hacen con los hombres lo que con las naranjas, les exprimen el jugo y los tiran» (Gregorio Marañón, *Antonio Pérez* [Madrid, 1963], I, 159).

**20.** Motley, II, 203. El incidente está descrito por Hooft y Boor, entre otros.

**21.** Alba a Felipe II, 9 de junio de 1568, *DIE*, 37, pp. 273-80.

**22.** Sin desear entrar en la polémica sobre la teoría de Geyl de la «defensa fluvial» y el ataque de que la hace objeto Charles Wilson, debo señalar que esto indica que los ríos mismos no constituían una barrera insuperable, al menos cuando se encontraban indefensos. Véase Pieter Geyl, *The Revolt of the Netherlands* (Londres, 1962), y Charles Wilson, *Queen Elizabeth and the Revolt of the Netherlands* (Berkeley, 1970), pp. 8-11.

**23.** Alba a Felipe II, 18 de julio de 1568, *DIE*, 37, pp. 298-305.

**24.** *DIE*, 30, p. 445, citado por Motley, II, p. 214.

**25.** Los informes de Alba sobre la campaña se encuentran en DIE, 37, 295-305; sobre Jemmingen, en *DIE*, 30, p. 445. Véase también Mendoza, pp. 418-27; F. Martín Arrue, *Campañas del Duque de Alba* (Toledo, 1880), II, pp. 77-82 y 88-111; Motley, II, pp. 208-19, y Rafchfahl, III, pp. 501-55. Todas estas versiones concuerdan esencialmente.

**26.** Mendoza, 427. La orden a Chiappino Vitelli se encuentra en AA, caja 165, f. 9.

**27.** Alba a Felipe II, 27 de junio de 1568, *DIE*, 37, pp. 290-95.

**28.** La correspondencia se encuentra en *DIE*, 37, pp. 347-50, 358-63, 412-24, 432-37, 441-50 y 465-73, y en *EA*, II, pp. 74-78 y 80-83. Hubo también una petición de ayuda inglesa por parte del Conde de Emden el 12 de agosto de 1568, *CSP-Foreign*, VIII, pp. 520-21.

**29.** Alba a Felipe II, 6 de julio de 1568, *DIE*, 37, pp. 295-98.

**30.** Mendoza, 428.

**31.** Alba a Felipe II, 15 de septiembre de 1568, *DIE*, 37, pp. 402-9.

**32.** Alba a Felipe II, 15 de septiembre de 1568, AGS E540, f. 131.

**33.** Espinosa informó a Alba del disgusto del rey. La vehemente defensa de Alba se encuentra en Alba a Espinosa, 6 de noviembre de 1568, *EA*, II, pp. 108-9. Véase también Alba a García de Toledo, 23 de noviembre de 1568, *EA*, II, pp. 118-20.

**34.** Alba a Felipe II, 11 de septiembre de 1568, *DIE*, 37, pp. 394-400.

**35.** Mendoza, p. 428.

**36.** *Ibíd.*, p. 432.

**37.** *Ibíd.*, p. 430. Mendoza, como tantos otros españoles, era aficionado a establecer paralelos entre su situación y la de los antiguos romanos.

**38.** Véase el discurso de Mendoza sobre la impropiedad de tratar con rebeldes (p. 429).

**39.** Alba esbozó su estrategia para la campaña en: Alba a Felipe II, 11 de septiembre de 1568, *DIE*, 37, pp. 394-400, y en la carta de 22 de octubre, *DIE*, 37, pp. 477-78. La reiteró a modo de justificación tras el hecho el 23 de noviembre de 1568, *EA*, II, pp. 117-20.

**40.** Mendoza, p. 431.

**41.** Wedgwood, p. 109.

**42.** Albornoz a Zayas, 30 de octubre de 1568, *DIE*, 37, pp. 490-93.

**43.** Wedgwood, p. 108.

**44.** El informe de Alba se encuentra en *DIE*, 37, pp. 474-76. En un principio Alba calculó que las bajas habían sido 3.000, pero más tarde alteró esta cifra en sentido descendente (Alba a Felipe II, 22 de noviembre de 1568, *EA*, II, pp. 112-14).

**45.** Aunque parezca improbable, se dijo que un incidente similar le había impedido recibir a Alba a su llegada en 1567 (Motley, II, p. 250).

**46.** Los despachos sobre esta campaña, aparte de los anteriormente citados, se encuentran en *DIE*, 37, pp. 394-400, 418-21, 426-53, 474-78, 496-99 y 502-4. La versión de Martín Arrue, II, pp. 116-35, está basada en Mendoza, pp. 431-35. La ruta seguida por Orange fue establecida por H. Hettema, «De route van Prins Willem in 1568», *Bijdragen voor Vaderlansche Geschiedenis*, 6.ª serie, III (1926), I, p. 35.

**47.** *DIE*, 4, pp. 506-14.

**48.** James Westfall Thompson, *The Wars of Religion in France, 1559-1576* (Nueva York, 1909), 370. El duque había sido ya autorizado por Felipe II para ayudar a Carlos si Orange unía sus fuerzas a las de Condé (Felipe II a Alba, 14 de octubre de 1568, *DIE*, 37, pp. 463-64).

**49.** Alba al Conde de Anguisola, 6 de diciembre de 1568, *EA*, II, pp. 124-25.

**50.** Alba a Zayas, 18 de diciembre de 1568, *DIE*, 37, pp. 505-6.

**51.** Alba a Felipe II, 23 de noviembre de 1568, *DIE*, 4, pp. 506-14.

**52.** Alba a García de Toledo, 23 de noviembre de 1568, EA, II, pp. 117-20.

**53.** Alba a Felipe II, 22 de noviembre de 1568, *EA*, II, pp. 112-14.

**54.** Alba a García de Toledo, 23 de noviembre de 1568, *EA*, II, pp. 117-20; Alba a Antonio de Ulloa, 20 de enero de 1569, *EA*, II, pp. 154-55.

**55.** H. Schubart, *Arias Montano y el Duque de Alba en los Países Bajos* (Santiago de Chile, 1962), p. 50.

56. *Ibíd.*, p. 32.

57. J. A. de Vera Zúñiga y Figueroa, Conde de la Roca, *Resultas de la vida de don Fernando Álvarez de Toledo, tercer Duque de Alba* (Milán, 1643), pp. 121-23.

58. Hay un amplio análisis de la cuestión en J. M. del P. C. M. S. Fitz James Stuart y Falcó, Duque de Berwick y Alba, *Discurso* (Contribución al estudio de la persona del III Duque de Alba) (Madrid, 1919), pp. 86-90.

59. Geoffrey Parker, *The Dutch Revolt* (Londres, 1977), p. 112.

60. Alba al Obispo de Orihuela, 31 de octubre de 1569, *EA*, II, pp. 279-80.

61. Véase la descripción de Zayas de las alternativas en: Zayas a Alba, 6 de abril de 1569, *DIE*, 38, pp. 61-65.

62. Hay un excelente grabado de la estatua en P. C. Bor, *Oorspronk, begin en vervolgh der Nederlandsche oorlogen* (Amsterdam, 1679), I.

A todo lo largo del triste invierno que siguió a la derrota de Orange, y varios meses después, Alba parece haber concentrado gran parte de sus restantes energías en la gestión de los asuntos exteriores. Era como si se sumergiera en un juego más antiguo cuyas reglas le eran conocidas. Puesto que la situación diplomática había empezado a deteriorarse, quizá fuera aconsejable que lo hiciera.

Es irónico que la mayor parte de los conflictos que surgieron en 1568-69 resultaran de la presencia del propio Alba en los Países Bajos. Su aparición con el grueso del ejército español creó una revolución diplomática al trasladar el centro del poder español desde la cuenca mediterránea a las costas del mar del Norte[1] y el fracaso de Orange hizo pensar que el cambio sería permanente. Por motivos distintos, pero igualmente poderosos, Inglaterra, Francia y el imperio veían en este giro de los acontecimientos una amenaza a su estabilidad y aun a su misma existencia.

A pesar de que sus temores eran en gran medida infundados, al menos a corto plazo, eran sin duda comprensibles. Inglaterra se había acostumbrado a pensar en Francia como enemigo natural y, desde Cateau-Cambrésis, había mantenido sus vínculos con España tan cuidadosamente como permitían las diferencias confesionales y las costumbres de sus marinos.

Sin embargo, difícilmente podía esperarse que considerara la presencia, a tan corta distancia, de un gran ejército español más que como una amenaza. Tanto Isabel como su secretario William Cecil eran plenamente conscientes de que la amistad con España se fundaba en el deseo de Felipe II de contrarrestar el poder de Francia, y tendían, en todo caso, a exagerar las presiones que dicha asociación representaba para la conciencia del rey. Aun si Alba no tuviera por el momento intención de hacerles daño alguno –y ello no era, desde luego, seguro– había que pensar en el futuro: con los Países Bajos estabilizados y Francia neutralizada por sus guerras civiles, ¿no cabía la posibilidad de que pudiera pensar en deponer a Isabel y sustituirla por María, reina de Escocia? Era una posibilidad que ningún político podía permitirse ignorar.

Tales reflexiones estaban lejos del pensamiento de Alba, pero Cecil no podía saberlo. Las relaciones entre ambos países habían sido difíciles últimamente. Si los corsarios ingleses hostigaban la navegación española en el canal, los comerciantes ingleses eran activamente perseguidos en los puertos españoles. En noviembre de 1567 se habían roto las negociaciones para el matrimonio de Isabel con el Archiduque Carlos, por la exigencia de éste de que se le permitiera oír misa en sus aposentos privados. Finalmente, durante el verano de 1568, Felipe II había expulsado de Madrid al embajador inglés, John Man, y había hecho venir a su propio enviado, Guzmán de Silva, un defensor de la amistad anglo-española a pesar de los lazos que le unían a Éboli. La explicación de estos hechos carecía de segundas intenciones, pero Cecil, víctima de una información deficiente, y rodeado de hombres cuya parcialidad religiosa les hacía imaginar los más negros designios en la conducta de Felipe II, los contemplaba con recelos y alarma. La verdad es que el milenarismo protestante de Man y su desprecio por la sensibilidad española habían hecho su presencia intolerable. Había sido una insensatez por parte de Isabel el designar a este violento intelectual en primer lugar, pero el momento elegido por Felipe para trasladar a Guzmán de Silva era un error de similares proporciones. El diplomático mismo había solicitado su retiro alegando mala salud y apuros financieros, pero al acceder a su petición en medio de la polémica sobre la expulsión de Man, Felipe consiguió crear una impresión muy siniestra. Y remató el error nombrando a don Guerau de Spes para suceder a Silva, otro partidario del Príncipe de Éboli, cuya imprudencia y fanatismo eran prácticamente el equivalente católico del señor Man.[2]

Desgraciadamente, estos contratiempos a causa de los embajadores tuvieron efectos de más largo alcance que un simple aumento de tensión entre ambas monarquías. Dejó a Inglaterra sin embajador residente en España, y dificultó, si no impidió, a Cecil el recabar información de lo que ocurría en la corte de Felipe II. De haber cumplido Man adecuadamente su cometido o habérsele dado un sucesor, los ingleses habrían podido conocer que Alba y su bando estaban tan resueltos como siempre a evitar conflictos con Inglaterra, y que de la misma opinión era, al menos por el momento, el rey. Por el contrario, esta ruptura en representación dejó a Isabel y sus consejeros en un vacío, víctimas de sus peores temores y de las incitaciones de los extremistas. Por otra parte, Felipe II y Alba se vieron igualmente perjudicados por Guerau de Spes. Asociándose abiertamente a los adeptos de María de Escocia, se aisló en efecto de las fuentes de información que habrían sido más útiles para su señor. Así pues, en un momento crítico de sus relaciones, ambos reinos quedaron casi en total ignorancia de las mutuas intenciones y, por instinto de conservación, tendieron a suponer lo peor.

Se tiende, en ocasiones, a olvidar que la Inglaterra de Isabel debió parecer muy pequeña y muy débil ante la potencia de un coloso como España. Desprovista de un ejército digno del nombre, y con una armada que, aunque prometía, estaba aún muy lejos del nivel que alcanzaría en 1588, debía de parecer a todos, con la excepción de Alba, una presa fácil. En este sentido, Cecil coincidía con otros dos civiles: Éboli y Granvela. No tenía dudas de que Inglaterra necesitaba la protección de una alianza; mas, ¿con quién? Francia, en su opinión, era impensable, pues, lo mismo que los demás consejeros de Isabel, pensaba que los católicos acabarían por triunfar en ella y harían causa común con España. La única alternativa aceptable era una liga protestante en que se unieran Inglaterra, los Estados luteranos y los calvinistas de Francia y Países Bajos.

En este punto disentía de sus compañeros. Si era posible que el consejo hubiera subestimado la complejidad de la situación francesa, y olvidado la tirantez que seguía informando las relaciones franco-españolas, no estaba dispuesto a sobrevalorar el poder del protestantismo europeo. Una mayoría del consejo, entre la que se contaba el Duque de Leicester, acérrimo protestante, instaban a seguir una política de reconciliación con España y al matrimonio de la reina de Escocia con el Duque de Norfolk. Isabel, de modo característico, rechazó esto sin siquiera considerarlo. Se negaba a abandonar a Cecil, tanto como a ver a su principal rival casada con uno de los más grandes nobles del país. Sea como fuere, parece haber contemplado el caos que reinaba en Francia con menor pasión y mayor perspicacia que los demás, y no era excesiva en alarma ante la perspectiva de una alianza entre España y Francia.[3] La consecuencia fue que, al menos por el momento, la política de Inglaterra estuvo desprovista de dirección. Inglaterra siguió siendo un enigma y una incomodidad para los españoles, pero exigía las más delicadas manipulaciones si había de evitarse un enfrentamiento abierto.

La situación francesa era aún más desconcertante. Como era de esperar, cada una de las facciones de aquel perturbado país reaccionó de modo diferente a la llegada de Alba, pero la reacción de los hugonotes fue tan rápida y tan violenta que precipitó lo que se ha denominado la Segunda Guerra de Religión. La tensión entre ambas creencias había ido aumentando progresivamente y, en julio de 1576, se enmendó el edicto de Amboise para prohibir el culto protestante en la Isla de Francia. Esto se hizo, al parecer, para evitar la erupción de tumultos entre los famosos católicos parisienses,[4] pero los hugonotes creyeron ver una ominosa relación entre la enmienda y la marcha hacia el Norte de Alba siguiendo la frontera francesa. Aquéllos mantenían, en todo caso, estrechos vínculos con sus hermanos de los Países Bajos y las ciudades valonas, y estaban comprensiblemente preocupados por ellos. El arresto de Egmont y Hornes fue la chispa que encendió su fervor militar. Coincidió aquello en la celebración de no sólo uno, sino dos sínodos hugonotes, y si quedaba alguna duda de que estuvieran a punto de cumplirse las negras profecías de

Bayona, fue erradicada por las nuevas de que los 6.000 suizos que habían estado siguiendo los movimientos de Alba en su marcha se encontraban entonces, por orden del rey, de camino hacia Francia.

La reacción protestante fue inmediata. A fines de septiembre, Condé intentó capturar al rey en Meaux, pero fracasó y se dirigió hacia París para ponerle sitio. Catalina de Médicis y su hijo no tuvieron otro remedio que responder con la misma moneda. Su primera reacción fue de pánico. Se encontraban desesperadamente faltos de tropas y sabían que reclutarlas en Alemania precisaría de tiempo. Parece también que no supieron calcular las dificultades que encontraría Condé al intentar cortar el abastecimiento a una ciudad de las dimensiones de París. Su apremiante solicitud de ayuda a Alba no puede ser explicada de otro modo. Aunque los hugonotes no lo hubieran creído, lo que menos deseaba Catalina era introducir tropas españolas en Francia. Sus temores no hicieron sino intensificarse con la primera respuesta de Alba, un ejemplo cabal del aspecto más irritante del carácter del duque. Tras comentar que de haber seguido su consejo en Bayona esto no habría ocurrido, le dirigía una larga monserga sobre el modo en que la monarquía francesa debía conducir sus asuntos.[5] Cuando el embajador francés protestó, Alba concluyó que aquél (el embajador), «además de ser una bestia (…) debe ser un gran hereje a quien querría bautizar de otra manera».[6] No obstante esto, y no obstante su resistencia a dejar los Países Bajos desprotegidos, Alba acabó por ofrecerse a ir en persona, acompañado del grueso de su ejército, durante un período no superior a treinta días.[7] Por entonces finalizaba ya octubre y, para gran alivio de Catalina, pudo ésta permitirse rechazar la oferta con las debidas expresiones de gratitud. Habían llegado al fin sus levas, y Condé no había conseguido avanzar gran cosa en sus designios sobre París.

Si la reina madre perdió el sosiego por la audacia de Condé y estuvo tentada por la proximidad del ejército de Alba, la casa de Guisa se sumió en un estado cercano a la desesperación. De haber triunfado el intento de Meaux o de haber tomado París los hugonotes, su posición habría sido insostenible. Ya comprometidos por sus vínculos con España, estaban dispuestos a conceder casi cualquier cosa a cambio de socorro. Durante meses, el Cardenal de Lorena, bajo el seudónimo de *Verbum Domine*, había estado informando al duque de los sucesos de Francia. Ahora había enviado a su capellán a Bruselas con la oferta de varias fortalezas fronterizas a cambio de la ayuda española. Terminaba con la asombrosa sugerencia de que «si el rey muriera», Felipe II podría heredar la corona de Francia por su matrimonio con Isabel de Valois. «La Ley Sálica», decía, «era una chanza y podía allanarse con la fuerza de las armas». Esto era excesivo. El duque se mostró claramente incrédulo, y encarceló al capellán hasta que Esteban de Ibarra pudiera verificar la autenticidad de esta cuestión.[8] Ibarra regresó con la plena confirmación y aún algo más. El 3 de noviembre el cardenal escribió directamente a Alba, ofreciéndole Borgoña y una parte considerable de Picardía y Lorena a Felipe II si Carlos IX fuera depuesto por Condé.[9] Había concluido, aparentemente, que los españoles eran demasiado sagaces para dejarse embaucar por la oferta de un trono.

Alba estaba dispuesto a ocupar las fortalezas fronterizas si la situación se hacía lo bastante desesperada para exigirlo,[10] pero esta contingencia no llegó a darse. El 10 de noviembre, el cerco a París fue roto por St. Denis y Condé retrocedió, con la mayor parte de su ejército, hacia la región que se extiende entre Sens y Troyes. Sabiendo que esperaba la incorporación de una fuerza de 6.000 alemanes que avanzaba ya a través de Lorena, Catalina volvió a solicitar tropas españolas. Alba accedió a enviar los 2.000 arcabuceros que pedía, y añadió 1.400 soldados de caballería que había estacionado en Cateau-Cambrésis el mes anterior, aunque tenía dudas de que pudieran ser de alguna utilidad.[11]

No se equivocaba. Los alemanes estaban ya en Francia, y el 28 de diciembre se unieron al ejército hugonote en Dessay. Ambos lados se hallaron nuevamente en un punto muerto. Ninguno de los dos disponía de la suficiente financiación, ni tenía deseos irresistibles de continuar la campaña en lo más crudo del invierno. Para disgusto de Alba, la reina madre se avino a negociar y, tras mucho disputar, se firmó el tratado de Longjumeau el 26 de marzo de 1568. Siendo más una tregua que un tratado, sólo duró hasta septiembre, cuando la creciente belicosidad de los católicos franceses y el deseo de Carlos IX de evitar la colaboración entre Condé y Orange precipitaron una Tercera Guerra de Religión.

Los sucesos de 1567-68 constituyen una soberbia ilustración de las dificultades que suponía el desarrollo de la política exterior española con Francia. No había una sola Francia, sino tres, y ninguna de las partes podía considerarse como plenamente fiable. Los hugonotes siempre serían enemigos de los intereses españoles, pero ¿qué forma tomaría dicha hostilidad? Es posible que se limitaran a continuar acosando a Francia, o que atacaran los Países Bajos en apoyo de sus correligionarios. Alba se jactaba de que «si los hugonotes quieren venir y tomar el título de Conde de Flandes, encontrarán su merecido»,[12] pero lo cierto es que semejante perspectiva le hacía extremadamente renuente a enviar tropas fuera de sus fronteras. Aún más preocupante era la idea de que llegaran a una paz con Catalina. Dado que sus dirigentes estaban movidos por consideraciones principalmente políticas, y dado que Catalina y su hijo eran flexibles en cuestiones religiosas, era ésta una clara posibilidad. Los Guisa, por otra parte, eran de un catolicismo intachable, y su poder se vio muy incrementado en el verano de 1568 por la aparición de las ligas católicas locales en todos los rincones de Francia. Pero también en este caso sus dirigentes eran poco fiables. El Cardenal de Lorena, al menos a ojos españoles, se había mostrado en numerosas ocasiones tanto imprudente como traicionero, y aunque era en cierto modo su aliado natural, Felipe II y Alba tendían a ser cautos con él.[13] Había también una cierta resistencia por parte de éstos a respaldar una facción que pudiera hallarse en situación de rebeldía frente a un rey.

La solución ideal habría sido apoyar a Carlos y a su madre, si aquellos dos personajes evasivos pudieran ser convencidos de seguir una política dura contra los hugonotes. Esto, desafortunadamente, era imposible. Catalina temía, justificadamente, a los Guisa y a España, y no podía esperar más que resultados transitorios de la ayuda procedente de éstos. A juzgar por la correspondencia, parece que Felipe II y Alba no acabaron de comprender del todo la lógica de su posición. En cartas destinadas a ser tan sólo leídas por ellos, denostaban su insensatez y, con alguna doblez, tendían a pasar por alto los peligros que su política presentaba para la autonomía francesa. Desde Mons, en diciembre de 1568, Alba escribía: «Vuestra Majestad no puede imaginar el mal gobierno que Carlos y Catalina conducen, creyendo engañar al mundo entero; no he visto ni un hombre ni un caballo que crea capaz de hacer nada de mérito; negocian puramente como niños. Ruego a Dios me engañe, pero temo algún gran prodigio, y el ver cuan desatentos son de Dios me hace temerlo aún más».[14]

La segunda gran potencia con quien Alba debía entendérselas era el Sacro Imperio Romano. Fuente principal de tropas para protestantes y católicos por igual, era un jardín que precisaba de cuidados continuos y, a lo largo de su estancia en los Países Bajos, Alba se vio obligado a consagrar una cantidad desmedida de esfuerzo no sólo a su correspondencia con Viena, sino también a la preocupación que le producía la actividad de una docena de príncipes menores. La independencia de dichos gobernantes y las diferencias religiosas que existían entre ellos eran origen de interminables complicaciones que los hombres de Estado europeos hacía mucho tiempo habían percibido y comprendido. Nadie podía abrigar serias dudas con respecto a que los estados protestantes fueran a resistirse a la política de Alba y ayudar a Guillermo de Orange todo lo que pudieran. Era cierto que Orange no podía esperar mucho más que ánimos de palabra por parte de algunos príncipes luteranos; en cuanto a otros, como el calvinista Conde Palatino de Renania, la cuestión era muy distinta. Más aún, Alba era plenamente consciente de que ni el emperador ni los restantes mandatarios de la Alemania católica estaban dispuestos a alterar, en 1568, el delicado equilibrio de la política imperial inmiscuyéndose en los asuntos de sus iguales protestantes, o en la situación de los Países Bajos. Alba procuraría alterar este estado de cosas, pero el mayor obstáculo para lograr un equilibrio más favorable en los asuntos imperiales era la actitud del mismo emperador.

El padre y el tío de Maximiliano II se habían visto obligados, en ocasiones, a amoldarse a los protestantes, pero muchos pensaban que Maximiliano lo hacía incluso cuando era innecesario. Sus protestas ante la cuestión de Jemmingen habían sido excesivas, y fundadas en lo que sólo puede describirse como una exageración malevolente.[15] Se había opuesto a la venida de Alba y desde entonces «había abominado de los sucesos allí más que ningún otro príncipe de Alemania».[16] Gran parte de su obstruccionismo estaba sin duda arraigado en el temor de ser parte en acrecentar la desintegración del imperio.[17] Como lo expresara Alba en una carta desusadamente acre: «Siempre he creído oportuno tomar en consideración a los señores y personas privadas, e incluso a sus servidores domésticos. Y después que empezaron a abundar, lo que siempre ha madurado entre ellos es que Vuestra Majestad quedaba advertido de que se habían quejado a él [al emperador] del Cardenal Granvela y de la mala manera en que aquí se conducían los asuntos».[18] Pero existían otros recelos más oscuros. Maximiliano había sido parcialmente educado por preceptores luteranos, y muchos consideraban que él mismo era cripto-luterano. Se ha dicho que probablemente se habría convertido a esta fe de no haber sido un posible heredero de la corona de España.[19] Justificadas o no dichas conjeturas, era patente que Maximiliano se opondría a Alba mientras pudiera hacerlo sin atacar a Felipe II.

Así aparecía, pues, la situación a fines de 1568. Orange, aunque continuaba actuando libremente, había sido derrotado y aplastados los últimos vestigios de resistencia armada en los Países Bajos. Seguía existiendo la posibilidad de nuevas erupciones, pero la crisis parecía haber pasado. La situación de Francia, por otra parte, continuaba siendo muy inestable, y tanto alemanes como ingleses tenían un campo bien abonado para crear conflictos. La principal preocupación de Alba, por consiguiente, tenía dos aspectos: uno, proteger sus líneas de comunicación por vía del Canal de la Mancha y el Camino español, y el otro, evitar en la medida de lo posible nuevas colaboraciones militares entre hugonotes, protestantes alemanes y los disidentes de su propia región. Dichos objetivos habrían de ser conseguidos sin recurrir a España y con menores recursos a causa del estallido de la rebelión morisca en Granada. Era evidente que no era momento para pensar en aventuras.

En términos prácticos, ello significaba que Alba tendría que mantener relaciones pacíficas con Inglaterra y pisar con mucho cuidado en sus tratos con los franceses. No podía permitirse destinar tropas fuera de los Países Bajos a menos que los católicos se hallaran en peligro mortal, y Catalina era, en todo caso, un aliado mínimamente fiable. Dedicada como estaba a lograr un equilibrio entre sus poderosos súbditos de ambos lados, sus triunfos, fueran cuales fueran, no tendrían mayor valor para España. Alba podría intervenir para impedir la victoria final de los hugonotes, como había estado dispuesto a hacer en octubre de 1567, pero al margen de esto la reina madre sólo podía contar con poco más que un empacho de consejos para todo. Con respecto al imperio, Alba, como Felipe II, creía que podía llegarse a mejorar las relaciones con pocos gastos y pocos riesgos. Isabel de Valois murió el 5 de octubre de 1568, dejando a Felipe viudo una vez más. Podía, pues, pedir la mano de una de las hijas de Maximiliano, un enlace que probablemente vincularía al emperador más estrechamente a los intereses españoles. Simultáneamente, Alba estimularía la formación de una liga entre príncipes alemanes católicos como contrapeso a los protestantes y, si fuera necesario, prepararía el camino para ambos fines ofreciendo pensiones españolas a los consejeros más recalcitrantes del emperador.[20]

Eran éstas medidas de índole conservadora, típicas de la postura de Alba en asuntos internacionales. Conociendo, acaso mejor que nadie, las dificultades e incertidumbres de una campaña militar, y profundamente consciente de la debilidad de su posición, estaba dispuesto a aceptar beneficios modestos a cambio de riesgos moderados. No carecía de entusiasmo, ni se había mitigado en lo más mínimo su aborrecimiento de la herejía. Era simplemente que él, a diferencia del Papa y alguna vez el rey, tenía una viva comprensión de las limitaciones humanas y no confiaba demasiado en que Dios se ocupara de aquellos que dejaran de velar por sí mismos. Su política era a un tiempo sensata y flexible, pero en los años que siguieron a su derrota de Guillermo de Orange comprobaría que era difícil mantener incluso un curso de acción tan moderado y poco ambicioso como éste. Durante una parte considerable de los tres años siguientes se vio seriamente distraído de su principal labor de reformar los Países Bajos, por dificultades inesperadas en relaciones exteriores.

La primera de dichas distracciones se inició cuando él se encontraba aún de camino de Cateau-Cambrésis a Bruselas y, como casi todas las restantes, provenía de Inglaterra. A mediados de noviembre cinco naves españolas que se dirigían a Amberes se encontraron en apuros en el Canal de La Mancha. Batidas por los fuertes vientos del otoño y perseguidas por corsarios hugonotes, cuatro de ellas entraron en el puerto de Plymouth, mientras la quinta se dirigía hacia Southampton. A bordo se encontraba un total de 85.000 libras (aproximadamente 285.000 ducados) destinadas a las tropas de Alba, y cerca de 40.000 libras que se transportaban sin licencia y no aparecían, por consiguiente, en las cartas de porte.[21] Una vez en los muelles se vieron atrapados. Piratas y corsarios cerraban el acceso al mar e incluso hacían intentos de entrar en los puertos. Guerau de Spes, el embajador español recientemente designado, solicitó la debida escolta armada para el dinero e Isabel lo concedió. Hasta aquí, nada había de extraordinario ni en la situación ni en los actos de ambas partes, pero al pasar los días y no aparecer la escolta, De Spes empezó a preocuparse.

El 28 de diciembre Isabel le informó de que, lejos de proporcionarle una escolta, había decidido quedarse con el dinero. Era éste un increíble giro de los acontecimientos. Inglaterra y España mantenían, al menos oficialmente, relaciones amistosas, y los Estados amigos sencillamente no hacían semejantes cosas. Aun hoy no hay una explicación clara de su acción. Hay motivos para pensar que en un principio tuviera intención de devolver el dinero, pero que fue convencida por Cecil, y quizá por el comerciante genovés Benedetto Spinola, de no hacerlo. Fue Spinola quien le reveló que la suma no era española, sino un préstamo genovés que seguiría siendo genovés hasta que fuera entregado en Amberes. Los genoveses, además, estaban perfectamente conformes con prestarle el dinero a la reina en lugar de a Alba si así lo deseaba. No se sabe si adoptaron una postura, como Alba sospechaba, porque consideraban a Isabel un riesgo más aceptable,[22] o si fue Cecil quien sugirió esta posibilidad. Si fue en efecto idea de Cecil, los genoveses habrían tenido dificultades para rehusar, dado que sus privilegios en Inglaterra dependían de la buena voluntad real. Sea como fuere, su conducta proporcionó a Isabel una justificación, pero no un motivo. A pesar de que ella y su secretario subestimaron claramente la vehemencia de la reacción de Alba, sin duda debieron comprender que tomar aquel dinero suponía graves riesgos. Isabel lo necesitaba por toda una serie de razones, pero su situación financiera no era desesperada, y la reina no era persona que hiciera sus presupuestos con la esperanza de que el dinero le cayera del cielo. Es igualmente difícil creer que actuó movida por el resentimiento que le produjo la destitución de Man, o en venganza por la derrota de John Hawkins en San Juan de Ulloa, de la cual no pudo obtener informes fidedignos hasta pasado un mes de su decisión.

Una explicación más plausible es que, al crear una crisis en torno a las naves del dinero, ella y Cecil esperaban lograr dos propósitos: violentar al Duque de Norfolk y sus amigos del consejo y debilitar la posición de Alba privando a sus tropas de sus estipendios. Norfolk, Pembroke, Arundel e incluso Leicester estaban empezando a hacerse muy molestos con sus exigencias para la destitución de Cecil, el matrimonio de María de Escocia –preferiblemente con Norfolk– y una política conciliatoria con España. Es probable que Isabel y Cecil pensaran que un altercado con los españoles socavaría la credibilidad de sus argumentos, mientras reforzaba los del acosado secretario. Aún mayor importancia tenían sus recelos ante las intenciones últimas de Alba. Desde un principio, Cecil había tendido a exagerar los peligros que planteaba la designación de Alba, y sus temores se acrecentaron en septiembre con un despacho de Sir Henry Norris, embajador inglés en Francia. Fundándose, sin duda, en fuentes hugonotes, Norris afirmaba categóricamente que si Alba triunfaba en Flandes invadiría Inglaterra.[23] Ésta fue tan sólo una de una larga serie de falsas alarmas, la mayoría de ellas inspiradas, como parece haber estado ésta, por los intentos de ganar un apoyo inglés más activo para los protestantes del continente. Pero ahora que Alba había hecho, en efecto, retroceder a Orange a Alemania, parecía prudente prepararse para dicha contingencia. Si las tropas de Alba se amotinaban por falta de paga, habría pocas razones para temer una invasión.

Cualesquiera que fueran las reflexiones de Isabel,[24] la respuesta de Alba se produjo con celeridad desacostumbrada. Incitado por el beligerante Guerau de Spes, ordenó que fueran capturados los bienes y personas inglesas de los Países Bajos «con toda la delicadeza y buen trato posibles» e indicó a Felipe II que debiera extender la orden a los ingleses residentes en España.[25] Fue un grave error, pues proporcionó a Isabel un pretexto tanto para retener el botín como para confiscar los bienes de los súbditos de Felipe II que residían en Inglaterra. Dado que la comunidad comercial flamenca de Inglaterra era numerosa, esto suponía una suma mucho mayor que la confiscada por Alba, y suministró a la reina nuevos incentivos para evitar un acuerdo.[26] Que el duque tomara semejante determinación da acaso indicio de la tensión que producía en su espíritu la mala salud y la preocupación por su posición en los Países Bajos. Casi lo único que puede decirse a su favor es que no siguiera los restantes consejos de De Spes e intentara una invasión de Inglaterra de inmediato.

Cuando Alba finalmente recapacitó, no hizo sino agravar su error con un intento de reconciliación prematuro. La fuerza de su primera respuesta superaba aparentemente lo que Isabel había esperado, y hay motivos para creer que estaba preparándose para mandar un enviado que allanara las diferencias.[27] Antes de que pudiera hacerlo, Alba, alarmado por el efecto de las represalias de la reina y temeroso de su control de los Estrechos, envió al consejero Christophe D'Assonleville como emisario propio. Al hacerlo parece haber convencido a Isabel de que estaba en posesión de las mejores cartas, principiando con ello una comedia de enredo que no acabaría hasta 1574. D'Assonleville, que se había percatado ya de los iniciales temores de la reina pero no de su subsiguiente conclusión, adoptó un tono amenazador y fue obsequiado por sus desvelos con un recorrido por sus arsenales. Felipe II escribió entonces una carta, sin consultar a Alba, tan acomodaticia que éste temió que la reina no aceptara condición alguna; de no haber sido por una seria alteración de la política inglesa dos años después, sus temores habrían sido fundados. Por el momento, sólo quedaban a los españoles dos escasas fuentes de esperanza: el daño que causaría al comercio textil inglés el cierre de los puertos flamencos y la posibilidad de rebeldía de los católicos del Consejo Real de Isabel. La primera se desvaneció al cambiar Cecil la ruta del transporte de paños hacia Hamburgo, y la segunda era, como Alba en el fondo sabía, más un deseo que una posibilidad.

La cuestión del dinero de los barcos se arrastraría hasta el fin del mandato de Alba como capitán general y, aunque tenía en sí misma relativamente poca importancia, sirvió de barómetro de las relaciones anglo-españolas durante aquellos años.[28] En gran medida debido a la intervención de Alba, la política española se mantuvo sostenidamente pacífica con respecto a Inglaterra, pero Isabel y Cecil no podían ni tener certeza de ello ni desarrollar una política propia a largo plazo. Como siempre, sus cálculos se vieron estorbados por la situación de Francia, y se presentaron amenazas a su gobierno desde el interior.

Cecil había favorecido siempre, contrariamente a la mayoría del Consejo, una política fundada en la alianza de los protestantes europeos.[29] La captura de las naves españolas pudo parecer un triunfo momentáneo de ésta, pero los sucesos de Francia durante el año siguiente tendieron a ponerla cada vez más en entredicho. La muerte de Condé de Jarnac el 13 de marzo de 1569, y el año y medio de luchas cruentas pero indecisas que le siguió, fueron la causa de que Isabel se inhibiera de prestar una ayuda declarada a los hugonotes,[30] y pudo haberla forzado a reconsiderar sus relaciones con Alba de no haber sido por el descubrimiento de una conspiración católica encabezada por los Condes de Northumberland y Westmoreland en 1569-70. La descripción de aquella oscura rebelión no es necesaria, excepto para señalar que logró aumentar los recelos de la reina sobre los españoles. Esto se debía parcialmente al irreprimible Guerau de Spes, que había sido advertido en varias ocasiones de que evitara contactos sediciosos con los rebeldes,[31] pero Alba mismo fue en parte responsable de reforzar involuntariamente la impresión inglesa de complicidad española.

La respuesta inmediata a la misión de D'Assonleville había sido la de negarse a negociar con Alba e insistir en tratar directamente con Felipe II, aunque no se especificaba cómo debía llevarse a cabo. Alba recurrió al expediente de negociar de modo no oficial con la mediación de un comerciante genovés llamado Tomaso Fiesco. Éste era un agente grato y capacitado, pero el duque acabó por sospechar, al parecer con motivo, que estaba más interesado en magnificar los beneficios genoveses que en proteger los intereses españoles.[32] En consecuencia, envió a Chiappino Vitelli a Inglaterra en octubre de 1569, en el momento preciso en que empezaban a conocerse los pormenores del plan de Norfolk. Al parecer, se esperaba que Vitelli pudiera aclarar el verdadero estado de las negociaciones de Fiesco, mientras se informaba al mismo tiempo de la fuerza militar de los adversarios de Isabel. Alba había llegado ya hacía algún tiempo a la conclusión de que De Spes era un necio irredento, y desconfiaba de sus optimistas informes sobre el inminente destronamiento de la reina por María de Escocia.[33] Vitelli, claro está, no logró pasar más allá de los funcionarios de aduanas de Dover. La aparición de tan afamado soldado convenció a los ingleses de que muy bien pudiera avecinarse una invasión;[34] unido a los pronunciamientos de De Spes, hizo impensable un acercamiento.

Hasta marzo del año siguiente no empezó a parecer posible una vez más el deshielo. El 18 de aquel mes, Alba informaba de que la reina parecía anhelante de alcanzar algún entendimiento, «no por virtud, sino por miedo a este acuerdo con Francia». Isabel había llegado incluso a enviar cuatro pequeñas naves al Scheldt repletas de pescado, mercancías variadas y su propio salvoconducto. El duque nada hizo por estorbarlas, aunque declaró que había «reído bastante a causa del salvoconducto».[35] Los motivos de esta nueva benevolencia eran esencialmente los que Alba había sospechado: estaban en curso los debates que acabarían en la Paz de St. Germain, y los ingleses tenían razones para temer que los términos finales serían poco favorables para los hugonotes. Los éxitos protestantes del verano precedente habían sido lo bastante importantes para suscitar una solicitud de tropas a Alba por parte del rey –solicitud que el duque había denegado no obstante las órdenes contrarias de Felipe II –,[36] pero estos triunfos habían sido en gran medida malgastados durante el otoño. Después, Cossé se dispuso a expulsar a los hugonotes de la Charité. De conseguirlo, los protestantes quedarían aislados del acceso directo a los hombres y el dinero alemanes, y su posición general quedaría seriamente debilitada.[37] Fue en este momento cuando Isabel interrumpió sus envíos de armas a La Rochelle, e inició sus tentativas con Alba.

Su preocupación era, sin embargo, tan excesiva como prematura, pero toda la ventaja que Alba esperaba obtener de ella quedó eliminada por un nuevo golpe magistral de celo inoportuno, perpetrado en esta ocasión por el Papa Pío V. El 5 de febrero, tan sólo cinco días después de que la Rebelión del Norte hubiera caído en su derrota final, publicó una bula de excomunión contra Isabel por herejía. Era esta la culminación de una campaña destinada a acrecentar el poder católico en favor de la reina de Escocia. Cuatro meses antes, el 3 de noviembre de 1569, el Papa había enviado un breve a Alba, no a Felipe II, instándole a atacar Inglaterra.[38] Esto le había ganado la animadversión del rey[39] y una sarcástica respuesta del duque, que debió dejar sentada la cuestión para siempre. Escribiendo a Zúñiga, el embajador español en Roma, informaba a éste de que el Papa y Granvela le habían hecho saber que el momento era oportuno para tratar los asuntos de Inglaterra,

«sobre los cuales Su Santidad, cuyo celo en el servicio de Dios es tan grande y cuyas intenciones son tan santas que podría creerlas con razón pertenecientes al cielo antes que a la tierra, desvaría. Si nuestros pecados no impidieran la obra de Dios nadie podría dudar de que sin pensar en medio humano alguno podríamos con toda confianza lanzarnos a una empresa de esta índole, pero puesto que el mundo tiene tanta parte en nosotros, Su Santidad no puede maravillarse de que deseemos valernos de medios humanos. Sobre éstos, en las mínimas palabras posibles, te diré lo que puedo ofrecer.»

En esencia, decía, todo el plan era imposible pues exigiría tres ejércitos: uno para conquistar Inglaterra, otro para la protección del rey de Francia, «que nunca se priva de ofender las cosas de Su Majestad», y un tercero para defender a los Países Bajos de los alemanes, que los invadirían con certeza para originar una diversión de fuerzas. Si el rey de Francia se propusiera invadir Inglaterra sería lo mismo, pero a la inversa, más complicado aún por su incapacidad para gobernar sus propios reinos. Finalmente, unirse a Francia en un esfuerzo común sería repetir lo ocurrido en Nápoles, «y el recuerdo del ejemplo de Nápoles es muy reciente».[40]

Alba no se equivocaba probablemente con respecto al Papa. Cualquier persona cuya inspiración procediera de todas partes menos de las alturas se habría desanimado con semejante lluvia de desaliento, pero Pío V permaneció impasible. Sin tener conocimiento de que la revuelta había comenzado, y mucho menos de que había llegado a un fin ignominioso y cruento, se precipitó con su excomunión con la vana esperanza de espolear a la Europa católica a emprender nuevos esfuerzos. El resultado fue un suceso curioso desde cualquier punto de vista. Debido a su apresuramiento, el documento salió repleto de errores y *non sequiturs*,[41] pero no se molestó en consultar a los príncipes católicos o siquiera en notificarles que estaba en camino una excomunión.

Tanto Felipe de España como el emperador Maximiliano protestaron agriamente por la bula, y prohibieron su publicación en sus dominios. Alba coincidía plenamente con su criterio. En una carta a Juan de Zúñiga exponía sus objeciones a la bula con su habitual claridad. Era, decía, «la medicina apropiada», pero no se aplicaba en el momento oportuno. Los católicos ingleses no se encontraban entonces en condiciones de hacer nada contra una reina armada y dispuesta, e incluso si lo estuvieran, poco podían hacer los españoles para asistirles. Los recursos del rey estaban peligrosamente reducidos debido a los gastos exigidos por los Países Bajos, Francia, Malta y, ante todo, «el actual trance en España» (la rebelión de los moriscos). Publicar la bula en este momento representaba la «ruina y destrucción total» de todo intento de resolver la cuestión inglesa.[42]

Fue probablemente una suerte para los católicos ingleses que Isabel misma adoptara ante aquel asunto una actitud más indiferente que Alba y los más beligerantes de sus consejeros.

A pesar de ello, la tensión aumentó considerablemente, debido en gran medida a una desafortunada conjunción de circunstancias. La bula apareció por primera vez en Inglaterra en el mes de mayo, fijada a la puerta del Obispo de Londres por un inglés, que había recibido una copia de manos de un tal Roberto Ridolfi, un comerciante florentino. Ridolfi lo había obtenido a su vez del capellán de De Spes.[43] Considerando los orígenes de este incidente, no sorprende que las declaraciones de buena voluntad de Felipe II, no transmitidas por medio de De Spes sino de Francés de Álava desde París, no obtuvieran gran credibilidad. Cuando se supo que Alba reunía una armada gigante, la incredulidad dejó paso a un momento de verdadera alarma.[44]

La verdad es que Alba preparaba una flota que llegaría a sumar noventa naves, pero su finalidad era muy otra a la que suponían los agentes de Isabel. En sus continuos esfuerzos por vincular al emperador más firmemente a sus intereses, Felipe II había conseguido acordar su propio matrimonio con la hija del emperador, Ana de Austria. Se había confiado a Alba la misión –frustrante, como se verá– de disponer su traslado a España. Se consideraba necesaria una gran flota, dado que las intenciones de Inglaterra eran tan oscuras como siempre y, aun cuando dichas intenciones fueran benignas, quedaba la perenne amenaza de los corsarios hugonotes. Los ingleses, que no proyectaban ninguna fechoría, concluyeron lógicamente que el viaje de Ana se utilizaba para encubrir los preparativos de una invasión, y Guerau de Spes, con su acostumbrada y obsesiva malicia, fomentó esta convicción.[45]

Cuando pasó la alarma de invasión, los franceses acababan de finalizar su tercera guerra civil. Para sorpresa y alegría de los ingleses, el tratado de St. Germain era notablemente favorable a los protestantes, y su firma inauguró un período de fuerte influencia hugonote en la política real, que sólo se apagaría con la matanza del Día de San Bartolomé en 1572. Libre, al menos temporalmente, del espectro de una unión franco-española contra ella, Isabel no veía motivo alguno para reconciliarse con España. Por el contrario, inició una mayor aproximación a Francia, llegando incluso a comenzar su extraño noviazgo con el Duque de Anjou. Desde el punto de vista español, parecía irremediablemente perdida toda esperanza de entendimiento, y fue así que, cuando Cecil y la reina se creían más seguros, empezaron por primera vez a acercarse a lo que pudo haber sido un verdadero peligro. Durante tres años habían malinterpretado las intenciones españolas. Después se hizo patente que el carácter de sus profecías acarreaba en sí su realización: Felipe II y sus consejeros empezaron a hablar en serio sobre la posibilidad de una invasión.

La razón de este cambio de actitud podría hallarse en tres condiciones relacionadas entre sí: la frustración producida por los caprichos de la política inglesa; una seria preocupación por la situación de los católicos ingleses; y las constantes luchas faccionales por la supremacía dentro del Consejo de Estado. La solución del problema es muy reveladora del talante y los métodos de Alba, y aún más de la índole de su autoridad en los Países Bajos.

La frustración, en todo caso, era inevitable. Si Isabel ignoraba del todo las intenciones de España y tendía por consiguiente a suponer lo peor, los españoles no se encontraban en posición más ventajosa. Tenían un embajador residente, pero éste se había desacreditado de tal modo al apoyar abiertamente a los enemigos de la reina que se hallaba virtualmente bajo arresto domiciliario. Nadie que tuviera cierto prestigio deseaba relacionarse con él, y cuando por casualidad topaba con alguna información útil, su fanatismo le llevaba a distorsionarla hasta hacerla irreconocible. Fue acaso afortunado que, después de que sus consejos causaran el desastre de las naves del dinero, se reconociera al fin la deficiencia de su inteligencia. Hay un comentario de Alba que es significativo al respecto: «en lo de Inglaterra poca luz puedo extraer de lo que me escribe don Guerau, como Vuestra Majestad podrá comprobar en sus cartas».[46] Semejantes palabras llegarían a ser una especie de muletilla. La consecuencia fue una serie de curiosas, y potencialmente peligrosas, ideas erróneas sobre la reina y su gobierno, fomentadas en parte por la falta de información y en parte por el propio Alba. Puesto que constituía, en gran medida por defecto, la principal fuente de asesoramiento de Felipe II en cuestiones inglesas, su actitud merece un examen minucioso.

En el fondo, los criterios del duque surgían de la misma incomprensión con que juzgaba a los disidentes de los Países Bajos. «Todos los días se ven cosas», decía, «tan faltas de razón que no sé qué pueda asegurarse.»[47] Pero si la política de Isabel parecía irracional a primera vista, no podía permitirse actuar sobre esta premisa, de la misma manera que no podía Isabel asumir que la de Alba fuera inofensiva. La clave de su posición se encuentra en una carta al rey escrita en abril de 1569. Empieza por comentar que los consejeros de la reina animaban a ésta a resistirse a todo acuerdo, y aunque ella siempre pareciera deseosa de paz, «tan grandes incautaciones junto a la constante piratería» indicaban otra cosa. Su negativa a tratar con él como representante de Felipe, el arresto de Guerau de Spes «y muchos otros extraños comportamientos que emplea dan testimonio lo bastante vivo de que tiene alguna otra intención secreta». Aconsejaba el duque que no se hiciera nada, pero concluía: «y en verdad es una gran indignidad e insoportable, especialmente proviniendo de una mujer tan obligada a Vuestra Majestad».[48]

La ingratitud de Isabel y la malevolencia de sus consejeros, a quienes Alba en otro momento describe como «los súbditos más miserables y los herejes más perniciosos del mundo»,[49] habían adquirido un lugar predominante en su espíritu. En su opinión, en nada podía beneficiar a Isabel el hostigar a España, y ella estaba moralmente obligada a abstenerse de hacerlo, puesto que España la había protegido desde 1559 de los designios franceses. Su conducta sólo podía estar generada por una malvada perversidad, fuera ésta de la reina o de sus consejeros. Dado que eran todos herejes, ello no era, según Alba, del todo inesperado, pero tuvo el efecto de hacerle errar en sus cálculos. La herejía, como pudo comprobarse en la política que siguió en los Países Bajos, superaba su capacidad de comprensión. Él la consideraba como una deliberada opción por el mal sobre el bien, y asumía que las personas de opiniones heréticas también optarían por el mal en otras cuestiones. Nada era más natural, por consiguiente, que procurar sobornar a Leicester y Cecil en un intento de resolver la cuestión del dinero de los barcos.[50] Semejante táctica pudiera muy bien haber servido con algunos de los consejeros del emperador, en especial Lazarus Schwendi,[51] pero el que Alba quisiera emplearla en este caso da medida de su desesperación.

Puede imaginarse la recepción de estas opiniones en Madrid. Aunque Alba seguía insistiendo en que no era aconsejable una acción directa, sus informes no pudieron sino hacer concluir a Felipe II que no era posible mantener relaciones con Inglaterra en términos amistosos. Cuando esta triste consideración se sumó a la honda y constante preocupación del rey por la fe y las tribulaciones de los católicos ingleses, la necesidad de entrar en acción pareció considerablemente más apremiante.

A todo lo largo de 1569 y 1570, el sentido de responsabilidad de Felipe fue hábilmente cultivado por un regular flujo de visitantes ingleses e irlandeses a su corte. Éstos insistieron unánimemente en el sufrimiento de los católicos y de María de Escocia, y exhortaron al rey a invadir Inglaterra o Irlanda, según fuera su nacionalidad o su grado de optimismo. Es evidente por las cartas de Felipe II que sus palabras causaron efecto.[52] Una vez más, Alba, aunque consideraba semejantes planes un desatino, pudo haber reforzado su causa con sus porfías en favor de los refugiados ingleses en los Países Bajos,[53] y con su franca simpatía por la reina destronada. Parece, en efecto, que la difícil situación de esta señora, a la que había conocido en días más venturosos en la corte de Francia, había cautivado su imaginación, de modo muy similar a como confundiría las entendederas de los espíritus más románticos de toda la Europa católica. Sus comentarios en relación con la rebelión de Norfolk tienen un tono de auténtica emoción: «temo por la desventurada señora; Dios la tenga en sus manos y la guarde».[54] «Mucho han apretado a la Reina de Escocia; me lleva a tenerle la mayor compasión del mundo.»[55]

Felipe II coincidía plenamente y, como Alba, comprendía que la desventura de María era de importancia central para la política española. Mientras viviera, María sería un núcleo de unión para los católicos ingleses y un potencial pretexto para intervenir en los asuntos de Inglaterra. Si Isabel acabara con María, España saldría perjudicada. La situación, pues, era desalentadora en los últimos meses de 1570, y no es sorprendente que Éboli viera en ella la posibilidad de revivir sus planes de conquistar Inglaterra. En ausencia de Alba, él gozaba de la regia atención, y sus opiniones se reforzaban con las de su aliado De Spes y las de Jerónimo Curiel, que se lamentaba de la falta de acción de Alba en términos muy similares a las anteriores denuncias que Villavicencio hiciera de Granvela.[56] Cuando este último sumó su apoyo a los partidarios de la invasión, Alba quedó como único, y decididamente incómodo, defensor de la no intervención. Tan sólo faltaba que surgiera la oportunidad para que el asunto deviniera en crisis. Ésta fue pronto suministrada por Roberto Ridolfi, el hombre que había estado previamente implicado en la publicación de la bula.

La «conjura Ridolfi» fue una de las más famosas implicaciones con que los enemigos de Isabel, con infantil ingenuidad, intentaron conseguir grandes resultados con escasos medios. Sus orígenes son inciertos. Fuera ésta ideada por el mismo Ridolfi, por Guerau de Spes o, como parece más probable, por un proceso de fermentación que se desarrolló entre los que frecuentaban la residencia del embajador español, es un auténtico monumento al error y a la ineptitud. Sobre Ridolfi debe recaer la responsabilidad, pues fue él quien casi únicamente puso la trama en movimiento. Inquieto, escurridizo, un incurable optimista con la lengua suelta y una afición a registrar en papel sus andanzas, era novicio en política internacional y lamentablemente ignorante de la situación de Inglaterra. Desde el principio sobreestimó la fuerza de la oposición a Isabel, subestimó su capacidad para habérselas con ella y malinterpretó del todo la situación de España con respecto a ambos.

El que se le concediera algún crédito a este personaje se debió en gran medida a las ilusiones infundadas de María, Norfolk, el Papa y el partido de Éboli en la corte española, pero hubo otros factores que, si en visión retrospectiva no parecen convincentes, sirvieron, no obstante, para robustecer su causa. Uno de ellos fue que si la *détente* inglesa con Francia y las negociaciones matrimoniales con Anjou alarmaron a España, sumieron a los católicos ingleses en una auténtica desesperación. La perspectiva de una alianza anglo-francesa frustraría sus esperanzas de derrocar a la reina, e incluso de que le sucediera la católica María. El momento de actuar era entonces, antes de que un matrimonio francés pudiera convenirse, y había muchos motivos para suponer que España les prestaría su pleno apoyo. Pues semejante matrimonio representaría un desastre casi tan grande para España como para los católicos ingleses; en el propio interés de Felipe II, no podía tolerarse.[57]

Si estas consideraciones inspiraban confianza entre los católicos ingleses, a Felipe II pronto se le presentó lo que parecía una oportunidad inmejorable para satisfacer sus expectativas. John Hawkins, el intrépido lobo de mar y enemigo de todo lo español, se ofreció, a través de un intermediario, a desertar a favor de España con una flota considerable. Actuaba, desde luego, con el conocimiento de Cecil, ya Lord Burghely, con la intención aparente de hacer caer en una trampa a María y De Spes, pero Felipe se dejó engañar del todo y vio en la aparición del enviado de Hawkins una ocasión providencial para proteger una escuadra de invasión de toda interferencia inglesa.[58]

El 25 de marzo de 1571, habiendo obtenido el respaldo de Norfolk y María y tras reunir una larga lista, parcialmente imaginaria, de partidarios ingleses, Ridolfi se embarcó rumbo al continente para asegurar la colaboración de Alba, el Papa y Felipe II. Su plan consistía en solicitar una fuerza de 6.000 españoles para reforzar las tropas que reunieran los nobles católicos. Las fuerzas invasoras, en su opinión, podrían desembarcar bien en Harwich, que él situaba en Norfolk, bien en Plymouth, que convenientemente decía estar en Essex. En Bruselas recibió su primera y única repulsa, aunque de modo característico no parece haberlo entendido así. Alba se mostró cortés, pero reservado, y dijo que elevaría la cuestión al rey. Pero en realidad Alba se opuso al plan desde un principio. No era solamente que «desde la hora en que Roberto Ridolfi llegó aquí me pareció un pelele y me llenó de temor el peligro de las personas implicadas en este negocio»,[59] sino que durante los dos meses previos había estado dedicado a celebrar largas consultas sobre el asunto de la invasión, y una vez más había decidido firmemente en contra de ella.

El 22 de enero, Felipe II había escrito una carta larga y amarga a Alba: casi 20 páginas de quejas contra Isabel por «romper nuestra antiquísima amistad», incautarse las naves del dinero y los bienes de los comerciantes flamencos, «hacer corsarios de sus súbditos» y maltratar a Guerau de Spes. Era un claro indicio de su desaliento y del grado en que Éboli influía sobre sus ideas. El rey concluía que tenía el evidente deber moral de hacer algo, aun si la cordura «humana», que no la cristiana, aconsejara prudencia. Esto último era probablemente una referencia a los previos argumentos de Alba, pero el rey solicitaba, no obstante, su opinión nuevamente.[60]

Antes de contestar, el duque se protegió planteando la cuestión ante el Consejo de Estado de los Países Bajos. Cuando su respuesta salió de Bruselas el 23 de febrero aparecía, pues, como unánime decisión corporativa, pero no era esencialmente más que una versión detallada y sutilmente compuesta de la carta de Alba a Juan de Zúñiga de un año antes.[61] Incluso conservaba el tono condescendiente. Todo el mundo, decía, estaba de acuerdo en que el rey estaría plenamente justificado en tomar las armas contra Isabel, pero el problema seguía siendo cómo hacerlo. «Los principales medios deben venir de Dios, como Vuestra Majestad tan virtuosamente y devotamente indica, pero como Él obra de ordinario a través de los medios concedidos a los hombres, parece necesario examinar qué métodos se precisan para ejecutar sus intenciones. El primero, y que en modo alguno puede olvidarse, es el dinero, que es el nervio de la guerra.» El coste sería enorme, no sólo del ejército sino también de la armada, «ya que no se puede llegar allí por otro camino», y en Bruselas sólo había lo suficiente para gastos ordinarios. Aunque Felipe II era quien debía determinar si había bastantes fondos en España, era claro que el duque sabía que no los había.

Abundaba en otros obstáculos. Aparte de los azares de la campaña, era una realidad, como lo había sido en el momento de la Rebelión del Norte, que Francia intervendría si España actuaba unilateralmente, y que una expedición conjunta «no podía dejar de caer en grandes disputas y dificultades». La amenaza de Alemania no sólo se mantenía, sino que se había agravado desde que se iniciaron los esfuerzos de Alba para formar una liga de príncipes alemanes católicos. Como había informado el 14 de diciembre, el emperador, al insistir en la exclusión de los Países Bajos, había provocado el final de las negociaciones, impidiendo así la formación de un efectivo contrapeso a los protestantes.[62]

Por último, el duque planteaba una cuestión que no era ni comprendida ni plenamente percibida en la corte, y que indica que si con frecuencia la reina de Inglaterra le desconcertaba, el duque sabía entender a sus súbditos católicos. «Omito», decía, «otra duda que tengo, que, aunque los católicos de Inglaterra puedan pedir socorro, yo tengo entendido que no lo desean tanto como para ponerse en peligro de ser reducidos por él a ser sojuzgados por un príncipe extranjero.» Concluía, en nombre del consejo, que debía evitarse la guerra en favor de una secreta asistencia a los partidarios de María, y continuar las negociaciones para la devolución de los bienes confiscados.

Ridolfi, ignorando este previo intercambio, salió con optimismo hacia Roma, donde sus planes fueron recibidos con universal beneplácito. Hacia finales de junio estaba en Madrid. También aquí se le escuchó con indulgencia. El 14 de julio Felipe II ordenó a Alba que invadiera Inglaterra.[63] Esta orden era casi tan incomprensible para los historiadores como para el mismo Alba. El duque no había tomado en serio a Ridolfi, comentando tan sólo que le había visto y su plan le había parecido inconsecuente.[64] El rey sabía que Alba era contrario a la idea y, merced a la gran autoridad que la distancia le confería, estaba en posición para poder obstruirla indefinidamente. Y, lo que era más grave, había motivos para pensar que el plan había sido descubierto. Charles Bailly, un criado del confidente de María, el Obispo de Ross, había sido arrestado, junto a un paquete de correspondencia incriminatoria, e interrogado. De Spes, increíblemente confiado, aseguró a Felipe que los documentos habían vuelto a él antes de que Burghely pudiera verlos, y que era tan poco lo que Bailly sabía que sería inútil torturarlo.[65] Por el contrario, Burghely sabía lo bastante para romper la columna vertebral de la conspiración, y el precavido Felipe lo sospechaba. Estaba incluso empezando a dudar de John Hawkins. Se había enterado de que tanto éste como su agente George Fitzwilliams estaban en estrecho contacto con Burghely, y aunque Hawkins había ofrecido sus barcos con la estipulación de que fueran en gran medida tripulados por españoles, estas nuevas revelaciones contenían motivos de alarma.[66]

A la vista de todo esto, las razones de la decisión de Felipe II son objeto de conjetura, pero es al menos posible que nunca tuviera la intención de que su orden se ejecutara. Su principal interés puede haber sido el de mantener su prestigio entre los católicos ingleses, una necesidad en la que Feria había insistido incesantemente y, presumiblemente, también su aliado Éboli.[67] De rehusar abiertamente, se perdería toda esperanza de colaboración, pero si accedía a ayudarles y el plan quedaba desbaratado antes de que Alba organizara la invasión, no podrían culpar sino a ellos mismos. No deseaba que llegaran a la autodestrucción, e instó a De Spes a que contuviera sus ánimos,[68] pero es significativo que la orden de invasión no fuera acompañada por provisión alguna de dinero.

Pero si ésta era la intención del rey, el duque lo ignoraba, y no parece, además, que las ventajas de semejante proceder se le ocurrieran en ningún momento. Su reacción era previsible. Después de dar gracias a Dios por haber nacido vasallo de tan piadoso príncipe, reiteraba los argumentos de sus anteriores cartas, y añadía otros dos que debían afectar vivamente al espíritu de un gobernante tan parsimonioso y amante de su patria. Si, no obstante todas las objeciones presentadas, Felipe deseara seguir adelante en su empeño, sería necesario que viniera a los Países Bajos en persona para hacer frente a la inevitable invasión francesa. Además, habría de enviarse una fuerte suma de dinero inmediatamente para poner a los alemanes en Wartegeld (una especie de anticipo a corto plazo para mantenerlos dispuestos para la guerra). Esperaba que se le perdonara el demorar la ejecución de la real orden hasta recibir respuesta. Entretanto, mantendría el asunto en secreto, incluso entre sus propios consejeros. Puesto que había sabido recientemente que al arresto de Bailly había seguido el del mismo Ross, se había tomado la libertad de decir a Guerau de Spes que quemara toda su correspondencia con los conspiradores ingleses.[69]

El 30 de agosto Felipe reiteró su orden con una importante modificación: si pareciera que la empresa era peligrosa para los católicos ingleses, debía ser aplazada.[70] Dos semanas después se anticipaba a la respuesta del capitán general, afirmando que, aunque convencido de que el plan era la causa de Dios y estaba resuelto a ponerlo en práctica, Alba podía, en efecto, emplear su propio discernimiento.[71] La crisis, si es que hubo tal crisis, había pasado.

Las consecuencias de este fiasco no fueron tan serias como cabía esperar, pero fueron bastante graves. Norfolk fue encarcelado y, en enero de 1572, ejecutado. María fue perdonada –para indignación de los Comunes y de muchos consejeros de Isabel–, pero vio muy restringidos sus movimientos. En diciembre Guerau de Spes fue finalmente expulsado por sus ofensas y sus incesantes maquinaciones. Como decía el rey en una de sus notas al margen: «es un mal asunto, y temo que lo sea no sólo ahora sino en el futuro, y si es así, todas las posibles victorias sobre el Turco no me podrán consolar de ello (...) y me temo que seamos culpables de que se encuentre en tan pésimas condiciones».[72]

Que no tuviera peores secuelas se debió en gran parte al efecto de fuerzas que sobrepasaban el control del rey. Sencillamente, Burghely estaba empezando a dudar de su propia política. Luis de Nassau había presentado un plan para un ataque conjunto a los Países Bajos de Inglaterra, Francia y su hermano Guillermo, recabando por entonces ayuda a los alemanes. Si la empresa triunfaba, Francia obtendría Flandes y Artois, Inglaterra se quedaría con Holanda y Zelandia, y el resto sería para Orange, incluyéndolo en el imperio. A primera vista parecía la realización de los sueños de Burghely, pero le preocupaban las consecuencias de conceder a Francia el control de toda la costa del Canal de la Mancha, y las dificultades que supondría la defensa de Holanda y Zelandia una vez adquiridas. El éxito plantearía conflictos, y la posibilidad de la derrota se había acrecentado recientemente con la victoria de España y Venecia sobre los turcos en Lepanto, en octubre de 1571. Incluso los franceses, que en un principio habían aprobado el plan, empezaron a retractarse. Si los españoles y sus aliados podían derrotar al hasta ahora invencible turco y conspirar con personas como Norfolk, ¿qué no podrían hacer en Francia, donde los Guisa representaban una amenaza a la monarquía mucho más seria que todas las de Inglaterra?[73]

Lentamente, la détente anglo-francesa empezó a descomponerse. El matrimonio con Anjou quedó en suspenso, aparentemente por cuestiones de religión, e Isabel mostró escaso interés en un acuerdo alternativo con el hermano de Anjou, Alençon. Tras mucho regateo, se firmó un tratado de alianza en Blois el 14 de abril de 1572, pero sus términos, curiosamente imprecisos, eran muy favorables para Inglaterra. Isabel recibió de Francia una garantía general de protección, sin comprometerse a apoyar a Francia contra España.[74] Entretanto, Burghely había informado a Alba que estaba dispuesto a llegar a un acuerdo en la cuestión de las naves del dinero. El asunto no quedó resuelto hasta 1574, después de que una vez más hubiera estallado una sublevación en los Países Bajos y Alba hubiera regresado a España, pero la oferta era una indicación de que los vientos cambiaban de rumbo. El 1 de marzo, en respuesta a las repetidas protestas de Alba, Isabel expulsó a los corsarios flamencos de sus puertos del Canal, y cuando el 24 de agosto de 1572 la monarquía francesa giró en redondo e intentó destruir a todo el partido hugonote, la colaboración entre las dos naciones se hizo imposible. España había evitado la catástrofe que la política de Alba había querido impedir, pero había estado muy cerca de ella.

1. R. B. Wernham, *Before the Armada: The Growth of English Foreign Policy, 1485-1588* (Londres, 1966), p. 290.

2. *Ibíd.*, pp. 219-96. Ha Habido un intento reciente de rehabilitar al señor Man, pero no ha utilizado fuente española alguna. Véase G. M. Bell, «Jonh Man, the Last Elizabethan Resident Ambassador in Spain», *Sixteenth Century Journal*, XII, 2 (1976), pp. 75-93.

3. *Ibíd.*, p. 299.

4. James Westfall Thompson, *The Wars of Religion in France, 1559-1576* (Nueva York, 1909), p. 318.

5. Alba a Francés de Álava, 2 de octubre de 1567, *EA*, I, pp. 683-84.

6. Alba a Francés de Álava, 4 de octubre de 1567, *EA*, I, p. 684.

7. Alba a Francés de Álava, 10 de octubre de 1567, *EA*, I, pp. 686-87.

8. Alba a Felipe II, 1 de noviembre de 1567, *EA*, I, pp. 699-702; J. L. Motley, *The Rise of the Dutch Republic* (Londres, 1886), II, p. 146, atribuye erróneamente el comentario sobre la Ley Sálica a Alba.

9. Los informes de Ibarra se encuentran en AGS E344, ff. 67-72.

10. AGS E544, f. 71.

11. Alba a Felipe II, 1 de noviembre de 1567, *EA*, I, pp. 699-702.

12. Alba a Francés de Álava, 4 de octubre de 1567, *EA*, I, p. 685.

13. Alba a Francés de Álava, 21 de junio de 1569, *EA*, II, pp. 231-33.

14. Alba a Felipe II, 17 de diciembre de 1568, *EA*, II, p. 127.

15. La respuesta de Alba, fechada el 20 de agosto, se encuentra en *EA*, II, pp. 74-78. Existe una traducción inglesa en Salisbury MSS, parte I, p. 359.

16. Alba a Felipe II, 18 de septiembre de 1568, *DIE*, 37, pp. 412-18.

17. Cantonnay a Alba, 12 de septiembre de 1568, *DIE*, 37, pp. 432-37. Para la información completa de las actividades del emperador, véase *DIE*, 37, pp. 432-63.

18. Alba a Felipe II, 18 de septiembre de 1568, *DIE*, 37, pp. 412-18.

19. J. H. Elliott, *Europe Divided, 1559-1598* (Nueva York, 1968), p. 245.

20. Felipe II a Alba, 12 de enero de 1569, *DIE*, 37, 529-31. Los informes de Alba sobre estas negociaciones se encuentran en *DIE*, 38, 77-82 y 100-108, y *EA*, II, 254-56. Éstas acabaron por interrumpirse en 1570, debido a la obstrucción del emperador (Alba a Felipe II, 14 de diciembre de 1570, *EA*, II, 470-71).

21. Conyers Read, «Queen Elizabeth's Seizure of the Duke of Alba's

Pay-Ships», *Journal of Modern History*, V (1933), pp. 443-44.

**22.** *Ibíd.*, 448.

**23.** *CSP-Foreign*, VIII, 541-42.

**24.** Charles Wilson califica todo el incidente como un «acto de piratería sin sentido» que revela poco más que los instintos básicos de la reina: *Queen Elizabeth and the Revolt of the Netherlands* (Berkeley, 1970), p. 25.

**25.** Alba a Felipe II, 4 de enero, *DIE*, 37, pp. 517-19.

**26.** Read, «Pay-Ships», p. 449.

**27.** *Ibíd.*, pp. 450-52.

**28.** No es cierto que, como sugiere R. B. Wernham, Alba solicitara los nuevos tributos de 1569 para compensar la pérdida de los barcos de la paga (p. 301). La suma que transportaban era casi una nadería en relación con las necesidades de Alba: véase más adelante, capítulo X.

**29.** Wernham, p. 299.

**30.** *Ibíd.*, p. 301.

**31.** Alba a De Spes, 2 y 14 de julio de 1569, *DIE*, 38, pp. 150-52 y 159-61.

**32.** Alba a Felipe II, 19 de julio de 1569, *DIE*, 38, pp. 161-68.

**33.** Véase Alba a Felipe II, 4 de abril y 1 de junio de 1569, *DIE*, 38, pp. 51-57 y 113-20.

**34.** Salisbury MSS (núm. 1458), I, 450-51, fechado el 8 de diciembre de 1569, describe con algún detalle el supuesto plan de invasión de Alba.

**35.** Alba a Felipe II, 8 de marzo de 1570, *EA*, II, pp. 347-49. Para evitar repeticiones, todas las citas del mismo documento que aparecen consecutivamente en el mismo párrafo se han agrupado en una sola nota.

**36.** Alba a Felipe II, 8 de agosto de 1569, *DIE*, 38, pp. 172-77.

**37.** Thompson, p. 412.

**38.** Una copia del breve se encuentra en *DIE*, 4, pp. 514-16.

**39.** *CSP-Roman*, I, pp. 320-21.

**40.** Alba a Zúñiga, 4 de diciembre de 1569, *DIE*, 4, pp. 516-19. (Alba se refiere, claro está, al tratado de Granada de noviembre de 1500 y sus secuelas.)

**41.** A. O. Meyer, *England and the Catholic Church under Elizabeth*, traducción de J. R. McKee (Londres, 1916), pp. 78-83.

**42.** Alba a Juan de Zúñiga, 3 de mayo de 1570, *EA*, II, pp. 380-84.

**43.** Wernham, p. 307.

**44.** Una serie de informes ingleses sobre esta inexistente invasión se encuentra en *CSP-Foreign*, IX, 174-75, 200, 205, 219-20, 335, 347 y 379.

**45.** Wernham, p. 308.

**46.** Alba a Felipe II, 1 de junio de 1569, *DIE*, 38, pp. 113-20.

**47.** Alba a Felipe II, 4 de enero de 1569, *DIE*, 37, pp. 517-19.

**48.** Alba a Felipe II, 2 de abril de 1569, *DIE*, 38, pp. 44-50.

**49.** Alba a Felipe II, 11 de diciembre de 1569, *DIE*, 38, pp. 248-54.

**50.** Alba a Fiesco, 25 de octubre de 1569, *EA*, II, pp. 269-70, y Alba a Vitelli, 25 de octubre de 1569, *EA*, II, pp. 271-72.

**51.** Alba a Felipe II, 11 de marzo de 1569, *DIE*, 38, pp. 5-11.

**52.** Véase Alba a Felipe II, 18 de noviembre de 1569, *DIE*, 38, pp. 228-47, y 22 de enero de 1570, AGS E544, f. 136.

**53.** Un ejemplo es Alba a Felipe II, 31 de octubre de 1569, *DIE*, 38, pp. 208-12: «Es una obra digna de la grandeza de Vuestra Majestad el socorrer a esta pobre y meritoria gente».

**54.** Alba a Francés de Álava, 14 de octubre de 1569, *EA*, II, pp. 267-68.

**55.** Alba a Francés de Álava, 20 de octubre de 1569, *EA*, II, p. 269.

**56.** Véase Curiel a un destinatario desconocido, 6 de abril de 1569, *DIE*, 38, pp. 59-61. La correspondencia de Guerau de Spes se encuentra en *CSP-Spanish*, II, 68-364. Para una muestra del tipo de argumentos presentados por los partidarios de Éboli en la corte, véase Feria a Zayas, 10 de mayo de 1571, *CSP-Spanish*, II, pp. 308-10.

**57.** Wernham, p. 312.

**58.** Felipe II a Alba, 30 de agosto de 1571, AGS E547, f. 5.

**59.** Alba a Felipe II, 7 de julio de 1571, *EA*, II, pp. 659-65. Ridolfi, por otra parte, afirmó que Alba deseaba simplemente volver a España y dejar el problema a su sucesor: Ridolfi al Arzobispo de Rossano, 8 de octubre de 1571, *CSP-Roman*, I, pp. 463-66.

**60.** Felipe II a Alba, 22 de enero de 1571, AGS E544, f. 119.

**61.** En *EA*, II, pp. 523-28.

**62.** Alba a Felipe II, 14 de diciembre de 1570, *EA*, II, pp. 470-71.

**63.** Alba a Felipe II, 14 de julio de 1571, AA, caja 7, f. 58.

**64.** Alba a Juan de Zúñiga, 8 de abril de 1571, *EA*, II, pp. 559-60.

**65.** *CSP-Spanish*, II, p. 264.

**66.** *Ibíd.*, II, pp. 329-33.

**67.** *Ibíd.*, II, pp. 308-10.

**68.** *Ibíd.*, II, p. 323.

**69.** Alba a Felipe II, 3 de agosto de 1571, *EA*, II, pp. 681-85.

**70.** Felipe II a Alba, 30 de agosto de 1571, AGS E547, f. 5.

**71.** Felipe II a Alba, 14 de septiembre de 1571, AGS E547, f. 3 (un extracto en *CPh*, II, pp. 198-202).

**72.** Los comentarios al margen de Felipe II se encuentran en Alba a

Felipe II, 19 de octubre de 1571, *EA*, II, p. 760.

**73.** Wernham, pp. 315-16.

**74.** *Ibíd.*, p. 317.

La diplomacia, si se conduce con sensatez, es una cuestión de pequeñas ganancias contrapesadas por pequeñas pérdidas, el intento de mantener un estado de equilibrio con el que se mitigan las catástrofes o, con suerte, se evitan del todo. Se comprende que Alba la considerara como una distracción agradable e incluso apasionante en tiempos, por lo demás, tristes, pero sus arcanos rituales no podían cegarle al hecho de que los sucesos de los Países Bajos estaban a punto de hacer crisis. Como veremos, la expulsión de los Mendigos del Mar por parte de Isabel precipitó involuntariamente la toma de Brill, iniciándose con ello lo que debe considerarse como la verdadera sublevación de los Países Bajos. Sólo resta por preguntarse por qué un pueblo que no había escuchado las apelaciones de Orange en 1568 se lanzó a una rebelión abierta y en gran medida espontánea en 1572.

De modo irónico, la respuesta se encuentra menos en el gobierno arbitrario de Alba y en sus persecuciones religiosas que en su intento de situar los impuestos y la administración de los Países Bajos sobre bases racionales. Como se recordará, una parte de su misión original había sido la de reformar ciertos aspectos del gobierno, y la necesidad de dichas reformas fue no poco responsable de los desórdenes que le llevaron a Bruselas. Específicamente, debía proporcionar un código legal unificado para todas las provincias, racionalizar la administración eclesiástica siguiendo la bula *Super Universalis* de 1559 y, ante todo, idear un sistema fiscal equitativo.[1] Tan sólo en la esfera eclesiástica recibió líneas generales de orientación, e incluso en ésta los medios quedaron enteramente a su discreción.

Sus problemas eran en cierto sentido los de un gobierno de ocupación. ¿Cómo podía poner los cimientos legales y administrativos de un Estado un régimen que era en sí mismo transitorio, extralegal y extremadamente impopular? Los instrumentos con que contaba el duque eran, en todo caso, casi los menos indicados de todos, pero aun antes de la derrota de Orange había iniciado la tarea de construcción del Estado con ímpetu considerable. Gran parte de sus actos sufrían, sin duda, de la mácula de los medios empleados para realizarlos y, al menos en el Norte, toda reforma fue barrida por la marea de 1572-73, pero la importancia de sus esfuerzos ha sido reconocida por los historiadores.[2]

No es preciso describir detalladamente las reformas legales. A pesar de que no podrían haberse logrado, ni siquiera temporalmente, sin la presencia militar de Alba, éste no era precisamente un hombre de leyes. Comprendiendo las dificultades que aquello suponía, dejó el asunto en manos de los juristas de los consejos centrales. Poco después de su llegada, el rey le escribió inquiriendo si sería recomendable situar todas las provincias bajo «la misma ley y costumbre». La respuesta del duque revela que no era en modo alguno insensible a la situación local, como alguna vez se ha pensado: «Si Vuestra Majestad mira bien lo que ha de hacerse, verá que no es plantar un mundo nuevo, y quisiera Dios que pudiera ser plantado de nuevo, porque quitar costumbres largo ha establecidas en un pueblo tan libre como éste es, y siempre ha sido, una cuestión muy laboriosa». En vista de lo cual, añadía, se había ya pedido a algunas personas que vieran de procurar crear un «orden de policía que fuera útil y el más acorde a los humores del país».[3] El resultado fue la Ordenanza del Derecho Penal, publicada en el otoño de 1570. Incluso algunas autoridades en el tema, que por lo demás no sienten simpatía por el duque, han creído ésta una obra excelente, que proporcionaba protección contra decisiones arbitrarias y garantías procesales para los derechos de los individuos.[4] Desgraciadamente, no sobrevivió al régimen de Alba.

La reforma de la Iglesia, por otra parte, formó la base de la organización eclesiástica de los Países Bajos a lo largo de siglos venideros, y aunque no fue Alba en modo alguno el ideador del plan, contribuyó a él mucho más que la simple fuerza necesaria para imponérselo a un clero en gran medida reticente. El que fuera capaz de hacerlo es un tributo a su incuestionable devoción por la fe, y a la prudencia del rey en reconocer que, al menos en esto, sus consejos estaban limpios de ulteriores motivos de ningún tipo.

Cuando el duque llegó en 1567, poco se había hecho para poner en práctica las reformas promulgadas ocho años antes. No sería exagerado afirmar que la estructura eclesiástica de la región se encontraba en mayor desorden de lo que había estado en 1559. Se había iniciado un primer intento de crear las nuevas diócesis, pero a causa de la negativa de las abadías a incorporarse al sistema, y del compromiso aceptado por Margarita de Parma en 1564, la reorganización quedó incompleta. En las cuatro diócesis orientales de Roermond, Leeuwarden, Groninga y Deventer se habían ya designado obispos, pero los disturbios locales les habían impedido tomar posesión. Una situación algo similar existía en Amberes, donde la persona en un principio designada, Philip Nigri, había muerto en 1563. El gobierno de la ciudad se mantuvo inflexiblemente opuesto al nombramiento de un sucesor, alegando que un obispo reformista sería perjudicial para el comercio,[5] y entre 1563 y 1565 la diócesis fue administrada por Cambrai. Desde aquella fecha fue gobernada conjuntamente por Mechelen y Hertogenbosch, un estado de cosas muy satisfactorio para los protestantes, pero desalentador para aquellos que deseaban una efectiva presencia católica en lo que Alba denominaba «una Babilonia, confusión y recipiente de todas las sectas por igual».[6] Por último, también Brujas quedó vacante, debido a que Petrius Curtius había muerto poco antes de la llegada de Alba, habiendo gozado de una posesión relativamente tranquila desde 1561. De las restantes, sólo Tournai, Arras, Ypres, St. Omer, Utrecht y

Middelburg estaban exentas de serios problemas. Namur era relativamente segura, pues la anexión de la Abadía de Brogne en 1567 le había procurado unos fondos que hasta el momento no habían estado a su alcance. Las demás se hallaban en estado de confusión, siendo quizá Mechelen el caso más grave. Técnicamente estaba ocupada por Granvela como Arzobispo y Primado de los Países Bajos, pero se encontraba aún en Roma y, con la lograda resistencia de las abadías de Brabante a la incorporación, la sede carecía prácticamente de recursos. También se vio sin Bruselas ni Lovaina, que permanecieron dentro de las antiguas diócesis de Cambrai y Lieja, respectivamente. En 's Hertogenbosch, el hábil Somnius siguió sobreviviendo, como había hecho desde 1561, sin las prometidas rentas de la Abadía de Tongerlo, ni otros fondos de importancia, pero en Gante Cornelius Jansenius estaba aún sin confirmar por el Papa, tras tres años de demora, en gran parte debido a que, por no contar con medios económicos, no le había sido posible tomar posesión. En Cambrai y Haarlem tenían conflictos menores. Esta última tenía un obispo, Nicholas van Nieuwland, pero era viejo e inepto y estaba enfermo. Cambrai, por otra parte, estaba quizá demasiado bien organizada. Maximilian de Berghes la había dirigido eficazmente desde 1558, pero el rey encontraba dificultades para asegurarse el derecho de nominar a sus sucesores. Puesto que Cambrai era una archidiócesis y principal sede de las provincias valonas, era ésta una cuestión esencial, en que la Corona estaba destinada a perder: el capítulo catedralicio conservó resueltamente su derecho de presentación, que sólo perdió un siglo después frente a Luis XIV.[7]

Como consecuencia de todo ello, era virtualmente imposible tomar medidas efectivas contra la herejía. Alba podía llevar a los protestantes a la clandestinidad por la sola fuerza de las armas, pero sin un obispado bien organizado se veía impotente para erradicarlos. Nadie lo sabía mejor que él.[8] A los seis meses de su llegada, informaba al rey que debían tomarse medidas para aplicar en su totalidad la bula de 1559.[9] Felipe II, por supuesto, estaba de acuerdo, pero existían numerosos obstáculos para alcanzar un acuerdo inmediato. Entre ellos no era el de menor importancia el que una serie de las personas originalmente designadas hubieran muerto o quedado incapacitadas, y desde el punto de vista español había pocos sustitutos adecuados. Y no debido principalmente a su desconfianza de los flamencos, sino a los criterios excepcionalmente exigentes de Felipe II y su capitán general. Con mucha frecuencia, si se hallaba al fin un hombre cuya capacidad y santidad le hacían idóneo para una diócesis, rehusaba aceptarla. El modo en que Felipe II cultivó prolongadamente a Guillaume de Poitiers es un ejemplo al caso. Habiendo rechazado St. Omer en 1561, rehusó la oferta de Brujas en 1568 y al fin se le permitió, si bien con desgana, dedicarse a sus meditaciones en paz.[10] Una diócesis en los conflictivos Países Bajos no era exactamente un beneficio, y no es extraño que se topara con grandes dificultades para encontrar a alguien dispuesto y capacitado para ser arrojado a las calderas de Amberes.

A las exigencias mínimas de erudición, devoción y voluntad de servicio, Alba añadía una cuarta que demuestra, una vez más, que era más sensible a los intereses locales de lo que su reputación pudiera hacer creer. Cuando el rey indicó que podría adjudicarse Brujas a Jean Ghéry o Jean Straetman, Alba objetó fuertemente a ambos porque ninguno de los dos hablaba flamenco y la diferencia de lengua era una de las razones para haber desgajado esta diócesis de Tournai.[11]

Cuando se unen estas dificultades a los problemas fundamentales de la provisión de fondos, la incorporación de las abadías de Brabante y la delicada labor de sustituir a los incapacitados, se hace patente que la reforma eclesiástica de Alba fue algo más que una simple aplicación de anteriores decisiones mediante la fuerza militar. No podemos sino abundar en la opinión del Padre Dierickx de que la reorganización de la jerarquía eclesiástica de los Países Bajos fue una de las mayores contribuciones de Alba como reformador administrativo.[12]

El proceso se inició el 31 de marzo de 1568 cuando Felipe II, respondiendo a una carta de Alba del mes anterior, despachó una larga instrucción en que se ordenaba la instalación de obispos y la incorporación de las abadías de Brabante conforme a la bula original. Habría sido sencillo obedecer de no ser por las vacantes de Brujas y Amberes. Felipe temía que Guillaume de Poitiers pudiera rehusar Brujas e indicó que, de hacerlo, podría adjudicarse a Driutius, obispo electo de Leeuwarden y originario de Flandes occidental. Puesto que así quedaría vacante Leeuwarden, se instruyó al duque para que buscara otro candidato que conociera Friesland. Si Poitiers aceptara, Ypres debería asignarse a Driutius, y Rithovius, entonces obispo de Ypres, pasaría a Amberes. Poitiers, como sabemos, rehusó, y Driutius no vaciló en trocar los yermos de Friesland por las amenidades de Brujas, especialmente dado a que le prometieron las rentas de la rica abadía de Ter Doest cuando quedara vacante el abadiado al año siguiente. Rithovius, por otra parte, se negó categóricamente a exponerse a los levantiscos ciudadanos de Amberes, permaneciendo confortablemente instalado en Ypres y aplicando su gran «ciencia», como Felipe II la había denominado, en servicios menos arriesgados.

No obstante tantos obstáculos, todo estaba ya dispuesto hacia el otoño. La opción de Alba para Leeuwarden había recaído sobre Cunerius Petri, que aceptó, y se enviaron órdenes pertinentes para la instalación no sólo de Petri, sino de los obispos de Groninga, Roermond y Deventer. Es irónico que Guillermo de Orange fuera al menos parcialmente responsable de la tranquilidad con que dichos cambios fueron introducidos. De no haber sido necesario fortificar las fronteras orientales de los Países Bajos para detener su proyectada invasión, la resistencia pudiera haber sido más amplia. Alba mismo tenía conciencia de ello, pues aprovechó esta oportunidad para extender las diócesis de Mechelen y 's Hertogenbosch al máximo. Se pretendía que éstas incluyeran aquellas porciones de los dominios de Felipe II situadas dentro de los límites del obispado independiente de Lieja. Como es natural, Lieja se había opuesto a ello, pero estando sus territorios inundados de las tropas de Alba y amenazados por las indisciplinadas fuerzas de Orange, las protestas del obispo fueron relativamente débiles y quedaron desatendidas.

Estos éxitos se repitieron en Gante, donde Cornelius Jansenius tomó al fin posesión, con unas rentas anuales de 3.000 florines de la abadía de San Pedro. Para rematar la operación, Alba, por indicación de Felipe II, extrajo otros 2.000 florines de la desafortunada abadía, 1.000 para dotar el prebostazgo vacante de San Bavon y 1.000 como pensión para el inquisidor general, Pieter Titelmans. Con esto, sólo Amberes quedaba sin ocupar, y una vez más el temible Sonnius demostró su valía metiéndose en la boca del lobo. Alba había sostenido que sólo éste poseía la inteligencia y la fortaleza de espíritu para este puesto.[13] Sonnius justificó su confianza no sólo acudiendo a pesar de su edad y de su cariño por la ciudad donde había nacido, sino también al rechazar los 3.000 florines recientemente adquiridos de Tongerlo.[14] El lugar de Sonnius fue ocupado por Laurent Metsius, Deán de Santa Gadula de Bruselas.

La búsqueda de las personas apropiadas no fue, claro está, sino uno de los aspectos de un proceso complejo. Mientras rastreaba todo el país en busca de píos hombres de la Iglesia, Alba luchaba también con las dificultades de las abadías de Brabante. Había sido ésta una cuestión larga y enconadamente disputada, pero hay que reconocer que hacia 1568 el duque mismo se había convertido en el principal obstáculo a su solución. Las primeras instrucciones del rey habían sido claras:[15] Mechelen, Amberes y 's Hertogenbosch debían constituirse de inmediato conforme al compromiso alcanzado por Margarita de Parma. Ello significaba que la abadía de Afflighem sería incorporada a Mechelen, Tongerlo a Amberes, y San Bernando a 's Hertogenbosch. San Bernardo no planteaba ninguna dificultad, pues había quedado vacante hacía tiempo y sus rentas se habían partido, como medida de emergencia, entre Sonnius y Granvela en 1565.[16] Afflighem y Tongerlo estaban ocupadas, pero Alba iba a iniciar una investigación para enterarse de si alguno de los dos abades había obtenido el puesto por simonía u otro medio no canónico. Si Arnold Motmans, abad de Afflighem, pasaba el escrutinio, recibiría San Pedro de Gante como compensación; si el abad de Tongerlo resultaba inocente, se le permitiría permanecer en la abadía a cambio del pago de una contribución anual de 3.000 florines a la sede de Amberes. La idea de la investigación pudo haber procedido de Granvela, que sabía desde 1565 que el abad de Tongerlo era simoniaco,[17] pero las sospechas del rey fueron también proféticas en el caso de Motmans.[18] Ambos fueron al fin desposeídos, pero entretanto Alba había creado

337

sus propias complicaciones. En junio de 1568, por razones que no son en modo alguno claras, procuró conseguir que se moderaran estas disposiciones, y se dedicó a intentar la incorporación por una vía totalmente distinta.

En lo esencial, el plan de Alba consistía en permitir a los abades vigentes permanecer en sus puestos, con plena autoridad administrativa en todo menos en lo concerniente a las donaciones del obispo. Era ésta una especie de vía media entre la total incorporación contemplada en las bulas y la total independencia lograda mediante contribuciones a los obispos, como establecía el compromiso de 1564. Además, Alba deseaba convertir las contribuciones de los monasterios en porcentajes de sus rentas brutas, en lugar de sumas fijas de dinero, alegando que la inflación reduciría progresivamente, de otro modo, el valor de las donaciones.[19] Los motivos que informaban esta segunda propuesta no precisan de mucha explicación: como todo noble del siglo XVI, Alba era experto en el valor declinante de las rentas fijas.

Su propósito al modificar los términos generales de la incorporación es menos evidente. Granvela lo consideró un intento de limitar su propia autoridad como primado de los Países Bajos, y protestó enérgicamente ante Alba y ante el rey. Argumentó que el plan conduciría a una mala administración, debido en parte a que el control de las abadías quedaría dividido y en parte a que, en el caso de Afflighem, el entonces abad había causado más perjuicios en cuatro años que su predecesor, el obispo de Tournais, en cuarenta, a pesar de que este «no era el hombre más templado del mundo». Aún más, el actual Papa era admirador de Paulo IV y no estaría, por consiguiente, muy inclinado a alterar las bulas originales. Era arriesgado solicitar alteraciones, pero incluso el rechazo papal plantearía ya dificultades. Alba había remitido la cuestión a Roma sin previa consulta. Si el Papa denegaba la nueva propuesta, los brabantinos harían responsable a Granvela de la negativa y, como era bien sabido, ya contaba con suficientes enemigos sin añadir éstos.[20]

El cardenal pudo recelar que su antiguo aliado se había vuelto contra él, pero no era así. Alba no tenía motivos para enemistarse con Granvela en aquellos momentos, y sus razones para sugerir estos cambios no guardaban, con toda probabilidad, ninguna relación con los sucesos de la corte. En efecto, su intención parece haber sido doble. Por una parte deseaba evitar que se repitiera lo ocurrido cuando se incorporó la abadía de Egmont a la diócesis de Haarlem.[21] En ésta, la mala administración de obispos corruptos e incapacitados había creado una interminable serie de escándalos y disputas. Alba sabía muy bien que mientras Granvela viviera no surgirían problemas de esta índole, pero después de él

«puede venir un prelado que no dé nada de comer a los monjes, ni ofrezca la necesaria hospitalidad, ni repare y sostenga la casa como debiera, y quedando ésta a disposición del obispo, sería motivo de disputas y diferencias perpetuas entre el obispo y los monjes, y un terrible enojo en que ellos y el prelado se ocuparán sin poder atender a nada más de lo que toca a los puestos de uno o el otro».[22]

Era ésta una preocupación legítima, y la única a que Alba mismo hizo referencia en la subsiguiente polémica. Existía otro problema, más importante acaso, que él prefería no tratar públicamente. Hacia abril de 1568, debía a sus tropas más de 3.000.000 de florines en sueldos atrasados, pero no contaba más que con 150.000 florines. Sabía que el verano traería consigo una costosa campaña y que probablemente poco podía esperarse en cuanto a posibles aportaciones de Madrid. Consecuentemente, había propuesto una contribución, a recaudar una sola vez, de un uno por ciento sobre todos los bienes muebles como «ayuda de costa», y había introducido por primera vez la cuestión de un impuesto permanente sobre las transacciones comerciales inspirado en la alcabala, una retención de la décima parte del valor que llegaría a cobrar una fama ignominiosa.[23] Como era de esperar, la resistencia fue fuerte. El duque podía intimidar a los Estados sin piedad, pero no podía actuar en materia financiera sin su aprobación y, como él dijera un par de semanas antes de enviar a Roma su plan sobre las abadías, «he puesto todo mi honor y mi autoridad en seguir esto [la introducción del impuesto] con todos mis recursos».[24] Cuando esto escribía, estaba pasando por momentos particularmente difíciles con los Estados de Brabante y Holanda,[25] y es muy posible que procurara modificar la incorporación de las abadías para facilitar la aprobación de sus propuestas fiscales.

Si ello es cierto, no hay por qué considerarlo como una cínica subordinación de los intereses eclesiásticos a exigencias financieras. Dejando aparte el hecho de que la situación era lo bastante desesperada para hacer peligrar la totalidad de su régimen y, con él, los principios religiosos que encarnaba, el duque creía sin duda en las razones que ofrecía Granvela. A pesar de ello, era capaz de actuar por motivos puramente seculares si la necesidad fuera grande. En abril de 1569, después de que su plan para las abadías fuera rechazado por el rey, solicitó que se aplazaran las incorporaciones hasta que los Estados de Brabante aceptaran su propuesta fiscal,[26] otra indicación de que esto último había sido su primera preocupación desde el comienzo.

Habiendo aceptado en un principio esta petición, Felipe II cambió luego de opinión ante los razonamientos de Granvela. No veía cómo una administración dividida pudiera ser más ventajosa que una controlada por el obispo, ni deseaba verse implicado en interminables querellas con el conocidamente poco razonable Pío V.[27] El 12 de marzo de 1569 ordenó a Zúñiga que insistiera en la imposición de las bulas, «pura y simplemente», pero no antes de que Granvela, enterado de que el rey había accedido a lo propuesto por Alba, pero sin saber que había reconsiderado después su decisión, prestara su apoyo al plan del duque.[28] Alba, que nunca fue un buen perdedor, aprovechó esta confusión para expresar su asombro ante el hecho de que Felipe II actuara contrariamente a los consejos del propio Granvela,[29] y al año siguiente consiguió las incorporaciones.

Resuelto este problema, la reorganización de la jerarquía quedaba esencialmente completa. Los únicos conflictos aún vigentes se encontraban en Haarlem, donde era preciso deshacerse del enfermo e incompetente Nicholas van Nieuwland, y en Deventer, donde el obispo recientemente instalado, Jean Maheu, sufrió una apoplejía que le incapacitó para continuar en el puesto. En ambos casos, Alba ofreció a los titulares una pensión a condición de que se jubilaran, sustituyéndolos por

Godefroid Van Mierlo y Aegidius de Monte (Gilles van de Berghe), respectivamente. Fueron ambas excelentes opciones, pero, en cierto sentido, van Nieuwland fue quien salió más beneficiado. Exigió una pensión de 1.200 florines, tres veces más de lo recibido por Maheu, hombre de mucho mayor mérito. Alba, escandalizado por esta manifiesta extorsión, envió al protonotario Pedro de Castilla para convencerle de rebajar la suma a 600 florines. Encontró éste al viejo pecador en su lecho, «para moverle del cual hacen falta tres personas», y pensó que podían permitirse un compromiso de 1.000, pues era probable que muriera en cualquier momento. Ello animó de tal modo al obispo que experimentó una milagrosa recuperación y vivió con gran holgura hasta 1580.[30]

Pero era un precio mínimo a cambio de la relación de tan decisiva reforma. Alba no sólo había concluido la reorganización iniciada diez años antes, sino que mediante su pertinaz atención a las cuestiones eclesiásticas, había en gran medida logrado que la nueva jerarquía se encontrara entre las mejores de Europa. Esto, en sí mismo un triunfo importante, no era sino una parte de un plan más amplio que tenía en proyecto.

Prácticamente ningún asunto eclesiástico escapó a su atención. El clero regular se hallaba en estado tan caótico como el secular, y hacia enero de 1568, Alba había hechos grandes esfuerzos por reformarlo. El rey había solicitado la reedificación a los Cartujos. Alba respondió delegando la encomienda en Alonso de Contreras.[31] Aproximadamente por entonces, y bajo su propia autoridad, pidió al Papa una visita de dominicos y franciscanos. Es revelador que cuando un visitador franciscano se presentó, en efecto, provisto de breves no sólo con este fin, sino también para investigar la Inquisición, Alba se negara a permitirle inmiscuirse en los asuntos de ésta. Semejante tarea, creía él, exigía «un cardenal, o alguien de esta categoría».[32] Es decir, su concepto de reforma seguía siendo típicamente español y regalista.

Dicha concepción queda doblemente manifiesta en los tratos de Alba con los jesuitas. En septiembre de 1570, éstos solicitaron permiso para abandonar su colegio de Tournai y reestablecerse en Amberes. Felipe II refirió la cuestión a Alba, que respondió indirectamente valiéndose de Antonio de Toledo, «porque estos padres son numerosos y tienen muchas inteligencias, y no quiero que me odien porque son enemigos muy malos». Después de ofrecer una breve, pero completa, historia de la comunidad española de Amberes y de los jesuitas en particular, Alba aconsejaba contra el cambio de residencia. A pesar de que sin duda podían realizar grandes servicios en otros lugares, decía, sus persistentes amenazas a la autoridad real les convertían en un riesgo dentro de los Países Bajos. No sólo se habían ya establecido en Amberes sin pedir permiso a Alba o el obispo, sino que habían «murmurado sobre la justicia que aquí se hace» y se oponían a la recaudación de impuestos para ganarse el favor de las gentes.[33] Hasta el final, Alba fue incapaz de separar los intereses de Iglesia y Estado. Y no por necedad o una ciega confusión de ideales, sino por la convicción de que la hegemonía católica en los Países Bajos dependía, en última instancia, del mantenimiento de la absoluta autoridad regia. Si en algo erraba, era en su noción del término absoluta.

Se emprendió la prohibición de libros con celo aún más entusiasta. Para hacer cumplir las resoluciones del Concilio de Trento, Alba estableció una comisión cuya tarea consistiría en compilar una lista de libros condenados. Se invitó a obispos y otras partes interesadas a presentar sus propias selecciones de obras. Una vez que hubieron ofrecido lo que el duque denominó «un catálogo muy copioso», despachó a una serie de agentes, entre ellos Arias Montano, a visitar las librerías y secuestrar las obras que contuvieran «la doctrina de los muchachos».[34] Los editores de dichos textos, si es que no se encontraban ya en el exilio, fueron arrastrados a presencia de los obispos y examinados. Fue una campaña coronada por el éxito, y Felipe II se encontraba muy satisfecho. Informó al duque de que sus disposiciones servirían de modelo para esta labor en España.[35]

Alba se interesó también por el estado de las universidades. Lovaina le impresionó gratamente, pero recomendó que se aumentaran los salarios del claustro docente en Douai para que «la universidad esté bien atendida y tenga hombres sabios sin que éstos procuren marchar a otros lugares». Señalaba que algo había de hacerse en relación con la universidad de Dôle, en el Franco Condado; era ésta, decía, muy pobre, pero importante por hallarse rodeada de herejes.[36] Las reformas eclesiásticas, aunque despertaron un amplio descontento, tuvieron éxito en el sentido de que sobrevivieron al régimen de Alba y fortalecieron mucho la posición de la Iglesia.

Sin embargo, las medidas fiscales del duque representaron un desastre sin paliativos. No sólo carecieron de toda perdurabilidad, sino que fueron un factor decisivo en precipitar la rebelión general de 1572. Mucho se ha escrito acerca de las famosas tasas del 10 por 100, pero con demasiada frecuencia el verdadero carácter de este tributo y el proceso mediante el cual fue impuesto han quedado oscurecidos por la parcialidad y la excesiva simplificación. En su forma final, no fue una simple alcabala, o recaudación del 10 por 100 sobre toda transacción comercial, ni era tampoco en modo alguno un producto bruto de la mentalidad «militar» y «económicamente tosca» de Alba. Era, por el contrario, producto de una larga serie de deliberaciones entre Alba, el Consejo de Hacienda y los Estados provinciales, y el resultado fue menos oneroso que un similar impuesto recaudado sin conflictos por Guillermo de Orange tras la marcha del duque.[37] Ni el mencionado tributo ni la oposición que suscitó pueden entenderse sin una explicación detallada de las circunstancias que los rodean.

Como vimos, el estado financiero del gobierno de los Países Bajos en 1567 era rayano en el desastre, y era esencial tomar medidas drásticas. Como mínimo, era preciso desarrollar una fuente permanente de rentas que contuviera, y a ser posible invirtiera, la alineación de las propiedades reales, y eliminara los múltiples abusos que habían tomado cuerpo en sectores tales como los seguros marítimos y la especulación en moneda. A Alba se le concedieron amplios poderes para conseguir estos fines, pero el número de opciones posibles estaba seriamente limitado por costumbres inviolables y la ignorancia económica característica de su generación. Las confiscaciones incrementaron el patrimonio real,[38] los seguros se sometieron al control de un «administrador general de seguros»[39] y la especulación en moneda quedó prohibida mediante un edicto en 1571,[40] pero la cuestión de obtener unos ingresos permanentes no podía solucionarse con métodos tan imperiosos.

Los primeros pasos emprendidos en pos de una solución fueron, efectivamente, tentativos. Tras varios meses de «procurar entender el gobierno, pero cautelosamente», Alba pidió al Consejo de Hacienda que sugiriera medios para acabar con los problemas financieros. Un mes después, los consejeros presentaron la tradicional y poco imaginativa idea de que se recaudara un impuesto del 1 por 100 sobre toda propiedad mueble en concepto de ayuda (*aide*). El duque aceptó, pues esperaba cubrir con él la mayor parte de los 3.000.000 de florines que constituía la deuda actual, pero señaló que con esto poco se hacía en previsión del futuro. En consecuencia, el 13 de abril de 1568 propuso por primera vez que se impusiera una alcabala del 10 por 100 sobre toda transacción como fuente perpetua de ingresos, y que ésta fuera complementada con un tributo del 5 por 100 sobre todas las ventas de bienes raíces.

Clamaron de inmediato que esto perjudicaría a los comerciantes, pero el duque replicó diciendo que era «el mejor expediente» que conocía y «uno de los más equitativos para toda clase de personas».[41] Éste era el núcleo de la cuestión, y el primero de muchos puntos en que los historiadores se han desorientado en su interpretación del conflicto entre Alba y sus ministros. No fue ignorancia, ni la supuesta calidad opaca de su mentalidad militar, los que llevaron al duque a elegir la alcabala, sino la convicción de que ningún segmento de la sociedad debía ser eximido de compartir la carga. Puesto que los ricos estaban ya exentos de prácticamente todas las formas de contribución, sólo un impuesto sobre las ventas podía evitar que la totalidad de la carga recayera en los pobres.

Puede que a primera vista semejantes preocupaciones puedan parecer poco comunes en un aristócrata, pero Alba era también monárquico, y la igualdad fiscal había sido durante mucho tiempo un aspecto de la política regia. Tanto la alcabala castellana como la fracasada sisa de 1537 habían sido defendidas en similares términos. Alba había apoyado esta última, para profundo disgusto del resto de los nobles. Puede que también operaran las convicciones religiosas y una aristocrática desconfianza hacia los comerciantes, pero fueran cuales fueran los orígenes de su opinión, la mantuvo con característica tenacidad. Cuando le fue presentado un proyecto para recaudar una suma igual de dinero cobrando impuestos sobre bodas, bautizos y sucesiones de línea colateral, lo rechazó firmemente alegando que era opresivo para los pobres.[42]

La verdad es que el duque había tomado ya una determinación. Se proponía aplicar la alcabala de una forma u otra y a todo trance, mas por el momento decidió dejar la cuestión en reposo. El tesorero, Schetz, presentó «100.000 objeciones en una hora», incluso cuando Alba sugirió que las primeras transacciones quedaran exentas como concesión al comercio, y como Schetz era «el principal cabrón a quien todos adoran», creyó preferible actuar con prudencia.[43]

Alba sabía que había de interesar a nobles y financieros en su propuesta, y esperaba conseguirlo proporcionándoles algún papel en la administración del mencionado impuesto,[44] pero hasta el 4 de noviembre los Consejos de Estado y Hacienda no aprobaron una resolución para someter dos tributos, uno del 1 por 100 y otro del 10, ante los Estados provinciales.[45] Entretanto, se había iniciado la invasión de Orange y Alba había estado en campaña desde julio, con unos gastos mensuales de 260.000 escudos.[46]

El duque se disculpaba por dichos gastos y se resentía profundamente de las objeciones planteadas por sus consejeros,[47] pero poco consuelo podía ofrecerle el rey. El día de Nochebuena de 1568, los moriscos de Granada se alzaron en la segunda rebelión de las Alpujarras, y el 10 de enero Felipe II se veía forzado a escribir:

«No queda ni un solo expediente para obtener un real, y por ello te imploro encarecidamente y te ordeno con el amor, atención y diligencia con que solamente tú cuidas de las cosas de mi servicio que dispongas las cosas de la hacienda en aquellos estados de manera que suplan todos sus costos sin que tengamos que enviar más dinero allí, porque, aparte de no haberlo, como se ha dicho, se tomaría muy mal en estos reinos aun si lo hubiera, el verlo enviado allí para gastos ordinarios como en el pasado, ahora que la guerra ha terminado.»[48]

345

Sería un estribillo repetido con frecuencia en meses subsiguientes.

Tan grande era la necesidad que Alba decidió contravenir las órdenes del rey y convocar a los Estados conjuntamente, en lugar de reunirse con ellos separadamente, como había sido su primera intención. Pensaba que si podía celebrar sesión con ellos durante un solo día, podría evitar que expresaran su descontento sobre otros asuntos, pero si los veía separadamente, la distancia y el mal tiempo podrían ser causa de que el asunto se prolongara indefinidamente.[49] El 21 de marzo se hizo la propuesta de los impuestos, y Alba visitó a cada delegación individualmente para conocer su reacción.[50] Su estado era optimista, pero este optimismo resultó prematuro. Una vez que los distintos miembros hubieran regresado a sus regiones, empezaron a crear dificultades. La oposición más fuerte provino, extrañamente, del predominantemente agrícola Artois, pero existía una general concurrencia en que esta alcabala iba a ser la total ruina del comercio.

Hacia fines de junio de 1569, Alba empezaba a estar de acuerdo,[51] pero había apostado su prestigio en la cuestión y sentía que no podía retroceder sin arriesgar la autoridad regia.[52] Al fin se vio una salida al atolladero cuando Alba indicó que si los Estados aceptaban la alcabala en principio, él admitiría un «encabezamiento» del impuesto.[53] El encabezamiento era un proceso en virtud del cual podían recaudarse los tributos de una ciudad o una provincia sobre la base de una cifra acordada de antemano. En otras palabras: no sería muy distinto al acostumbrado *aide* recaudado con los métodos tradicionales por las autoridades locales. Entretanto, los Estados habían aceptado la imposición de esta tasa en proporción del 1 por 100, mitigando con ello la inminente crisis financiera.

Felipe II creyó el encabezamiento una idea excelente.[54] También Alba parecía satisfecho, pues le permitía ceder a un «tira y afloja» ahora que la autoridad regia había sido afirmada.[55] Lo asombroso es que el duque no hubiera pensado en semejante compromiso hasta octubre. Pues, en efecto, la alcabala castellana había pasado a ser un encabezamiento desde 1525.[56]

El «tira y afloja», como Alba lo denominaba, duró hasta el siguiente verano, en que los Estados aceptaron una propuesta enviada por los Consejos de Estado y Hacienda. Se acordó que la alcabala se cobrara en forma de encabezamiento durante dos años con la suma de 2.000.000 de florines, a 1.000.000 al año. Era éste un triunfo para Alba, dado que los Estados habían en un principio propuesto que la suma se pagara a lo largo de un período de seis años. Pero si se había reducido el período de recaudación, el carácter fundamental de la alcabala se había alterado. El duque, si bien admitía que la totalidad de este impuesto proporcionaría una suma «que sería una locura decir», señalaba que muchos de los Estados podían satisfacer su contribución recaudando solamente una sexagésima, octogésima o incluso centésima parte del valor total de los bienes vendidos.[57] Aún más, aunque quedó acordado que el impuesto del 1 por 100 podría volver a cobrarse al cabo de seis años de producirse una invasión, ninguna de estas disposiciones tenía en modo alguno carácter perpetuo.

El compromiso alcanzado, pues, sólo era válido a corto plazo. Produjo lo que un moderno historiador ha llamado «los años de las vacas gordas», el período 1570-71, en que el gobierno de los Países Bajos fue verdaderamente solvente por primera vez desde tiempo inmemorial,[58] pero estos beneficios fueron acompañados por costes tan fuertes como intangibles. Al transigir como lo hizo, Alba produjo la impresión de que la cuestión de una tributación perpetua era negociable, cuando, en realidad, nada había más alejado de la verdad. Lo que es aún más grave: al parecer el duque creyó que los Estados habían accedido a dicho impuesto en principio, cosa que éstos negaron más tarde.

Este malentendido, que puede no haber sido inocente por parte de ninguno de los dos lados, se agravó mucho con el estado de ánimo del duque. Las negociaciones habían sido prolongadas y difíciles, y habían introducido una cuña entre él y sus ministros que perduraría hasta el final. Como dijera su secretario, Albornoz:

«En llevar la cuestión hasta este punto puedo aseguraros que el duque ha perdido más sueño que pelos tengo en la cabeza, porque lo

347

que pasó negociando con estos hombres no puede ni imaginarse ni creerse, siendo ellos contrarios a todas las cosas que han de hacerse en el servicio de Su Majestad.»

Creía que habían sido «pasados a capa y espada» por el país en general y, sobre todo y en particular, por los ministros mismos, cuyo deber era ejecutar las medidas.[59]

La experiencia intensificó la sensación de aislamiento que el duque había tenido desde su llegada a Bruselas, y fomentó su ya pronunciada tendencia a imaginarse una especie de Childe Roland, separado del socorro de su rey y rodeado de infieles. No sólo se habían resistido los Países Bajos a su propia autoridad, sino que habían incluso llegado a amenazarle, afirmando que el impuesto podía dar pie a la rebelión dentro del territorio, e invitar a la invasión desde fuera. Su respuesta, redactada al rojo vivo, revela la formación de una mentalidad de cerco y la continua erosión de su buen juicio político:

«Yo respondí que debían comprender que al igual que Su Majestad me había enviado aquí para cortar las cabezas de los desobedientes y de los que habían sublevado al país, podía cortar las de los que me inquietan de esta otra manera, y cuando el mundo entero se hubiera perdido, podía romper los diques e inundarlo todo, porque Su Majestad prefería un país perdido y ahogado a uno conservado y desobediente.»

Tras recobrar algo la compostura, añadía que semejante posibilidad era improbable en un lugar donde el rey tenía tantos buenos vasallos, pero que sería más fácil para él que continuar las negociaciones, pues «he estudiado cuarenta y nueve años en esa facultad».[60]

Había en todo esto, casi con certeza, un elemento de baladronada, pero era una amenaza generada por una auténtica exasperación, y obligó a sus consejeros a enfrentarse al carácter extranjero y esencialmente antipático de su mando. Accedieron a sus deseos, pero se trazaron las líneas divisorias y la comunicación prácticamente desapareció. No se trataba de simples traidores a su patria, sino de hombres que creían que la autoridad real y el bienestar de su país estaban inseparablemente ligados. Ahora se encontraban ante la necesidad de o bien rechazar aquella preciada convicción, o suponer que Alba no representaba verdaderamente la voluntad regia. Cuando la cuestión volvió a plantearse en abril de 1571, su resistencia fue más obstinada que anteriormente.

La alcabala debía expirar el 13 de agosto, y parecía probable que las deliberaciones sobre su sustitución se prolongaran durante meses. Si los consejeros habían endurecido sus posturas, también lo había hecho el duque. Éste seguía convencido de que la efectividad de la autoridad real dependía del mantenimiento de un impuesto perpetuo, y la experiencia del año anterior había reforzado su opinión intensamente. En febrero de 1571, hasta la última moneda de los 4.000.000 de florines producidos por el impuesto del 10 por 100 y de los 3,3 millones proporcionados por el del 1 por 100 habían sido consumidos por el ejército, cuyos sueldos se encontraban, como siempre, atrasados. Solamente la deuda contraída con los mercenarios alemanes sumaba casi los 5.000.000 de florines. Alba temía que de producirse una invasión se vería incapacitado para defenderse. Los banqueros se negaron a conceder empréstitos contra una segunda recaudación hasta 1575, y cuatro años empezaban a parecer un período excesivamente prolongado.[61]

Era inevitable una larga y enconada disputa. Empezó, como era de esperar, en un absoluto punto muerto. Los consejeros, con Berlaymont a la cabeza, sostuvieron que los Estados no habían accedido nunca a que se ampliara el impuesto y, habiendo satisfecho sus cuotas, insistían en negociar el asunto partiendo de cero. Alba respondió, «no sin cólera», que habían accedido manifiestamente a una alcabala perpetua y que no habían hecho más que transformarla transitoriamente al aceptar el encabezamiento.[62]

Este estado de cosas se mantuvo más de un mes. Los consejeros habían sido enterados de que era inminente la sustitución de Alba, y esperaban prolongar la polémica hasta la llegada de un sucesor más asequible. Viglius, en particular, se animó tanto que llegó a erigirse en principal portavoz de la oposición, un giro tan completo e inaudito que indica con máxima claridad que la marea se volvía con rapidez en contra del duque. Alba era penosamente consciente de ello[63] y se intensificó su melancolía, que sólo cesaba durante sus cada vez más frecuentes estallidos de ira.

La oposición de los consejeros era comprensible en otros términos. Sabían que un impuesto perpetuo privaría por siempre a los Estados del control sobre el dinero, y temían que incluso la maquinaria de recaudación recayera en manos españolas. Alba era conocidamente enemigo de ceder en arrendamiento la recaudación, y la recogida del impuesto del 1 por 100 bajo la vigilancia de superintendentes, designados específicamente para este fin y directos responsables ante el duque, les llenaba de ansiedad.[64] Pero una vez considerados todos sus aspectos, la principal responsabilidad del desastre ha de ser firmemente adjudicada al duque. Desde mucho antes de iniciarse las conversaciones, él había apoyado una alcabala muy modificada en que todas las transacciones a excepción de la última quedarían exentas. Se había convencido, tanto como cualquier flamenco, que una plena aplicación del impuesto arruinaría al país, y estaba incluso dispuesto a considerar propuestas que dejarían exentas determinadas clases de mercancías,[65] pero gracias a un error de cálculo de proporciones verdaderamente titánicas, no parece haber dado la menor indicación de ello a nadie a excepción del rey y Albornoz.

Que lo hizo intencionadamente es patente por la relación que Viglius ofrece de la reunión del 21 de abril. Después del arranque de Alba contra Berlaymont, había ordenado a Schetz que procediera a recaudar la alcabala desde aquel momento, orden que fue, desde luego, desobedecida.[66] Hasta el 29 de mayo no se decidió a hablar con Viglius separadamente, tras un altercado especialmente violento, para decirle que en realidad estaba de acuerdo con él, pero prefería que el resto del consejo no lo supiera. El frisón se quedó anonadado, pero, después de meditarlo, concluyó que Alba se preparaba para presentar otra opinión sin que pareciera que se contradecía.[67] En efecto, Alba propuso una extensa «moderación» en la siguiente reunión del consejo, pero las modificaciones eran aquellas que había sugerido a Felipe II meses antes.

La única conclusión razonable es que, sin pensar en los riesgos que comportaba, Alba había decidido emplear la antiquísima táctica de iniciar la negociación con exigencias desmedidas, que en modo alguno esperaba que fueran aceptadas por sus contrincantes. Desgraciadamente, dicha táctica era totalmente inapropiada para la situación. Era un personaje poco querido, incluso detestado. Sus consejeros y gran parte de la población habían llegado a considerar su régimen tanto extranjero como intolerante, y estaban convencidos de que el rey era de la misma opinión. ¿Por qué, si no, iba a ser destituido? Dadas las circunstancias, el único resultado posible de aquellas maniobras fue el de inflamar a la opinión pública y endurecer la resistencia hasta del más amilanado de los políticos. Fue un error de juicio por el que él, el pueblo de los Países Bajos y los expoliados contribuyentes de Castilla pagarían un alto precio.

Fuera cual fuera su intención, la conversación con Viglius debió romper el punto muerto, pues el 22 de junio se había alcanzado algo parecido a un compromiso. Los consejos accedieron a la recaudación del impuesto sobre una base de porcentaje, pero insistieron en que se moderara para evitar perjuicios al comercio.[68] El carácter de tal moderación fue expuesto en el edicto del 31 de julio.[69] El impuesto sería cobrado con el 10 por 100, pero todas las transacciones a excepción de la última, el punto donde la mercancía llegaba al consumidor, quedarían exentas. Un impuesto del 5 por 100, que había suscitado escasa oposición, sería cobrado simultáneamente.

Es pertinente señalar que en esta ocasión los Estados no fueron consultados, fueron informados. Alba había hecho prevalecer, al fin, su opinión de que los Estados, al aceptar el encabezamiento, habían accedido en principio a un impuesto perpetuo. En una carta a los Estados Generales enviada el mismo día en que se publicó el edicto, les decía que iban a abandonarse las cuotas, pero, dado que no habían sido aún satisfechas en su totalidad, se iban a retener las nuevas imposiciones hasta que aquéllas se hubieran recaudado por completo. Los Estados provinciales debían proporcionar una relación individual de las cantidades ya recibidas.[70]

Si Alba abrigaba alguna esperanza sobre la aceptación de este acuerdo, pronto quedaría ésta desvanecida por la fuerte y prácticamente general protesta que suscitó. La oposición más clamorosa surgió de los pequeños comerciantes de Bruselas, que preferían en último término cerrar sus comercios a obedecer, y se mantuvieron firmes incluso cuando Alba amenazó con enviar a las tropas y ahorcarlos a sus puertas.[71] Aún más grave fue el que los Estados afirmaran que no existía autorización real alguna de los impuestos, y que habían sido, desde un principio, idea exclusiva de Alba.[72] Alarmados, los consejeros empezaron a someter sus quejas directamente ante el rey y Hopperus.[73] A pesar de que habían llegado a un acuerdo, y se había solicitado una merced para Schetz como recompensa a su cooperación,[74] no estaban aún conformes con los términos,[75] y la oposición pública les hacía temer el momento en que Alba se hubiera marchado.

En pocas palabras, era preciso alcanzar otro compromiso. Alba lo sabía, y en agosto había dicho a Arias Montano que se proponía introducir nuevas modificaciones. Temía que, de no hacerlo, se produjera una general emigración de artesanos a lugares heréticos como Hamburgo y Emden. Una serie de pañeros habían ya abandonado Lovaina, y preocupaban a Alba, al parecer, tanto sus almas como las consecuencias económicas del éxodo.[76] El 23 de septiembre escribía al rey sugiriendo que se eliminara el impuesto sobre los artículos importados del extranjero y se redujera sustancialmente la tasa del 10 por 100 vigente. Hacia mayo, los consejos no habían sido advertidos de que tenía la intención de hacer dichas concesiones; tan sólo fueron informados de que la suma total debía regir en un principio y, si los Estados deseaban alguna alteración, debían proceder a negociarla, como se indicaba en el edicto original.[77]

El 21 de octubre de 1571, en respuesta a una reconvención de Holanda, se anunciaron las nuevas modificaciones: se rebajaría la tasa del 10 por 100 a un tres y un tercio por ciento.[78] Desafortunadamente para Alba, el cambio llegaba tarde. Al persistir en sus tácticas negociadoras, había convencido tanto a los Estados como al pueblo de que era vulnerable a sus protestas, y podía ser forzado a alterar su posición ante la resistencia popular. Concluyeron, no sin lógica, que una mayor oposición podría producir nuevas concesiones, y clamaron con mayor vehemencia que antes. Aún peor, supusieron que la inicial insistencia del duque en el 10 por 100 había sido auténtica, y que si podía reducir la tasa a un tres y un tercio por ciento, también podría volver a elevarla cuando el momento fuera más propicio. Es posible que en esto no se equivocaran, pues, en efecto, él había indicado tal posibilidad a Felipe II.[79]

El error de Alba al presentar exigencias exacerbadas y entregar luego la iniciativa a los Estados fue, por consiguiente, extremadamente serio, y el rey lo remató más tarde dando a los Países Bajos el mejor pretexto para resistirse al duque y a sus impuestos hasta el máximo. En medio de toda esta conmoción, el 24 de septiembre de 1571 decidió anunciar la designación de Juan de la Cerda, Duque de Medinaceli, como sustituto de Alba. Aunque Medinaceli, debido a una serie de percances, no llegaría hasta pasados otros nueve meses, le precedió su fama de moderación, y la perspectiva de un nuevo régimen indujo a muchos a pensar que, si lograban resistir algún tiempo, podría invertirse del todo la política de Alba. Si éste había estado previamente aislado, ahora se hallaba totalmente abandonado.

En su forma última, por consiguiente, aquella especie de alcabala del 10 por 100 no tuvo nada de destructivo para el comercio. Fue, por el contrario, un impuesto relativamente modesto que produciría rentas cuantiosas sin causar grandes privaciones a nadie. Era, además, menos regresivo que la mayoría de la tributación del siglo XVI, en el sentido de que la carga sería compartida por todos. Los más pobres habrían pagado probablemente más de lo justo, pero no habrían tenido que pagarlo todo, y los ricos quedaban en cierta medida protegidos, por su carácter perpetuo, de los tradicionales asaltos a su capital. Puesto que nunca fue recaudado, es también ilógico pretender que contribuyó a las dificultades económicas de 1571-72. La oposición, cada vez más violenta, debió por tanto tener otras causas.

Acaso la principal de éstas fuera la preocupación por el establecimiento de un precedente, pero hubo otras. El régimen era en sí mismo extremadamente impopular. Como informaba el alarmado don Francés de Álava a comienzos de 1572, la totalidad de la población esperaba con anhelo la marcha del duque. No pensaban, como lo expresara él, más que en que se «vaya, vaya, vaya».[80] Alba no había hecho el menor esfuerzo por congraciarse con las gentes, y su inflexible hispanismo resultaba tan ofensivo como el carácter autocrático de su gobierno. Existía también una fuerte corriente subterránea de sentimientos religiosos, no sólo entre el gran número de criptoprotestantes, sino entre todos aquellos que compartían la actitud generalmente tolerante que había sido tanto tiempo característica de los Países Bajos. Si pocos había que se hubieran resistido a sus persecuciones, aún eran menos los que las aprobaban, y el malestar general aumentó con la aguda depresión económica que alcanzó su punto más bajo en el momento en que Alba tuvo la desgracia, o la mala idea, de introducir sus impuestos.

La depresión de 1571-72 fue, al menos parcialmente, otro de esos periódicos hundimientos que se habían hecho característicos de la vida económica de los Países Bajos, pero infinitamente agravada por las depredaciones de los Mendigos del Mar. Operando desde los puertos ingleses del Canal de la Mancha y, en menor grado, desde Emden, causaban estragos en la navegación y amenazaban regularmente las ciudades costeras menores. Poco era lo que Alba podía hacer. Las fuerzas navales que capitaneaba eran totalmente insuficientes, y aunque sabía como todo el mundo que el control de los mares era esencial, sabía también que Felipe II no tenía posibilidad de proporcionarle una flota apropiada. Podía rechazar ataques limitados, como había hecho su escuadra frente a Delfzijil en el verano de 1571,[81] pero el problema general era insoluble. El comercio decaía, los seguros de navegación comercial se dispararon, y los tipos de cambio se hicieron sostenidamente menos favorables con el creciente pesimismo del panorama comercial. Hacia febrero de 1572, los muelles de Amberes, un día tan bulliciosos, se encontraban prácticamente desiertos.[82]

Bajo semejantes circunstancias, el país se había convertido en un depósito de rabia y frustración, sirviendo éstas para intensificar la resistencia a las medidas de Alba. Las memorias de los coetáneos, como el *Dagboek* de Jan de Pottre y la *Kroniek* de Godevaert van Haecht, están llenas de descripciones no sólo de la extrema penuria, sino de las denuncias cada vez más abiertas de la autoridad de Alba. El famoso *Pater-noster de Gante*, que comienza: «Padre infernal que estás en Bruselas. / Maldito sea tu nombre en el cielo y el infierno», es un ejemplo al caso.[83] Es por este motivo por el que no tiene sentido hablar de las virtudes del impuesto de alcabala como medida económica. Se había convertido éste en el símbolo de mil agravios, el punto de convergencia en torno al cual casi todo el mundo podía encontrar un terreno común. El invierno de 1571-72 fue desusadamente duro. Cuando el hielo se deshizo, sólo se precisaba que alguien alzara las compuertas para desatar una inundación de actividad revolucionaria. Como ocurre con tanta frecuencia, se abrieron aquéllas en gran medida accidentalmente, pero la oportunidad del momento era inmejorable.

Isabel de Inglaterra se había decidido al fin a poner sus asuntos exteriores en orden. Sus nuevas relaciones con Francia eran decepcionantes, poco podía ganar aumentando el malestar de Alba, y la Liga Hanseática protestaba. Como gesto de buena voluntad, expulsó a los Mendigos del Mar de su guarida de Dover.[84] Su cabecilla, Lumey de la Marck, era todo un personaje. Hombre sanguinario y bebedor, más pirata que dirigente nacional, había jurado no cortarse el pelo o la barba hasta que quedara vengada la muerte de su pariente Egmont. Con una flota tripulada por hombres tan hirsutos y desesperados como él, había aterrorizado los estrechos, haciendo pocas diferencias entre amigos y enemigos de su presunta causa.

En aquel momento se encontró desorientado. Casi un mes vagó sin rumbo hasta que el hambre de sus hombres le obligó a buscar refugio. Su primera intención había sido, al parecer, entrar en el puerto de Enkhuizen, que él creía de inclinaciones protestantes, pero vientos adversos le impidieron rodear Den Helder. Descendió por la costa y el 1 de abril de 1572 apareció ante la pequeña ciudad de Brill con una flota de 24 barcos. Sus fuerzas, hambrientas, turbulentas y mal equipadas, no eran excesivamente impresionantes, pero lo parecieron suficientemente a los ciudadanos de Brill. Cuando Lumey exigió su rendición de modo algo vacilante, huyeron en masa, dejando un simple puñado de defensores que sólo pudieron mirar mientras los Mendigos incendiaban las puertas y entraban en la ciudad. No se presentó resistencia, y los días siguientes se dedicaron a la grata tarea de profanar iglesias. Por orden de Lumey,[85] 13 sacerdotes que habían permanecido en el lugar con sus feligreses fueron torturados hasta morir.

No fue una gran acción, ni fueron sus protagonistas plenamente conscientes de que estuvieran iniciando una lucha heroica que consumiría décadas enteras y las vidas de miles de personas. La captura de Brill fue en muchos aspectos el comienzo de la revuelta holandesa, y Alba, aunque en un principio no lo comprendiera, había alcanzado la crisis de su carrera.

1. «Instrucciones secretas», A. L. E. Verheyden, *Le Conseil des Troubles: liste des condamnés* (Bruselas, 1961), p. 508.

2. E. g., M. Dierickx, *De Oprichting der nieuwe bisdommen in der Nederlanden onder Filips II, 1559-1570* (Amberes, 1950), p. 255, y Max Horn, «Nos innovations fiscales depuis la guerre. Un grand précurseur: le duc d'Albe», *Revue Belge*, 5.º (1 de febrero de 1928), pp. 191-216.

3. Alba a Felipe II, 6 de enero de 1568, *DIE*, 38, 82-85.

4. Véase Algemene Geschiedenis der Nederlanden, V, 20, y VI, 81; Pieter Geyl, *The Revolt of the Netherlands* (Londres, 1962), 74. Hay un amplio examen de esta reforma en E. Poullet, *Histoire du droit pénal dans le duché de Brabant*, en *Mémoires couronnés et... des Savants Étrangers*, 35 (1870), pp. 178-212. Alba intentó también, con escaso éxito, codificar la ley consuetudinaria sobre una base regional. Véase J. Gilissen, «Les phases de la codification et de l'homologation des coutumes dans les XVII provinces des Pays-Bas», *Tijdschrift voor Rechtsgeschiedenis*, 18 (1950), pp. 255-68.

5. Dierickx, p. 168, y Geyl, p. 74.

6. Alba a Felipe II, 29 de febrero de 1568, *EA*, II, pp. 32-36, y *DEND*, III, pp. 340-48.

7. La descripción de las diócesis en 1567-68 está extraída de un memorial fechado en Madrid el 23 de marzo de 1568 y publicado en *DEND*, III, pp. 352-61.

8. Alba a Felipe II, 20 de enero de 1568, *EA*, II, pp. 17-20.

9. Alba a Felipe II, 29 de febrero de 1568, *EA*, II, pp. 32-36.

10. *DEND*, III, pp. 361-82 y 461-65.

11. Alba a Felipe II, 1 de marzo de 1568, *EA*, II, 40-42, y *DEND*, III, pp. 348-52.

12. Dierickx, p. 255.

13. Alba a Felipe II, 3 de junio de 1569, *DIE*, pp. 206-8, y *DEND*, III, pp. 587-90.

14. Alba a Felipe II, 15 de enero de 1570, *EA*, II, p. 310, y *DEND*, III, pp. 672-73.

15. Felipe II a Alba, 31 de marzo de 1568, *DEND*, III, pp. 361-82.

16. M. Van Durme, *El Cardenal Granvela* (Barcelona, 1957), p. 280.

17. Morillon a Granvela, 15 de febrero de 1565, *DEND*, III, pp. 113-14.

18. Morillon a Granvela, 17 de octubre de 1569, *DEND*, III, pp. 658-59.

19. Alba a Felipe II, 21 de junio de 1568, *EA*, II, pp. 63-66, y *DEND*, III, pp. 393-99.

20. Granvela a Alba, 26 de noviembre de 1568, *DEND*, III, pp. 486-95.
21. Van Durme, p. 284.
22. Alba a Granvela, 31 de diciembre de 1568, *EA*, II, pp. 132-33; *DEND*, III, pp. 509-11.
23. Alba a Felipe II, 13 de abril de 1568, *DIE*, 4, pp. 487-96.
24. Alba a Felipe II, 9 de junio de 1568, *EA*, II, p. 59.
25. Alba a Felipe II, 23 de junio de 1568, *DIE*, 37, pp. 285-90.
26. Dierickx, pp. 267-68.
27. Felipe II a Juan de Zúñiga, 26 de mayo de 1569, *DEND*, III, pp. 576-77.
28. Dierickx, p. 264, y Van Durme, p. 285.
29. Alba a Felipe II, 4 de abril de 1569, *DIE*, 38, pp. 51-52, y *DEND*, III, pp. 563-64.
30. Alba a Felipe II, 31 de mayo de 1569, *EA*, II, pp. 202-5, y *DEND*, III, pp. 579-85. Para Deventer, véase Alba a Felipe II, 31 de enero de 1569, *EA*, II, pp. 175-76, y *DEND*, III, pp. 522-24.
31. Alba a Felipe II, 19 de enero de 1568, *EA*, II, pp. 8-9.
32. Alba a Felipe II, 29 de febrero de 1568, *EA*, II, p. 30.
33. Alba a Antonio de Toledo, 9 de octubre de 1570, *EA*, II, pp. 443-46.
34. Alba a Felipe II, 31 de octubre de 1569, *DIE*, 38, pp. 217-19.
35. Felipe II a Alba, 24 de diciembre de 1569, AGS E542, f. 4 (un extracto en *CPh*, II, p. 118).
36. Alba a Felipe II, 15 de enero de 1570, *EA*, II, pp. 310-13.
37. Alba mismo comentó este hecho: Alba a Felipe II, 11 de febrero de 1573, *EA*, III, pp. 285-89. Para una exposición de las finanzas de Orange, véase Geoffrey Parker, *The Dutch Revolt* (Londres, 1977), p. 150.
38. Entre 1567 y 1570-71, las rentas procedentes de los dominios reales aumentaron de 75.485 a 242.957 florines: Jan Craeybeckx, «La portée fiscale et politique du 100e denier du duc d'Alba», *Recherches sur l'Histoire des Finances Publiques en Belgique* (Bruselas, 1967), I, p. 374.
39. Alba a Felipe II, 15 de enero de 1570, *EA*, II, pp. 310-13.
40. Alba lo creía necesario debido a «los cientos de miles de robos que allí se hacen»: Alba a Felipe II, 15 de enero de 1570, *EA*, II, pp. 310-13. Para un análisis de esta orden, véase J. Riemersma, *Religious Factors in Early Dutch Capitalism* (La Haya, 1967), p. 50.
41. Alba a Felipe II, 13 de abril de 1568, *DIE*, 4, pp. 487-96.
42. J. Cuvelier, «Un project d'impôt au temps du duc d'Alba», *Académie Royale de Belgique: Bulletin de la Classe de Lettres*, 5.ª serie, XI (1925), p. 74. El igualitarismo del edicto sobre la alcabala es señalado por Horn, p. 201.

**43.** Alba a Felipe II, 13 de abril de 1568, *DIE*, 4, pp. 487-96.

**44.** Alba a Felipe II, 9 de junio de 1568, *EA*, II, p. 59.

**45.** Alba a Felipe II, 4 de noviembre de 1568, *DIE*, 37, pp. 500-502.

**46.** Alba a Felipe II, 12 de octubre de 1568, *DIE*, 37, p. 430.

**47.** Alba a Felipe II, 22 de agosto de 1568, *DIE*, 37, pp. 356-58.

**48.** Felipe II a Alba, 10 de enero de 1569, *DIE*, 37, pp. 519-26.

**49.** Alba a Felipe II, 11 de marzo de 1569, *DIE*, 38, pp. 5-11.

**50.** Alba a Felipe II, 4 de abril de 1569, *DIE*, 38, pp. 57-59.

**51.** Alba a Felipe II, 29 de junio de 1569, *DIE*, 38, pp. 141-42.

**52.** Alba a Felipe II, 12 de septiembre de 1569, *DIE*, 38, pp. 182-86, y 15 de enero de 1570, *EA*, II, pp. 304-9.

**53.** Alba a Felipe II, 31 de octubre de 1569, *DIE*, 38, pp. 208-12.

**54.** Felipe II a Alba, 24 de diciembre de 1569, *DIE*, 38, pp. 273-85.

**55.** Alba a Felipe II, 15 de enero de 1570, *EA*, II, pp. 304-9.

**56.** J. H. Elliott, *Imperial Spain, 1469-1716* (Nueva York, 1963), p. 194.

**57.** Alba a Felipe II, 10 de agosto de 1570, *EA*, II, pp. 395-99. Contrariamente a lo dicho por Craeybeckx, 348, Alba nunca formuló exigencias específicas con respecto a la cantidad a recaudar. En su carta al contador Garnica, 19 de octubre de 1571, EA, U, 761-62, Alba proporciona cálculos de la población y del valor anual total de las manufacturas en los Estados y deja a Garnica extraer sus propias conclusiones. Observa que podría obtenerse una cantidad de unos 13.000.000 de florines de dichas cifras, pero se refiere evidentemente a la cantidad que podría suponer la total recaudación del tributo si semejante cosa fuera posible. Como hemos visto, en octubre de 1571 no tenía intención de recaudar ni la totalidad del tributo ni nada semejante.

**58.** Los ingresos totales se elevaron de 2.178.594 florines en 1569 a 8.809.793 en 1570-71: Craeybeckx, p. 372.

**59.** Albornoz a Zayas, 23 de enero de 1571, *EA*, II, pp. 498-503.

**60.** Alba a Antonio de Toledo, 23 de enero de 1571, *EA*, II, pp. 447-52.

**61.** Alba a Felipe II, 21 de febrero de 1571, *EA*, II, pp. 516-20.

**62.** Viglius, *Commentarius rerum actarum super impositione decimi denarii*, en C. P. Hoynck van Papendracht, *Analecta Belgica seu vita Viglii ab Aytta Zwichemi ab ipso Viglio scripta* (La Haya, 1743), I, parte 1, p. 297.

**63.** Alba a Antonio de Lada, 7 de junio de 1571, *EA*, II, pp. 619-21.

**64.** Craeybeckx, pp. 357-58.

**65.** Alba a Felipe II, 21 de febrero de 1571, *EA*, II, pp. 516-20.

**66.** Viglius, p. 297.

**67.** *Ibíd.*, 299.

68. *Ibíd.*, 303.

69. Se encuentra en BM MS 757695.

70. Alba a los estados de los Países Bajos, 31 de junio de 1571, *EA*, II, pp. 674-77.

71. La primera fuente de esta cuestión parece ser un panfleto, *Placcaet van den Thienden ende Twentichsten Pennick* (Bruselas, 1581). Véase también Parker, *Dutch Revolt*, p. 127.

72. Hopperus a Felipe II, 8 de noviembre de 1571, AGS E546, f. 157 (un extracto en *CPh*, II, p. 210).

73. *Ibíd.* También Noircarnes a Felipe II, 5 de septiembre de 1571, AGS E547, f. 111 (un extracto en *CPh*, II, p. 210).

74. Alba a Felipe II, 5 de julio de 1571, *EA*, II, pp. 652-54.

75. Alba a Felipe II, 3 de agosto de 1571, *EA*, II, pp. 677-79.

76. Arias Montano a Zayas, 25 de agosto de 1571, *DIE*, 41, pp. 253-54.

77. Alba a Felipe II, 23 de septiembre de 1571, *EA*, II, pp. 738-40.

78. H. A. Enno van Gelder, «De Tiende Penning», *TvG*, 48 (1933), p. 1-36.

79. Alba a Felipe II, 23 de septiembre de 1571, *EA*, II, pp. 738-40.

80. Los informes de Álava se encuentran en AGS E549, ff. 125-27 (un extracto en *CPh*, II, pp. 215-17).

81. El informe de Alba, fechado el 6 de julio de 1571, está en *EA*, II, pp. 654-55.

82. H. Van der Wee, *The Growth of the Antwerp Market and the European Economy* (La Haya, 1963), II, p. 240.

83. Una traducción inglesa del texto, extraída de Motley, se reproduce en Parker, p. 127.

84. La sospecha de que se trataba en realidad de un intento de crear dificultades a los españoles fue despejada por J. B. Black, «Queen Elizabeth, the Sea Beggars and the Capture of Brille, 1572», *English Historical Review*, XLVI (1931), pp. 42-43. Wernham conserva ciertas dudas (p. 318), pero Charles Wilson, *Queen Elizabeth and the Revolt of the Netherlands* (Berkeley, 1970), p. 27, concuerda con Black.

85. P. C. Bor, *Oorspronk, begin en vervolgh der Nederlandsche oorlogen* (Amsterdam, 1642), VI, pp. 366-67.

Si en mirada retrospectiva la toma de Brill fue uno de los grandes sucesos de la historia de los Países Bajos, en el momento pareció mucho menos decisiva. La reacción inmediata de casi todos los implicados fue de incómodo desconcierto. Incluso Lumey, habiendo logrado su botín, la habría abandonado de no ser porque otro de los Mendigos, Guillaume de Blois, señor de Treslong, le persuadiera de retenerla. Su instinto pirático le empujaba a avituallar sus barcos, robar todo lo que pudiera y hacerse a la mar, pero Treslong, acaso más presciente que su jefe, o simplemente atacado de nostalgia (su padre había sido gobernador del lugar), insistió en que se quedaran. Esta decisión, aunque daría frutos asombrosos, no produjo la menor alegría en Dillenburg, donde Orange, cauto y pesimista como siempre, rezongaba que era todo ello prematuro.[1]

Tampoco Alba, en un principio, supo ver la importancia del golpe. Hacía mucho tiempo que se esperaba algo de esta índole[2] y, en efecto, había estado a punto de ocurrir en Delfzijl el verano anterior. No tenía medio de saber que no se trataba simplemente de otro ataque, y Brill era, a fin de cuentas, un pequeño lugar perdido. Aun así, dado el grado de descontento popular, no estaba dispuesto a correr riesgos. Reclutó nuevas compañías de valones, cuyo mando adjudicó a

Capres y Cristóbal de Mondragón, y ofreció guarniciones a algunas ciudades importantes de Holanda y Zelandia. Su primera preocupación era, como siempre, el dinero. Informó al rey de que se hallaba «sin un real bajo el cielo», y aunque esperaba poder remediar la situación, sabía que el panorama podía oscurecerse mucho si los «príncipes nativos» empezaban a alterarse.[3]

Aparte de Treslong, el único que parecía comprender las posibilidades abiertas y actuar en consecuencia fue Luis de Nassau. Tras su derrota en Jemmingen, Luis había marchado a Francia, donde sirvió como emisario de su hermano ante los hugonotes y los Mendigos del Mar, muchos de los cuales operaban desde La Rochelle y los puertos bretones. Su objetivo era consolidar la alianza con el dirigente hugonote Coligny y, de modo que, cuando llegara el día de la liberación, la sublevación de los Países Bajos pudiera ser respaldada con una invasión francesa por el Sur. Guillermo, como siempre, reclutaría un ejército en Alemania y avanzaría simultáneamente desde el Este, esta vez, se esperaba, de modo mejor calculado y con mayor fortuna que en 1568. Estos planes no se habían cumplido del todo en abril de 1572, pero Luis creía que las circunstancias exigían entrar en acción. Prematuramente o no, los Mendigos habían conseguido una cabeza de playa en el Norte, y en Francia, Coligny y los hugonotes habían logrado un temporal dominio en los consejos de Carlos IX. Para un hombre de fe profunda y escasa prudencia, aquellas cosas pudieron parecer señales, y puso un plan en movimiento que causaría mayor preocupación a Alba que todo lo que pudiera ocurrir en los pantanos y baldíos de Holanda.

Como para confirmar sus temores, los Mendigos empezaron a cosechar éxitos que superaban todas sus expectativas. La oferta de guarniciones por parte de Alba abrió serias disputas en las ciudades implicadas. Todas ellas contaban con una minoría vociferante partidaria de los Mendigos, pero, por lo general, los magistrados eran contrarios a éstos. Ello se debía en parte a que algunos de ellos habían suplantado a personas exiliadas en 1566-67, y temían que el triunfo de los Mendigos pudiera suponer el regreso de sus antiguos rivales. Otros, y quizá la mayoría de los ciudadanos, estaban horrorizados por

las atrocidades de Lumey y no veían mucho sentido a intercambiar un grupo de fanáticos depredadores por otro. Los
gobiernos de las ciudades estaban, por consiguiente, en la
mayoría de los casos, dispuestos a aceptar la guarnición ofre-
cida por Alba, mientras que los partidarios de los Mendigos se
oponían con todos los medios a su alcance. Ello suponía, en
una ciudad tras otra, una apelación a los Mendigos, que no
deseaban sino proporcionar su propia versión de protección.[4]
Mediado el verano, la mayoría de las ciudades de Holanda y
Zelandia se habían declarado a favor del príncipe de Orange,
aunque con importantes excepciones. Estimulado por estos
sucesos, el Conde van den Berghe se presentó en la frontera
oriental con un ejército reducido pero entusiasta, y aterrorizó
sin tardanza a los magistrados de Gelderland y Overijssel
hasta hacerles ceder. Al norte de los ríos, Orange había triunfado sin levantar un dedo.

Alba sabía que hasta cierto punto las apariencias eran
engañosas. Él retenía aún cierto número de ciudades importantes, entre ellas Amsterdam y Middelburg, aunque los habitantes de Amsterdam le irritaron sobremanera al rehusar una
guarnición. Eran leales, afirmaron, pero no precisaban de
españoles, pues su propia milicia era garantía contra cualquier
contingente de Mendigos.[5] Aún más, Bossu, como Stadholder
de Holanda, se las arregló para recuperar Rotterdam mediante un ardid, consiguiendo al mismo tiempo extraer un subsidio de los Estados de Holanda.[6] Era patente que el apoyo a
Orange era aún débil y que de todas las ciudades capturadas
por sus partidarios sólo Flesinga, que controlaba la entrada al
Escalda, era de decisiva importancia estratégica. En un principio fue ésta su mayor preocupación, ya que su guarnición de
Mendigos fue casi de inmediato reforzada con voluntarios
franceses e ingleses. Con su acostumbrado descaro, Isabel le
había dicho que estaban allí simplemente para proteger los
intereses españoles.[7] Más tarde, Alba concluyó que ésta era su
respuesta al conflicto Ridolfi,[8] pero poco importaba ya:
mucho antes de que pudiera tomar alguna acción, su atención
se vio desviada hacia una pérdida mucho más seria. El 24 de
mayo Luis de Nassau, a la cabeza de un pequeño ejército
de hugonotes, capturó Mons.

Este prodigio fue resultado de una comedia de enredo, pero sus consecuencias fueron graves. El día anterior los partidarios de Orange dentro de la ciudad habían sido armados en secreto por Antoine Oliver, cartógrafo de Alba y agente doble, cuya verdadera lealtad pertenecía a los rebeldes. El plan consistía en que Nassau entrara en la ciudad con un puñado de leales y proclamara la revuelta, momento en que los quintacolumnistas de Oliver se alzarían y abrirían las puertas a unos 1.500 hugonotes apostados en las cercanías. Desgraciadamente, cuando una hora antes del alba Luis y sus amigos entraron a galope en la ciudad dormida, profiriendo gritos y disparando sus pistolas para dar la impresión de ser más numerosos, nada ocurrió. Los hombres de Oliver no aparecieron, ni tampoco lo hicieron los hugonotes, que se habían perdido y tuvieron que ser rescatados por el intrépido conde en persona. Consiguieron llegar a la ciudad antes de que sus somnolientos habitantes pudieran cerrar la última de sus puertas, pero entonces los magistrados se negaron a declararse a favor de Orange y aceptar la guarnición. Este incómodo contratiempo sólo pudo solventarse cuando llegaron cuantiosos refuerzos bajo el mando de los capitanes franceses Genlis y De la Noue, que acababan de ganar y perder la cercana Valenciennes en cuestión de horas.[9]

No siendo precisamente un hito en la historia militar, la captura de Mons colocó, no obstante, a Alba en una posición casi insostenible. Además de abrir un segundo frente, se trataba del último verdadero bastión en la carretera de París a Bruselas, y un teatro perfecto para una invasión francesa de envergadura. El duque, que en ningún momento olvidaba las imprevisibles reacciones de la corte francesa, sabía que semejante acción era muy posible, dado que el jefe hugonote Coligny gozaba entonces del favor de Carlos IX, y se decía que era de la opinión que una guerra con España fortalecería su posición. Al parecer, Carlos no deseaba realmente entrar en guerra, pero no podía repudiar a su consejero sin arriesgarse a otra revuelta protestante o, al menos, hacer patente ante el mundo que había perdido el control de su propio gobierno.[10] La expedición de Luis de Nassau, por tanto, puede considerarse como un *fait accompli* mediante el cual obligar al reacio rey a comprometer un ejército en apoyo de Orange.

La situación de Alba era, pues, la siguiente. La mayor parte de la región del norte de la Línea del Agua estaba en manos de los Mendigos, y si su control sobre las ciudades era con frecuencia incierto, sobre el mar era indiscutible. En el Sur, aunque seguía siendo leal con poco entusiasmo, se esperaba una ofensiva francesa en cualquier momento, mientras, al otro lado del Rin, Guillermo de Orange reunía fuerzas masivamente una vez más para entrar en Brabante. Para enfrentarse a amenazas tan diversas, Alba contaba sólo con el núcleo de su ejército –unos 7.000 hombres, largamente impagados y ampliamente dispersos en guarniciones por todo el país– y una flota con menos de 30 naves, la mayoría pequeñas embarcaciones tripuladas por marineros a quienes también se debía la paga.

La razón de tan increíble falta de preparación era puramente financiera. Los millones recaudados en 1570-71 habían sido empleados para cubrir las deudas contraídas por Margarita de Parma y en las campañas de 1568. Las diferencias con respecto al impuesto del 10 por 100 habían obstruido en efecto toda nueva renta procedente de los diversos Estados. Las peticiones de subsidios dirigidas a España por Alba habían sido en un principio desoídas y, más tarde, contestadas con la exigencia de que diera relación de los 4.000.000 de ducados ya gastados.[11] Esto último daba medida de la creciente influencia de sus enemigos en la corte y, aunque provenía del Cardenal Espinosa y no del rey, era indicio de un tipo de problema aún más intrincado que el que planteaban los rebeldes.

Alba sabía que fuera cual fuera el resultado de este último desastre, redundaría en su descrédito. El partido de Éboli, animado por el tumulto creado por la alcabala, había redoblado sus intrigas, y por entonces todas sus profecías empezaron a cumplirse. La política del duque había empujado a los Países Bajos a la rebelión como habían predicho, e incluso si ganaba las próximas batallas, sus ideas no podían aceptarse como base de una solución permanente. Alba debía suponer que el rey estaba irritado, y hacia finales del verano se rumoreaba que la casa de Toledo estaba al fin acabada.[12]

Era ésta una triste perspectiva a la larga, que también tenía implicaciones inmediatas. Era esperable que los ebolistas se mostraran contrarios a enviar al duque toda ulterior ayuda, ya financiera, ya militar, fundándose en que no serviría más que para agravar la situación. Tras interminables dilaciones, Medinaceli se puso finalmente en camino. Los de Éboli aconsejaban que llegara a una paz y ofreciera un perdón general, pues un mayor derramamiento de sangre no haría sino ensanchar la división ya existente. Además, se habían ya apartado enormes sumas de dinero para la liga contra el Turco. Desviar hombres y fondos para enviarlos a Alba impediría a don Juan de Austria dedicarse con empeño a la gloriosa victoria de Lepanto. Felipe II no estaba aún convencido de seguir dichos consejos, pero Alba no tenía medio de saberlo, y las noticias que le llegaban de la corte eran invariablemente desalentadoras. Parecía que tendría que enfrentarse a tan desastrosa situación con los escasos recursos de que disponía, y con su sucesor instalado a su lado complicando cada una de sus acciones, sólo Dios sabía lo que podía acaecer.

Se comprende que los que guardaban animadversión al duque, y eran legión, pensaran que el viejo soldado estaba abrumado por esta serie de catástrofes. En un principio se observaba poco movimiento en el hotel de Jassy. Morillon nos dice que cada vez que se le anunciaba una nueva contrariedad, Alba le quitaba importancia con un ligero «no es nada», y da a entender que la desgracia le había hecho perder la razón temporalmente.[13] En realidad, nada había más lejos de la verdad. Da medida de los inmensos recursos interiores de aquel hombre el que a la edad de sesenta y cinco años, con la misión más importante de su vida yaciendo en ruinas a sus pies, su correspondencia adquiriera una nueva certeza y vigor, e incluso su salud pareciera mejorar. Es difícil evitar la impresión de que, tras los numerosos e interminables meses de disputas, murmuraciones y maquinaciones, la llamada a la acción, aun en circunstancias tan desfavorables, fuera un alivio. Lo supieran o no, Orange y sus partidarios se enfrentaban a un adversario que aún les igualaba en coraje y tenacidad, y les superaba con mucho en astucia y talento militar. Si al principio actuó con lentitud, se debía a que era mucho lo que había que hacer.

La primera necesidad era, claramente, encontrar hombres, pero ello exigía dinero. Es indicio de su desesperación que Alba, sin informar al rey, tomara medidas a través de sus conexiones italianas para que Cósimo de Médicis le despachara 200.000 ducados. Molestó comprensiblemente a Felipe II su insolencia, y los ebolistas la aprovecharon al máximo en los meses subsiguientes,[14] pero todo esto ya no afectaba a Alba. El dinero le permitió llamar a Frundsberg, Eberstein y los restantes capitanes alemanes que había mantenido tanto tiempo en *Wartegeld*, en previsión de una emergencia de esta clase.

Su segundo gran problema concernía a los franceses. Era imperativo descubrir sus intenciones y contenerlos, a ser posible con medios diplomáticos. Incluso antes de la captura de Mons, el duque había pedido garantías de su no intervención, y los asuntos franceses seguían consumiendo gran parte de su tiempo y su atención. Pero, a pesar de que dichas garantías iban, en efecto, a concederse, la situación seguía siendo tan inestable que no le permitía aflojar su vigilancia.[15] Al fin, esta inquietante incertidumbre determinó su estrategia para la próxima campaña: Mons habría de ser recuperada a todo trance, incluso si ello significaba el temporal abandono del Norte y permitir que Orange recorriera las provincias a voluntad. Era una decisión dura, pero necesaria. No tenía otra alternativa que concentrar sus fuerzas, pues su inferioridad numérica le impedía combatir en más de un frente. Dirigiéndose a Mons no sólo podría liberar la ciudad, sino bloquear una invasión francesa si ésta ocurriera, aislando de este modo a los Mendigos y privando a Orange de su principal objetivo. Desafortunadamente, en junio de 1572 se encontraba tan falto de hombres que incluso este modesto plan superaba sus posibilidades.

El día anterior a la caída de Mons, el desprevenido duque había enviado a don Fadrique a la isla de Walcheren con el fin de socorrer a Middelburg. Esta importante capital provincial y sede episcopal está situada a escasas millas de Flesinga. Los Mendigos la cercaban con empeño, a sabiendas de que sin ella su control de Zelandia no estaba asegurado. La toma de Mons le obligó a hacer volver a Fadrique y sus tropas, abandonando a los habitantes de la isla a sus propios recursos –lo cual significó en este caso una guerra civil, librada con excepcional encono hasta 1574–. El abandono de Middelburg suponía renunciar a proteger a Escalda, mientras que al mismo tiempo no proporcionaba a Alba los medios para un ataque en regla a Mons. Lo mejor que podía hacerse era enviar a Fadrique, Chiappino Vitelli y Julián Romero, acompañados de 4.000 hombres, para cubrir el lugar contra posibles intentos de enviar refuerzos o avituallamiento. Una acción de contención pura y simplemente destinada a ganar tiempo hasta que Alba pudiera reunir sus restantes fuerzas y emprender el cerco en persona.

Fadrique llegó ante Mons el 23 de junio y, con el fin de vigilar a los franceses, estableció su cuartel general al sur de la ciudad, en la Abadía de Belén. Al día siguiente, fortificó una casa en la carretera de Maubeuge y colocó guarniciones en St. Ghislain y Bossu, cubriendo de este modo todas las rutas abiertas a los franceses. Con una tropa de caballería ligera en Bavay y otra mandada por Bernardino de Mendoza en Maubeuge, se encontraba bien protegido contra un ataque por sorpresa, pero sin artillería pesada poco podía hacer contra la ciudad de Mons misma. En las tres semanas siguientes se libraron una serie de escaramuzas de resultado indeciso, la más dura de las cuales ocurrió el 11 de julio, cuando una partida de ciudadanos salió a cosechar trigo acompañada de 600 arcabuceros y unos 70 soldados de caballería. Fueron rechazados, pero Vitelli y otros muchos oficiales quedaron heridos. En aquel mismo día se capturó a cierto número de mujeres espiando el campamento español. Entre general alborozo, Fadrique ordenó que fueran devueltas a la ciudad con las faldas cortadas por encima de la rodilla.[16]

El día 14, Fadrique supo que un ejército de hugonotes recientemente reclutado por Genlis había pasado por Cateau-Cambrésis de camino a Mons. A pesar de que esta fuerza se creía casi tres veces superior en número a las suyas, resolvió tomar la ofensiva y salir a su encuentro, con el herido Vitelli dirigiendo la vanguardia desde su litera. Tras varios falsos arranques originados por la aparente confianza de Fadrique en fuentes locales de información, en lugar de un verdadero reconocimiento, se trabó combate en la aldea de Quiévrain en la tarde del 17. Por fortuna para los españoles, las fuerzas de Genlis consistían no en los 10.000 soldados de a pie y 2.000 de caballería comunicados por el crédulo campesinado, sino en unos 6.000 ó 7.000 arcabuceros aproximadamente, 800 de caballería y ninguna pica. Todavía más afortunado fue que Genlis había realizado un reconocimiento aún más defectuoso que su adversario. El resultado fue una lección clásica sobre los fallos de un ataque de mosquetería falto de apoyo. Después de dos horas de intercambiar disparos con el muy inferior contingente de arcabuceros de Fadrique, los hugonotes, empujados por la perspectiva de una fácil victoria, abandonaron su excelente posición defensiva en la aldea. Al parecer ignoraban que estas escaramuzas estaban respaldadas por un cuadro de picas, o que los bosques que rodeaban los jardines de Quiévrain contenían casi 1.500 soldados de caballería tanto ligera como pesada. Salieron todos del pueblo en perfecto orden y sus adversarios no tuvieron más que replegarse, dejándolos frente a frente con una sólida masa de decididos piqueros. En este momento, la oculta caballería cargó por ambos flancos. En cuestión de minutos, la totalidad del ejército hugonote estaba muerto o en desperdigada huida.

La fuerza invasora estaba completamente destruida. Aproximadamente 3.000 franceses perdieron la vida y otros 600 fueron capturados, entre ellos su comandante, Genlis. Las bajas pudieron haber sido aún más elevadas si la oscuridad no hubiera impedido seguir la persecución, pero era realmente innecesario realizar mayores esfuerzos. Es imposible calcular cuántos de los que escaparon encontraron una tumba somera en algún estercolero o bosque, mas, como en 1568, se dijo que los campesinos habían dado amplia prueba de su celo en el servicio de Su Majestad.[17]

Allá, en Bruselas, Alba no tenía dificultad para contener su alegría. Si era cierto que con la victoria ganaba tiempo, también lo era que aumentaba la probabilidad de una guerra declarada, y despachó de inmediato a un emisario para conocer si Carlos IX apoyaría a Genlis.[18] Por entonces supo también el duque que Orange había cruzado el Rin y, para complicar aún más la situación, ésta fue la semana que Medinaceli eligió para desembarcar en Sluis tras haber escapado a los

Mendigos del Mar por muy poco. No es extraño que las acostumbradas gracias a Dios del duque estuvieran templadas por la esperanza de que fuera igualmente generoso en semanas venideras, y que Felipe II y sus cortesanos no lo fueran menos. «Tengo necesidad», dijo, «de toda la ayuda que pueda prestar a este viejo pájaro.»[19]

De todos los problemas que acuciaban al «viejo pájaro», no eran en modo alguno los menores los originados por la llegada de Medinaceli,[20] pero la realidad es que la situación era extremadamente equívoca. Medinaceli no era un enemigo y su personalidad no era excesivamente abrasiva, pero si solamente su esperada aparición había socavado críticamente la autoridad de Alba, su presencia no podía hacer menos. No era posible plantearse, naturalmente, la inmediata marcha de Alba, pues el nuevo gobernador poseía escasa experiencia militar. ¿Cuál sería, pues, la relación entre ambos duques? Dado el carácter autocrático de Alba y la inexperiencia de Medinaceli, la respuesta era bastante clara. Alba ordenaría como creyera conveniente y Medinaceli no haría sino seguir sus pasos.

No es preciso decir que el resentimiento de Medinaceli aumentó con el paso del tiempo. Le había ya molestado que Alba dejara de advertirle que Flesinga estaba en manos rebeldes, y no quiso aceptar la explicación de que se habían enviado dos barcos, pero éstos no habían encontrado a la flota.[21] En este sentido es casi seguro que se equivocaba, pero sus recelos suscitaron en él un estado de ánimo que sólo podía agravarse con la resistencia de Alba a informarle y solicitar su consejo.

Esta inevitable tensión se incrementó aún más con el desacuerdo sobre dos cuestiones sobre las que Alba tenía una opinión firme, por no decir intransigente: un nuevo perdón y la renovación de la alcabala. Se había considerado la posibilidad de un perdón general para todos los implicados en el levantamiento de los Mendigos desde un principio, y el 21 de julio Felipe II envió a los duques dos posibles versiones de aquél para que opinaran al respecto.[22] Alba dejó pasar el tiempo y al fin, como veremos, se mostró partidario de un documento restrictivo que no habría favorecido los intereses de su sucesor.

En la cuestión de la alcabala fue inflexible. Sabía como todos que era esencial alguna forma de acuerdo, pero había pasado demasiado para abandonar el proyecto sin resistencia. Desde el comienzo insistió en que el impuesto podría ser anulado solamente después de su recaudación. Esta contumaz idea se fundaba en dos argumentos, ninguno de los cuales gustaba a Medinaceli o al rey. El primero era, al parecer, como tantas concepciones políticas de Alba, un producto de su experiencia en disciplina militar. Temía que si el rey se retractaba sin exigir obediencia, su autoridad se perdería irremediablemente en otras cuestiones. Decidido exponente de la escuela de «dales el dedo y tomarán el brazo», Alba intentó incluso convencer a las autoridades locales de que si dejaban de aplicar el impuesto, quedarían incapacitados para tratar «con mara» otros problemas como el de los vagabundos. El segundo argumento era más legalista y acaso más razonable. Si se retiraba el impuesto antes de recaudarlo, se utilizaría como precedente aplicable a todo gravamen regular en el futuro.[23]

Felipe II no quiso escuchar. El 29 de junio despachó una carta ordenando la abolición de la alcabala del 10 por 100, a cambio de una concesión total de 2.000.000 de florines.[24] Dos meses más tarde, el duque insistía en exigir la contribución a los Estados; si la carta fue recibida –como debió ser–, su contenido no tuvo efecto.[25] La polémica con respecto a aquel impuesto, aún viva, no pudo sino tensar las relaciones entre el hombre que había empeñado su reputación en ello y el que tenía la misión de reconciliar los Países Bajos con la Corona. Cuando los dos duques marcharon a sitiar Mons, se conservaba una fachada de cordialidad, pero empezaban a aparecer grandes grietas.

Los duques llegaron a Mons el 27 de agosto, con 36 cañones pesados y unos 8.500 soldados que se unirían a los más de 4.000 capitaneados por don Fadrique. Aunque no elevadas, eran unas fuerzas muy expertas, mandadas por tan veteranos mercenarios como Frundsberg, Eberstein y el Obispo de Cleves, el cual, no obstante su cargo eclesiástico, cabalgaba con toda su armadura y una abrazadera de pistolas a su lado. Los alemanes fueron a su vez complementados con contingentes españoles, entre ellos el de Rodrigo de Zapata, sacados de sus guarniciones del Norte. El hacer venir a Zapata de su guarida de La Haya era en sí mismo indicio de la necesidad de Alba, pues Zapata, casi en solitario, había dado estímulo a los partidarios del rey desde la toma de Brill. Durante más de tres meses había librado un arriesgadísima, y afortunada, guerra de guerrillas, hostigando a los Mendigos y rompiendo sus comunicaciones; pero dado que no podía recibir refuerzos, él y sus hombres tenían los días contados y se encontrarían más seguros, al tiempo que serían más útiles, en Mons. Uniéndose al sobrino de Alba don Hernando de Toledo, llegó a Bruselas el 23 acompañado de más de 4.000 refugiados católicos.

Entretanto, Orange cruzaba Brabante con 20.000 hombres. Poco había progresado su conocimiento de la ciencia militar en aquellos años, y no ejecutó el rápido avance sobre Mons que pudo haberle dado la victoria en la campaña. Por el contrario, después de capturar Diest, Lovaina y Mechelen, perdió un tiempo precioso cercando el ridículo castillo de Weert, sólo para abandonarlo al topar con la decidida resistencia de 12 españoles, 30 alemanes y un puñado de valones.[26] Tras esto, hizo el camino a Mons pausadamente, pero al menos se dirigió a este punto.

La llegada de Alba estaba, así, amenazada por la negra perspectiva de encontrarse atrapado ante las murallas por Orange, por una invasión francesa o por ambos. En cuestión de horas, quedó inesperadamente despejada la mitad del peligro. Antes de que el campamento pudiera asentarse para pasar la noche, su emisario Gomiecourt llegó de París con las nuevas de que se había llevado a cabo una gran matanza de hugonotes sólo tres días antes. Si la matanza del Día de San Bartolomé causó «excesivo contento» a Alba, en palabras de Mendoza, no fue ello sin motivo. Mucho se ha hablado de su lamentable regocijo ante el asesinato de unos 5.000 protestantes, pero al menos en este caso su alegría era producto del alivio tanto como de la intolerancia. La matanza parece, desde la actualidad, haber sido el último y desesperado intento de Catalina de Médicis para evitar que su hijo se viera arrastrado a una desastrosa guerra con España. Al ordenar el asesinato de los dirigentes hugonotes, esperaba salvar a Carlos IX del dilema creado por Coligny y Luis de Nassau, y lo consiguió. Es acaso posible que el celo de los católicos franceses excediera las intenciones de Catalina, pero al menos era seguro que no se produciría una invasión francesa de los Países Bajos.[27]

De modo característico, la primera reacción de Alba fue animar a sus soldados a una ruidosa celebración para beneficio de la cercada guarnición.[28] La segunda fue lamentarse de que el hecho se hubiera realizado no por la gloria de Dios, sino con fines particulares.[29] Pero con toda su aparente serenidad, vio en la carnicería de París la intervención divina, que le protegía de los franceses y le dejaba las manos libres para enfrentarse a Orange, perspectiva que podía ahora saborear con cierta fruición.

El sitio de Mons se inició oficialmente el 30 de agosto, cuando Alba situó su batería de 37 cañones frente a la muralla sur de la ciudad, desde la puerta de Bertemont a la torre de San Andrés. Mientras duró el bombardeo del primer día, y en realidad durante gran parte del sitio, insistió en permanecer en una posición muy expuesta entre los cañones, donde murieron a su lado, en las primeras horas del día, el nuevo veedor enviado con Medinaceli y otro oficial. Entretanto, con su preocupación por la información exacta, que bien podría haber emulado su hijo, despachó partidas de caballería ligera para seguir los movimientos de Orange. Enterado de que su enemigo se aproximaba pasando por Nivelles, procuró retenerlo talando árboles y excavando zanjas sobre su línea de marcha, mientras monsieur de Capres y su caballería valona eran enviados a St. Symphori, en el camino de Charleroi, para cubrir los accesos orientales.

Todas las maniobras eran, naturalmente, complementarias de su principal punto de interés. Con árboles y zanjas, Orange estaría allí en breve, y Alba se encontraría defendiendo una batería expuesta al fuego de la artillería de la ciudad, por un lado, y a los ataques del ejército rebelde, por el otro. Puesto que sus fuerzas eran inferiores, no deseaba tomar la ofensiva por temor a que Orange le superara, o se introdujera entre él y la ciudad. Desgraciadamente, el emplazamiento de Mons hacía difícil una estrategia defensiva, por no decir imposible.

La ciudad tenía una forma aproximadamente pentagonal, y estaba limitada en sus lados sur y oeste por dos pequeños

373

ríos, el Haine y el Trouille. Los puntos más probables para la entrada de las huestes de Orange eran la Porte du Parc, al Oeste, por el arrabal de Jemappes, la Porte de la Gueritte, en la carretera de Charleroi, y la misma Porte de Bertemont. Bertemont era, claro está, donde estaba emplazada la principal batería de Alba, pero estaba dominada por una colina al sudeste que, de ser ocupada por el enemigo, haría indefendible el campamento. También sobre Jemappes se alzaba un montículo, separado del de Bertemont por un ancho llano donde los ciudadanos de Mons tenían sus jardines. El que lo controlara, controlaría Jemappes y con él la Porte du Pare y otra puerta en el extremo sudoccidental de la ciudad. El problema era, pues, dotar de soldados y fortificar estas dos colinas, proporcionar una defensa adecuada al campamento principal y, al mismo tiempo, cubrir la Porte de la Gueritte en el sector nororiental de la ciudad. Dado que las fuerzas de Alba eran aún más reducidas que las de su adversario, ello significaba que en ninguno de estos puntos podría lograr una concentración de hombres suficiente para repeler un asalto en pleno.

Su respuesta a este atolladero fue, en opinión de Mendoza, brillante, pero fue también arriesgada y demostró un cierto desdén por el talento militar de Orange. Los accesos a las dos puertas orientales estaban fortificados por Capres, que dejó tras de sí una fuerza simbólica y se dirigió con el resto de sus hombres a Jemappes. La Porte de la Gueritte, a su vez, fue cubierta por una unidad más numerosa bajo el mando de Liques, que rondaba a una distancia de pocos metros hacia el Sur. La colina que dominaba Jemappes fue adjudicada a Medinaceli, el cual, con la ayuda de Bartolomeo Campi, construyó un fuerte en forma de estrella con cinco baluartes en el ápice y lo dotó de dos cañones de la batería y dos compañías de infantería alemanas. Frundsberg y Eberstein tomaron la colina de Bertemont con el grueso de la caballería y un escuadrón español de infantería desplegado en la base, sobre el llano. La clave de todas estas disposiciones eran tres reservas móviles compuestas de casi todos los arcabuceros de que disponía el duque. Una unidad, bajo el mando de Rodrigo de Zapata, ocupaba la abadía situada inmediatamente después de la Porte du Pare; otra, con Julián Romero a la cabeza, debía vigilar la posición de Medinaceli e intervenir de ser necesario. El tercer y, con diferencia, mayor contingente, capitaneado por don Fadrique, quedó estacionado en el campamento principal, preparado para dirigirse a cualquier punto de la zona circundante.

El 8 de septiembre se descubrió que Orange estaba acampado a media jornada de marcha hacia el Este. Alba, que había trazado personalmente las líneas defensivas ante todos sus escuadrones, pasó la noche vigilando la excavación de trincheras y la disposición de sus cañones. Algunos fueron situados contra las murallas de Mons y otros vueltos hacia la llanura, en la cual aparecieron, como se esperaba, Orange y su ejército ya avanzada la siguiente mañana.

Orange apuntó de inmediato sus propios cañones y empezó un bombardeo de largo alcance sobre la posición del duque, mientras las baterías de la cercada ciudad disparaban desde el otro lado. Los españoles se encontraron así en medio de un fuego cruzado, pero, debido al alcance del fuego o a la incapacidad de los artilleros rebeldes, los daños fueron mínimos. Alba disfrutaba sobremanera. Mientras su propia artillería vomitaba en ambas direcciones, su infantería escaramuzaba de modo intermitente hasta que la noche puso fin a tan mortífero juego. Como Alba dijera al rey: «Fue uno de los días más hermosos que he visto».[30] Animado por este primer bocado de combate en cuatro años, pasó el resto de la jornada poniendo al día su correspondencia.

Su adversario estaba en un aprieto. Orange no se decidía a intentar un ataque directo sobre el campamento de Alba, sobre todo a sabiendas de que Frundsberg y Eberstein aguardaban sobre sus colinas la oportunidad de lanzarse sobre su flanco una vez que lo hubiera iniciado. Decidió trasladarse hacia Jemappes y, cuando llegó la mañana, se encontró en competencia con Fadrique para ver cuál de los dos alcanzaba antes este punto. Cuando Fadrique llegó, comprobó que la vanguardia rebelde había empezado a infiltrarse en el arrabal, pero consiguió expulsarla antes de que pudiera instalarse en él. Por entonces había llegado ya el resto de los arcabuceros y se produjo una general escaramuza. Orange atacó con fuerza, para ser repelido por una andanada de mosquetería dirigida por el propio Alba, que apareció con una sencilla y desgarbada casaca azul y sin armadura. El príncipe se retiró en orden hacia Frammeries, a unos 5 kilómetros al Sur, y pasó el día siguiente restañando su herido amor propio y preguntándose qué hacer.

Sólo le quedaba una esperanza: probar suerte en la Porte de la Gueritte. Cuando el 12 de septiembre Orange avanzó en aquella dirección, una vez más le salió al encuentro el escuadrón volante de arcabuceros de Fadrique y la caballería de Bernardino de Mendoza. Tras las escaramuzas de rigor, acampó a corta distancia de allí, y aquí encontró su perdición. Alba, que parece haberse impacientado, reconoció el campamento enemigo en persona. Encontrándolo mal protegido, decidió que una partida de soldados selectos, bajo el mando de Julián Romero, realizara un «encamisado».

El ardid triunfó por encima de toda expectativa. En las primeras horas de una noche sin luna, Romero logró atacar totalmente por sorpresa. Hubo hombres que fueron muertos aún dormidos o víctimas de sus propios compañeros que, presas del pánico, se lanzaban contra cualquier cosa que se moviera. Los caballos se precipitaron por mitad del campamento, coceando aterrados por los gritos de guerra de los españoles y las llamas de las ardientes tiendas, mientras que cierto número de hombres del príncipe se ahogaron en un simple riachuelo, al que cayeron al querer escapar de la carnicería. Cuando apuntó el día, gris y triste, el ejército rebelde había desaparecido a excepción de 300 cadáveres encontrados entre el abandonado bagaje. Dice la leyenda que el mismo Orange habría sido capturado de no ser por la vigilancia del pequeño perro cuya figura esculpida yace hoy a los pies de muchas de sus estatuas.

La retirada de Orange fue tan desordenada como este desastre parece indicar. Sus soldados, con la moral destrozada, pronto comprendieron que serían sólo pagados en títulos de dudoso valor, y se amotinaron. Fue con enormes dificultades y serios riesgos para su persona que Orange alcanzó la protección del Rin. A su hermano, Luis de Nassau, obligado entonces a guardar cama aquejado de fiebres, y al mando de una guarnición que no veía ya sentido en la resistencia, sólo le quedó rendirse. Así lo hizo el 21 de septiembre: sus tropas salieron con todos los honores de la guerra, llevando consigo a aquellos ciudadanos comprometidos por haberse unido a la revuelta. El propio Luis, llevado en litera a causa de su enfermedad, fue cortésmente recibido por Medinaceli, e incluso don Fadrique envió sus saludos. Alba, por su parte, no apareció.[31]

El duque accedió a condiciones tan generosas no por bondad, sino porque el tiempo apremiaba. Habiendo eliminado a Orange y desaparecida la amenaza francesa, esperaba poder obligar a las ciudades del Norte a capitular antes de que entrara el invierno. En consecuencia, no podía permitirse un cerco prolongado. Por este motivo desoyó tanto al rey francés, que pretendía que ejecutara a los hugonotes en masa, como a las leyes de la guerra, que le otorgaban el derecho a hacerlo. Incluso, y aun con mayor desgana, tuvo que olvidar «el odio personal que siento hacia este hombre, Luis de Nassau», porque de otro modo tendría que haber mantenido a su ejército ocupado en este punto, y no tomado en cuenta la lealtad general de los ciudadanos de Mons.[32]

Fue una decisión moderada y de buena política. Mons fue perdonado, aunque fuera inevitable que Noircarnes, en su capacidad de alguacil de Hainault, descubriera y ejecutara a ciudadanos cuya colaboración con los rebeldes le pareció peligrosamente entusiasta; pero no sería ésta la pauta seguida por Alba en los meses posteriores. Por el contrario, el duque iba a lanzarse a una política que oscurecería aún más su reputación y haría pedazos la tenue esperanza aún viva de reconciliación entre el rey y sus súbditos.

Aún hoy se siguen practicando políticas de terror deliberado o, como dicen los alemanes, *Schrecklichkeit*, no obstante la aplastante evidencia de su casi unánime fracaso en el pasado. Los bombardeos de Guernica, Londres, Hamburgo tendieron todos a reforzar la resistencia entre los supervivientes y, sin embargo, treinta años después, eran muchos los que creían que bombardear Hanoi tendría el efecto contrario. En el siglo XVI no existía, naturalmente, una teoría formal de la *Schrecklichkeit*; en realidad, una continuada, si bien muy debilitada, lealtad a los principios del cristianismo y a las leyes

377

de la guerra señalaban hacia una concepción contraria. Sin embargo, en la práctica, los comandantes recurrían al terror con gran frecuencia, en parte porque la idea de la disuasión por el miedo estaba tan arraigada en su cultura como en la nuestra, y en parte porque las leyes de la guerra reconocían su legitimidad en ciertos casos específicos. Los rebeldes, por ejemplo, no estaban en modo alguno incluidos en sus estipulaciones, así como los soldados que combatían en una guerra no declarada, o declarada por alguien cuya autoridad legal para hacerlo no estuviera reconocida; de ahí la «legalidad» de la petición de Carlos IX para la matanza de los hugonotes en Mons. Podría sostenerse que las leyes de la guerra eran una convención cuyo cumplimiento no era posible vigilar, y que podía desobedecerse impunemente, pero no era así. Como señala M. H. Keen, dichas leyes eran también un código de conducta para las clases altas y estaban, por ello, reforzadas por la más poderosa de las sanciones sociales.[33]

La decisión de Alba de infligir un castigo ejemplar a algunas ciudades, *pour encourager les autres*, se entendió dentro de este contexto. Nadie había entonces más experto que Alba en las leyes de la guerra, ni más resuelto a guiarse por ellas como cuestión de orgullo de clase y como expresión de su lealtad al orden superior por el cual combatía. Para él, como para muchos de sus coetáneos, las leyes de la guerra eran una parte tan inmutable del orden divino establecido como la Iglesia y el rey, y las había observado escrupulosamente durante más de medio siglo. Parecía, por tanto, natural que unos hombres que se rebelaban contra la estructura misma del universo de Dios no tuvieran derecho a beneficiarse de la protección de aquéllas. No haría, y, en su opinión, no hizo, nada contrario a la ley divina en Mechelen o Naarden, o incluso en aquel oscuro y duro invierno que pasaría ante las murallas de Haarlem; pero lo que hizo fue, con todo, censurable.

Y lo fue no porque el mundo estuviera cambiando y la historia de aquel otoño fuera escrita por aquellos que rechazaban sus ideas, sino porque olvidó que el terror, si ha de tener efecto, tiene que equilibrarse con la clemencia. En este sentido, Alba no se diferenciaba de otros capitanes anteriores y posteriores, y su autoengaño estaba cortado del mismo paño. Se había convencido ya tiempo atrás de que sus adversarios eran infrahumanos, quizá incluso inspirados por el diablo. Más que nunca, creía que la herejía era la raíz de todo, y no estaba dispuesto a admitir alcabalas, privilegios locales o ningún otro agravio como causas posibles de la revuelta.[34] Estas ideas se veían reforzadas por las atrocidades cometidas por los Mendigos y, en particular, por su sistemática tortura y ejecución de sacerdotes. Alba, como la mayoría de los españoles que le rodeaban, estaba profundamente impresionado por este proceder y por las afrentas cometidas contra lugares santos, contra símbolos de la autoridad eclesiástica e incluso contra la Sagrada Forma.[35] Aquellas criaturas tenían que ser demonios, no hombres, y era legítimo tratarlos como tales.

Había que contar también con la personalidad del duque. A pesar de su férreo control, Alba había sido siempre un hombre violento, en el que de continuo hervía la ira bajo una apariencia de melancólica calma. Su afición a las metáforas terroríficas y su deleite en el combate son tan reveladores como sus inoportunas explosiones en presencia del rey. Como tantos que consideraban sus vidas dedicadas al servicio de otras personas, albergaba un hondo resentimiento, que se refleja prácticamente en cada una de sus múltiples cartas a amigos y aliados de la corte. Compuesto en partes iguales de la sospecha de haberse negado toda compensación excesivamente, y de la certeza de que sus sacrificios no eran apreciados, le mantenía en un estado de perpetuo furor que, cuando era más productivo, constituía la fuente de su enorme energía. En aquellos momentos, rodeado de herejes y criptoherejes y abandonado, según él, por el rey y la corte, esperaba y aun rogaba que se ofreciera un pretexto para hacer caer sobre las cabezas de aquellos traidores lo que él consideraba el juicio de un Dios justo.

Su primer y más claro objetivo era la ciudad de Mechelen. Esta floreciente comunidad, corazón administrativo de la reorganización eclesiástica y sede de la real fábrica de artillería, era, en opinión de Alba, uno de los más importantes centros desafectos. Estaba convencido de que sus ciudadanos habían incitado con frecuencia a Orange para que invadiera los Países Bajos, y que por su cuenta habían reclutado hombres en su favor.[36] Cuando el príncipe llegó le abrieron las puertas sin esperar a que exigiera su rendición, y le habían socorrido después en su ignominiosa retirada de Mons. Incluso entonces, con su campeón una vez más en plena huida, permanecían desafiantes, manteniéndose firmes tras su milicia, reclutada apresuradamente, y 1.000 hombres procedentes del desbaratado ejército de Orange. Alba tenía la seguridad de que si no eran castigados ejemplarmente, la reducción de las ciudades rebeldes sería un «asunto infinito»,[37] y que Mechelen, con su importancia psicológica y estratégica, se prestaba de modo ideal a este fin. Por lo que hace a posibles escrúpulos, el duque se había convencido, ya hacía tiempo, de que la reciente insubordinación de la ciudad representaba «el permiso de Dios» para castigarla por los pecados cometidos durante la agitación iconoclasta de 1566.[38]

Prometiendo a su mal pagado ejército el botín de la ciudad, salió de Mons el 23 de septiembre. Debido a las lluvias torrenciales que anegaron los caminos e hicieron atascarse en el fango a las carretas del bagaje, la que era de ordinario una breve marcha duró casi una semana, pero el 29 Fadrique ocupó los arrabales de Mechelen, y Cressonière emprendió la tarea de reconstruir los puentes destruidos por los defensores. El 30 el duque colocó sus baterías y exigió que la ciudad se rindiera, bien matando a los mercenarios de Orange por su cuenta, bien expulsándolos para ser sacrificados por los españoles.[39] Sin esperar la decisión de los ciudadanos, la guarnición huyó protegida por las sombras, dejando la ciudad virtualmente indefensa. En medio de aquella confusión, no se dio respuesta a la demanda de Alba y, tras un asalto breve y casi incruento, la ciudad fue sometida a tres días de asesinatos, violaciones y pillaje sistemático.

Con la destrucción de Mechelen, el territorio al sur de los ríos quedó pacificado, y Alba se trasladó con grandes ánimos hacia Nijmegen, donde estableció su cuartel general. No le cabía duda de que sus medidas estaban siendo efectivas. Lovaina y Termonde se habían rendido con sólo oír sus amenazas a Mechelen, y cuando las nuevas de su terrible venganza se esparcieron más allá de los confines de Brabante, otras ciudades siguieron su ejemplo. Alba tenía motivos para creer que Gelderland y el Noroeste pronto serían suyos. Después, como él dijera, «si Dios quiere, tomaré medidas para retomar Holanda y Zelandia».[40]

El único obstáculo potencial de cierta envergadura en este punto parecía ser Zutphen. Esta pequeña ciudad en la orilla oriental de Ijssel era la clave estratégica de las provincias nororientales. No había ninguna barrera geográfica que la separara de la vasta extensión de la llanura del norte de Alemania. Una guarnición, una vez establecida, podía impedir efectivamente el acceso de Alba a Overijssel, Groninga y Friesland, mientras que podía abastecerse continuamente de los inagotables recursos humanos del imperio. En las semanas precedentes, la ciudad había adquirido, además, una importancia simbólica, pues era allí donde Guillermo de Orange había reaparecido una vez más. Dos veces derrotado y sin otra compañía que una escueta fuerza de fieles, había entrado una vez más en los Países Bajos, y esta vez sería la última. Con aquella oscura, casi fatalista, tenacidad que tan característica era de su talante, se negaba a someterse a lo que cualquier hombre de inferior calibre habría considerado el veredicto de la historia. Levantando una vez más su estandarte en Zutphen, y dejando atrás el grueso de sus restantes fuerzas como guarnición, marchó hacia el Oeste en dirección a Holanda. Es probable que Alba creyera ver en esta insignificante retaguardia de 800 hombres un intento de salvaguardar sus comunicaciones y una línea de retirada, pero si lo hizo se equivocaba. Ya no habría más retiradas para Orange. Iría a Holanda y allí, como dijo a su hermano Juan, «me haré mi sepulcro».[41]

Su partida no salvó a la ciudad. Desde Nijmegen, Alba envió a don Fadrique hacia el Norte, con órdenes de no dejar un solo hombre vivo si se presentaba resistencia.[42] Los padres de la ciudad, envalentonados con la presencia de los hombres de Orange, se mantuvieron firmes, pero su coraje fue recompensado con la traición de sus protectores. Zutphen, con sus elevadas y endebles murallas medievales y su foso ya helado a mediados de noviembre, era indefendible –un hecho evidente para los soldados, si bien no para los regidores–. Tras dos días de bombardeo de la insignificante batería de tres cañones de don Fadrique, la mayor parte de la guarnición no dudó en escapar por una puerta que se abría a la ribera del río. Ante esto, los españoles tomaron de inmediato la prácticamente indefensa ciudad, y repitieron los excesos realizados en Mechelen el mes anterior.[43] Para mayor demostración de la futilidad de resistir, Fadrique, por orden de su padre, quemó gran parte de la ciudad después de que sus soldados hubieron satisfecho su avaricia y su lujuria.[44]

Una vez más, el saqueo de Zutphen logró el resultado previsto de servir de lección. Una ciudad tras otra envió su declaración de lealtad y rogó se le perdonaran sus pasados pecados, y el Conde van den Bergh salió a caballo hacia Alemania. Hacia finales de noviembre, sólo Holanda y algunas porciones de Zelandia seguían siendo leales al príncipe. Para coronar sus triunfos, Alba supo que esta vez había esperanza incluso en los yermos de Zelandia. El 20 de octubre, una fuerza mandada por Cristóbal de Mondragón había vadeado varias millas de estuario en marea baja, con el agua en ocasiones hasta el mentón, y había liberado la importante ciudad de Goes. Alba comparó el hecho, de modo no muy apropiado, con la apertura del mar Rojo,[45] pero su entusiasmo era perdonable: era una extraordinaria proeza de armas y una adecuada culminación a un año afortunado. Lo que había empezado en desastre terminaba en triunfo. El «terror», como él mismo lo denominaba,[46] era un éxito manifiesto, y la victoria parecía aproximarse. No podía saber que la revuelta se hallaba todavía en su infancia.

1. C. V. Wedgwood, *William the Silent* (Londres, 1956), pp. 120-21.

2. Zweveghem, agente de Alba en Londres, le había advertido el 25 de marzo de que Brill era su objetivo, pero no está claro cómo llegó a enterarse de ello (véase Geoffrey Parker, *The Dutch Revolt* [Londres, 1977], p. 126). La carta original se encuentra en AGRB, Audience, 404, f. 139.

3. Alba a Felipe II, 26 de abril de 1572, *EA*, III, pp. 91-94.

4. Pieter Geyl, *The Revolt of the Netherlands* (Londres, 1962), pp. 127.

5. *Ibíd.*, p. 131.

6. *Ibíd.*, p. 124.

7. *CSP-Spanish* (1568-1579), p. 397. N. M. Sutherland, *The Massacre of St. Bartholomew and the European Conflict, 1559-1572* (Londres, 1973), trata sobre este asunto con algún detalle (p. 272), pero los motivos de Isabel siguen siendo inciertos.

8. Parker, p. 125.

9. El relato de esta acción de J. L. Motley, *The Rise of the Dutch Republic* (Londres, 1886), II, pp. 359-63, es excelente.

10. Sutherland, p. 265.

11. Morillon a Granvela, 16 de marzo de 1572, *CG*, IV, p. 142. Según Morillon, el autor de semejante exigencia fue Espinosa. Para los problemas similares con respecto a las cuentas sobre la ciudadela de Amberes, las supuestas apropiaciones de Albornoz, etc., véase *CG*, IV, pp. 152-65.

12. Morillon a Granvela, 26 de agosto de 1572, *CG*, IV, pp. 398-402.

13. Morillon a Granvela, 13 de julio de 1572, *CG*, IV, pp. 398-402.

14. Alba a Felipe II, 2 de julio de 1572 (con sarcásticos comentarios al margen de Felipe II), *EA*, III, pp. 153-156. Para la respuesta de Alba a sus censores, véase Alba a Zayas, 21 de agosto de 1572, *EA*, III, pp. 190-91.

15. *CPh*, II, pp. 267-71, contiene resúmenes de gran parte de la correspondencia sobre esta cuestión. Véase también Sutherland, pp. 242-46 y 289-93. Para evidencia de que tanta preocupación no era en vano, véase Carlos IX a Luis de Nassau, 27 de abril de 1572, AGS E551, f. 107.

16. Bernardino de Mendoza, *Comentario de lo sucedido en las guerras de los Países Bajos* (BAE 28), p. 458. Morillon afirma de modo característico que las faldas fueron cortadas por encima del ombligo, lo cual consideraba un acto «deshonesto» para los súbditos de Su Majestad (*CG*, IV, pp. 324-28).

17. La mejor exposición de este asunto y sus secuelas es la de

Mendoza, pp. 459-61.

18. Sutherland, pp. 293-94.

19. Alba a don Antonio de Toledo, 19 de julio de 1572, *EA*, III, pp. 169-70.

20. Alba a Espinosa, 14 de junio de 1572, *EA*, III, pp. 143-44.

21. Morillon a Granvela, 17 de junio de 1572, *CG*, IV, pp. 255-61.

22. *CPh*, II, p. 290.

23. Las opiniones de Alba se presentan en *EA*, III, pp. 107-10, 150-51 y 181-85.

24. Felipe II a Alba, 29 de junio de 1572, AGS E553, f. 45 (un extracto en *CPh*, II, pp. 264-65).

25. Alba a Felipe II, 21 de agosto de 1572, *EA*, III, 181-85.

26. Mendoza, 464-65; Alba a Felipe II, 6 de septiembre de 1572, *EA*, III, pp. 195-98. El avance de Orange está descrito en H. Hettema, «De route van Prins Willem I in 1572», *Bijdragen voor Vaderlandsche Geschiedenis*, serie 6.ª, V (1927), pp. 193-214, y IV (1928), pp. 17-60.

27. H. G. Koenigsberger acepta esta opinión en su introducción a Alfred Soman, ed., *The Massacre of St. Bertholomew: Reappraisals and Documentd* (La Haya, 1974), pp. 8-9.

28. Mendoza, p. 464.

29. Alba a Diego de Zúñiga, 9 de septiembre de 1572, *EA*, III, pp. 203-6.

30. Alba a Felipe II, 9 de septiembre de 1572, *EA*, III, pp. 201-3. Véanse también las cartas de Alba a Espinosa y a don Antonio de Toledo del 16 de septiembre de 1572, *EA*, III, pp. 214-15.

31. El mejor relato del sitio de Mons sigue siendo el de Mendoza, 464-71. Véanse también los informes de Alba al rey de 9 y 13 de septiembre en *EA*, III, pp. 201-3 y 206-8.

32. Véanse las instrucciones de Alba a su sobrino don Hernando, al cual mandaba al rey como enviado (AGS E552, f. 61; un extracto en *CPh*, II, p. 280).

33. M. H. Keen, *The Laws of War in the Late Middle Ages* (Londres, 1965), p. 195.

34. Alba estuvo convencido de esto hasta el final. Cuando Amsterdam intercedió a favor de ciertas ciudades rebeldes en abril de 1573, éstas respondieron que volverían a la obediencia si se les garantizaba la libertad de credo. «Éste», dijo Alba, «es el diezmo y las demás quejas que tienen» (Alba a Granvela, 9 de abril de 1573, *EA*, III, pp. 318-19).

35. Véase, por ejemplo, su descripción de las atrocidades cometidas por los protestantes en Zutphen en: Alba a Felipe II, 18 de julio de 1572,

*EA*, III, pp. 160-63, o Morillon sobre este tema en general, *CG*, IV, pp. 283-96.

36. Alba a Diego de Zúñiga, octubre de 1572, *EA*, III, pp. 238-39.
37. Alba a Felipe II, 2 de octubre de 1572, *EA*, III, pp. 219-21.
38. Alba a Felipe II, 6 de septiembre de 1572, *EA*, III, pp. 195-98.
39. Alba a Diego de Zúñiga, octubre de 1572, *EA*, III, pp. 238-39.
40. *Ibíd.*
41. *AON*, IV, p. 4.
42. Alba a Felipe II, 19 de noviembre de 1572, *EA*, III, pp. 245-50.
43. Mendoza, pp. 476-77.
44. Alba a Felipe II, 19 de noviembre de 1572, *EA*, III, pp. 245-50.
45. Alba a Felipe II, 19 de noviembre de 1572, *EA*, III, pp. 244-45.
46. Alba a Felipe II, 28 de noviembre de 1572, *EA*, III, pp. 250-53.

El punto crítico fue Naarden. Previamente a la destrucción de esta ciudad pequeña y, por lo demás, insignificante, la campaña del duque, si bien brutal, había sido un éxito. Después de aquélla, todo pareció descomponerse a un tiempo. No fue que la conducta de sus tropas en esta ocasión supusiera un cambio de política, ni reveló ésta nada sobre sus intenciones que no se conociera ya. Fue decisivo porque acabó por convencer a los rebeldes de Holanda de que tan sólo tenían dos duras opciones: luchar o morir. Hasta aquel momento, el terror había sido efectivo porque parecía discriminado –las ciudades que se sometían, aun si era a distancia, no eran saqueadas. En el caso de Naarden se creía que la ciudad se había, en efecto, rendido y que su destrucción había sido, por consiguiente, un ejercicio de terror por el terror mismo. Este juicio pudo surgir o no de una confusión sobre los hechos, pero fue persuasivo. Sea como fuere, la verdad es aún oscura.

Todas las relaciones concuerdan en que tras saquear Zutphen, Fadrique y su ejército marcharon en dirección oeste, en medio de las nieves, hacia Amsterdam. Deteniéndose en Amersfoort, envió Fadrique una compañía de soldados a Naarden, la primera ciudad rebelde al otro lado de la frontera holandesa, y exigió su rendición. El gobierno local cometió el peligroso error de negarse a la sumisión durante más de una semana, mientras procuraba la ayuda de otras comunidades rebeldes de la zona. Cuando ésta no le fue proporcionada, se decidió a pedir condiciones, pero don Fadrique, pensando que una exhibición de fuerza animaría a los vacilantes, se negó rotundamente hasta que su ejército estuvo a las puertas de la ciudad. En este punto desaparece toda semejanza entre los diversos testimonios.

Según los primeros historiadores holandeses en tratar la cuestión, ninguno de los cuales fue testigo presencial o incluso coetáneo, los españoles aceptaron gentilmente una oferta de rendición y se comprometieron a proteger las vidas y las propiedades de los ciudadanos. Después, una vez en el interior de las murallas, y en contra de su palabra, asesinaron a sus moradores sin excepción.[1] Mendoza, que se hallaba presente, pero cuya inclusión en una apología legalista del saqueo de la ciudad rebelde le hace susceptible a alteraciones en ciertos alegatos, ofrece una versión totalmente distinta. Según él, el saqueo se realizó porque, tras resistirse, los ciudadanos accedieron a parlamentar con Noircarnes y Cressonière, pero, por previo acuerdo, se abrió fuego desde dentro de la ciudad durante la entrevista, provocando a los españoles a un ataque frontal.[2]

Alba, que escribía a partir de los informes de Fadrique, no hace referencia a este parlamento. Él afirma que la ciudad contenía una guarnición de unos 300 soldados, todos los cuales deseaban rendirse, pero los ciudadanos les obligaron a permanecer en sus puestos.

«Viendo que era necesario remediar este asunto con hierro..., la infantería española ganó la muralla y mató a los soldados y vecinos sin que escapara ningún hombre nacido, y prendieron fuego a la ciudad en dos o tres partes, y Vuestra Majestad puede tener la certeza de que Dios ha permitido que se cegaran así porque procedieron como he dicho, y la ciudad tan débil que ningún hombre de la tierra se hubiera atrevido a defenderla sino aquellos que Dios ha querido cegar para darles el castigo que tanto merecen, y me siento complacido por ello porque se ha hecho ejemplo de un lugar tan miserable y [entre] tan grandes herejes. Quiera Dios que los demás aprendan de él y que no sea necesario seguir con ellos hasta el fin e ir de ciudad en ciudad con el ejército de Vuestra Majestad.»[3]

Admitiendo que tanto la exposición de Alba como la de Mendoza sean interesadas, aunque de modo diferente, y que la versión holandesa esté igualmente distorsionada –Hooft llega incluso a acusar a los españoles de canibalismo–,[4] es posible, con generosas aportaciones de conjeturas, construir una narración del suceso. Cuando Fadrique alcanzó Naarden, él y sus hombres se encontraban casi con seguridad en un estado muy excitable. El lugar tenía fama de ser, en palabras de Alba, «el crisol de todos los anabaptistas»,[5] y la larga espera, mientras se aguardaba la ayuda de Orange y sus lugartenientes, no pudo sino convencerles de que aquella gente era traicionera y malevolente. Por otra parte, no puede suponerse que todos los moradores de la ciudad fueran de una misma opinión. Incluso en el «crisol de todos los anabaptistas» habría leales al rey y personas contemporizadoras, así como el acostumbrado suplemento de fanáticos dispuestos a someterse al martirio por la causa de Dios. No es improbable que mientras los miembros más sensatos de la comunidad desearan una capitulación aceptable, un puñado de empecinados dispararan unas cuantas descargas desde las desmoronadas murallas, proporcionando con ello a los españoles el pretexto que necesitaban para repetir los horrores de Zutphen y Mechelen.

Éste era, realmente, el problema. Alba y su hijo buscaban intencionadamente una provocación, y la encontraron. Los detalles técnicos del caso fueron, como es habitual, irrelevantes, porque lo que ocurrió era menos importante que lo que se creía. Las descripciones publicadas por Hooft, Bor y Van Meteren no son sino reflejo de un relato que había pasado ya hacía tiempo a la historia popular. Para ser justos, hay que decir que nadie, ni holandeses ni españoles, ha negado que el saqueo fuera tanto horrible como total. Los rebeldes sitiados en Enkhuizen, Alkmaar y Haarlem creyeron que Naarden se había rendido de buena fe, sólo para ser destruida. Dada esta su convicción, no tenían otra alternativa que luchar hasta el fin, sin cuartel y, si fuera preciso, sin esperanza.

No obstante, el sitio de Haarlem se inició con buen pie desde la perspectiva española. Tras abandonar las humeantes ruinas de Naarden, Fadrique se dirigió hacia Amsterdam, donde se encontró ante una flota de naves rebeldes que la bloqueaban aprisionadas en el hielo. Los Mendigos habían levantado diques sobre el hielo en torno a sus barcos, y enviaron partidas de arcabuceros con patines de hielo para evitar cualquier intento español de reconocimiento. Unas cuantas escaramuzas breves convencieron a Fadrique de que sus hombres poco podían hacer frente a soldados sobre patines. Resolvió, pues, olvidar los barcos por el momento y concentrarse en el problema de Haarlem, aunque Alba –típicamente– ordenó que se hiciera acopio de varios pares de aquel nuevo invento para futuras necesidades.[6]

Haarlem era esencial para los planes de Alba por su situación geográfica –que era, como ocurre tantas veces en aquellas tierras deslizantes y acuosas, muy distinta a su actual emplazamiento–. En primer lugar, hemos de considerar el Ij no como un angosto canal navegable, sino como un amplio estuario del Zuider Zee, que dejaba prácticamente aislada a Holanda del Norte de la masa continental de los Países Bajos. Tan sólo una estrecha faja de dunas y pantanos separaba sus aguas de cabecera del mar abierto. En el extremo sur de esta faja se encontraba Haarlem, controlando el vital paso de tierra del Norte al Sur. La ciudad en sí misma era relativamente débil, con murallas medievales de lienzo y bastión, pero su localización hacía difícil cercarla. Hacia el Oeste había una estrecha extensión de pastos, que lindaba con las dunas de arena y las playas de lo que es hoy Bloemendaal. Al Sur se hallaba una región abierta, que en 1572 estaba bajo control de las guarniciones de Mendigos de Leiden y Delft. Al Este, en dirección a Amsterdam, aparecía un lago ancho y bastante somero, el Haarlemmermeer, que ha sido, desde entonces, desecado. Creado muchos años antes por una incursión del mar del Norte, se extendía desde Spaarndam, por el Norte, a Sassenheim, por el Sur, y desde unos pocos metros al este de las murallas de la ciudad hasta lo que es actualmente el extremo de la terminal aérea de Schiphol. Desde Amsterdam, por tanto, la ciudad sólo era accesible por una ruta, una angosta calzada o dique que corría entre el Ij y el Haarlemmermeer.

Pareció en un principio que este peligroso paso sería abierto voluntariamente. Un par de magistrados ofrecieron rendir la ciudad de Amsterdam el 3 de diciembre, pero sus esfuerzos fueron condenados por los ciudadanos, que procedieron a fortificar la aldea de Spaarndam en el extremo occidental del camino.

Así las cosas, el tiempo intervino a favor de los holandeses. Durante semanas enteras el país había estado preso de una fuerte helada. El Haarlemmermeer, como el Ij, eran bloques sólidos de hielo y los soldados podían maniobrar sobre ellos sin dificultades. Con esto, el nuevo fuerte de Spaarndam quedó menos seguro de lo que podía haber sido, pero tan pronto como Fadrique inició los preparativos para una maniobra envolvente, un feroz vendaval del Oeste trajo consigo el deshielo y vientos tan fuertes que derribaron a muchos hombres de la calzada y cayeron al agua. Al fin el fuerte fue reducido cuando los españoles descubrieron un dique sumergido que llevaba, desde su extremo, del camino empedrado hasta la aldea de Spaarnwoude en el extremo de Haarlem. Era muy estrecho, y los españoles tuvieron que vadearlo con el agua y el hielo roto hasta las rodillas, pero, milagrosamente, nadie se perdió en las profundidades de 15 pies que había a ambos lados. Una vez rodeada, Spaarndam cayó en cuestión de horas y quedó franco el camino a Haarlem.

Sin pérdida de tiempo, Fadrique cercó la ciudad por sus tres lados de tierra el 12 de diciembre. Se produjo un breve intervalo durante el cual una fuerza de socorro, enviada desde Delft bajo el mando de Lumey de Mark, fue aniquilada por una cegadora tormenta de nieve,[7] pero el 18 Fadrique inició el bombardeo de las murallas cerca de la puerta de Santa Cruz. Con una larga serie de victorias a su espalda, se sentía extremadamente confiado. Después de sólo tres días de acoso con resultados más bien indecisos, y para consternación de varios de sus capitanes, ordenó un ataque frontal sobre el revellín que protegía la puerta. El asalto fue rechazado con gran número de bajas, y las tres semanas siguientes se dedicaron a la construcción de una complicada red de trincheras cubiertas que conducían a la zanja en la base del revellín. Los moradores de Haarlem defendieron su posición con todo lo disponible, desde picas hasta plomo derretido, pero el 17 de enero el revellín fue ganado y los españoles comprobaron, para su desmayo, que se había levantado un terraplén en torno a la puerta que defendía. Empezaba a ser manifiesto que esto no iba a ser otro Zutphen.

Durante estas semanas se registraron algunos éxitos menores, pero éstos quedaron más que equiparados por las casi insolubles dificultades. Si la milicia leal de Amsterdam logró destruir la columna rebelde enviada para cortar las líneas de comunicación de Fadrique en Naarden, otros rebeldes consiguieron cruzar el Haarlemmermeer con alimentos y municiones. El frío intenso había vuelto, el lago estaba helado e, incluso en los cortos días de invierno, la niebla helada y las frecuentes ventiscas de nieve ocultaban los movimientos de los trineos holandeses de abastecimiento.[8] Aunque Fadrique no lo sabía, había comenzado uno de los sitios más prolongados y duros del siglo XVI.

Entretanto, en Nijmegen, Alba libraba batallas de otro tipo. Las profundas diferencias con Medinaceli, sumergidas durante el verano bajo la corriente de cortesías originadas por su llegada, habían aflorado en el otoño. Incapacitado de asumir el cargo, y por lo general desatendido del todo por Alba, el nuevo capitán general daba rienda suelta a sus quejas con el rey.[9] Felipe II escribió a su vez a Alba diciéndole, en efecto, que fuera atento con su sucesor, pero sólo logró extraer del duque declaraciones de inocente perplejidad. Había sido, decía Alba, amable con Medinaceli y le consultaba todo. Sabía que su sucesor se había quejado sobre ciertas cuestiones insignificantes, que en ningún caso habían sido culpa suya, pero creía haberle dado satisfacción, y así sucesivamente.[10] Alba se aventuró a expresarse con cierto sarcasmo ante Diego de Zúñiga, que se encontraba en París, dándole a entender que el inexperto Medinaceli estaba descontento con el ritmo de las operaciones militares. «Yo, como soy viejo y estoy cansado de dirigir ejércitos, no puedo ir más aprisa, y por eso, para no quedarme en Holanda atrapado en uno de sus canales, he enviado a don Fadrique con los hombres.»[11]

Zúñiga no era en modo alguno su adepto, y Alba tenía que pisar con cautela. Todo el caudal de su amargura y su desdén se vertió en una carta a su antiguo confidente, el prior don Antonio. No había, dijo, «hombre más colérico o necio en el país» que Medinaceli. Sus explosiones en el consejo eran imperdonables, y sus continuos ataques a Alba obligaban a éste a defenderse, lo cual suponía un esfuerzo grande e innecesario. Total: Medinaceli no era sino un castigo de Dios. De su propia mano añadía el duque una de esas irónicas homilías a que era tan aficionado:

«Don Bernardino de Mendoza tenía en su compañía a un forzado de nombre Trujillo, y este Trujillo era un gran bufón y compró un esclavo con el fin de concederle la libertad, y nosotros llamamos al esclavo y le dijimos que debía disputar con su amo, y cuando lo hizo, dio a su amo las más bravas bofetadas que podáis pensar y después muchas patadas, y este Trujillo por todo lo que hizo, ni siquiera le tocó, sino que le dijo: anda, perro, que no deseo lisiarte, y así pasaron todos los días del mundo; ahora yo estoy con este caballero al que no puedo alzarle una mano sin lisiarle... Dios me ayude a terminar la empresa.»[12]

También esta carta llegó a manos del rey, pues Alba no era contrario a dejar «filtrar» sus opiniones cuando su exposición franca pudiera considerarse irrespetuosa.

Medinaceli regresó a España a fines de noviembre, pero por entonces las incesantes disputas y los rigores de la campaña se habían cobrado su tributo. No sólo los enemigos de Alba en la corte se pertrecharon con nuevas municiones, sino que el duque mismo cayó enfermo de una dolencia seria no diagnosticada, y permaneció confinado en su lecho en el Águila Dorada de Nijmegen hasta mediados de enero. A fines de febrero aún estaba enfermo, pero podía al menos asistir a misa y atender a un cierto número de asuntos. Fue esto afortunado, pues quedaba por resolver una importante cuestión diplomática y la actividad de Orange en aquellos momentos amenazaba con llevarla a la crisis.

Poco después de la sublevación de Flesinga, Isabel de Inglaterra había enviado 300 hombres bajo el mando del capitán Thomas Morgan para reforzar la guarnición de los Mendigos. Sus motivos eran, como de costumbre, diversos. Estaba molesta porque Felipe II no había respondido a su solicitud de un acuerdo con respecto al embargo, y es posible que con este gesto quisiera recordarle la continua inestabilidad de las relaciones anglo-españolas.[13] Al mismo tiempo, estaba recibiendo considerables presiones del Parlamento para intervenir contra el opresor papista.[14] La expedición a Flesinga era un medio relativamente sencillo y poco costoso de acceder a sus demandas, sin arriesgar nada de importancia. Puede que ninguna de estas consideraciones, sin embargo, tuvieran tanto peso como la necesidad de evitar que los franceses ganaran el control de las vías de Walcheren. Una banda de hugonotes se hallaba ya en la escena, y no deja de ser significativo que éstos se opusieran tenazmente a la venida de los ingleses.[15]

Dichos fines eran, claro está, desconocidos para Alba, a quien inquietaba Flesinga sin cesar, y se lamentaba amargamente de no disponer de una flota para recobrarla.[16] La reina le había informado de que iba a retener el lugar en interés de España,[17] pero el duque tenía motivos sobrados para suponer que no era así. ¿Por qué, si sus intenciones eran buenas, había sustituido a Morgan por sir Humphrey Gilbert, un aventurero, y le había enviado en asistencia de Orange cuando éste intentó liberar Mons? Los ingleses no pasaron de Sluis, pero ello se debió más a su incapacidad que a un acto deliberado.[18] Después, colaboraron en el «torpe y desdichado cerco de Goes»,[19] que fue roto por el famoso paso de Mondragón sobre el Escalda oriental en marea baja. Por entonces, los holandeses estaban ya hartos de sus aliados y les despacharon hacia su país, pero se comprende que Alba se preguntara si la reina no prestaría una ayuda más abierta a los rebeldes.

Estos recelos cristalizaron en enero, cuando Orange envió una misión a Inglaterra en busca de ayuda. Alba no abrigaba dudas, hasta el momento, de que la causa regia triunfaría al fin, pero le preocupaba que la intervención inglesa incrementara sus ya insostenibles gastos. Más grave aún era que si Isabel socorría ahora a los Mendigos, les ofrecería sin duda refugio cuando Alba los expulsara de los Países Bajos definitivamente, y fomentaría sus acciones de rapiña sobre el comercio posteriormente.[20] No tenía otra alternativa que recomenzar las negociaciones por iniciativa propia y, tras mínima discusión, alcanzó un acuerdo con Burghley el 15 de marzo de 1573.[21] Se levantó el embargo y ambas partes juraron eterna hostilidad a sus mutuos enemigos, dejando a Orange más aislado que antes; pero el duque no podía felicitarse mucho de su éxito: había desaparecido una crucial preocupación, pero en su lugar había surgido otra aún más seria. Haarlem no sólo se resistía a ceder como se había esperado, sino que daba muestras de convertirse en un sitio épico al estilo clásico, una Numancia entre las nieves.

Desde su triunfo del 17 de enero, era poco lo que Fadrique había logrado. Aunque ya tenía bajo su poder la zanja y el revellín, no podía vencer el parapeto recientemente levantado ante la puerta de la Santa Cruz. Selló la parte del revellín que miraba a la ciudad con sacos de arena e intentó introducir minas bajo la puerta, pero los rebeldes le recibieron con contraminas, y en una serie de terribles luchas libradas en las trincheras excavadas bajo tierra, sus zapadores fueron repelidos con numerosas bajas. Los frecuentes ataques rebeldes a su campamento fueron rechazados con poca dificultad, pero parecía no existir medio de impedir que abastecimientos y refuerzos entraran en la ciudad. El tiempo seguía siendo el peor que se recordaba, y cada ventisca de nieve o la niebla helada traían consigo una larga hilera de trineos de suministro desde Leiden y Sassenheim. Algunos oficiales empezaban a sugerir que habría que levantar el sitio.

Para acallarlos, Fadrique ordenó un ataque en regla el 31 de enero. A juzgar por las descripciones de esta acción, que son desusadamente imprecisas, la idea parece haber sido temeraria. Los hombres tuvieron que lanzarse en tropel a la zanja y ascender luego la pendiente con escalas, mientras los holandeses les rociaban con fuego de armas de mano. Cuando los supervivientes alcanzaron la cima del parapeto, los ciudadanos de Haarlem hicieron estallar una mina bajo sus pies, matando a cuarenta o cincuenta de ellos en una horrible nube de sangre, tierra y tejido humano.[22] El informe de Alba al rey minimizaba deliberadamente el número de bajas, pero no podía ocultar la magnitud de las pérdidas. Sencillamente, se estaba quedando sin españoles; las filas de oficiales, en particular, estaban desastrosamente diezmadas.[23]

El duque estaba seriamente preocupado. Por primera vez envió una breve y urgente carta de instrucciones a su hijo, insistiendo en que había de ganar a todo trance el parapeto y el terraplén. Suavizaba sus palabras diciendo que «puede que esté diciendo necedades porque no me hallo presente», pero era patente su creciente falta de confianza.[24] El mismo día, Albornoz escribía a una persona no mencionada del campamento pidiéndole «por el amor de Dios» que hiciera a Fadrique leer y releer la carta del duque.[25] Lo cierto era que por primera vez desde su llegada a los Países Bajos, los hombres del duque estaban encontrando una seria oposición militar. Los defensores de Haarlem no eran simples vecinos, sino 4.000 Mendigos, mercenarios alemanes y otros hombres de formación militar. El 17 de enero, Alba había admitido a regañadientes que aquéllos eran «muy buenos soldados»,[26] acaso el mayor cumplido que ofrecía su limitado vocabulario de elogio, y hacia el 11 de febrero su admiración estaba empezando a dejar paso al asombro. «Digo a Vuestra Majestad que ciertamente no ha habido jamás un lugar así defendido por rebeldes, ni por otros que defienden a su príncipe natural. Tienen dentro un buen ingeniero que ha hecho cosas nunca oídas o vistas.»[27]

Incitado por las dudas de su padre, Fadrique redobló su actividad. Amontonando más sacos de arena en torno al revellín, instaló dos cañones en él frente al parapeto, un esfuerzo que debió haber precedido al último asalto, pero que ahora parecía algo tardío. Se colocaron más minas, pero todo fue inútil. Mientras tanto, el frío empezaba a ceder y, para su intenso desánimo, los españoles comprobaron que, anticipándose a la llegada del deshielo, los defensores estaban construyendo galeras de remos para sustituir a los trineos de abastecimiento. Alba ordenó a Bossu que construyera su propia flota con la esperanza de lograr el control del mar, pero aún aguardaban sorpresas más desagradables. Temiendo que la acción de sembrar minas de Fadrique acabara por lograr su objetivo, los holandeses empezaron a robustecer la fortificación de la puerta misma. Trabajando febrilmente de noche, construyeron una media luna de más de 100 yardas de longitud de un extremo a otro, haciendo la puerta invulnerable a todo asalto. Con o sin la aprobación de su padre, Fadrique estaba dispuesto a renunciar.

Fue entonces cuando se produjo un intercambio entre ambos que es, en sí mismo, muy revelador. Habiendo conocido las vacilaciones de su hijo, el duque envió a Bernardino de Mendoza con un mensaje que pasaría a ser famoso. Instruyó al cronista para que dijera a Fadrique que «si pensaba en levantar el sitio, no lo tendría por hijo suyo, fuera lo que fuera lo que antes hubiera creído, y si moría en el sitio, el duque vendría en persona para mantenerlo, y si ambos caían, la duquesa, su esposa, vendría desde España para lo mismo».[28] Tenían estas palabras un acabado aire diamantino, un tono que recordaba a los heroicos hechos romanos que Alba invocara en otras ocasiones, cuando lo creía adecuado al caso. No desconocía los paralelos tan insistentemente trazados por los propagandistas holandeses entre sus tercios y las legiones de la antigua Roma, y si era demasiado elegante para permitirse abiertamente una retórica humanista, no era contrario a pisar donde César había pisado, ni a adoptar otras actitudes conocidas de un público nutrido en los clásicos.

Se tuvo cuidado de que estas palabras fueran oídas por los hombres de Fadrique, y Mendoza relata que «se mostraron muy contentos» con ellas, pero para Fadrique contenían un mensaje muy distinto y mucho más imperativo. Para este hijo respetuoso, abrumado desde su nacimiento por el peso de unos padres formidables, y ya en el umbral de su edad madura, no eran sólo palabras sonoras, a pesar de lo que pueda parecer al oído moderno. Era, por el contrario, la invocación de una antiquísima tradición, una tradición en la que él, como su padre, había sido educado y a la cual se subordinaban, al menos en teoría, incluso las más altas ambiciones de la casa de Toledo. Evocaba las imágenes de Fernán Álvarez ante las murallas de Lisboa, de su bisabuelo y homónimo en las interminables campañas de Granada y de don García desangrándose entre las palmeras de Djerba. Incluso la referencia a su madre era algo más que una simple hipérbole. Fadrique sabía, sin duda, que no vendría, pero sabía también lo que podía esperarse de una mujer que era capaz de enviar a su hijo de cinco años, su hermano mayor ya hacía tiempo desaparecido, a una campaña contra los moros de Túnez. Toda su vida había procurado aplacar las iras de sus padres, en general sin éxito, y debió tener la convicción de que, de estar allí, su madre estaría actuando más atinadamente que él. Contra su propio criterio, se mantuvo el cerco.

Por entonces, un regular flujo de suministros, artillería pesada y nuevos soldados cruzaba el Haarlemmermeer en dirección a la ciudad sitiada. Un alud de ataques españoles, inducidos por las admoniciones del duque, fueron repelidos con numerosas bajas; entre los muertos se encontraba el insustituible ingeniero Bartolomé Campi. Después, hacia fines de febrero, los holandeses lograron abatir la batería del revellín con cañones llegados en barco desde Leiden. Marzo no fue más afortunado. Demostrando ser verdaderos soldados, los rebeldes lanzaron una serie de feroces encamisados que concluyeron, el 25 de marzo, con un masivo ataque al sector alemán del campamento de Fadrique. Todo fue destruido, los alemanes ahuyentados temporalmente y sus cañones capturados o inutilizados.[29]

Alba estaba fuera de sí. No sólo eran estos reveses intolerables en sí mismos, sino que estaban haciendo extremadamente difícil su situación política. Por primera vez estaba empezando a comprender el verdadero carácter de su dilema y el de la dominación española en general. En palabras de Albornoz, «si los españoles se quedan, las provincias se sublevan; si se marchan, la religión se pierde».[30]

El problema tenía cabeza de hidra. En Nijmegen y Bruselas, los partidarios flamencos de Alba estaban empezando a abandonarlo, ante lo que percibían como un nuevo giro de los acontecimientos en Holanda. El duque de Aerschot estaba haciendo declaraciones «tan escandalosas como si provinieran del Príncipe de Orange», y la malevolencia mucho tiempo oculta de sus consejeros estaba empezando a manifestarse. «Podéis creer que odian a nuestra nación más que al diablo», escribía Albornoz. «El duque es detestado por los herejes. Escupen cuando oyen su nombre.»[31]

Aún más graves eran las noticias que venían del otro lado del Rin. Se estaba reclutando caballería en Dinamarca, Sajonia y el Palatinado, pero Alba no podía aumentar la suya por falta de dinero. Los alemanes que aún quedaban estaban al borde del motín, los españoles «casi acabados», y se debían 25 sueldos a los supervivientes.[32] También los marineros representaban un problema. Alba necesitaba hombres, así como barcos, para Bossu y para recuperar Flesinga, pero la población marinera apoyaba casi unánimemente a los Mendigos, y se vio obligado a reclutar hombres de mar en los puertos bálticos a elevado precio.[33]

Nada de esto, sin embargo, era tan crítico como la situación creada en la corte, donde los enemigos del duque se habían descubierto al fin abiertamente. Utilizando los reveses sufridos anteriormente a Haarlem, intentaron convencer a Felipe II de que la causa, según era entendida por Alba, estaba perdida. Después revivieron su antigua táctica de fomentar el respaldo a la Santa Liga contra el turco, e incluso procuraron obstruir el acuerdo con Inglaterra. Esto último era ridículo, y Alba no tuvo dificultad en contrarrestarlo advirtiendo el absurdo de perder los Países Bajos para no «desalentar a los católicos ingleses». Con todo, no faltaban motivos de preocupación. El rey pudo al fin acceder a enviar refuerzos y aun dinero, pero en sus cartas se percibía «un nuevo estilo», y éste estaba causando «grandes inconvenientes».[34]

De modo específico, la pérdida de confianza de Felipe II en su gobernador general dio ánimos a los flamencos de todos los credos, y su actitud se vio confirmada cuando supieron que el 30 de enero Luis de Requesens, un conocido defensor de las opiniones de Éboli, había sido designado para sustituir al detestado duque.[35] Ello tenía, en efecto, la finalidad de indicar un cambio de política, pero por el momento representó una simple repetición de Medinaceli y la alcabala en un escenario más ensangrentado. Aunque Requesens intentó evadirse de tan arriesgado destino político, Felipe insistió y, durante los próximos diez meses, la perspectiva de un sucesor más tolerante frustró todos los intentos de Alba de acabar con la revuelta en sus propios términos. La salida de la flota de Bossu el 29 de marzo marcó el principio del fin para los heroicos defensores de Haarlem, pero para Alba llegaba demasiado tarde. Su posición estaba totalmente minada y su reputación en entredicho; más aún, el desenlace de Haarlem fue, desde luego, tan sólo eso y no el verdadero fin.

Hacia el 19 de abril Bossu había conseguido dominar el

lago, interrumpiendo los abastecimientos y haciendo la situación de Haarlem insostenible, pero la guarnición insistía en negarse a la rendición. El tono general del sitio había sido implacable y desesperado desde un principio. Los ciudadanos de Haarlem estaban convencidos de que la rendición significaría una muerte segura y, como si quisieran confirmar semejante convicción, ambos lados cometieron frecuentes atrocidades. Se cuentan terribles relatos de cestos repletos de cabezas humanas catapultados por encima de las murallas en ambas direcciones, y de innumerables prisioneros ejecutados a la vista del enemigo por españoles y holandeses por igual.[36] No hay motivo para dudar de que dichos atropellos ocurrieran verdaderamente. En aquellos momentos los sitiados, llevados por la desesperación, extremaron sus afrentas. Se lanzaron hogazas de valioso pan sobre el campamento español como magnífico gesto desafiante. Se sacaron de las iglesias imágenes santas y se colocaron en la línea de fuego, mientras soldados rebeldes hacían piruetas en los parapetos con vestimentas sacerdotales robadas.[37] No puede imaginarse una más efectiva expresión de su decisión de resistir hasta que el último hombre, mujer o niño estuviera muerto, pero a pesar de tantas bravatas y tanta desesperación, Orange no había agotado aún sus planes para socorrer a la ciudad.

Como táctica de desviación, se enviaron tropas de Mendigos para cortar el camino de Utrecht a Amsterdam. Esto era relativamente fácil, dado que la carretera discurría sobre un dique durante una considerable parte de su longitud, cruzando una región de otro modo intransitable. De haberlo logrado, Amsterdam habría quedado aislada de provisiones, pues la entrada al Ij estaba todavía bloqueada por los barcos rebeldes. Las fuerzas de Orange fueron derrotadas el 15 de mayo, pero Alba se había visto obligado a tomar en serio su amenaza. Como una especie de compensación a sus desvelos, el duque obtuvo un inesperado beneficio del asunto: el cadáver de Antoine Oliver, traidor de Mons. Capturado en el dique, el pintor fue muerto por un alemán antes de que pudiera ser transportado a Nijmegen. Constituyó esto una decepción, pues Alba declararía más tarde que habría dado cualquier cosa a los alemanes por haberlo mantenido vivo, pero tuvo al menos la tétrica satisfacción de descuartizar sus restos y colocarlos en cuatro varas.[38]

Entretanto, en Sasshenheim, Alba estaba preparando otra flota. Esta nueva fuerza, muy superior a la anterior, se necesitaba desesperadamente. A fines de abril se habían adoptado estrictas medidas de racionamiento en Haarlem y, al ir avanzando mayo, la situación alimentaria se hizo cada vez más grave. El 28 de mayo, las naves de Orange se hicieron a la mar y fueron otra vez derrotadas por Bossu. Aunque el príncipe seguía reclutando tropas e ideando nuevos, y cada vez más elaborados, planes de auxilio, era ya patente que socorrer a la ciudad era impensable. Los escasos suministros que la alcanzaban se introducían a la espalda de hombres que utilizaban largas pértigas para saltar sobre los canales y las fortificaciones. Las comunicaciones se realizaban casi exclusivamente con palomas mensajeras, medida que proporcionaba diversión, información y pichones asados a los tiradores españoles, pero cuyo fracaso parecía afectar mínimamente a la moral de los defensores.[39] El sitio continuaba.

El descontento ante este estado de cosas y la dirección de Alba culminaron en abril y mayo. Afortunadamente, la llegada de la primavera le había devuelto la suficiente salud para enfrentarse a la oposición, a pesar de que este hecho no siempre es aparente en sus propios testimonios. Albornoz informó a la duquesa de que el duque no necesitaba ya pastillas, y podía acercarse a misa diariamente por su pie, sin asistencia de nadie. Tenía apetito e incluso pidió que se le enviaran de España unas cajas de limones verdes frescos;[40] pero si el secretario estaba tranquilo no le ocurría lo mismo al duque. Una prolongada convalecencia y el temor de que ésta acabara, como era habitual, en un ataque de fluxión le movieron a discurrir sobre la gota en una carta enviada a su compañero de dolencia, el prior don Antonio:

«Aquel que no es de la profesión pudiera sorprenderse de que un gotoso le dijera que la gota en el pie puede afectar a la mano, pero a mí desde luego no me sorprende, pues cuando me duele el pie, no hay nada en toda mi persona de lo que pueda hacer uso. Me entristece que os haya afectado con mayor rigor del acostumbrado; nosotros los viejos tenemos una cosa buena, que cada día podemos esperar mayor padecimiento que aquel con el que comenzamos. Aun cuando no sois de mi edad, os sitúo con tantos otros en la danza de los viejos, y si eso es cierto, ¿qué no seré yo?»[41]

Fuera lo que fuera, no le impidió luchar contra sus enemigos con ímpetu y elocuencia.

La mayor parte de las protestas contra las que había de defenderse procedían de los flamencos leales, descontentos de su autoritarismo y de su patente desconfianza en los funcionarios nativos. Eran aquéllas transmitidas a la corte por mediación de Hopperus, secretario para Flandes y nada adepto a Alba,[42] o, de modo más informal, mediante varios miembros del bando ebolista. Alba se enteraba en general de las críticas gracias a aliados como Zayas o don Antonio, aunque en ocasiones era el rey quien le pedía explicaciones. Por regla general se ajustaban a dos categorías: quejas por el tipo de justicia que impartían los tribunales y protestas por sus nombramientos para los consejos.

Los problemas judiciales eran aún más graves, pues concernían a un aspecto muy próximo a los intereses fundamentales del rey. Se decía que no había justicia en los Países Bajos y que todos los problemas se originaban en esto. Alba lo admitía, pero intentaba invertir la protesta ampliando su alcance para incluir a todo el sistema judicial. Sus enemigos hacían sobre todo referencia al Tribunal de los Tumultos, pero Alba respondió con una diatriba contra los tribunales locales que suponía una rotunda condena de los flamencos y una increíble admisión de su propio fracaso como reformador:

«No hay caso, civil o criminal, que no se venda como la carne en la carnicería… Es éste un asunto, señor, del cual tanto se podría decir a Vuestra Majestad sobre la abominable falta de justicia en estos Estados que es imposible ponerlo por escrito, y Dios es testigo de los malos días, noches, horas y momentos que esta cuestión me ha proporcionado.»[43]

En cuanto al Tribunal de los Tumultos, nada le parecía mal en él. Tenía exceso de trabajo y escasez de personal, pero su falta era una excesiva indulgencia con los ofensores a la Corona. Como él mismo podía testificar, actuaba con todo el rigor posible contra aquellos que ofendían a Dios.[44] No contestaba al alegato de que su autoridad legal era dudosa y sus procedimientos sumarios.

La sostenida convicción de Alba de que el hecho de la rebelión le concedía una autoridad casi ilimitada queda manifiesta no sólo en este tipo de comentarios, sino en su admitida intromisión en las tareas de los consejos. Aunque protestaba inocencia en la cuestión de los nombramientos indebidos, reconocía los demás cargos con orgullo. En efecto, había intervenido en el Consejo Real cuando quiera que éste tratara casos referentes a la rebelión. De modo similar, no tenía la menor intención de permitir que el Consejo de Hacienda manejara los fondos monetarios. El consejo podía deliberar sobre las medidas a seguir, pero le horrorizó su pretensión de recaudar también los impuestos.[45]

Era evidente que ni había aprendido ni olvidado nada. Mientras su régimen avanzaba con dificultad hacia su lamentable conclusión, Alba seguía obsesionado por dos ideas relacionadas entre sí. La primera, que la rebelión era una cuestión exclusivamente religiosa. Esta opinión, tan consoladora para su conciencia, se veía fuertemente reforzada por las blasfemias cometidas en Haarlem y por un episodio acaecido a comienzos de abril. El gobierno de Amsterdam había intentado interceder a favor de ciertas ciudades rebeldes, y había sido informado por éstas de que si el rey les concedía libertad de conciencia, depondrían las armas. Como dijera Alba a Granvela: «Esto, señor, es la alcabala y demás quejas que tienen».[46] Siempre lo había creído así, pero al agravarse el conflicto, su espíritu de cruzada creció proporcionalmente. No podía esperarse otra cosa de una persona que, enterada de que en Haarlem se había colgado a algunos católicos de las murallas de la ciudad, se permitió envidiar su martirio.[47]

La segunda idea era el consabido estribillo de que no se podía confiar a ningún habitante de los Países Bajos un puesto de autoridad. A ser posible, su desdén hacia ellos había aumentado. Desconfiaba de su ortodoxia, de su integridad fiscal e incluso de sus conocimientos. Más adelante, en el verano de 1573, declararía que sus consejeros «saben tan poco de asuntos de Estado como de latín».[48] Estas opiniones se encontraban, como siempre habían estado, en la raíz de su intransigencia cuando quiera que se hablaba de la alcabala o de un perdón general.

Por entonces, ya Hopperus, los ebolistas y el propio Felipe II estaban presionando para una inmediata revocación del impuesto y una promulgación de perdón, pero Alba continuaba obstruyendo ambas cosas con todos los medios posibles. Insistía en que no debía hacerse ningún intento de negociar el impuesto del 10 por 100 hasta que los rebeldes hubieran sido suprimidos. Después podía elevarse la cuestión a los tribunales, donde los jueces estimarían con certeza que el impuesto había sido legalmente adoptado por los Estados.[49] Con respecto al perdón era más flexible, pero veía serios peligros en la versión que le había sido remitida con Medinaceli el año anterior. En su opinión, no debían hacerse excepciones generales, pues ello daría pábulo a que la gente se volviera «escrupulosa y temerosa». Sería mejor hacer excepciones con sus nombres, evitando así la confusión sobre quién estaba incluido en las categorías exceptuadas y quién no. No se debía mencionar la religión, y le horrorizaba la cláusula que extendía clemencia a los implicados en los disturbios de 1566. Esto sólo podía producir litigios y, al invalidar la obra del Tribunal de los Tumultos, forzar a la Corona a devolver las propiedades confiscadas.[50]

Nada de esto era nuevo, ni eran sus objeciones totalmente irracionales: simplemente desoían la probabilidad de que hubiera que hacer concesiones para acabar con la sublevación. Sus opiniones sobre este punto habían constituido una decisiva fuente de fricción entre él y Medinaceli, pero ahora las renovadas presiones de sus enemigos de la corte le obligaron a realizar un acto que era casi desobediencia. Se negó rotundamente a publicar el perdón en su forma vigente hasta que le fueran enviadas de Madrid instrucciones específicas y por separado a aquel efecto.[51]

Estas descargas epistolares parecen haber aclarado la atmósfera, pues tras una prolongada demora ocasionada por una enfermedad, Felipe II contestó en tono conciliador el 8 de julio.[52] Entretanto, Alba había redactado varios tratados referentes al injusto trato sufrido por él y su hijo,[53] pero no obstante estas ocasionales explosiones de irritación, mayo y junio transcurrieron relativamente tranquilos. Haarlem no se había rendido todavía, pero era evidente que tendría que hacerlo en un futuro próximo, y en el horizonte se dibujaban otros signos esperanzadores. No sólo llegaron refuerzos de Alemania y Milán, sino que el emperador promulgó al fin una orden prohibiendo a Orange que hiciera reclutamientos en el imperio.[54] El duque tuvo tiempo para disputar a propósito de las reliquias de Santa Leocadia, para reunir libros para la nueva Biblioteca Real de Amberes[55] y preocuparse por Bárbara Blomberg.

Esta dama, madre de don Juan de Austria, había constituido un problema desde la llegada de Alba a los Países Bajos. Tras sus celebrados amoríos con Carlos V, había sido acomodada en Amberes, donde su conducta avergonzaba a don Juan, al rey y a sus vecinos, que se quejaban de que no tenía reparos en recibir hombres a todas horas del día y la noche. Alba, cuya contención sexual ya hemos observado, procuró solucionar el problema introduciendo dos respetables mujeres en su casa, pero la dama logró expulsarlas y sustituirlas por lo que el duque llamó «alcahuetas» y «ruines mujeres». En 1573 debía de estar Bárbara Blomberg próxima a los cincuenta años, pero no había perdido su capacidad para atraer a los hombres, y su casa era, a ser posible, aún más escandalosa que antes. A diferencia de Brantôme, Alba no podía admirar esta clase de «gallardía», especialmente siendo la madre de un héroe de fama. Desesperado, propuso la posibilidad de secuestrarla y encerrarla en un convento.[56]

Semejantes tareas eran, sin duda, ligeras después de los traumáticos sucesos del invierno, y el 12 de julio quedaron aún más aligeradas. Desprovista tanto de esperanza como de sustento, Haarlem al fin se rindió con condiciones. No se produjo alegría, tan sólo alivio. La victoria había sido desmedidamente costosa en vidas y prestigio, y aun después de siete meses de enconada lucha existían legítimas dudas sobre lo que hubiera podido lograrse con ello. La Waterland estaba ahora aislada por tierra, si no por mar, y Holanda estaba dividida en dos partes, pero ninguna otra ciudad ofreció su rendición y Orange, tan indómito como siempre, continuaba moviéndose en libertad.

Alba, comprendiendo lo erróneo de sus métodos, resolvió perdonar a lo que quedaba de la ciudad. No habría saqueo siempre que los habitantes pagaran una indemnización de 100.000 florines. Esto hicieron aquéllos casi con desdeñoso placer, pues el dinero era lo único que tenían en abundancia, dado que no podía servir ni de alimento ni de munición para sus cañones. El duque estaba tardíamente decidido a demostrar a los rendidos que estaban a salvo,[17] pero no era capaz de mostrar auténtica clemencia a rebeldes o herejes. Con escrupuloso respeto a las leyes de la guerra, insistió en ejecutar a 2.300 soldados que habían servido a Orange sin formal consentimiento de sus gobernantes, y remató su acción condenando sumariamente por traición a los dirigentes de los Mendigos. Las consecuencias fueron exactamente las que cabía esperar. Su «clemencia» fue considerada bárbara crueldad por los holandeses e imperdonable por sus propios hombres, que creían haberse ganado el derecho al saqueo. Alkmaar, Enkhuizen y el resto del Norte permanecieron firmemente a favor de Orange. Los soldados españoles de Alba, sin paga durante veintiocho meses y privados de lo que ellos consideraban su legítimo botín, se amotinaron sin esperar más.[18]

Alba se vio forzado a ir al campamento en persona el 14 de agosto para brindarse como rehén, como había hecho en 1555, pero cuando ofreció a los españoles 30 escudos a cada uno procedentes del acuerdo alcanzado con Haarlem, su personal popularidad y su evidente condolencia por la difícil situación de los soldados hicieron el resto. Sus «magníficos señores hijos», como les llamó, volvieron a sus obligaciones.[19]

Esto no resolvió, naturalmente, el problema fundamental, que tenía mayores implicaciones de lo que suponían los hombres de los tercios, y cuyo origen se debía parcialmente al entramado político de la corte y parcialmente al propio sistema. Los enemigos de Alba estaban haciendo todo lo posible por negarle fondos, alegando que se habían gastado ya 12.000.000 de ducados sin resultados, y que era absurdo enviar aún más. El duque podría haber preguntado cuánto había gastado el rey de Francia para sofocar su rebelión,[60] pero éste no era un argumento sólido. La cuestión llegó a un punto álgido en los momentos del motín, cuando la hacienda rehusó pagar un asiento de 40.000 ducados. El pretexto fue que Albornoz había supuestamente recibido cierta comisión en el trato, pero esto no fue nunca probado.[61] La tragedia era que todos los capitanes de Felipe II eran vulnerables a dichas tácticas y que los primeros perjudicados eran los soldados españoles, el único sector de su ejército en que el rey podía confiar absolutamente. Los mercenarios tenían prioridad sobre cualquier dinero adquirido, porque éstos podían marcharse si no eran pagados, mientras que semejante alternativa era prácticamente imposible para los súbditos españoles. Así pues, la paga de los españoles quedaba a deber invariablemente, y con el paso del tiempo empezaron a amotinarse con desalentadora regularidad. El año 1573 anunció, por tanto, el curso que tomarían los acontecimientos, y no todos los sucesores de Alba podían dirigirse a las tropas con la autoridad con que él lo hizo el 30 de julio:

«Sois soldados de Dios, del Rey de España, de la nación, y ante todo míos, por cada uno de los cuales derramaría yo la sangre que me queda sin dejar una gota en mi cuerpo. No desearéis que nos convirtamos, vosotros y yo, en el hazmerreír y el oprobio de otras naciones.»[62]

En semejantes circunstancias, resolver el motín no salvó al duque de caer una vez más en la desesperación. Comprendía todas sus implicaciones con mayor claridad que nadie, y sabía que sus enemigos se hallaban mejor situados que nunca en los consejos del rey. Al mismo tiempo, todo esfuerzo por sacar algún provecho de su «clemencia» en Haarlem fue infructuoso. El 28 de julio distribuyó una circular en el sentido de que todos los que reconocieran la autoridad de la Corona «serían reunidos bajo el ala real», mientras que aquellos que no lo hicieran serían aniquilados.[63] Cuando dicha circular fue recibida con burlas, Alba fue presa de otro ataque de ira. Advirtió al rey que «el modo en que estos rebeldes se han mofado de las admoniciones y el perdón que he publicado» demostraba definitivamente que la «bondad» era fútil.[64] Agradecía sólo

407

que el rey no hubiera firmado aquellos documentos, reduciéndose más con ello su autoridad; referencia ésta, es de suponer, a las desventajas de un perdón general. Su siguiente objetivo era Alkmaar, y sobre éste decía que «si Alkmaar es tomada por la fuerza, he resuelto no dejar una criatura con vida, sino pasarlas a todas a cuchillo, puesto que no les ha aprovechado el ejemplo de Haarlem».[65]

Desafortunadamente para Alba, Alkmaar no dio muestras de ceder, y cuando sus fuerzas marcharon hacia el Norte para reducirla, se encontraban realmente en muy malas condiciones. Los hombres –por entonces unos 16.000– estaban faltos de entusiasmo, los transportes eran inadecuados a causa de la falta de dinero, y era casi imposible trasladar la artillería.[66] Para rematar sus infortunios, Fadrique, agotado y desalentado, sufrió una crisis física. Su dolencia fue diagnosticada como la ancestral gota, pero puede que fuera algo más, pues no logró recuperarse del todo en los doce años de vida que le quedaban. Fue a Alkmaar en una carreta.[67]

Lo único que representó una buena noticia para el duque en este periodo fue que su antiguo rival Ruy Gómez de Silva, Príncipe de Éboli, había muerto. Por extraño que parezca, Albornoz dice que Alba estaba «muy afectado». El secretario fue menos generoso, y esperaba tan sólo que Dios le perdonara sus fechorías,[68] pero puede que la reacción del duque fuera perfectamente comprensible. Se encontraba en una edad en que la muerte de un hombre más joven contiene una alusión a la propia mortalidad; acaso también la muerte de un gran enemigo sea casi tan inquietante como la pérdida de un amigo. Había dedicado al fallecido gran cantidad de energías emotivas, y aunque su desaparición marcó el fin de una era, no era el final de la oposición. Por el contrario, la situación en la corte era tan mala como siempre.

El fiel Zayas le aseguraba que nadie ponía en duda su autoridad,[69] pero Alba había estado totalmente eclipsado. Los amigos de Éboli continuaron su labor de influir en el espíritu del rey y, con la esperada llegada de Requesens en un futuro próximo, los flamencos de todas clases se sintieron libres para dejar del todo a un lado al duque. Lo que fue más grave es que el poco prestigio que conservaba desapareció pronto con los sucesos de Alkmaar. Allí, Fadrique, mortalmente abatido, no logró tomar la ciudad en dos ataques sucesivos y, después de serle infligidas fuertes bajas, sus hombres se negaron a intentar un tercero. Mientras tanto, se observó que varios diques habían sido rotos en la vecindad del campamento, y que los campos empezaban a estar empapados. La región que rodea Alkmaar está en gran medida bajo el nivel del mar, y cuando se supo que los defensores esperaban sólo una favorable conjunción de viento y marea alta para abrir las grandes esclusas y ahogar a los españoles para siempre, Fadrique levantó el sitio. Era el 8 de octubre de 1573 y la guerra de Alba había concluido.

Cuando conoció los planes de su hijo, Alba le escribió como había hecho en Haarlem, pidiéndole que «llevara la cruz» unos cuantos días más, para que pudiera hacerse entrega de la situación «viva» a Requesens.[70] Su primera preocupación era que Fadrique evitara que aquello pareciera una derrota. Había laborado mucho y largo para rehabilitar a su hijo a ojos del rey, y no quería ver sus deseos desvanecidos en el momento preciso en que estaba próximo el relevo, pero todo fue en vano. La situación era insostenible y ambos lo sabían. En el plazo de dos semanas las esperanzas y los planes del duque se habían reducido a un solo objetivo. Como dijo a don Antonio:

«Por el amor de Dios, libradme de este gobierno y sacadme de él, y cuando no pueda hacerse de otro modo, hacedlo enviando a alguien que me dispare con un arcabuz..., porque nada hay ahora que más convenga al rey que esto, como he dicho, y no deseo esperar a los acontecimientos, ni verlos, ni oírlos, ni pintarlos en la pared, pues tengo sentimientos más mortificantes en relación a esto que por una muerte de setenta días, y si no hubiera otra cosa, sería suficiente el cumplir, pasado mañana, setenta y seis años.»[71]

Hasta el 17 de noviembre Requesens no llegó a Bruselas. Nunca deseó ir,[72] durante algún tiempo se había negado rotundamente a hacerlo hasta que hubiera recibido la absolución del Papa.[73] Cuando al fin llegó Requesens, el duque le recibió con gran cortesía no obstante su «gota, fiebre y fluxiones del pecho»[74] pero pronto surgieron diferencias sobre la inevitable cuestión del mando. Por razones evidentes, Requesens deseaba poner la máxima distancia posible entre él y Alba y, como consecuencia de su larga asociación a la política ebolista, desconfiaba totalmente de padre e hijo.[75] Quedó, por tanto, anonadado cuando Alba insistió en que asumiera su puesto de inmediato, pues temía que el tiempo, o algo más siniestro, pudiera retenerle en Bruselas durante meses, y que su régimen quedara indeleblemente marcado por su asociación.[76]

El duque no se contradiría. Empezó a enviar a los demandantes directamente a Requesens, diciendo que él no era ya gobernador. Requesens se los devolvía. El duque respondió haciendo que sus secretarios escribieran «que el señor Comendador Mayor ordena esto» en todos los documentos importantes, una táctica que, en palabras de Requesens, «podría perdonar si creyera que trata conmigo honrada y limpiamente».[77] Todas estas maniobras iban acompañadas de los más apremiantes ruegos personales, pero Requesens se mantuvo firme durante varios días. Su resistencia no se debía sólo a su deseo de romper claramente con el pasado, sino a su incapacidad para entender las razones de la prisa de Alba. Sabía que éste tendría una fría recepción a su vuelta a Madrid, y que era muy posible que Fadrique fuera encarcelado.[78] Él, por su parte, no era persona para aceptar frontalmente semejantes cosas, y no cabía en su imaginación que Alba prefiriera enfrentarse a la corte abiertamente y sin consideración a la violencia que pudiera crear. Todavía recelando alguna maquinación, juró al fin su cargo cuando Alba volvió a estar demasiado enfermo para trabajar.[79]

No había, desde luego, tal maquinación. Alba halló tiempo para quejarse de que las ceremonias de instalación habían sido más esmeradas que las ofrecidas a su persona en 1567,[80] pero no fue más que un momentáneo acceso de despecho. No tenía, en realidad, el menor deseo de complicarle las cosas a su sucesor, y sí muchas razones de peso para marcharse. El 19 de diciembre, bien entrado el invierno del Norte y aún tan enfermo que con dificultad podía viajar, inició el largo camino no hacia el tibio sol y los centelleantes ríos trucheros de La Abadía, sino hacia una recepción incierta en Madrid.

1. P. C. Bor, *Oorspronk, begin en vervolgh der Nederlandsche oorlogen* (Amsterdam, 1679), I, pp. 417-19; P. C. Hooft, *Nederlandsche Histoorien sedert de ooverdraght der herschappye van Kaiser Karl den Vijfden op Kooning Philips zijnen zoon* (Amsterdam, 1624), pp. 276-79. La exposición de J. L. Motley, *The Rise of the Dutch Republic* (Londres, 1886), II, pp. 407-11, está en gran medida sacada de estas dos fuentes.

2. Bernardino de Mendoza, *Comentario de lo sucedido en las guerras de los Países Bajos* (BAE 28), 497.

3. Alba a Felipe II, 19 de agosto de 1572, *EA*, III, pp. 259-64. El anónimo relato en *DIE*, 75, pp. 130-55, sostiene que los rebeldes rechazaron los condicionantes tras parlamentar (referencia específica en p. 135).

4. Hooft, p. 279.

5. Alba a Felipe II, 19 de agosto de 1572, *EA*, III, pp. 259-64.

6. Mendoza, p. 478.

7. El relato de este encuentro se halla en *DIE*, 75, pp. 155-58.

8. Esta descripción está tomada de Mendoza, pp. 477-82; los informes de Alba al rey en *EA*, III, pp. 259-64, 273-76 y 278 89, y la anónima Relación en *DIE*, 75, pp. 730-35.

9. Véanse, por ejemplo, sus cartas de 12 y 27 de noviembre en AGS E552, ff. 154 y 156 (hay extractos en *CPh*, pp. 293-96).

10. Alba a Felipe II, 28 de noviembre de 1572, *EA*, III, pp. 250-53.

11. Alba a Diego de Zúñiga, 23 de diciembre de 1572, *EA*, III, p. 270.

12. Alba a Antonio de Toledo, 5 de noviembre de 1572, *EA*, III, pp. 241-43.

13. *CSP-Spanish* (1568-1579), p. 397.

14. *Ibíd.*, p. 392.

15. Charles Wilson, *Queen Elizabeth and the Revolt of the Netherlands* (Berkeley, 1970), p. 29.

16. Alba a Felipe II, 28 de noviembre de 1572, *EA*, III, pp. 250-53.

17. *CSP-Spanish* (1568-1579), p. 397.

18. Para una relación de primera mano de esta expedición y de los dos intentos de tomar Goes, véase sir Roger Williams, *The Actions of the Low Countries*, ed. D. W. Davies (Ithaca, 1964), pp. 66-80. Otro soldado galés, Walter Morgan, escribió un breve relato de toda la serie de campañas desde Brill a Alkmaar, que ha sido publicado junto a los excelentes mapas de Morgan en D. Caldecott-Baird, *The Expedition in Holland* (Londres, 1976).

19. Se atribuyen las palabras a Williams, XXII.

20. Alba a Felipe II, 17 de enero de 1573, *EA*, III, pp. 279-81.

21. Hay un resumen de los artículos en *CPh*, II, pp. 518-19.

22. Mendoza, pp. 428-83.

23. Alba a Felipe II, 11 de febrero de 1573, *EA*, III, pp. 285-89.

24. Alba a Fadrique, 5 de febrero de 1573, *EA*, III, pp. 282-83.

25. Albornoz a un destinatario desconocido, 5 de febrero de 1573, *EA*, III, p. 283.

26. Alba a Felipe II, 17 de enero de 1573, *EA*, III, pp. 278-79.

27. Alba a Felipe II, 11 de febrero de 1573, *EA*, III, pp. 285-89.

28. Mendoza, p. 486.

29. *Ibíd.*, pp. 487-88.

30. Albornoz a Zayas, 8 de marzo de 1573, AGS E556, f. 119 (un extracto en *CPh*, II, pp. 316-18).

31. *Ibíd.*

32. Alba a Zayas, 7 de marzo de 1573, *EA*, III, pp. 300-301.

33. Alba a Felipe II, 8 de enero de 1573, *EA*, III, pp. 273-76.

34. Alba a Felipe II, 18 de marzo de 1573, *EA*, III, pp. 302-5.

35. La carta de designación aparece reproducida en *CPh*, II, pp. 308-9.

36. Como era de esperar, la mejor colección de dichas historias se encuentra en Motley, pp. 429-31.

37. Mendoza, p. 488.

38. Alba a Diego de Zúñiga, 15 de mayo de 1573, *EA*, III, pp. 398-99.

39. Mendoza, p. 488.

40. Albornoz a la Duquesa de Alba, 7 de abril de 1573, *EA*, III, pp. 314-15.

41. Alba a Antonio de Toledo, 16 de abril de 1573, *EA*, III, pp. 353-55.

42. Los partidarios de Alba ponían en duda su lealtad, pues tenía amigos entre los rebeldes. Véase Albornoz a Zayas, 16 de abril de 1573, AGS E556, f. 103 (un extracto en *CPh*, II, p. 351).

43. Alba a Felipe II, 16 de abril de 1573, *EA*, III, pp. 331-38.

44. *Ibíd.*

45. *Ibíd.*

46. Alba a Granvela, 9 de abril de 1573, *EA*, III, pp. 318-19.

47. Alba a Felipe II, 7 de junio de 1573, *EA*, III, pp. 418-23.

48. Alba a Antonio de Lada, 31 de agosto de 1573, *EA*, III, pp. 512-14.

49. Minuta de Alba a Felipe II, 16 de abril de 1573, *DIE*, 102, pp. 97-98.

50. Alba a Felipe II, 16 de abril de 1573, *DIE*, 102, pp. 97-98.

51. *Ibíd.* Véase también Alba a Antonio de Toledo, 16 de abril de 1573, *EA*, III, pp. 353-55.

**52.** Felipe II a Alba, 8 de julio de 1573, AGS E554, f. 73 (un extracto en *CPh*, II, p. 384).

**53.** Véase especialmente Alba a Zayas, 7 de junio de 1573, *EA*, III, pp. 415-17.

**54.** Alba a Monteagudo, junio de 1573, *EA*, III, p. 450.

**55.** Alba a Felipe II, 8 de mayo de 1573, *EA*, III, pp. 389-90; Alba a Felipe II, 16 de mayo de 1573, *EA*, III, pp. 403-4.

**56.** Alba a Zayas, 7 de junio de 1573, *EA*, III, p. 415. Se encuentra correspondencia anterior sobre esta cuestión con fecha de 1569 en *DIE*, 38, pp. 146-47, y *EA*, II, pp. 289, 373-74 y 437. Un buen ejemplo de las quejas contra ella se encuentra en Catherine de Bosbeque a Albornoz, 16 de agosto de 1573, AGS E556, ff. 204-5.

**57.** Alba a Felipe II, 14 de julio de 1573, *EA*, III, pp. 458-59.

**58.** Alba a Felipe II, 28 de julio de 1573, *EA*, III, pp. 471-74. Para una exposición detallada del motín, véase Alba a Felipe II, 2 de agosto de 1573, *EA*, III, pp. 485-87.

**59.** Alba a Felipe II, 30 de agosto de 1573, *EA*, III, pp. 491-96. Las cartas de Alba a las tropas se encuentran en *EA*, III, p. 489, y *DIE*, 102, pp. 200 y 203. Véase *EA*, III, pp. 488-89, para la correspondencia relativa de los hechos.

**60.** Alba a Zayas, 31 de agosto de 1573, *EA*, III, pp. 504-5.

**61.** La correspondencia sobre este asunto se encuentra en *EA*, III, pp. 504-10 y 516-18.

**62.** *DIE*, 102, pp. 200-203.

**63.** Bor, I, pp. 445-46, dice reproducir este documento en su totalidad. Es posible que las palabras no sean exactas, pero la intención general coincide con posteriores comentarios de Alba al rey.

**64.** Alba a Felipe II, 31 de agosto de 1573, *EA*, III, pp. 502-4.

**65.** Alba a Felipe II, 30 de agosto de 1573, *EA*, III, pp. 491-96.

**66.** *Ibíd.*

**67.** Alba a Diego de Córdoba, 31 de agosto de 1573, *EA*, III, pp. 491-96.

**68.** Albornoz al doctor Milio, 2 de septiembre de 1573, *EA*, III, pp. 518-19.

**69.** Zayas a Alba, 28 de agosto de 1573, AA, caja 56, f. 120.

**70.** Alba a Fadrique, 8 de octubre de 1573, *EA*, III, pp. 530-31.

**71.** Alba a Antonio de Toledo, 23 de octubre de 1573, *EA*, III, pp. 545-46.

**72.** Las cartas de Requesens sobre esta cuestión se encuentran en *DIE*, 102, pp. 35-42, 45-46, 64-65, 74-76 y 103-6.

**73.** Alba a Antonio de Toledo, 23 de octubre de 1573, *EA*, III, pp. 545-46.

**74.** Albornoz a la Duquesa de Alba, 7 de diciembre de 1573, *EA*, III, p. 565. Para una descripción del encuentro, véase Alba a Felipe II, 2 de diciembre de 1573, *EA*, III, pp. 561-63, y Requesens a Felipe II, 4 de diciembre de 1573, AGS E554, f. 151 (hay un extracto en *CPh*, II, pp. 432-36).

**75.** Véase, por ejemplo, Requesens a Juan de Zúñiga, 22 de noviembre de 1573, *DIE*, 102, pp. 373-75.

**76.** Requesens a Juan de Zúñiga, 15 de noviembre de 1573, *DIE*, 102, pp. 353-55.

**77.** Requesens a Juan de Zúñiga, 22 de noviembre de 1573, *DIE*, 102, pp. 378-81.

**78.** *Ibíd.*

**79.** Requesens a Pedro Manuel, 4 de diciembre de 1573, *DIE*, 102, pp. 420-22.

**80.** Alba a Felipe II, 2 de diciembre de 1573, *EA*, III, pp. 561-63.

Alba estaba contento de volver a su casa. Requesens pensaba que «está en mejor ánimo de lo que le he visto en muchos años»,[1] pero el viaje no pudo ser muy agradable. Bajo prácticamente cualquier criterio había fracasado en la empresa más importante de su vida. Orange estaba todavía libre, y era claro que la rebelión no había sido aplastada, con la mayor parte de Holanda sin someter y el estado de cosas en Walcheren esencialmente el mismo que un año antes. La situación se había deteriorado desde 1567, cuando la única oposición armada era la presentada por bandas desorganizadas de Mendigos, en gran medida desacreditados. Bien podían decir sus enemigos que había encontrado un país sumiso y él solo lo había hundido en la guerra civil, gastando 12.000.000 de ducados en el proceso.

Desde el punto de vista de su sucesor, las condiciones eran aún peores de lo que esta acusación implica. El año nuevo encontró a Requesens con un ejército de 62.000 hombres, la mayoría impagados y esparcidos en guarniciones por todo el país. El poco dinero con que contaba estaba comprometido con diversos acreedores, y la administración estaba en ruinas. Requesens no creía nada de lo que le dijeran el duque o sus hombres, e incluso temía que Zayas, que era todavía responsable de los asuntos del Norte, pudiera de algún modo alterar sus comunicaciones con el rey.[2] «Las cosas están en el peor estado que hubo nunca» se convirtió en una frase repetida en toda su correspondencia, y no sabía, literalmente, qué rumbo tomar.[3]

Alba podía, y lo hizo, hacer responsable del desastre a las intrigas de sus enemigos, cuyas obstrucciones fiscales y administrativas le habían alienado la lealtad de sus tropas, y que habían fomentado las esperanzas de los rebeldes en los momentos más difíciles de la guerra. También podía extraer cierto consuelo del hecho de que, hasta el momento, estaba invicto en el campo de batalla, pero aun cuando haya gran parte de verdad en todo esto, es una verdad parcial y tiende a oscurecer los auténticos motivos de su fracaso.

Para comprender lo ocurrido, es preciso desechar la idea de que Éboli había tenido razón desde un principio y de que, de haber prevalecido sus opiniones en 1566, se habría evitado aquel terrible estado de cosas. Como toda cuestión que plantee «qué hubiera pasado si», esta tesis no puede ser ni demostrada ni refutada, pero es, en el mejor de los casos, una propuesta dudosa. Para empezar, la política de Éboli era casi enteramente pasiva. Si tenía un plan específico al margen de un benevolente abandono, éste no se trasluce en los documentos. Dada la situación en 1566, esto significaba que los Países Bajos habrían ido alejándose progresivamente de España, bajo la dirección de nobles independientes cuyos principales aliados eran los calvinistas de las ciudades. Orange había demostrado que los nobles eran capaces de mantener el orden, pero no de contener la herejía, reformar el gobierno o proporcionar rentas a Felipe II. En pocas palabras, la adopción de las medidas de Éboli quizá habría evitado la guerra y mantenido una lealtad nominal, pero a un precio que todo monarca del siglo XVI habría considerado del todo excesivo.

Semejante respuesta, como vimos, fue inaceptable para el rey desde que en 1565 empezó a comprender sus implicaciones, y más adelante nunca llegó a adoptarla realmente. Incluso la designación de Requesens y la promulgación del perdón a que Alba se había opuesto con tanta vehemencia constituían atrincheramientos tácticos antes que una reversión a las opiniones que Éboli había sostenido siete años antes. No sólo era dicha política inmoral desde la perspectiva regia, también era peligrosa desde el punto de vista de una *Realpolitik* internacional. Unos Países Bajos desorganizados, virtualmente independientes y semiherejes habrían estado siempre bajo la amenaza de Francia, y posiblemente también de Inglaterra. Antes que aceptar la creación de semejante rehén del futuro, habría sido más conveniente entregar la región a Francia directamente, como Alba había sugerido en 1544.

En términos prácticos, pues, Felipe II tenía escasas opciones al margen de seguir una política activa y, bajo criterios del siglo XX, intolerante –a menos que se pretenda que este idealista del siglo XVI debía, de algún modo, haberse anticipado a los valores de la Ilustració–. Se ha sostenido que esto fue exactamente lo que hizo Guillermo el Taciturno, y puede que sea cierto, pero la tolerancia de Orange era singular incluso entre sus propios partidarios. Y, además, no tenía muchas alternativas. Una cosa es ser encargado de la preservación de un imperio y una fe, y otra muy distinta enfrentarse a la construcción de un Estado con elementos políticos y religiosos tan diversos como los de los Países Bajos.

Por consiguiente, Alba no se equivocaba necesariamente al insistir en una activa política de represión. Por repugnante que parezca, era acaso la última y más esperanzadora posibilidad para restaurar la autoridad real en los Países Bajos, así como la obediencia en la Iglesia. Aún más, de haberse seguido el plan inicial, quizá habría triunfado. Como también vimos, fue la negativa de Felipe II a relevar a Alba, una vez que éste hubo cumplido su sangrienta labor, lo que le lanzó al corto camino hacia el desastre.

Con todo, no puede negarse que tras haber derrotado a Orange en 1568, Alba agravó las cosas mucho más de lo necesario. Su presencia continuada hacía difícil la situación, pero en modo alguno irremediable. Todos los rebeldes activos estaban muertos o en el exilio. Tanto el gobierno central como los de las ciudades estaban en manos de leales católicos, y la población en general parecía dispuesta a aceptar la situación. Debió hacerse lo posible, con un poco de tacto y prudencia, por restañar las heridas, si no curarlas del todo, pero es evidente que Alba no lo hizo. Parecía como si su discernimiento político le hubiera abandonado por completo.

La clave de esta decadencia se encuentra en la crisis personal que sufrió en el invierno de 1568-69. Enfermo, deprimido y furioso por lo que él consideraba una traición, cayó en una pauta de comportamiento que le condujo a cometer errores cada vez más desastrosos. No se trataba de un simple caso en el que un plan quebrantado tuviera secuelas catastróficas, sino de que la adversidad le cegó a las posibilidades que le quedaban, mientras dejaba al mismo tiempo al descubierto defectos de su carácter que de otro modo habrían podido ser controlables. Su espíritu había tendido siempre hacia la rigidez, el dogmatismo y la xenofobia, pero a lo largo de la mayor parte de su carrera éstos se habían subordinado a una flexibilidad táctica de índole intelectual. Después de 1568 desapareció semejante contención.

La consecuencia más inmediata fue que Alba no supo confiar en las personas de los Países Bajos leales a la Corona y utilizarlas para desarrollar una administración eficiente. Su dependencia exclusiva de españoles e italianos es comprensible mientras estuvo en curso la purga. Pero hacia 1568 los flamencos habían demostrado ser dignos de confianza, si no de afecto, y, al negarse a emplearlos, Alba se privó de su pleno respaldo y perpetuó un gobierno que era tanto extranjero como lamentablemente ineficiente, lo cual aseguró a su vez el fracaso último de sus reformas. Y, aún más, creó una oposición al Tribunal de los Tumultos que quizá no se habría formado de haberse regularizado el personal y los procedimientos de aquel cuerpo. Es notable que, aún en 1573, las quejas de Viglius, Tisnacq y otros no hicieran referencia a que el Tribunal fuera un error o fuera innecesario, sino a que su funcionamiento era irregular, y que la primera orden de Felipe II a Requesens no fuera en el sentido de abolirlo, sino de reformarlo.[4]

Similares rigidez y desconfianza son evidentes en la torpeza del duque con respecto al impuesto de la alcabala. En este punto no sólo no confió en sus ministros, sino que desde el principio los consideró como adversarios, obligándolos a tomar una postura defensiva. Después, al exigir mucho más de lo que deseaba recibir, convenció incluso a los más serviles de que era necesario pararle los pies. Ni siquiera una valoración retrospectiva puede decirnos si un tratamiento más hábil hubiera logrado el éxito, pero, como Alba observó con total perplejidad, las mismas personas que rechazaron el impuesto estuvieron dispuestas a conceder a Orange un tributo similar, pero por cantidad mucho más elevada.[5]

Su último y más inquietante error fue el intento de sofocar la sublevación de 1572 empleando el terror como castigo ejemplar. Dicha estrategia ha sido siempre favorecida, no obstante su consistente fracaso en lograr los resultados deseados, y se origina por lo general en un estado de ánimo fácilmente definible. Aquellos que la adoptan se ven a menudo impotentes hasta un grado de desesperación y han conseguido, ya ha tiempo, deshumanizar a sus posibles víctimas sobre bases ideológicas. En el caso de Alba, su sentimiento de frustración y las causas de éste no precisan de más comentarios, pero su progresiva deshumanización de los holandeses, fundándose en la teoría de que su revuelta era de carácter puramente religioso, es algo desconcertante. ¿Cómo pudo una idea tan simplista llegar a dominar el espíritu de un político astuto y experimentado, que en 1567 había sido evidentemente más juicioso a este respecto?

La religión era, sin duda, la cuestión central para muchos de los Mendigos, y su importancia en la totalidad de la contienda es, en términos generales, innegable. A pesar de ello, operaban otra clase de motivos, no siendo los agravios de los nobles el menor de ellos. Alba lo comprendió cuando aniquiló brutalmente a sus principales cabezas, sin realizar intento alguno por impugnar su ortodoxia. Podía creer que Egmont, Hornes y los demás eran traidores, pero sabía muy bien que no eran protestantes. El problema surgió sólo después de haber sido destruida la nobleza disidente. Puesto que su causa prácticamente había desaparecido, ¿qué podía explicar esta resistencia continuada? Mal podía admitir, siquiera a sí mismo, que parte de la responsabilidad residía en su propia política y en la tremenda insensibilidad de su gobierno. La herejía era la única posible explicación. Para una persona cuya religiosidad estaba directamente arraigada en la Reconquista, era una respuesta reconfortante, y fue una impresión reforzada por la conducta de los rebeldes de Haarlem. Con seguridad nadie lucharía con semejante tenacidad por algo inferior a Dios o al diablo. Podrían hacerlo si creyeran que la rendición significaba exterminio; pero ésta era una de esas ideas que surgen en medio de la noche, y que los generales saben reprimir.

Como suele ocurrir, dicha forma de racionalizar las cosas debía de ser consciente, en Alba al menos parcialmente. Éste creía realmente en la teoría de una guerra santa, pues otra cosa habría sido demasiado costosa para su propia dignidad, pero también debía de comprender que la cuestión religiosa era el único punto de contacto que le quedaba con el rey. Aunque aparentemente ganado por los ebolistas, Felipe II no pudo nunca escapar del todo al temor de que la clemencia y el compromiso pudieran producir un aumento de la herejía. Sólo insistiendo sin cesar en este punto podía asegurarse Alba la aceptación de sus opiniones y, ante todo, su vindicación.

Al volver a seguir el Camino Español, Alba meditaba sobre las causas de su fracaso, pero no podía abundar en ellas: era mucho lo que estaba en juego. La suerte de su numerosa familia y sus dependientes aún descansaba sobre sus hombros. Si el interés dictaba que actuara contra la política de benevolencia, su conciencia no le exigía menos. Era imperativo que pudiera reivindicarse y devolver la estimación a su hijo. Alba dedicó los seis años subsiguientes a estos fines.

El viaje fue largo, pues su mala salud precisaba de frecuentes descansos y el tiempo no permitía celeridad. Llegó a Barcelona a mediados de marzo y fue llamado a Madrid con gran cordialidad,[6] pero lo cierto es que su influencia estaba muy erosionada. Aunque Éboli había muerto, su lugar había sido ocupado por aquel temible intrigante, Antonio Pérez. Pérez había llegado a secretario del Consejo de Estado en 1570, y con su enorme encanto y su disposición a complacer, no tuvo gran dificultad para suceder al fallecido príncipe como confidente real. Su animosidad contra Alba no se había mitigado, y pronto se convirtió en cabeza de la facción contraria a los Toledo, que entonces contaba con dos partidarios tremendamente peligrosos y con experiencia de primera mano en los Países Bajos: Medinaceli y Requesens.

Medinaceli, a quien aún escocían los desprecios a que Alba

le había sometido en 1572, sirvió con frecuencia de defensor de los nobles, con los cuales había establecido un estrecho contacto durante su estancia en los Países Bajos.[7] En las cartas de Requesens no había rencor personal, pero eran a ser posible más perjudiciales que las quejas de Medinaceli, pues el nuevo gobernador había encontrado un desastroso estado de cosas y, por pura autoprotección, no estaba dispuesto a minimizar las dificultades de restaurar el orden. No es sorprendente, pues, que Alba llegara a la corte en medio de un aluvión de recriminaciones. Un ejemplo típico es el memorándum presentado a Felipe II tres días antes de que diera al duque la bienvenida a España. Su anónimo autor acusa a Alba de ejecutar a 6.000 personas, de manipular indebidamente el perdón general y de crear la alcabala, siendo los dos últimos crímenes los principales responsables de la sublevación; terminaba acusando de corrupción a Vargas, Albornoz y otros.[8]

El que este tipo de cosas causaran relativamente pocos daños se debía en parte a la larga experiencia del rey en el sectarismo, y en parte al hecho de que, incluso en este pésimo momento de su carrera, Alba no carecía de amigos. Uno de ellos era Arias Montano, el cual, aunque se había alegrado de la salida de Alba, escribió desde Amberes para defenderle contra los cargos de crueldad y corrupción. «Marchó», dijo Arias, «con la conciencia tranquila.»[9]

Así pues, Alba permaneció en el Consejo de Estado, pero sus recomendaciones sobre los Países Bajos pronto se convirtieron en un monótono estribillo. En diciembre de 1574, Felipe II creó una junta especial para los asuntos de los Países Bajos. Sus miembros eran el Inquisidor General, Gaspar de Quiroga, Obispo de Cuenca, el Marqués de Aguilar, el Conde de Chinchón y Andrés Ponce. Se advertirá que ninguno de estos hombres pertenecía a la vieja dirección faccionalista, aunque Chinchón apoyaba con frecuencia las opiniones de Alba. La junta se reunió regularmente desde diciembre a febrero, y solicitó meticulosamente tanto los comentarios de Alba como los de sus adversarios. Sus recomendaciones y la reacción de Alba a éstas indican que poco habían cambiado. Alba estaba dispuesto a aceptar el que, de no poder ir el rey en persona, se enviara a don Juan de Austria, pero se mostraba reservado con respecto al establecimiento de un Consejo de Flandes y opuesto a la restauración de privilegios, cuestión sobre la que entonces se litigaba. Se podían hacer concesiones, pero él pretendía decididamente que éstas parecieran ser producto puramente de la benevolencia del rey. En la práctica ello significaba que Requesens no debía negociar con los flamencos, y, desde luego, nada debería hacerse para fomentar la libertad de conciencia.[10]

Las recomendaciones de Alba fueron desoídas y Requesens negoció, aunque sin conceder la libertad religiosa. Publicó un perdón general y revocó la alcabala. Holanda se limitó a hacer caso omiso de la nueva política. El resto del país, incluidas aquellas partes bajo firme control de España, continuó reclamando la devolución de sus antiguos privilegios y el derecho a sus propias creencias religiosas. Requesens se vio obligado a recurrir a las armas y murió en el campo de batalla, dejando tras de sí un ejército impagado que no tardó en amotinarse, con terribles resultados. Cuando don Juan de Austria fue al fin a Bruselas para sustituir a Requesens, no se le permitió tomar juramento hasta haber expulsado a las tropas españolas del país.

Mientras todo esto transcurría, el envejecido duque no cesó de vomitar fuego por la boca, pero nadie le escuchó. No era exactamente que se equivocara, pues sus argumentos, por extremados que fueran, tenían la perfección tautológica de un teorema geométrico. Pocos eran los que dudaban de que una fuerza arrolladora pudiera restaurar la paz y la obediencia, pero el hecho triste era que ya no existían los medios para lograrlo. La «bancarrota» de Felipe II de 1575 significó que se necesitaba una política más imaginativa, y Alba no podía proporcionarla. Sus reacciones se habían hecho previsibles y algo tediosas.

Esta adherencia a antiguos modos de acción le habría hecho virtualmente inútil desde el punto de vista regio, de no haber sido por su constante función como consejero militar. Nadie era más versado en cuestiones del ejército español que él, pero pronto se hizo manifiesto que también en esto había caído en una de esas trampas que acechan a los generales entrados en años. Aunque sus consejos eran siempre lógicos y militarmente correctos, estaba cada vez más divorciado de la realidad económica.

A la vista de la anterior carrera de Alba, esto era sin duda irónico. Como ha observado Michael Roberts, las guerras del siglo XVI conducían invariablemente a un punto muerto,[11] y hemos visto que Alba fue de los primeros en comprender este hecho y beneficiarse de ello. Él confiaba en una disciplina máxima, en la logística y en contar con el tiempo suficiente para expulsar a sus enemigos del campo, y había demostrado abundantemente que Dios no favorece a los batallones más numerosos, sino a los mejor financiados y organizados. Hacia los años 1570 estas ideas eran propiedad común de los teóricos militares de todas partes, pero contenían en su seno un fallo trágico que ni siquiera Alba parecía haber percibido. Expresado en sus términos más sencillos, la forma de combatir que él representaba era enormemente costosa. Alba lo sabía, claro está, y confiaba del todo en los superiores recursos del imperio español para triunfar sobre adversarios tan inestables como los franceses o Guillermo de Orange. Lo que no sabía, y acaso no podía saber era, que este estilo de guerra superaba la capacidad financiera de cualquier Estado moderno. No era simplemente una cuestión de recursos limitados, sino de una defectuosa recaudación de impuestos y un sistema primitivo de crédito público. Como consecuencia, muchos de los planes del duque exhalan aun aire curiosamente fútil y aun nostálgico.

Un buen ejemplo es la regularización del sistema militar de sueldos y primas presentada por Alba.[12] Al establecer una escala retributiva uniforme para los diversos rangos, se reducían drásticamente la falta de equidad y las oportunidades de corrupción. Era un grave avance, digno de LeTellier o Louvois, y que se anticipó un siglo entero, pero llegó cuando no había ya dinero para pagar a los soldados.

Su apasionada defensa de la centralización administrativa tenía el mismo carácter. Las ideas convencionales al respecto habían insistido durante mucho tiempo en que la seguridad del reino dependía del control real no solamente de las fuerzas disponibles, sino de todo el sistema de aprovisionamiento, armamento y construcciones militares. Era como si esto no sólo garantizara una máxima calidad, sino que evitara el que ningún súbdito adquiriera un poder excesivo del cual se viera la Corona forzada a depender algún día. Wallenstein no había nacido aún, pero la aparición de figuras como la suya se consideraba aparentemente consecuencia previsible de la descentralización. Partiendo de reflexiones de esta índole, Alba se lanzó a una animosa contienda contra la entrega de contratos de galera a personas privadas.

Las costas mediterráneas de España estaban aún sometidas al hostigamiento de piratas musulmanes, que operaban desde las ciudades costeras del norte de África. Las innumerables invasiones españolas de años anteriores no habían reducido sustancialmente el peligro, y se hacía necesario mantener una serie de galeras en constante vigilancia. Esta prevención resultaba extremadamente costosa, y cuando el Duque de Medina Sidonia se ofreció a crear y mantener una flota con este fin, a cambio de un estipendio anual fijo, pronto se determinó que su ofrecimiento supondría un ahorro cuantioso. Alba se opuso vigorosamente a ello, no sin razón, por representar una amenaza a la autoridad real y un pésimo precedente para el futuro,[13] pero al fin perdió. Al parecer, Felipe II coincidía con él en principio, pero en 1575 la Corona se había visto forzada al incumplimiento de sus préstamos, y era esencial hacer economías. Éste no fue el fin del asunto, que siguió haciendo su aparición en distintas formas, adoptando Alba cada vez más el papel de profeta sin honra en su propio tiempo, pero en realidad las opciones habían sido escasas. Bajo las presiones económicas, la descentralización militar siguió avanzando en España y en todas partes hasta que, en la Guerra de los Treinta Años, se llegó a un punto de práctica anarquía.

Aún ha de hacerse referencia a otra cuestión, aunque sólo sea para desechar de una vez por todas la idea de que Alba ignoraba los usos de la fuerza naval. Su experiencia en los Países Bajos le había convencido de que las provincias sólo podrían recuperarse si España lograba el control del mar del Norte y sus accesos. Desde 1574 hasta su muerte fue el primer defensor en España de la armada del Norte.[14] Una vez más, sus recomendaciones, aunque eran militarmente irrecusables, fueron casi inútiles. No existía dinero para la construcción de dicha flota, y habría sido una total locura restar barcos a la protección de la flota que transportaba los metales preciosos para tal propósito.

Probablemente hubo muchos más incidentes de esta índole, pero puesto que el duque se hallaba en la corte y no tenía que poner sus pensamientos por escrito, es relativamente poco lo que se conserva a este respecto. Es evidente, sin embargo, que a pesar de su aparente comprensión del componente económico de la guerra, había empezado a pensar en términos puramente de operación. En casi todos los casos, de haberse seguido sus consejos, la posición militar de España habría mejorado, pero raramente, si es que lo hizo alguna vez, indicaba los medios con que poner en práctica sus medidas. Felipe II, que con todos sus defectos estaba obligado a considerar la cuestión en todos sus aspectos, debió de escuchar las recomendaciones de su consejero con creciente fatiga. Esta progresiva decepción, oculta como siempre tras la regia máscara de paciente cortesía, sería extremadamente peligrosa para Alba. El desastre de los Países Bajos no había logrado hacerle caer en desgracia, pero había quebrantado su aureola de infalibilidad. Sus enemigos, que aún se contaban por legiones y cuya malevolencia no había disminuido con el paso de los años, supieron explotar sin tardanza su progresiva debilidad. Aún más, con la aparición de Antonio Pérez como sucesor de Éboli parece haberse infiltrado una nota más puramente personal en las interminables pendencias de las facciones.

Esto se debía en gran medida al sostenido resentimiento de Pérez por motivo de la conducta de Alba en 1566. No hay necesidad de añadir nada más sobre las razones de Alba en este enfrentamiento: con el paso del tiempo se hace cada vez más patente que su juicio fue acertado. Tras el encanto, la donosura y la viva inteligencia de Pérez se escondía un cinismo egoísta rayano en lo sociopático. Alba sabía mirar en las almas tanto como cualquiera, y es posible que hubiera vislumbrado algún indicio de su latente falsedad, su afición a la intriga por la intriga misma y su fundamental carencia de discernimiento, que, en última instancia, resultaría en desastre.

En un principio Felipe II debió de escuchar, aunque sólo a medias, a las advertencias del duque. Dividió la secretaría de

Gonzalo Pérez en dos partes, adjudicando una a Antonio y la otra a Zayas, pero al pasar el tiempo fue Antonio quien se hizo indispensable. El mérito hay que atribuirlo no a su considerable habilidad, sino a su personalidad. Felipe, no obstante su reserva y su contención, necesitaba un confidente. Cuando Éboli murió, Pérez, que parece habérsele asemejado en ciertos aspectos, llenó el vacío. Cuando Alba regresó de los Países Bajos, Pérez estaba en camino de convertirse en un auténtico privado, con acceso prácticamente ilimitado al rey. Esto le proporcionaba los medios para vengarse de pasadas afrentas.

El segundo gran enemigo de Alba era la viuda de Éboli, la impresionante doña Ana de Mendoza. Una de las grandes bellezas de la corte, cuyo parche negro sobre un ojo no parecía sino realzar su fascinación, era una astuta intrigante, con un despiadado desprecio de toda clase de obstáculos cuando quiera que estuvieran en juego sus intereses o deseos. Su asociación a Pérez era tan íntima que se creía, probablemente sin razón, que eran amantes,[15] y su odio hacia Alba rayaba en lo obsesivo.

El que estos dos personajes lograran escasos resultados contra Alba en los años inmediatamente posteriores a su regreso da medida de la estabilidad de que Alba gozaba todavía. Aquellos dos y sus aliados maquinaron pequeñas tramas, pero Pérez se limitaba sobre todo a exhibiciones de extremada descortesía, mientras que «la de Éboli», en un desatinado gesto teatral, había entrado en un convento a la muerte de su marido, restringiendo así seriamente, si bien transitoriamente, su efectividad. Con todo, había aún un punto en relación al cual el duque seguía siendo vulnerable: la situación de su hijo Fadrique.

El que así fuera requiere una explicación, pues por vengativo que en ocasiones pareciera ser, cuesta creer que Felipe II hubiera perseguido a un hombre tan insistentemente por un intento de seducción ocurrido ocho años antes. Pero da indicio de la ira del rey el que, a su vuelta a España, Fadrique fuera una vez más desterrado de la corte. Sus cartas de este período, en un principio llenas de bravatas y dudosos comentarios sobre las mujeres, pronto pasan a la desesperación y una creciente preocupación por su declinante salud.[16] Cuando en julio de 1576 Felipe hizo que Fadrique fuera trasladado al castillo real de Tordesillas, como medida de estricta reclusión, al prisionero no pareció importarle, siempre que la nueva residencia fuera menos propicia para la gota y las fiebres.[17]

Esta extraordinaria severidad se debía en parte a Pérez, que no perdía ocasión de incitar al rey contra Fadrique como medio de afrentar a Alba, pero había también otras causas. Una de ellas parece no haber sido otra cosa que una profunda antipatía personal, que hacía al rey más susceptible a las insinuaciones de lo que de otro modo habría quizá sido. Era un sentimiento que muchos compartían, aunque su origen es incierto. Existe una considerable cantidad de documentos procedentes de Fadrique y relativos a él, pero producen una curiosa sensación de vaguedad. Por su retrato sabemos que era más bajo y más grueso que su padre, con ojos muy abiertos y casi protuberantes, y un aire que es a un tiempo de dandi y algo inquietante. Sus cartas revelan un estilo claro y una firma grandilocuente, pero poco más, aparte del hecho de que su conocimiento del latín era tan defectuoso que no podía leer una carta dirigida a él en dicha lengua.[18] El examen de su carrera militar es poco iluminador. Sus únicos mandos independientes, si es que así se pueden llamar, fueron en Haarlem y en Mons unas pocas semanas antes de la llegada de su padre. En ninguno de los dos casos puede acusársele de incompetencia, pero es igualmente difícil encontrar indicios de una excepcional destreza. Es evidente que conocía los aspectos técnicos de la guerra, y si sus hombres no le tenían gran afecto tampoco parecen haberle detestado o despreciado. Hasta este punto es todo bastante inofensivo, pero ha de señalarse otro hecho: para un hombre de tan prominente posición y con tan poderosas conexiones, parece haber carecido del todo de amigos o defensores.

Tras toda una vida dominada por su padre, no es sorprendente que no causara gran impresión en sus coetáneos, pero no era especialmente agradable o persona que supiera despertar simpatías. Alba podía permitirse ser brusco, condescendiente y con frecuencia obstinado, porque durante décadas enteras había sido prácticamente indispensable. Fadrique estaba lejos de serlo, y la mala imitación del talante paterno debió de ser intolerable. Incluso entre los papeles de los aliados de su padre se encuentran pocas palabras de alabanza, y aun de simpatía, por este hombre que, en visión retrospectiva, parece haber merecido al menos un mínimo de esta última.

Su incapacidad para hacer amigos, junto a la franca antipatía del rey, le convertían en la carta perfecta para debilitar a Alba. Si no hubo en un principio motivos específicos para perseguirle, pronto fueron proporcionados por don Luis de Requesens. En los meses posteriores a su llegada a los Países Bajos, Requesens descubrió que sus mayores temores y sus presentimientos habían sido excesivamente optimistas. La situación se había deteriorado hasta tal punto que ni tan siquiera un milagro de proporciones bíblicas podría salvarla, y ello significaba que el mejor uso que podía dar a su tiempo y sus energías era el de protegerse contra las recriminaciones que se producirían. Para conseguirlo, era esencial presentar el panorama más negro posible de las ruinas sobre las que tenía encomendado construir, y encontrar un chivo expiatorio para el cercano derrumbamiento. Aquel chivo expiatorio fue Fadrique.

En una larga y detallada carta fechada el 19 de septiembre de 1574, Requesens hacía recaer firmemente la mayor parte de la responsabilidad del desastroso gobierno de Alba sobre los hombros de su hijo, que, decía, había dominado en efecto tanto el ejército como la administración de 1568 a 1573.[19] Esta acusación, por descabellada que fuera, era plausible debido a que Alba, en su afán por demostrar la capacidad de su hijo, le había entregado el mando efectivo durante la campaña de Holanda de 1572-73, en la que su brutal comportamiento había fortalecido en gran medida la resistencia holandesa. Alba le había elevado a otras posiciones destacadas por razones similares, y muchas personas de los Países Bajos creían, o decían creer, que Fadrique era una especie de *éminence grise* llevado al poder por un padre amante en exceso y casi senil. Requesens sabía que Alba ni idolatraba a su hijo ni chocheaba, pero también sabía que un ataque directo a un héroe nacional, que era querido de sus soldados y que encarnaba en su persona muchos de los más preciados ideales de la España

428

del siglo XVI, podía ser contraproducente. Era mucho menos arriesgado mostrar al duque como un gran capitán cegado por su afecto paterno, y hacer culpable al generalmente detestado Fadrique.

Dicha teoría, reforzada en otras comunicaciones de Requesens y de una serie de personajes de los Países Bajos, fue inevitablemente un factor decisivo en el constante hostigamiento de Fadrique, y fue también el principal soporte de la campaña de difamación de Pérez. Mucho tiempo costó al artero secretario lograr sus propósitos, pues tenía que afirmar su propia posición y encontrar una situación apropiada para el golpe, pero al fin, gracias a Fadrique, Pérez consiguió destruir a su rival. Da muestra de la complejidad de este proceso el que, como una araña atrapada en su propia tela, éste supusiera también su propia destrucción.

No hay conjura, naturalmente, que pueda tramarse en el vacío. Ésta estaba integralmente vinculada a otras maquinaciones y contramaquinaciones de la corte. Hasta el verano de 1578 no estuvo plenamente madurada, y lo estuvo como consecuencia de otras dos cuestiones con las que, al menos en apariencia, no guardaba ninguna relación.

La primera de ellas fue el asesinato del secretario de don Juan de Austria, Juan de Escobedo. Después que Requesens hubo muerto en 1576, el héroe de Lepanto fue enviado a los Países Bajos para sucederle. Desde el punto de vista de las relaciones públicas, parecía una elección brillante, pero al aceptar el puesto don Juan abrigaba sus propias intenciones, las cuales crearían interminables dificultades. Apuesto, imaginativo y carismático, se había resentido largo tiempo de las restricciones impuestas por su hermano, y deseaba, ante todo, su propio reino y el codiciado derecho a ser tratado de «alteza». Aunque sabía que nunca alcanzaría tal distinción en los Países Bajos, marchó allí con la esperanza de utilizar su poder como gobernador general para conquistar Inglaterra. Deslumbrado, sin duda, por su próxima coronación en la abadía de Westminster, inició una complicada serie de negociaciones con el Papa, los franceses y, por supuesto, los católicos ingleses.

No era esto traición, pues don Juan tenía la sincera intención de depositar el nuevo reino a los pies del trono, pero era un plan descabellado y extremadamente peligroso que no podía sino despertar los recelos de Felipe II. Pérez, como sucesor de Éboli, había abogado mucho tiempo por la invasión de Inglaterra, y conspiró activamente con don Juan a este fin, pero, por motivos que siguen siendo oscuros, presentó la cuestión al rey con colores muy distintos, mientras filtraba documentos confidenciales a ambas partes. Cuando don Juan descubrió al fin lo que ocurría, envió a Escobedo a Madrid con la esperanza de despejar sospechas sobre él y, al hacerlo, puso a Pérez en peligro mortal. El secretario, a sabiendas de que el descubrimiento de sus enredos sería fatal, denunció a Escobedo al rey como instigador de la trama de don Juan y, con aprobación del rey, le hizo asesinar el 31 de mayo de 1578.[20]

Llegado a este punto, cualquier otro hombre se habría enjugado el sudor de la frente, habría respirado aliviado y se habría retirado cautamente algún tiempo, pero Pérez era todo menos un hombre vulgar. Es un tributo a su capacidad de autoengaño que eligiera precisamente este momento para concluir que su posición era inexpugnable. ¿No estaba a salvo de ser descubierto y no había conseguido implicar al rey en un asesinato político? Con seguridad, Felipe II no se atrevería a volverse ahora contra él. Tras doce años de impaciente espera, al fin se sentía capacitado para saldar cuentas con el Duque de Alba.

Entre tanta complicación, empezaba a perfilarse otra cuestión que desataría la prodigiosa ira de Ana de Mendoza e incitaría a los dos conspiradores a entrar en acción directa. Cinco años después de la muerte de Éboli, su viuda aún se esforzaba por consolidar las propiedades que éste le había dejado en Italia. Uno de sus más preciados planes era montar una campaña para eximir aquéllas del acuartelamiento de tropas, una carga que pesaba duramente sobre gran parte del reino de Nápoles. En una maniobra que demuestra el modo en que Felipe II utilizaba las banderías en provecho propio, éste elevó la cuestión a Alba, garantizando con ello su fracaso.[21] Terriblemente enfurecida y ansiosa por anticiparse a una decisión negativa, doña Ana decidió reanimar el caso contra don Fadrique de un modo nuevo y más dinámico.

Durante algunos años había mantenido contactos con Juan de Guzmán, hermano de la dama a quien Fadrique había propuesto matrimonio en 1566. La dama en cuestión, doña Magdalena de Guzmán, había pasado aquellos doce años, al parecer sin quejas, en un convento, pero el 22 de julio de 1578 escribió la primera de una serie de vehementes cartas al rey, lamentándose amargamente de la injusticia de su suerte.[22] No era una simple casualidad. Alguien –probablemente Pérez– había tanteado el terreno un mes antes, y el rey había ordenado que se enviaran ciertos documentos al respecto a Pazos, presidente del Consejo de Castilla.[23]

Sigue sin saberse a ciencia cierta lo que Pérez y doña Ana querían conseguir. Como mínimo, estaban creando maliciosamente una situación embarazosa, pero es posible que estuvieran también utilizando la cuestión para forzar a Alba a una decisión favorable sobre las propiedades italianas. Le habían preparado una terrible trampa, pero no es seguro que lo supieran o que pudieran haber previsto que el duque se lanzaría frontalmente a ella.

Felipe II reaccionó a la demanda de doña Magdalena de que se obligara a Fadrique a desposarla, designando a Pazos como cabeza de una comisión encargada de investigar los méritos de su caso. Ello situó a la casa de Toledo en una posición peligrosa, pues era perfectamente posible que se obligara al heredero a casarse con alguien que no iba a proporcionar ni riqueza ni influencia a la familia, o que se le prohibiera casarse del todo. El único modo de prevenir semejante catástrofe era presentar al rey un *fait accompli*, desposando a Fadrique con otra persona.

La esposa elegida fue su prima, doña María de Toledo, hija del fallecido don García, Marqués de Villafranca. La idea de las nupcias de doña María no era nueva. Ya en 1569, cuando la situación de don Fadrique indujo al duque a considerar el futuro de su casa, se iniciaron deliberaciones con don García, pero pronto zozobraron ante la amenaza del regio disgusto y las intimidantes exigencias del duque de una exorbitante dote.[24] No obstante, doña María había sido enviada a España y allí permaneció desde entonces, con la esperanza de que los diversos obstáculos al enlace pudieran superarse. En aquellos momentos, en que toda posibilidad de acuerdo con el rey había desaparecido, parecía inútil preocuparse por su desaprobación, y ante lo que consideraba una amenaza directa a la supervivencia de su linaje, Alba estuvo incluso dispuesto a renunciar al placer de regatear por la dote.

Consecuentemente, el 2 de octubre de 1578, Fadrique salió de Tordesillas sin el permiso regio y se dirigió a Madrid, donde Alba, previendo la ira del rey, redactó una especie de cédula privada concediéndole permiso para casarse. El documento no estaba principalmente destinado a Fadrique, sino a «Su Majestad y el resto de las personas ante las cuales fuera necesario justificar el hecho».[25] Mas, por el momento, dicha justificación no se hizo pública. La pareja fue casada secretamente en la residencia de Alba y Fadrique regresó a Tordesillas tan silenciosamente como había salido.

Pero es claro que nada permanece en secreto por mucho tiempo en las cortes de los príncipes. Unos cuantos días después de la boda, el infatigable Juan de Guzmán enteraba de todo el suceso a Pazos, afirmando que su información provenía directamente de la Princesa de Éboli.[26] Se desconoce cómo llegó la princesa a descubrir el asunto, pero es probable que tuviera espías entre los empleados en la casa de Alba, y los utilizara en esta ocasión con inusitado provecho. El 17 de octubre el rey conocía ya toda la historia e instruyó a Pazos para que averiguara si era cierta, «aunque no puedo creer semejante cosa del duque».[27]

Las siguientes semanas fueron decididamente difíciles para el presidente. Sostuvo al menos dos entrevistas con Alba, quizá más, y el duque se condujo del modo más impropio. Desde el principio insistió, como había hecho en la cédula, en que el rey había autorizado el matrimonio de Fadrique anteriormente a 1572. Esto hacía, al parecer, referencia a un comentario casual en el que Felipe II había declarado que Fadrique debiera casarse. Después, el duque quiso saber exactamente lo que el rey había dicho a Pazos. Éste se negó a comunicárselo, como había hecho, por orden regia, ante una similar petición de Juan de Guzmán.[28] El 26 de noviembre, Alba fue a ver a Pazos ya entrada la noche «tan lleno de quejas que se necesitarían oídos blandos para escucharlas».

Deseaba saber cómo acabaría el rey con aquel asunto, reiteró su pretensión de haber recibido autorización y se mostró ambiguo sobre la visita de Fadrique a Madrid. El viejo duque, por entonces, se encontraba ya en un estado de considerable enojo. ¿Quería realmente el rey que su hijo y el heredero de sus posesiones desposara a doña Magdalena de Guzmán? ¿Quería cortarles la cabeza a todos? Acabó por decir que todo el asunto debía ser devuelto a un tribunal eclesiástico. De no ser así, habiendo encarcelado ya a Fadrique por doce años, el rey debiera simplemente decapitarlos a todos y terminar de una vez.[29]

Como demuestran los hechos subsiguientes, Pazos no tomó estas manifestaciones de modo personal, pero él y su comisión se veían ahora ante algo más serio que los caprichos de don Fadrique. Al disponer el enlace de su hijo con el fin de prevenir una investigación real, Alba había cometido lo que era en el mejor de los casos una flagrante impertinencia. Su conducta desde entonces no había sido conciliadora y el rey estaba comprensiblemente indignado. El 22 de diciembre la comisión recomendó que se encarcelara a Alba, y el 1 de enero su recomendación fue sancionada por el rey.

El lugar elegido para el destierro fue Uceda, un pueblo a unas 30 millas al norte de Madrid. Aún hoy conserva un aire remoto, pero no es un lugar desagradable. Asentado sobre los riscos que dominan el Jarama, gozaba de una magnífica vista y un castillo propiedad del Arzobispo de Toledo, totalmente destruido más tarde. Alba permanecería en este castillo durante un año entero.

Los coetáneos quedaron impresionados porque así se tratara a un viejo y leal servidor, y abundaron las especulaciones sobre los motivos. El delito de Alba suponía indudablemente un ataque a la celosamente guardada autoridad de Felipe II, y es posible que el encarcelamiento no fuera más que una expresión de la justa cólera del rey. Por otra parte, es posible que operaran consideraciones de orden más amplio. Cabrera de Córdoba afirmó que el rey estaba cansado de la «demasiada suficiencia» de Alba,[30] y es evidente que Antonio Pérez hizo lo posible por agravar la situación. En este punto es donde muchos historiadores han considerado el asunto aclarado, pero es al menos posible que la caída de Alba fuera tanto una cuestión de enojo, como de política faccional. Desde luego marcó el comienzo de un cambio fundamental en el funcionamiento interno del gobierno de Felipe II.

Es significativo que mientras Pazos se ocupaba de Alba y Fadrique, investigaba también cargos más graves contra Pérez. Los familiares de Escobedo habían empezado a exigir una indagación sobre su muerte y, al ir adquiriendo mayor conocimiento del hecho, Felipe II comprendió que Pérez le había engañado. El rey no dudaría en hacer que un hombre fuera apuñalado en la calle por rufianes, pero que aquel hombre fuera inocente y que él, Felipe II, hubiera sido llevado fraudulentamente a cometer un homicidio injustificable, era del todo intolerable.

Estaba, además, la cuestión de Portugal. El 4 de agosto de 1578, don Sebastián, Rey de Portugal, murió, junto a un gran número de nobles portugueses, en una descabellada cruzada al norte de África.[31] No dejaba herederos de línea directa y, puesto que Felipe era hijo de Isabel de Portugal, creía que tenía un derecho posible al trono. Para garantizar el triunfo de su candidatura, inició una serie de negociaciones extremadamente delicadas con los portugueses, para descubrir que, una vez más, Pérez parecía querer perjudicarle.

El sentido de esta intriga se ha perdido. Parece haber tenido alguna relación con un plan de elevar al trono a la Duquesa de Braganza y casar a su hijo con una de las hijas de Éboli,[32] plan éste tan ingenuo y tan tortuoso al mismo tiempo que asombra a la imaginación. Fuera cual fuera su intención, el rey fue advertido de ello por Mateo Vázquez, rival de Pérez en la secretaría y un regular conducto de los agravios de los Escobedo. Es, por consiguiente, improbable que al ordenar el arresto de Alba el rey estuviera en modo alguno seducido por Pérez, pues hacia julio de 1578 el encanto del secretario estaba francamente desgastado. Por el contrario, mientras el rey empezaba a descubrir la falsedad de Pérez, las maquinaciones que se fraguaban contra Alba pudieron indicarle los medios para deshacerse para siempre de ambos bandos.

Siempre es recomendable emplear la cautela cuando se inquiere sobre las motivaciones de Felipe II, pero no hay razón para suponer que en ningún momento fuera un simple peón de sus cortesanos. Las facciones habían cumplido una función durante muchos años. Habían garantizado la presentación de opiniones divergentes, y habían permitido al rey repudiar ciertas medidas sin aceptar responsabilidad personal en su fracaso, pero hacia 1578 ya había concluido su utilidad. Los ebolistas habían intrigado, según parecía, tanto con los rebeldes holandeses como con los adversarios de las pretensiones del rey al trono de Portugal, mientras que la eficacia de Alba como consejero había quedado muy atenuada, dado que sus recomendaciones eran totalmente previsibles.

En pocas palabras, era prácticamente esencial deshacer los dos bandos y, por primera vez en su largo reinado, Felipe II se encontraba en situación de poder hacerlo sin perjudicar a su administración. Desde 1573 había estado formando un núcleo de funcionarios que, como Mateo Vázquez y el mismo Pazos, no estaban alineados en ninguno de los dos grupos; Vázquez en particular había ya alcanzado una posición elevada. No significa esto que la desaparición de los bandos fuera consecuencia de una decisión repentina aunque consciente; se produjo más bien porque se hizo patente la necesidad de un cambio y la gradual aparición de los medios con que éste podía realizarse. Parece, en visión retrospectiva, que en el verano de 1579 Felipe II estaba dispuesto a gobernar con sus propios hombres, y ello explica en gran medida su proceder.

Se puede ya hilar, con esta madeja de propósitos relacionados entre sí, una explicación plausible, si bien muy hipotética, del encarcelamiento de Alba. La antipatía del rey por don Fadrique, reforzada con la acusación de ser el responsable de gran parte de los problemas de los Países Bajos, abrió las puertas a Pérez, que empleó la oportunidad para sus propios fines. Sintiéndose seguro gracias a la muerte de Escobedo, el secretario, junto a Ana de Mendoza, sacó a relucir el caso de doña Magdalena, moviendo al rey a lanzar una investigación de sus cargos. Entretanto, el rey, receloso por naturaleza y estimulado por la información de Vázquez, empezó a descubrir la enmarañada actuación del propio Pérez. No encontrando sino falsedad e impertinencia a cada paso, comprendió que el sistema de bandos había agotado su utilidad y resolvió destruirlo, empezando con Fadrique. Pazos, que nada sabía de todo esto, tendía a ser indulgente,[33] pero el rey se opuso firmemente. Tan decidido estaba a acabar con Fadrique que estaba incluso dispuesto a presentar cargos contra él por su conducta en Flandes si el asunto menos delicado de su matrimonio no lograba el resultado deseado.[34] Bajo estas circunstancias, la desobediencia de Alba, o algo que se le parecía, pudo ser o no previsible, pero fue ciertamente aprovechable. Proporcionó a Felipe II el pretexto que necesitaba para deshacerse del duque. A Pérez le llegó su vez más tarde. En la noche del 28 de julio de 1579, Pérez y doña Ana fueron arrestados en sus respectivas residencias, para no volver nunca a la corte. La época de los bandos, si no de las intrigas, había concluido.

No deja de ser irónico que Pazos y Vázquez, principales beneficiados de este cambio, no parezcan haber estado al tanto de lo que ocurría. Por el contrario, los indicios cada vez más numerosos de que también Pérez sería arrestado les indujeron a realizar los primeros esfuerzos para asegurar la liberación de Alba. El duque despertaba antipatía entre muchos de los que le conocían personalmente, pero en el país en general era un hombre con popularidad. El 9 de junio de 1579, Pazos enteró al rey de que las Cortes habían solicitado su perdón. El 6 de julio, por sugerencia de la comisión, se permitió a Fadrique, que había sido trasladado a la Mota de Medina del Campo tras su matrimonio, pasar a una residencia particular.[35] Al fin, el 15 de octubre, cuando ya había pasado algún tiempo desde los arrestos de Pérez y doña Ana, Pazos y su comisión reunieron valor para pedir la libertad de Alba por su propia cuenta. Felipe II respondió bruscamente que no tenía tiempo para considerar el asunto en aquel momento.[36]

Es evidente que estas personas, políticamente «neutrales», pensaban que, con la desaparición de Pérez, podían responder al creciente coro de protestas que había despertado el trato dado a un hombre generalmente considerado como un héroe.[37] También es posible que no vieran en el arresto del secretario nada más que otro giro de la maquinaria banderiza, y se estuvieran protegiendo contra un futuro incierto. Sea como fuere, sus esfuerzos fueron vanos hasta que la decisión de invadir Portugal les proporcionó un pretexto determinante para liberar al viejo caudillo.

Había sucedido a don Sebastián en el trono de Portugal su anciano, enfermo y célibe tío, el Cardenal Henrique. El 31 de junio de 1580, el cardenal, habiéndose mostrado más longevo de lo que nadie suponía, pasó a otro mundo mejor en que pocos embajadores españoles podrían molestarle. Pero antes de su muerte había llegado a un acuerdo con el emisario de Felipe II, Cristóbal de Moura, sobre una transferencia de la Corona al Rey de España bajo condiciones que dejaban virtualmente intactas las instituciones portuguesas. Los españoles habían cumplido su labor, y esta cesión contaba con el apoyo de la nobleza portuguesa. Pero era, sin embargo, vista con escasa simpatía entre los niveles inferiores de la población y pronto se desarrolló un movimiento popular a favor de Antonio, Prior de Crato. El prior era un bastardo de la casa real, de personalidad atractiva, pero no especialmente capacitado, y la revuelta que le respaldaba fue un asunto bastante desorganizado. Con todo, significaba que el país tendría que ser pacificado si había de garantizarse la sucesión de Felipe II.

Era una situación embarazosa. No era posible esta vez quedarse atrás. Felipe tendría que ir en persona, y no tenía a nadie que pudiera dirigir la administración en su ausencia. Su hermanastro, don Juan, había muerto de peste tras el fracaso de sus planes de conquistar Inglaterra. Sus secretarios, aunque hombres diestros, carecían de categoría para desempeñar la tarea: el más destacado de ellos, Mateo Vázquez, era hijo de una mujer rescatada de la cautividad entre los moros y un padre cuya identidad era incierta.[38] Llegado a este extremo, el rey recurrió una vez más a una reliquia del Siglo de Oro. El día mismo en que Pérez fue encarcelado, el Cardenal Granvela, que contaba sesenta y seis años a la sazón, llegó a Madrid para tomar las riendas del gobierno.

La segunda mitad del problema del rey se refería al ejército. En el nivel de comandante de campaña el talento abundaba en España, pero, como consecuencia de la retirada de los grandes nobles de la participación activa en la vida militar, pocos de ellos tenían bastante experiencia para dirigir un ejército de ocupación. Cuando se conoció su decisión de invadir

Portugal, el rey se vio inundado de peticiones para que se designara a Alba comandante del ejército español.[39] No sólo era su capacidad incuestionable, sino que era enormemente popular entre los soldados, y la presencia de tan afamado general, en palabras del embajador veneciano, aplacaría «la vanidad» de los portugueses.[40] En términos menos pintorescos, los emisarios de Felipe II se habían asegurado el respaldo de la nobleza portuguesa, y el nombramiento de Alba les proporcionaría un pretexto para rendirse con un mínimo de desprestigio.

Se ha adjudicado generalmente a Granvela el mérito de haber orquestado esta campaña, pero su participación es cuestionable.[41] Aunque había sido en su día aliado del duque, su relación se había enfriado cuando Alba se opuso a la incorporación de las abadías de Brabante a la archidiócesis de Mechelen en 1568. Si Granvela apoyó al duque –y no existe evidencia documental que verifique este punto– fue tan sólo porque deseaba una rápida solución a la cuestión portuguesa. A su modo, su postura era más estrecha de miras que la de Alba, pues consideraba a Portugal como poco más que una excusa para desviar recursos de los Países Bajos.[42]

El verdadero peso de los argumentos en favor de Alba corrió a cargo de Pazos y Vázquez, pero el rey se resistió cuanto pudo. Si el resto de nuestra hipótesis es correcto, esto se debió principalmente a que temía que la liberación de Alba reviviera los bandos. Había pocas dudas de que la campaña sería un éxito, y esto aumentaría inevitablemente el ya enorme prestigio de Alba. Y lo que era más grave es que el mando incrementaría también su clientela, incitando así a los ebolistas a nuevas intrigas. Al fin y al cabo, la Princesa de Éboli tenía hijos adolescentes, y su parentela de los Mendoza seguía tan beligerante como siempre. Sólo si se suprimían las cabezas de ambos bandos por igual podía contar con verse libre de todo ello.

Pueden aventurarse otras explicaciones del proceder del rey, pero no son convincentes. Puede que tuviera interés en demostrar que su autoridad seguía intacta, pero esto había quedado patente con el arresto, y mayores castigos sólo podían servir para hacerlo aparecer mezquino y vengativo. Aca-

438

so era consciente de que la prisión del duque se había convertido en una *cause célèbre*, y creía que no podría abandonar su actitud sin otro pretexto que la conveniencia política. Está claro que Pazos había pensado en esto, y procuró justificar la libertad de Alba impugnando tardíamente el testimonio de doña Magdalena. El 7 de enero de 1580, dijo al rey que pretendía ésta por entonces haber mantenido relaciones íntimas con don Fadrique, lo cual era, dijo, una mentira manifiesta, puesto que nunca había hecho tal afirmación anteriormente.[43] Pero era Pazos quien mentía, pues la dama había insinuado desde un principio la existencia de secretos tan turbios que habían de ser ocultados incluso a su confesor.[44]

El rey permaneció impasible. Finalmente, cuando el tiempo se hizo apremiante y no se presentaba la posibilidad de otro candidato, hizo venir a Alba a la zona de estacionamiento de tropas en Badajoz. Lo hizo en el último momento y con gran desabrimiento, negando al duque incluso una sola entrevista, porque deseaba que todos supieran que, a pesar de que Alba hubiera sido reclamado, no le había devuelto su favor. Alba, por el contrario, respondió al llamamiento con presteza y con expresiones de incólume lealtad, reacción ejemplar y consistente con todo su proceder. Aunque en circunstancias normales sus protestas eran incansables, en esta ocasión no había hecho sino redactar una mesurada apología, y dejó que la conducta del rey hablara por sí misma en el foro de la opinión pública.[45] Sin duda, la forma en que Felipe II había tratado a Alba había sido desatinada, aunque no del todo irracional, y la dignidad de Alba frente a una injusticia manifiesta explica en gran medida su fama histórica de nobleza de carácter.

Pudiera ser también que el año pasado en Uceda no hubiera sido totalmente desagradable. El duque contaba entonces setenta y dos años. Nunca había sentido placer por la vida de la corte, y en muchos sentidos seguía siendo en el fondo un hombre de campo. Gozaba con el aire limpio, los arroyos centelleantes y el ritmo pausado de la vida de aldea hasta un grado que asombraba a sus coetáneos. Se había permitido a la duquesa que le acompañara, para considerable alegría de Alba, y si sus contactos con el mundo exterior tendían a ser escasos y lacónicos, no fueron especialmente desesperanzados. El mejor índice del estado de ánimo del duque era invariablemente su salud física, y en Uceda ésta parece haber sido desusadamente buena. La única dolencia conocida fue una afección del pecho, tan leve que logró ocultarla a la duquesa. Ésta era, al parecer, tan enérgica en cuestiones médicas como en otros asuntos, y el Duque de Hierro temía sus solícitos cuidados.[46]

Ahora bien, si supo sacar provecho de su exilio, estaba ya dispuesto a abandonarlo y partir en febrero de 1580. La orden real, por más que se hubiera enviado de mala gana, era una admisión de auténtica necesidad, y la perspectiva de una última campaña era demasiado atractiva para resistirse. El ser una vez más indispensable era muy halagador para un hombre que había sobrepasado los setenta años. Y lo que era más importante: invocaba la tradición recibida de su abuelo y a la cual había dedicado su vida. Puede que, como supuestamente dijo, «hubiera sido enviado con cadenas a sojuzgar reinos»,[47] pero él tendría el mando, y eso, según su propia concepción de sí mismo, era un derecho concedido por Dios y una obligación.

1. Requesens a Hernando de Toledo, 21 de diciembre de 1573, *DIE*, 102, pp. 455-56.

2. Requesens a Felipe II, 22 de noviembre de 1573, *DIE*, 102, pp. 378-81.

3. Requesens a Pedro Manuel, 4 de diciembre de 1573, *DIE*, 102, pp. 420-22.

4. Las instrucciones de Felipe II a Requesens se encuentran en *DIE*, 102, pp. 299-306.

5. Alba a Felipe II, 11 de febrero de 1573, *EA*, III, pp. 285-89.

6. Felipe II a Alba, 20 de marzo de 1574, *CPh*, III, pp. 40-41.

7. A. W. Lovett, «Some Spanish Attitudes to the Netherlands», TvG, 85 (1972), p. 20.

8. *CPh*, III, pp. 39-40.

9. Arias Montano a Zayas, 18 de abril de 1574, *DIE*, 41, pp. 302-8.

10. Hay resúmenes de los argumentos empleados por ambas partes de esta cuestión desde 30 de diciembre de 1574 a 10 de febrero de 1575 en *CPh*, III, pp. 220-53.

11. M. Roberts, «The Military Revolution, 1560-1660» (Belfast, 1956), pp. 6-7.

12. Duque de Alba, «Discurso sobre la reforma de la milicia», BN MS 12179, núm. 11, f. 43. Este documento proporciona un buen resumen de las opiniones de Alba sobre la disciplina, entrenamiento y moral: está, desde luego, a favor de los tres.

13. AGS GA78, ff. 59, 91 y 97, y AGS GA80, f. 323. Para un examen detallado de toda la cuestión, véase I. A. A. Thompson, *War and Government in Habsburg Spain, 1560-1620* (Londres, 1976), pp. 163-84.

14. Un memorial típico sobre esta cuestión se encuentra en AGS GA81, f. 219. El documento es analizado por I. A. A. Thompson, p. 187.

15. Gregorio Marañón, Antonio Pérez (Madrid, 1963), I, pp. 189-213, ofrece un amplio análisis de esta cuestión y concluye a favor de su inocencia.

16. Estas cartas, la mayoría dirigidas a Albornoz, se encuentran en AA, caja 52, ff. 151-60. Los informes del secretario de Fadrique, Esteban de Ibarra, que permaneció con él, se encuentran en AA, caja 38, ff. 123-24, 129-34 y 137-39.

17. Fadrique a Albornoz, 1 de agosto de 1576, AA, caja 52, f. 162.

18. Fadrique a Albornoz, 24 de abril de 1574, AA, caja 52, f. 153.

**19.** Requesens a Felipe II, 19 de septiembre de 1574, AA, caja 48, f. 72. Es tributo a la efectividad del sistema de inteligencia privado del duque que se halle una copia de este documento confidencial entre sus papeles.

**20.** La evidencia sobre el asesinato de Escobedo se examina con bastante amplitud en Marañón, I, pp. 345-72.

**21.** Los documentos pertinentes se encuentran en *DIE*, 56, pp. 71-78.

**22.** *DIE*, 7, pp. 469-71.

**23.** Billete de Vázquez a Pazos, 29 de mayo de 1578, *DIE*, 7, pp. 466-67.

**24.** García de Toledo a Alba, 20 de abril de 1569, AA, caja 52, f. 209; Alba al Cardenal de Burgos, 5 de abril de 1569, *EA*, II, pp. 196-97.

**25.** La cédula está reproducida en *DIE*, 8, 487-88.

**26.** Billete de Pazos a Felipe II, 17 de octubre de 1578, *DIE*, 7, pp. 483-84.

**27.** Billete de Pazos a Felipe II, sin fecha, *DIE*, 8, p. 489.

**28.** Billete de Pazos a Felipe II, 20 de octubre de 1578, *DIE*, 7, pp. 485-87.

**29.** Billete de Pazos a Felipe II, 26 de noviembre de 1578, *DIE*, 7, pp. 502-5.

**30.** Luis Cabrera de Córdoba, Felipe II, Rey de España (1619) (Madrid, 1876-1877), II, pp. 528-29.

**31.** La historia de que Alba aconsejó a Sebastián contra la campaña es probablemente apócrifa. Parece que se originó con Cabrera de Córdoba, II, 471. Para una carta fechada el 20 de junio de 1578 (casi con certeza falsa) y un análisis de la evidencia, véase *EA*, III, p. 640.

**32.** J. H. Elliott, *Imperial Spain*, 1469-1716 (Nueva York, 1963), p. 260, y Marañón, I, pp. 275-87.

**33.** Billete de Pazos, 25 de junio de 1578, *DIE*, 8, p. 485.

**34.** Billete de Pazos, comentarios al margen de Felipe II, 1578, *DIE*, 8, p. 485.

**35.** *DIE*, 8, pp. 508-11.

**36.** *Ibíd.*, 8, pp. 511-13.

**37.** Cabrera de Córdoba, II, pp. 528-29. Para ejemplos específicos, véanse las cartas de Bernardino de Mendoza a Zayas, *CSP-Spanish*, II, pp. 648, 678 y 687.

**38.** A. W. Lovett, *Philip II and Mateo Vázquez* (Ginebra, 1977), 3-9, trata la cuestión de la parentela de Vázquez.

**39.** Resumido por Pazos en *DIE*, 8, pp. 516-19. Véanse también los comentarios de Moura y Delgado, entre otros, en BN MS E71.

**40.** «Relazione de Morosini, 1581», RAV, V, pp. 303-4.

41. Martin Philippson, *Ein Ministerium unter Philipp II: Kardinal Granvella am spanischen Hofe, 1579-1586* (Berlín, 1895), p. 128; M. Van Durme, *El Cardenal Granvela* (Barcelona, 1975), p. 351, y Elliot, p. 265. La única evidencia documental parece ser la carta de Morosini citada por Philippson.

42. Granvela a Morillon, 6 de julio de 1580, CG, VIII, p. 96.

43. *DIE*, 8, pp. 513-16.

44. Véase el billete de Pazos al rey, 1578, *DIE*, 8, p. 484.

45. Su apología, fechada el 23 de marzo de 1579, se encuentra en *DIE*, 8, p. 504.

46. Alba a Mateo Vázquez, 15 de noviembre de 1579, *EA*, III, pp. 649-50.

47. Cabrera de Córdoba, II, p. 576.

La anexión de Portugal constituyó uno de los más grandes logros de Felipe II. El sueño de unificar la Península, y con ello los dos grandes imperios ultramarinos de España y Portugal, sólo sobrevivió a su realizador cuarenta y dos años, pero se hizo realidad con una sutileza y una precisión dignas de más larga vida. Desafortunadamente, los esfuerzos de Moura por asegurar la sucesión sin derramamiento de sangre ha llevado a los historiadores a suponer erróneamente que la campaña militar no tuvo importancia. Como lo expresara Alfonso Danvila: «Portugal fue, por tanto, ganado con cartas, y las armas fueron tan sólo un accidente motivado por la rebelión del Prior de Crato, un accidente glorioso desde luego, pero que llegó a destruir en parte los designios de Felipe II». Para él, la última campaña de Alba fue, pues, «un prodigioso desfile militar», cuya grandeza residía «en la magistral organización de las tropas y la exactitud con que cumplieron las órdenes de su jefe»,[1] La primera parte de este juicio encarna una clásica falacia histórica. Para bien o para mal, la rebelión de don Antonio se produjo en efecto, y de no haber sido sofocada, Felipe II no podría haber ascendido al trono. Por lo que respecta a la segunda parte, acaso sea afortunado que Alba no pudiera conocerla: no habría sabido si reír o llorar.

Las numerosas confusiones que rodean la campaña portuguesa de 1580 se fundan en la idea de que la sublevación de don Antonio estaba condenada al fracaso desde el principio. En cierta medida, es cierto, pero el proceso mediante el cual se logró dicho destino fue extraordinariamente complicado. El problema no residía en derrotar al ejército que aquél pudiera reunir, ni tampoco en la captura de su persona, pues al final escapó sin causar a Felipe II más que una leve irritación. El fondo de la cuestión era el conseguir todo esto mientras se establecía simultáneamente un ejército extranjero de ocupación que pudiera vigilar las ciudades sin alienarse las simpatías del pueblo. Alba había estudiado esta cuestión en la dura escuela de los Países Bajos, y da medida de su flexibilidad que no repitiera sus errores.

Su primera preocupación, sin embargo, no era el sentir y el pensar de los portugueses, sino los pies y los estómagos del ejército español. Al alejarse de Uceda su cabeza estaba ocupada por problemas de reclutamiento y suministro, los cuales habrían resultado gravosos para los recursos de cualquier reino. Dado el estado de cosas, el ejército habría de ser cuantioso. El rey deseaba tener al menos tres fuerzas: una, bajo el mando de Alba, pasaría a Portugal desde Extremadura, atravesaría el Alentejo y se reuniría en la costa con una segunda transportada por mar desde Sevilla por don Álvaro de Bazán, Marqués de Santa Cruz. Un tercer ejército, más reducido, capitaneado por el Duque de Medina Sidonia, procuraría ocupar el Algarve.

El ejército de Alba debía comprender unos 50.000 hombres; siendo esto necesario si habían de establecerse guarniciones en el camino, era también origen de problemas logísticos prácticamente insolubles. Probablemente no existían 50.000 soldados experimentados en todo el imperio, aun si se abandonaban totalmente las guarniciones estacionadas en Flandes e Italia. Significaba esto que las tropas de complemento tendrían que formarse con soldados bisoños aderezados con un puñado de unidades de veteranos, y acompañadas por mercenarios alemanes e italianos. No se necesitaba mucha imaginación para comprender que, en una situación que requería total disciplina, semejante horda sería casi incontrolable. El rey pensaba impedir esto mezclando veteranos del ejército de

Flandes con las nuevas unidades, pero Alba se opuso con vehemencia y consiguió su propósito. Sabía que, individualmente, sus «hijos» no eran más manejables que los demás. Por el contrario, muchos de ellos eran este tipo de inveterado asesino que sólo pueden producir quince años de guerra cruenta en una tierra hostil. Su afamada disciplina no era producto de su carácter, sino de la gran cohesión de los antiguos tercios. Era mucho más recomendable mantenerlos juntos para salvar situaciones donde los nuevos reclutas fallaran, y esperar por lo demás que las cosas salieran bien.[2]

No tenía por qué haberse preocupado. El contingente de Flandes no logró llegar a tiempo, y empezó a creerse que ni tan siquiera habría suficientes reclutas. Cinco años antes, Alba había observado que casi 80.000 hombres habían sido enviados fuera del país desde 1567, sin contar los que habían marchado a las Indias. Éste es un ejemplo del lado peor del duque, pues sus cifras privadas reflejaban que el número real era de 42.875,[3] pero la intención de su afirmación era válida. El potencial humano utilizable de Castilla había sido seriamente reducido, y los esfuerzos de última hora para extraerlo de las grandes posesiones colindantes con la frontera portuguesa no podían ser muy productivos. Extremadura y el antiguo reino de León habían ya contribuido con creces.

Aun si se podían encontrar hombres, quedaba el problema de sustentarlos durante la campaña. El último punto de estacionamiento antes de la invasión era Badajoz, una ciudad pequeña dentro de una región extremadamente árida. Alimentar a tal multitud superaba con mucho los recursos de Extremadura y zonas circundantes; todo suministro tendría que ser transportado una larga distancia y a elevado coste. Para agravar la situación, no había posibilidad de extraer el sustento de la región una vez que el ejército estuviera en Portugal. El saqueo era impensable por razones políticas, pero aunque se hubiera permitido, los resultados habrían sido escasos. En términos de riqueza y producción, el Alentejo es una extensión de Extremadura. El ejército español tendría que llevar consigo prácticamente toda porción de alimento que pensara consumir entre Badajoz y el mar.[4] Es acaso comprensible que antes de dirigirse hacia el Oeste, Alba hiciera una devota visita a los restos incorruptos de don Diego de Alcalá.[5]

Su inquieto estado de ánimo se debía parcialmente a un ataque de gota y en parte a que, tras su año de destierro, se sentía «como un hombre que viene de otro mundo, nuevo en éste».[6] Ante todo le disgustaba la confusión y falta de dirección que parecían reinar en todos los aspectos de los preparativos. Cuando llegó a Extremadura, su salud había mejorado, y estaba «trabajando como un veinteañero»,[7] pero la preocupación por las provisiones no le abandonó en ningún momento.

Su antiguo proveedor y comisario de guerra, Francisco de Ibarra, se había jubilado y su puesto había sido ocupado por el Marqués de Auñón. Alba consideraba a este último un inepto y consiguió a su tiempo que se nombrara al alcalde Fernando Pareja de Peralta para servirle como delegado.[8] Con esto se dividió el cargo y, para agravar el asunto, gran parte de la verdadera responsabilidad residía en la lejana Sevilla, en manos del muy capacitado, pero excesivamente ocupado, Francisco Duarte. Duarte era factor de la Casa de Contratación y comisario general de Andalucía, y no sólo dependía de él lo principal del aprovisionamiento de Alba, sino también el de la flota anual. Bajo estas circunstancias, la coordinación era inevitablemente defectuosa. En un momento dado, habiendo recibido una carta de Duarte que le había sumido «en la mayor confusión y temor de la tierra»,[9] Alba intentó hacerse cargo personalmente del asunto. Con su acostumbrada impaciencia y su enciclopédica atención al detalle, se sentó y redactó una larga carta al rey en la que describía las provisiones necesarias, los distritos donde habían de procurarse e incluso las tácticas que debían utilizarse con los funcionarios locales.[10]

Era innegable que el sistema era malo. Deseando mantener en sus manos las riendas y evitar la corrupción, Felipe II se había negado en un principio a tratar con vivanderos,[11] pero no supo proporcionar una administración unificada propia. El duque estaba aterrado de que «nos… hagamos un cerco de hambre, y con nuestro desorden demos a nuestros enemigos las armas para perdernos»,[12] pero, irónicamente, el resultado fue el contrario al temido. Sobre Extremadura cayó una lluvia de oro: gracias a una intendencia entusiasta, pero desorganizada, los víveres llegaron desde todos los puntos. Se vaciaron distritos enteros de Andalucía, e incluso las guarniciones de lugares tan alejados como el Peñón e Ibiza sufrieron racionamientos. Cuando llegó el momento de marchar, Alba tenía suficientes provisiones para mantenerse hasta febrero de 1581, y un excedente considerable hubo de venderse a precios reducidos a los regocijados habitantes de Llerena y Badajoz.[13]

La diferencia se debía, quizá, a que ahora no había ni un Ruy Gómez ni un Eraso dispuestos a perjudicarle. Portugal era un proyecto del rey de un modo en que no lo habían sido nunca ni Italia ni los Países Bajos, y estaba decidido a suministrar todo lo que hiciera falta para llevarlo adelante. Personalmente, siguió tratando a Alba con gran frialdad, pero nadie se atrevía a desviar recursos hacia otros propósitos u obstaculizar los preparativos, a no ser por actos de pura necedad. Esto podía llegar a alcanzar alturas excelsas, como cuando los agentes de aduanas españoles intentaron impedir el paso de provisiones para el ejército de Portugal porque nadie había satisfecho las tarifas correspondientes,[14] pero las cosas, por lo general, marcharon bien. Si Alba necesitaba fondos, éstos le llegaban con frecuencia a los tres días.[15] Si deseaba que se designara a alguien para una labor específica, se cumplía generalmente su deseo.

De modo característico, nunca abusó de estos privilegios. Aunque le perturbaron ciertas acusaciones de nepotismo, claramente le asistía la razón al insistir en que se nombrara a su hijo Hernando jefe de los arcabuceros montados,[16] e igualmente prudente fue impedir la designación de Juan de Tejada como auditor general. Sostenía el duque que Tejada, como alcalde, no era elegible para el cargo,[17] pero lo que verdaderamente le inquietaba era la total rigidez de aquel hombre y su falta de sentido común. Tejada siguió como alcalde y a las pocas semanas estaba amenazando con azotar a los vivanderos que Alba con tanto esfuerzo había logrado atraer.[18] Nada de esto supuso un problema decisivo, pero hubo un tiempo en que pudo haberlo sido. El duque, a los setenta y dos años, había sobrevivido a sus enemigos.

Fue ello afortunado. Los suministros eran abundantes y mínimas las intrigas tras las líneas, pero los hombres eran aún peores de lo que se creía y el camino más duro de lo previsto. Como siempre, Alba procuró prevenir las más serias dificultades con una meticulosa planificación. Para poder manejar a los rústicos bisoños que formaban la mayor parte de su ejército, convirtió el campamento en una enorme academia militar,[19] y logró la designación de Juan de Bolea como capitán preboste. Bolea, que había servido al duque en Flandes, tenía fama de ser un severo disciplinario. Hubo gran oposición a su nombramiento, pero Alba la venció invocando la necesidad de un control absoluto. El pillaje y el desorden podían convertir a los portugueses en enemigos implacables de la Corona.[20] Hizo venir a expertos en cuestiones de Portugal y conferenció con ellos hasta muy entrada la noche, mientras su ingeniero, Gian Battista Antonelli, barría el territorio enviando negros informes sobre el estado de las carreteras.[21]

El 13 de junio, Felipe II llegó para revisar las tropas.[22] Dos semanas más tarde, aquella inmensa multitud empezó la difícil marcha hacia Portugal. Había en total unos 40.000 hombres, aunque, como siempre, el número exacto es dudoso. La inmensa mayoría, unos 33.000 hombres, eran de infantería, y había 136 cañones, pero la caballería era intencionadamente reducida, pues se pensaba que no sería precisa. Para abastecer a los hombres se había reunido un inmenso tren de campaña, y las interminables filas de pesadas carretas de bueyes sólo permitían avanzar muy lentamente. Con el equipaje, las carretas y los nuevos reclutamientos, Alba pensaba que, si eran atacados en la carretera, el resultado sería desastroso.[23]

Afortunadamente, la marcha se realizó sin percances. Don Antonio permaneció en la lejana Santarém y se confió la defensa del Alentejo al joven e inexperto don Diego de Meneses. Muchos de los portugueses que hubieran sabido actuar en semejante situación yacían muertos bajo los ardientes cielos de África. Elvas, a sólo unas pocas millas de Badajoz, se rindió sin incidentes. En Estremoz, el 3 de julio, el alcalde quiso resistir, pero los ciudadanos tuvieron la sensatez de no hacerle caso y la ciudad fue tomada sin derramamiento de sangre.[24]

Por entonces los españoles empezaban a entender la naturaleza de su empresa. Aun hoy los límites orientales de Portugal tienen un aire ligeramente ominoso. El Alentejo es en verano un enorme y silencioso vacío, sólo ocasionalmente punteado por pueblos pobres que parecen desiertos en el calor de mediodía. El agua es escasa y los alcornoques proporcionan una débil protección del sol abrasador. En el mejor de los momentos habría sido un viaje duro, pero en el verano de 1580 una temida presencia flotaba dondequiera que los viajeros buscaban alivio al calor y la sed. Una epidemia había entrado, como los españoles, en Portugal. El carácter exacto de este «catarro», como se llamaba, es desconocido. Probablemente no era una forma de peste, sino de gripe, pues muchas de las víctimas se recuperaban y los que murieron pasaron antes por una prolongada dolencia que recordaba a una pulmonía. Con todo, la tasa de mortalidad fue alta entre una población debilitada por sucesivas malas cosechas, y en los meses siguientes sus efectos locales fueron devastadores.

Como todos los soldados de su época, Alba sabía que su peor enemigo era la enfermedad, y sus cartas rezuman preocupación. «No me atrevería a enviar a Su Majestad ni una sola hebra de tela de aquel castillo [Villa Viçosa] considerando la escasa salud que tiene el pueblo.»[25] «Mantened a Su Majestad lejos de Borba, es el lugar más infectado de esta frontera.»[26] «Marcho con gran ansiedad porque la carretera que había pensado seguir para avistar Arraiolos está, me dicen, tan cerrada que en diez días las carretas no podrían avanzar cuatro leguas... y así fue que pasé a una legua de Arraiolos y dos de Évora, donde me dicen que de un extremo a otro los montes están llenos de hombres apestados.»[27] Al día siguiente de pasar por este valle de sombra, muchos hombres cayeron enfermos, y Albornoz escribía: «Dios sea con nosotros, pues vamos con miedo»,[28] pero después de esta primera alarma no aparecieron nuevos casos.[29] La epidemia triunfaría en última instancia, y muchos de los que marchaban con Alba murieron antes de que concluyera el año, pero mientras no salieron de la carretera estuvieron protegidos, si no cómodos.

El mayor problema era la moral. Las deserciones aumentaron mientras avanzaban por aquel yermo silencioso con horrores ocultos a cada paso, y durante algunos días el calor y la condición de los caminos les causaron casi tanta angustia como la epidemia. La desesperación alcanzó una especie de punto álgido el día anterior a la llegada de Alba a Montemor. «Ayer fue un día terrible de calor y malos caminos, y fue muy largo, y muchas carretas se rompieron.»[30] En efecto, «las carretas de bueyes se rompen como si estuvieran hechas de ramitas».[31] «Desde que nací no he visto una región tan abrupta, tiene surcos tan anchos y tan hondos y tan duros que parecen estar helados como en Navidad.» Cada día, cuando concluía la marcha, tenía que enviar atrás a cien de las carretas más ligeras tiradas por muías para recoger los víveres que habían quedado en el camino al romperse las carretas de bueyes, y empezaba a preguntarse si su capacidad de transporte sería suficiente para que pudiera alcanzar la costa.[32]

Alba no temía a los portugueses mismos. Al aproximarse a Montemor despachó una carta al rey cuya arrogancia es casi ofensiva: «Si por un azar don Diego de Meneses está tan loco como para pretender defenderse en Montemor, ruego a Vuestra Majestad que me ordenéis sin tardanza lo que he de hacer con él, y con aquellos que se hallan dentro con él, para que pueda saber cómo gobernarme».[33] Esto es tan característico de Alba que merece un examen más detallado. La ofensa a los portugueses está ahí, pero velando un dardo mucho más afilado dirigido al rey. Desde el comienzo, Felipe II había atado corto al duque, temiendo probablemente que repitiera las atrocidades de los Países Bajos si le abandonaba a sus propios recursos, y Alba se resentía de ello. Era perfectamente consciente de que la situación exigía tacto, y estaba comportándose con mayor moderación de la que nadie hubiera esperado.

Su proceder en Portugal, un marcado contraste con el que había tenido en los Países Bajos, era producto no de senectud, sino de sentido político. Desde un principio había insistido en que Portugal pertenecía al rey por derecho hereditario y que toda resistencia a su ascenso suponía rebelión. El no haber aceptado en esos términos la cuestión habría supuesto reconocer la legitimidad de don Antonio. Desconfiaba, por tanto, de Moura y de sus planes para que las Cortes portuguesas confirmaran a Felipe II, y tendía a no aceptar sin cuestionarlas las garantías de los portugueses.[34]

En otras palabras, seguía siendo en teoría tan intransigente como siempre, pero sus actos traslucían una extremada sensibilidad a la opinión portuguesa. Para asombro de los que le conocían, había ya perdonado al fiero alcalde de Estremoz, diciendo que «las leyes de la guerra bien permitían decapitarlo, pero esta gente está tan alejada de sus usos que creerían que se trata del rigor de las leyes de Castilla».[35] En Évora se negó a confiscar las rentas, haciendo, por el contrario, depósito de ellas hasta que los tribunales determinaran su disposición legal. Después liberó a todos los presos de la cárcel.[36]

La auténtica clave de su política era la seguridad. Si la salvaguardia de su ejército no estaba en juego, estaba dispuesto a tolerar casi cualquier cosa. El 6 de julio llegó ante las puertas de Montemor y supo que don Diego de Meneses, efectivamente, había huido. Los habitantes de la ciudad se rindieron, afirmando que su anterior lealtad había sido culpa de «un muchacho de Arraiolos», sobre el cual no supieron dar más información, pero siguieron armados. La situación inquietaba a Alba. Indicó al rey que la población debía ser desarmada y dejada una guarnición de 300 españoles en la ciudad.[37] Felipe II respondió que era una medida demasiado dura. No se oponía a la guarnición, dado que Montemor era la encrucijada de aquella región, y de considerable importancia estratégica, pero creía que las gentes debían conservar sus armas y su propio alcalde. Si surgían problemas de seguridad, Alba podía recurrir a castigar a los más destacados partidarios de don Antonio. Se necesitaba hacer un ejemplo.[38] Hay que atribuir a la nueva clemencia de Alba el que optara por desoír estas recomendaciones. Felipe II le dijo que empleara su propia capacidad de juicio, y al final no sólo les permitió conservar las armas, sino que perdonó a todos. Creía que «todos los delitos que conciernan a Vuestra Majestad» debían perdonarse, a excepción, claro está, de que fueran «repugnantes o atroces».[39]

Todo esto dejaba entrever, sin duda, un gran cambio desde la época de los Países Bajos, pero no se debía a que su carácter se hubiera dulcificado. En privado tenía a las autoridades portuguesas por «asaltadores de caminos» y «asesinos»,[40] y cuando eran sus propias tropas las que cometían faltas eran tratadas con la misma dureza de siempre. A los dos días de haber cruzado la frontera ahorcó a un soldado por robar un haz de trigo y a otro por maltratar a un vivandero.[41] Esta pauta se seguiría a lo largo de toda la campaña, pues continuaba siendo el hombre terrible de antaño, y si era indulgente con la población civil se debía a que las circunstancias eran muy distintas a las de 1572. No se le negaba apoyo, ni se enfrentaba al derrumbamiento de seis años de penosos esfuerzos, y los portugueses eran a un tiempo ibéricos como él y buenos católicos. Y es también acaso posible que le hubiera aprovechado la lección. Unos meses después se dolió sinceramente cuando don Antonio le llamó cruel.

Desde Montemor siguió hacia su punto de encuentro con la flota de Setúbal. Esto era en sí mismo motivo de preocupación, pues no sabía dónde se hallaba Santa Cruz y temía, con razón, que estuviera tomando «garitas de centinelas» en el Algarve.[42] Además de pensar que era una pérdida de tiempo, sabía que era allí donde la epidemia era más grave y que la flota quedaría inevitablemente contagiada.[43] Era un caso clásico de mal entendimiento entre distintos servicios. A Alba, que por entonces ya había decidido utilizar a los bueyes para carne, pues en la carretera resultaban inútiles,[44] tan sólo le importaban sus líneas de abastecimiento.[45] La ruta por tierra era peor de lo que él creía, y quería establecer comunicaciones regulares por mar tan pronto como fuera posible. A Santa Cruz, por su parte, le obsesionaban las dificultades de doblar el cabo San Vicente en medio de fuertes vientos del Oeste. Sus frágiles galeras y pesados barcos de suministro no resistirían mucho en una costa de sotavento; necesitaba lugares donde las naves pudieran capear el temporal sin interferencias. En esto probablemente asistía la razón al marino, pero Alba se aproximaba a las murallas de Setúbal con creciente nerviosismo.

Cuando llegó ante la ciudad en la tarde del 16 de julio no había señal alguna de la flota. Un puñado de buques de guerra portugueses se encontraban pacíficamente anclados entre los demás barcos mercantes y las puertas de la ciudad estaban cerradas. Aquella noche, con acompañamiento de esporádico fuego de arcabuces, los españoles cercaron el lugar y en la mañana del 17 don Hernando de Toledo exigió a sus moradores que se rindieran. Tras algunos titubeos, un inglés, curiosamente, salió para solicitar un aplazamiento de veinticuatro horas y escuchar de labios del mismo Alba una respuesta forjada en las ensangrentadas trincheras de Holanda. Le dijo que «les cortaría a todos el cuello y no dejaría piedra sobre piedra». Y a continuación empezó a posicionar su artillería.

Pero Setúbal no iba a ser otro Haarlem. En el seno de sus murallas transcurría un vivo debate entre los ciudadanos y los soldados, la mayoría de los cuales eran extranjeros. Los vecinos de la ciudad habían depuesto a su alcalde, favorable a los españoles, y estaban dispuestos a una heroica defensa, sin tomar en consideración el hecho de que su ciudad era totalmente indefendible. Sus murallas eran anteriores al uso de la pólvora, pero tampoco habría hecho gran diferencia de haber sido más modernas. La ciudad se extiende por la ribera de una espaciosa bahía, y hacia el interior está dominada por montes. Desde éstos, los cañones de Alba podían disparar directamente sobre sus bulliciosas calles, sin temor a represalias de la artillería o la infantería, que tendría que haber cargado cuesta arriba contra posiciones atrincheradas. Los soldados sabían muy bien que así era y estaban haciendo lo posible por convencer a los ciudadanos; de ahí la demora.

Hacia las seis de la tarde el inglés regresó con un civil llamado don Simón Miranda y se ofreció a rendir la ciudad a la mañana siguiente. Alba aceptó y se dispuso a esperar los acontecimientos. Pronto se produjeron, aunque los españoles, descansando, armados y tranquilos, en sus campamentos, se perdieron lo mejor de ellos. En cierto momento de la tarde, los ciudadanos intentaron, sin éxito, linchar a Miranda por colaborador. Poco después de medianoche, los extranjeros se fueron, algunos a bordo de un barco fondeado en el puerto; otros, más imprudentes, tomando el camino de Lisboa. La luz del día y el abandono de los únicos soldados profesionales que había entre ellos hicieron recapacitar hasta a los más entusiastas. Con la mirada en las abiertas bocas de los cañones españoles se rindieron.[46]

Era el momento para que las tropas de Alba, como él lo expresara, «se bautizaran en el desorden». Eran, al fin y al cabo, reclutas sin formación que habían soportado una dura marcha. La noche anterior se había producido algún pillaje esporádico de las casas situadas en el exterior de las murallas, pero en el transcurso de la persecución a las tropas extranjeras algunos de ellos perdieron totalmente el control. «Han ahorcado y están ahorcando a tantos que creo que se han quedado sin cuerda, y yo voy haciendo todos los esfuerzos del mundo que me son posibles para remediarlo, y veo estos desórdenes con gran preocupación, pues aunque no sean más que un grano de trigo, a mí se me antoja una torre.»[47] Afortunadamente, ninguno de los que mataron era portugués, pero Alba tenía motivos para estar preocupado por lo que sus hombres pudieran hacer en semanas subsiguientes.

La campaña había llegado a su fase crítica. Había logrado llevar a su ejército a través de la epidemia, la sed y el final de las carretas de bueyes, pero aún tenía que tomar Lisboa, y esto requería consideraciones maduras. Los obstáculos geográficos eran ya formidables. Durante varios días los contempló mientras sus hombres sometían la zona circundante. No fue un período sin incidentes, pues Próspero Colonna tardó tres días en capturar Torre de Outão en la entrada del puerto, y habría tardado más de no haber sido porque Santa Cruz apareció al fin con la flota y sometió el lugar por la fuerza.[48] Se produjeron también las intrigas de un portugués de la localidad llamado Martín Gonzales. Este Gonzales intentó primero defender los hornos de cocer de Coimbra, prometiendo la libertad a varios centenares de esclavos negros si contenían a Hernando de Toledo y Sancho Dávila. Después quiso hacer guerra bacteriológica haciendo que un pobre hombre de Palmela distribuyera ropas infectadas entre las tropas invasoras. Aunque Alba estaba alerta a esta clase de cosas y acusó más tarde a los portugueses de envenenar el vino,[49] le ofendió mortalmente el asunto de los negros. Nunca lo explicó en estos términos, pero al parecer sentía que su miserable condición no debió explotarse para enviarles a una muerte inútil. Se dejó marchar, en efecto, a los setenta espíritus esforzados que hicieron frente a los tercios, e incluso se dejó en libertad al trapero mortífero con una amonestación.[50] Dado que a nadie le importaba lo que acaeciera a estos pobres desgraciados, no fue acción política, sino simplemente bondad.

Finalmente, el 27 de julio, el duque reunió a sus oficiales y obtuvo su consenso sobre qué hacer a continuación.[51] El que no diera sencillamente las órdenes pertinentes da medida de los riesgos que iban a correr. Según su propia descripción al rey, existían tres medios para atacar Lisboa. El peor suponía volver a marchar hacia Montemor y después al Norte, hacia el paso del Tajo en Santarém. Ésta no era solamente una marcha más larga que la que les había traído desde Badajoz, sino que requería barcos lo bastante reducidos para navegar río arriba, y no disponía de ellos.[52] El segundo era más directo y, en apariencia, más fácil, pero Alba creía que podría ser el más peligroso. Consistía en marchar directamente a la entrada del puerto de Lisboa y ser transportados por mar hasta algún punto próximo a la Torre de Belém. El transporte podía ser realizado por la flota, pero esto significaba que Santa Cruz tendría que quedar muchas horas encerrado en un estrecho canal protegido por baterías costeras. Puesto que Alba estaba seguro de que los pilotos estarían borrachos, el plan era inviable.

Al final, el curso de acción adoptado era en apariencia el más arriesgado de todos, pero al proponerlo Alba demostró que podía ser tan osado e imaginativo como era, por lo general, pedante. Dejando atrás los cañones y algunas tropas, navegaría desde Setúbal para desembarcar en la playa en Cascais. Una vez establecido allí, podía transportarse con tranquilidad al resto de la comitiva y él marcharía hacia Lisboa siguiendo la costa, capturando las baterías a su paso. Desgraciadamente, la playa de Cascais era reducida, pedregosa y abierta al Atlántico. Se encontraba además protegida por los cañones de una ciudadela situada en la ciudad. De ordinario, semejantes dificultades habrían sido prohibitivas, pero la guarnición de Cascais estaba desprevenida y la distancia desde Setúbal era lo bastante corta para que Santa Cruz pudiera esperar tiempo más favorable, una ventaja decisiva en operaciones de costa de sotavento.

Al día siguiente, Santa Cruz decidió que las condiciones eran buenas y la fuerza expedicionaria se hizo lentamente a la mar. Los hombres de tierra que iban a bordo debían de estar muy irritados, pues pasaron tres terribles días navegando de bolina hasta alcanzar Cascais, pero Santa Cruz había actuado con prudencia. Un viento terral era una bendición que no podía desaprovecharse.

La mañana del 30 de julio los halló a la vista de su objetivo. El viento y el mar se habían calmado, pero aunque no eran esperados, sus adversarios estaban ya despiertos y los españoles oyeron los cañonazos de aviso de Cascais, contestados por los de San Julián, en los bajíos del Tajo. Comprobando que la playa estaba protegida por la ciudadela, Alba decidió desembocar en la Marina Vieja, justamente donde terminaba el alcance de los cañones en dirección a Estoril.[53] Él mismo estuvo en la playa antes de que más de 600 de sus hombres hubieran desembarcado, y se cuenta que cuando alguien, después, le reprochó el haber corrido riesgos innecesarios, contestó tan sólo que aquel enemigo era inepto «y hay que dejar algo a la fortuna cuando no existe riesgo».[54]

El enemigo en cuestión no era otro que don Diego de Meneses, cuya torpe actuación en el Alentejo había hecho que quedara relegado a una posición relativamente segura. Convencido de que estaba perdido, optó por una defensa heroica y consiguió efectivamente resistir durante dos días. Los días 30 y 31 se dedicaron principalmente a las tareas de desembarco, pero hacia el 1 de agosto estaba todo dispuesto, y Alba incluso hizo que fueran traídos algunos de sus cañones desde Setúbal en el último momento. El sitio fue breve. Cascais no estaba mejor fortificada que la mayoría de las ciudades portuguesas y pronto se abrió una brecha en las murallas de la ciudadela. El ingeniero Antonelli llevó barriles de arena rodando hasta el foso para rellenarlo, y hacia las 6 de la tarde la guarnición se rindió. Su número era escaso y no tenía intención de suicidarse en beneficio de don Diego Meneses, que fue más tarde hallado oculto en el rincón más recóndito del castillo.[55]

En este momento se produjo el único borrón en el modo en que Alba condujo la campaña. El día posterior a la rendición ahorcó sumariamente al desdichado Meneses, pero acaso fue perdonable: el joven era un enemigo persistente e irreconciliable del rey, y ni siquiera la clemencia real es infinita.[56] Pero, simultáneamente, Alba parece haber perdido el control de sus tropas. Cascais fue saqueada hasta los cimientos y, en palabras de una de las personas que lo censuraron, «el desorden de los soldados de este ejército en el saqueo y el pillaje sin consideración a amigos o enemigos es tan grande que temo algún castigo grande de Dios; y es cierto que el duque hace todo lo que puede y es posible para un hombre de su edad, pero... el duque lo ordena y lo desea, mas no se hace».[57]

Alba no lo negó. Como dijo al rey, «la indisciplina reina desde los coroneles abajo», haciendo casi imposible su erradicación.[58] Sabía que la necesidad política exigía castigos crueles, y no reparó en ahorcar a varios españoles, encarcelar a otros y enviar a más de cincuenta a galeras, pero íntimamente pensaba que dichas medidas eran injustas. Una costumbre inmemorial daba a sus hombres el derecho a los bienes de los rebeldes y, a pesar de que nunca lo admitiría públicamente, comprendía su proceder.[59] Este conflicto interior, unido a un ataque de gota y fiebre, convirtieron la semana posterior a su victoria en una angustiosa experiencia. Demasiado enfermo para sostenerse en pie, intentó restablecer el orden y dirigir el desembarco de las provisiones desde una litera, pero esto consumió seis días enteros. También le preocupaba el futuro. Se encontraban por entonces lo bastante próximos a Lisboa para atacar, pero deseaba, contra toda expectativa, no tener que sitiarla. La ciudad era demasiado grande y su emplazamiento era demasiado bueno para caer de inmediato, y era evidente que sus tropas no eran fiables. ¿Resistirían un cerco prolongado y duro sin desertar?, e incluso si así fuera, ¿qué harían cuando la plaza se rindiera al fin? La perspectiva le era tan espantable, que Alba intentó iniciar conversaciones con don Antonio por iniciativa propia, pero nada resultó de ello.[60] El 8 de agosto marchó para atacar la fortaleza de San Julián de Oeiras.

San Julián era la primera de las dos fortificaciones que protegían el acceso por mar a Lisboa. Cayó el 12 de agosto.[61] La segunda era ese delicioso castillo que parece una tarta nupcial, la Torre de Belém. También éste cayó, pero no antes de que se produjera una situación de ópera cómica que se prolongó hasta el 23 de agosto. Una parte del problema correspondía a Alba, que pasaba días escribiendo a don Antonio, rogando al rey que concediera un perdón general a los ciudadanos de

Lisboa e intentando por todos los medios evitar derramamientos de sangre.[62] El resto se debía a la nada envidiable posición del alcalde portugués. El pobre hombre deseaba rendirse, pero no se decidía a hacerlo, pues se encontraba atrapado entre dos flotas, la de don Antonio, inmediatamente río arriba, y la de Santa Cruz, río abajo. Su solución a semejante dilema constituye un modelo en el género.

Santa Cruz exigió por primera vez la rendición al alcalde el 17 de agosto, en el momento preciso en que éste recibía al comandante de la flota del Pretendiente. Sin titubear, el alcalde envió una cortés negativa de su parte y, para cerciorarse de que se comprendería claramente su posición, también de parte de su invitado. Después, con magnífico atrevimiento, disparó un solo tiro a los españoles, asegurándose de que el cañón no estuviera cargado. Santa Cruz comprendió rápidamente su intención. Envió una fragata, cuya tripulación devolvió el fuego en forma de unos pocos disparos de arcabuz y «muchas palabras feas», y no volvieron a molestarle durante los próximos seis días.[63] Mientras tanto, Alba avanzaba. El 21 de agosto acampó en la zona llana entre la Torre y el Monasterio de Belém. Habían fracasado todos los intentos conciliatorios. Es probable que los funcionarios de Lisboa desearan rendirse, pero temían a la muchedumbre, extremadamente antiespañola. Mientras don Antonio permaneciera firme, no podían hacer otra cosa que rezar. El prior respondió a las ofertas de Alba con descarada insolencia. Aconsejado por el nuncio papal Frumenti y hablando por boca de don Diego de Cárcamo, un leal castellano que había estado una vez a su servicio, accedió a reunirse con Alba en un barco en el Tajo, y después no apareció. Cuando presentó una lista de condiciones, que terminaban con la exigencia de que se le pagaran los gastos de campaña, fue demasiado. «Esto me amostazó la nariz», dijo Alba, «y le mandé al diablo.»[64]

Los días siguientes se dedicaron a labores de reconocimiento, pues era ya patente que don Antonio había reunido un ejército en la ciudad y preparaba su defensa. Por entonces, la Torre de Belém se encontraba totalmente rodeada por su lado de tierra y abrió sus puertas tras uno de los más breves bombardeos que se conocen. Alba, que había pasado seis horas seguidas en la silla sin desmontar, opinaba que «el alcalde merece que le cuelguen de un torreón», pero tanto le divirtieron sus artimañas, que le perdonó.[65]

La batalla era ya inevitable. En el último momento Alba escribía al rey: «Ruego a Vuestra Majestad me perdone por tolerar todas estas indignidades [las demandas de don Antonio], pues tanto deseo evitar el derramamiento de sangre y los grandes daños que seguirían a la entrada en Lisboa por la fuerza que sin otras órdenes de Vuestra Majestad continuaré rindiendo más pleitesías que un clérigo francés»,[66] pero sabía que de nada serviría. Los portugueses estaban preparados y decididos a luchar.

Inmediatamente al oeste de Lisboa hay un barranco hondo y bastante estrecho por el que fluyen las escasas aguas del Alcántara hacia el Tajo. Muchas de sus huellas han sido arrasadas por los accesos norte al gran puente construido en 1966, pero aún es posible percibir los perfiles del último campo de batalla de Alba.

En la mañana del 24 de agosto de 1580, una abigarrada fuerza de 10.000 portugueses se desplegó siguiendo los bordes orientales de dicho barranco desde un grupo de molinos en la orilla del Tajo hasta un punto que, siguiendo el lecho casi seco del río Alcántara, se adentraba unos dos kilómetros hacia el interior. Eran en su mayoría soldados inexpertos: artesanos, obreros y ciudadanos ordinarios, unidos tan sólo por su odio a España. La parte más fuerte de su posición se encontraba en su extremo sur, donde tenían los molinos y el modesto puente sobre el cual la escasa corriente salvaba la carretera Lisboa-Cascais. También aquí se encontraban las naves de don Gaspar de Brito, una valiosa fuente de fuego de protección si podían aproximarse lo suficiente y no eran expulsadas de su emplazamiento por Santa Cruz. Siguiendo la hondonada hacia el interior, la situación era menos favorable. Habían fortificado una casa de campo y construido atrincheramientos, pero éstos eran poco más que zanjas paralelas sin cobertura y sin defensa en sus extremos.

La estrategia de Alba, inspirada por el número ligeramente superior de sus fuerzas, consistió simplemente en extender aún más sus líneas. Se situó a los italianos, bajo el mando de

Próspero Colonna, frente al puente, cubiertos por dos baterías de artillería. El grueso de la infantería española se colocó después en el centro y Sancho Dávila llevó sus arcabuceros casi hasta Horta Navia, en el extremo de la zona derecha de los portugueses. Mientras tanto, don Hernando, aprovechando bien lo abrupto del terreno, pasó sin ser visto hasta la cabecera de la corriente y la cruzó para acechar desde el lado del campamento enemigo.[67] Al caer la noche los portugueses estaban rodeados sin haber disparado un tiro.

Actuando sobre la hipótesis de que filas tan inexpertas serían fácilmente acobardadas, los españoles pasaron gran parte de la noche aullando y disparando al azar en medio de la oscuridad. Hacia las tres, Alba se levantó, escuchó misa y se hizo transportar en la litera hasta un punto desde el cual se dominaba todo el valle. Allí, con su acostumbrada prudencia, empezó a desarrollar un plan cuyos resultados eran prácticamente seguros, pero que se ejecutaría, a pesar de todo, con precisión académica. El ataque estuvo precedido por una barrera de fuego de artillería que se prolongó hasta el amanecer, dirigiéndose el fuego más nutrido hacia las posiciones más próximas al puente. Después, tan pronto como hubo bastante luz para ver, Colonna atacó.

La resistencia portuguesa fue mucho más impetuosa de lo esperado. Tras un intervalo de feroz combate cuerpo a cuerpo, los italianos fueron rechazados, permitiendo a sus enemigos establecer un saliente en el lado del puente donde estaba Alba. Colonna estaba frenético. O no había visto los molinos o había decidido no hacer caso de ellos, y resultaron estar repletos de arcabuceros. Éstos tuvieron que ser desalojados con una serie de complejas maniobras, mientras el resto de sus hombres procuraba mantener su línea, algo descompuesta, oblicuamente al camino. Alba, que había ocultado a sus capitanes el plan general, envió a mil piqueros alemanes a reforzar la línea, pero se negó a enviar otro socorro, y pagó por ello, teniendo que soportar la agitación de sus consejeros, sumada a la agonía de la gota. Los hombres de Colonna avanzaron paulatinamente, expulsando a los portugueses de los molinos, mientras su comandante denostaba contra la flota española por permanecer inactiva frente a la costa. Hombre de tierra de la cabeza a los pies, Colonna no comprendía que la misma marea baja que mantenía alejado a Santa Cruz representaba su propia protección frente a los cañones de Gaspar de Brito. Su opinión sobre Alba en estos momentos no ha sido registrada, pero puede imaginarse.

Colonna se encontraba, claro está, en la posición clásica de todo oficial de campaña enviado a ejecutar órdenes cuya finalidad le ha sido deliberadamente ocultada. Vagamente consciente de que no parecía suceder gran cosa en otros puntos del campo, Colonna luchó como si toda la campaña dependiera de él y consiguió, sin saberlo, la impresión buscada: don Antonio, convencido de que Alba había apostado todas sus energías en la toma del puente, se presentó en persona en lo que él consideraba el núcleo del combate, y a lo largo de la mañana reforzó esta posición trasladando tropas de su derecha y su centro.

Entre las diez y las once Colonna terminó sus disposiciones para un segundo asalto. La «manga» de arcabuceros que había tomado los molinos flanqueaba ya a los portugueses en su extremo izquierdo, mientras su columna principal arrasaba el saliente portugués y se lanzaba sobre el puente. Era el momento que Alba había esperado. Con la atención del enemigo centrada, sin distracciones, sobre el puente, ordenó a Sancho Dávila que cruzara el Alcántara con 2.100 arcabuceros, que tomaron rápidamente las trincheras a la derecha de don Antonio, barriéndolas con el fuego disparado desde sus indefensos extremos. Al mismo tiempo, don Hernando bajó desde el Norte, desbaratando la retaguardia, capturando el equipaje y esparciendo el pánico casi hasta el mismo puente. Todo había concluido en una hora. Casi 2.000 hombres habían muerto entre los defensores portugueses; el resto desapareció entre los arrabales de Lisboa, y don Antonio, gravemente herido, fue sacado de allí con gran celeridad por la carretera de Santarém.[68]

Alcántara fue la última batalla de Alba. En el sentido clásico pudo también haber sido la única que libró. En Mühlberg, Jemmingen y las demás victorias de una larga carrera había recurrido a la sorpresa o a una previa desmoralización del enemigo. En su acción final, Alba congregó sus tropas y le tomó medida a su adversario al estilo de Gonzalo de Córdoba, pero, desde luego, la escala y la sustancia de la victoria eran de índole menor. Había derrotado a 10.000 hombres inexpertos con unos 12.000 que, al menos, tenían una formación ligeramente superior y estaban reforzados por un cuadro de mercenarios italianos y alemanes. Aunque le ayudó en gran medida la ineptitud de don Antonio, la cuestión nunca había despertado dudas. No se regocijó, pero es que la opinión de sí mismo de Alba se había fundado siempre en la valoración acumulada de los expertos. Una acción más en el transcurso de sesenta años no tenía gran importancia; por el contrario, estaba irritado por haberse visto obligado a combatir. Su hijo don Hernando tan sólo dijo que «los muertos han sido más de lo que hubiéramos querido»,[69] y el padre habría estado de acuerdo con certeza; sin embargo, por su esmerada planificación y su perfecta ejecución, la pequeña batalla de Alcántara mereció un adversario más temible que el Prior de Crato.

El resto de la campaña, y en realidad de la vida de Alba, fue un anticlímax, cuyo solo interés radicó en que todos los conflictos de pasadas décadas volvieron a activarse otra vez en otra ciudad extranjera más. Hacia Navidad estaba totalmente agotado, pero no habría otro alivio para él que la tumba.

A excepción de algún pillaje realizado en las afueras de Lisboa, las horas posteriores a la batalla no ofrecieron emociones. La ciudad se rindió sin incidentes y, aunque la población siguió hostil, Alba no tuvo gran dificultad para imponer su dominio. Él tan sólo deseaba preparar la llegada del rey, pero, algo que debió parecerle terriblemente anticipable, el rey no llegó.

Esta vez el motivo era la epidemia. Alcanzó Lisboa poco después que el ejército español y acabó por afectar a casi la totalidad de la población, aunque la tasa de mortalidad no superó el 10 por 100.[70] Alba mismo fue víctima de la dolencia en la última semana de septiembre, y sólo se recuperó para sufrir un acceso especialmente doloroso de gota que se prolongó durante gran parte de octubre. Su fiel secretario Albornoz no fue tan afortunado. Tras una larga lucha, tuvo un final ejemplar el 1 de octubre, sin duda proporcionando gran aliento a aquellos cuyas actividades eran tan sospechosas como habían sido las suyas.[71]

En semejantes circunstancias se consideraba un despropósito que el rey entrara en la ciudad, aunque la verdad era que el peligro era prácticamente el mismo en Badajoz. Felipe II lo demostró, estando a punto de morir de aquella epidemia sin salir de España, y el 26 de octubre perdió a la reina, Ana de Austria. Por entonces él estaba ya probablemente inmunizado, pero en ausencia de un heredero adulto es comprensible que tomara toda clase de precauciones. Envejecido, enfermo y cada vez más irritado por haber sido abandonado una vez más en una posición insostenible, Alba se halló virrey sin título del imperio portugués. Al menos en esta ocasión no tuvo que cosechar los frutos de una política represiva.

Su problema más inmediato, aparte de mantener la disciplina en un ejército privado de sus acostumbradas recompensas, era el apresamiento de don Antonio. En esto fracasó. El temible Dávila fue enviado al Norte para capturar al fugitivo, pero comprobó que no podía realizarse esto con métodos militares. Puede que el Prior de Crato fuera una figura quijotesca, pero simbolizaba las aspiraciones de muchos portugueses que estaban dispuestos a arriesgarlo todo, ocultándolo y curando sus heridas, al ir trasladándose de un lugar a otro. Don Sancho no tenía otra opción que seguir los rumores, originando nuevas bolsas de resistencia en su avance. Aunque sus operaciones militares fueran impecables, no halló sino hostilidad o las miradas vacías y confundidas de los campesinos, largo tiempo entrenados en la protección de secretos locales. Coimbra se rindió, y la resistencia seria fue finalmente quebrantada en Oporto; pero don Antonio seguía en libertad. Después de varias semanas se dirigió a Francia, pero no antes de que el asunto hubiera cobrado rasgos muy incómodos.

El no lograr capturar a don Antonio produjo las inevitables críticas en la corte. Se decía que Alba había despachado un escuadrón volante para prenderlo antes de que llegara al Norte, y algunas modernas autoridades en la cuestión se han visto obligadas a coincidir.[72] Oficialmente, Alba no lo hizo así por su resistencia a dividir fuerzas en una situación inestable,[73] pero puede que también influyera en él el desdén que sentía por su presa. Don Antonio no sería nunca rey de Portugal, y Alba no era persona para malgastar su tiempo en simples símbolos, actitud mucho menos práctica de lo que parece. No existía, desde luego, ninguna seguridad de que hubiera sido más fácil capturar al prior en septiembre que en octubre o noviembre, pero era sin duda raro que un general de corte tan clásico dejara de organizar una persecución rutinaria.

Entre esto y la creciente marea de protestas que la falta de disciplina de sus tropas levantaba, Alba se vio pronto en dificultades. El pillaje en los arrabales había sido escaso y los incidentes dentro de la ciudad insignificantes, pero la edad del duque y la extremada sensibilidad de la corte a la opinión portuguesa pesaron muy seriamente sobre los recelos del rey. Desde la perspectiva de sus súbditos, la tendencia de Felipe II a fiscalizar sus acciones era una señal de ingratitud, pero era quizá su mayor fortaleza como administrador, y constituía una parte integrante del sistema español establecido. Un hombre como Alba podía responder a una solicitud de rendir cuentas diciendo que «me sería muy fácil hacer una lista de los reinos ganados y los servicios prestados a Vuestra Majestad durante mi larga vida»[74] pero la «visita» y la «residencia» eran precedentes que no podían pasarse por alto. Era lógico que Felipe II reaccionara a las críticas enviando al doctor Francisco Villafaña, del Consejo de Castilla, a investigar, e igualmente lógico que Alba presentara la dimisión tan pronto como se enteró de ello.

Alba tenía, en efecto, un soberbio enojo, y después del 5 de diciembre sus peticiones de licencia llegaban con intervalos de dos días. Su principal argumento era que no tenía nada que hacer, como no fuera «curar a los apestados y licenciar al ejército», y que esto «no es cargo de un general»,[75] pero lo cierto es que se sentía agraviado de mil maneras. Como dijera a Zayas: «Me veo, señor, rodeado aquí de tres o cuatro cosas, cualquiera de las cuales bastaría para [hacerme] saltar por la ventana».[76] Le preocupaban, como siempre, su casa y la multitud de personas que dependían de él. Se habían enviado emisarios para tratar con los rebeldes, de modo que él se veía impedido de hacerlo a su modo,[77] y la gente empezaba a pensar que se encontraba «desterrado» y a tomarle «a chanza».[78] Ante todo, era viejo y no se encontraba bien, y mantenerlo en la ciudad apestada era, en palabras de su nuevo secretario, Arceo, una «crueldad».[79]

La respuesta del rey a todo esto fue dura, pero perfectamente adecuada a la cuestión. El duque era indispensable donde se encontraba. Si tanto le preocupaba su salud, debía marchar a Belém o San Benito.[80] Dolido en su honor, Alba respondió a vuelta de correo que permanecería donde estaba y que no sería «el primero de mi casa en haber muerto en servicio de su príncipe en Lisboa».[81] A Zayas le escribió diciendo que no le detenía el miedo a la muerte, especialmente dado que una parte tan considerable de su vida había ya concluido, y que visto lo que tenía que comer, más temía morir de hambre que de peste.[82] En cierto sentido, sus palabras fueron proféticas en ambos casos.

El rey había sido, sin duda, prudente, aunque no sería difícil censurarle por los habituales motivos de frialdad e ingratitud. Aun sin la injerencia de la corte, Alba habría deseado retirarse pronto, pero el hacerlo previamente a 1582 habría creado graves problemas. Durante un largo período, Felipe II no fue a Lisboa. Cuando lo hizo no fue para visitar la ciudad, sino para convocar, en Tomar, las Cortes que le proclamarían rey. Se precisaba entretanto de alguien del más elevado rango que administrara los asuntos del gobierno y, una vez más, Alba fue la opción apropiada. La lógica de semejante proceder es inexorable. En 1580 Alba se encontraba allí y tenía todos los requisitos necesarios. Cuando Felipe II llegó en la primavera de 1581, Alba ya no hacía falta para gobernar, pero su experiencia y sus conocimientos en la materia le hacían un consejero indispensable. Era impensable que pudiera regresar a su casa; sólo el tiempo podía librarle de las cadenas de su propia capacidad, y a los setenta y cuatro años el tiempo empezaba a faltarle.

El intervalo producido entre la caída de Lisboa y la llegada del rey fue mucho más activo de lo que Alba admitía. Había que gobernar a los apestados aunque no fuera posible curarlos y había que licenciar al ejército al margen de todo precedente. La indisciplina de los hombres, unida a la esporádica escasez de fondos, hicieron esta labor, que habría sido por lo demás rutinaria, tan difícil como Felipe II había previs-

to, y hubo momentos en que el duque estuvo a punto de enlo-
quecer.

Todo esto había que realizarlo, además, al unísono de otras responsabilidades de carácter más noble. Estaba, por ejemplo, el problema de la flota de las Indias Orientales. Portugal había carecido siempre de la población necesaria para dotar de per-sonal a un imperio remoto, y después de Alcazarquivir y la invasión de Alba, la escasez de hombres se agudizó. Durante semanas enteras la flota permaneció anclada mientras Alba procuraba encontrar personas dispuestas a hacer frente al largo viaje y a las exóticas enfermedades tropicales que aguar-daban a su fin. Felipe II indicó que podría mandar castella-nos,[83] pero el duque se negó a hacerlo. Los superiores sueldos concedidos a los portugueses serían motivo de conflicto, así como el mezclar portugueses y españoles en lugares reserva-dos en teoría a los primeros. Sería más recomendable otorgar aún mayores retribuciones a los portugueses, con la esperan-za de que la generosidad pudiera atraer personal y dejar a los españoles en su patria.[84] Al final, la flota se hizo a la mar sin la suficiente tripulación.

Estaba también la cuestión de sir Francis Drake. El 26 de septiembre desembarcó en Plymouth, tras haber circunnave-gado la Tierra durante tres años con su barco repleto de plata española. Felipe II había intentado capturarle enviando a Pe-dro Sarmiento de Gamboa a apostarse en su espera frente a la punta de América de Sur, pero el astuto inglés evitó la trampa atacando desde el Pacífico. Sarmiento regresó a España sin otra cosa que un plan para fortificar el estrecho de Magallanes en prevención de futuros ataques. El Consejo de Indias elevó la cuestión a una junta de expertos militares, entre ellos Alba y Santa Cruz, y bajo sus recomendaciones se ordenó a Al-ba que tomara las medidas pertinentes para la construcción de dos fuertes que controlaran aquel paso. Casi como posterior reflexión, Felipe II instruyó al duque para que enviara ocho barcos a las Azores como precaución adicional.

No hay nada que más claramente revele la intensidad de la confusión española ante los ataques ingleses. Felipe II era res-ponsable de una porción desmedidamente grande de la super-ficie de la Tierra. Y toda ella había de ser protegida, pero los ingleses podían aparecer en cualquier sitio y existían rumores no confirmados de que estaban disponiendo otra expedición. Puesto que se pensaba que las Azores eran favorables al Prior de Crato, el rey dedujo que éste sería un objetivo probable, pero nada ocurrió.[85]

El intento de cerrar el estrecho fue aún más desencaminado. Aunque Alba supuso que sería difícil, es evidente por su correspondencia que ni él ni el rey tenían la más leve idea de lo que suponía. En parte gracias al optimista informe de Sarmiento, nada sabían sobre la inclemencia del tiempo, los salvajes indios o el paso en torno al cabo de Hornos, descubierto por Drake, que hacía innecesaria la navegación por el estrecho. El 9 de diciembre de 1582, tras mucha confusión y una desastrosa salida en falso, se hizo a la mar una flota de veintitrés barcos repletos, entre otras cosas, de un cargamento de piedras con las que habían de construirse los fuertes.[86] Después de múltiples vicisitudes, entre las que figuraba la deserción de su superior inmediato, Sarmiento logró establecer una colonia en el estrecho en 1584. Tres años más tarde fue encontrado un único superviviente, muerto de hambre y medio loco, entre los aullidos de los furiosos vientos de Tierra del Fuego.[87]

No obstante sus resultados, por lo general dudosos, estos ejercicios en política imperial debieron representar un alivio de las obligaciones regulares de Alba. A comienzos de la primavera la epidemia se había mitigado, pero las tensiones entre españoles y portugueses seguían siendo fuertes, y el resolverlas formaba parte considerable de su rutina cotidiana. Las gentes de Lisboa no habían deseado un régimen español, e incluso cuando las fuerzas de ocupación se comportaban correctamente, su presencia suponía una continua fricción. Los elementos más respetables «creen que han de hacer a Su Majestad el favor de sus quejas... aunque sean mentiras».[88] Los más indigentes de la ciudad creaban incidentes. Uno de los peores ocurrió en la Pascua Florida de 1581. Cuatro o cinco soldados españoles, entre ellos un alférez, fueron asesinados por una turba de portugueses. Un capitán español que intentó detenerlo fue gravemente herido. Como represalia, varios españoles se dirigieron en secreto a la iglesia de Nossa

Senhora do Monte y mataron a unos cuantos fieles que iban a misa. Alba se enfureció. Arceo afirmaba: «Nunca en mi vida le he visto con una tal furia o que tanto se prolongara».[89] En palabras de Alba, el incidente era «tan repugnante y atroz» que quería ahorcar a diez de ellos,[90] pero no lo haría. Incluso su propio secretario pensaba que, «si no fuera impensable [la represalia], estuvo en parte bien hecha»,[91] y los restantes españoles coincidían. Para conservar lo que aún quedaba de la moral española, sólo se colgó a cuatro hombres en la calle donde se produjo el incidente, pero incluso tal moderación no suscitó más protestas.[92]

Esta clase de conflictos era inevitable, pero para un hombre mayor y con mala salud eran una pesada carga. Por entonces le inquietaba también la salud de su esposa. Ésta se había quedado en sus propiedades de Coria, y en marzo y abril estuvo enferma con un grave ataque de fiebres tercianas. Durante algún tiempo Alba no recibió cartas de ella y la creyó muerta, pero el rey no permitió que bajo ningún motivo abandonara su puesto. Cuando al fin escribió ella, su gratitud a Zayas por haber arreglado el envío de las cartas mostró un lado de su carácter que de ordinario no descubría: «Os debo todo el cariño que tengo por vos y la ternura con que os aprecio, y con ello todo lo que pueda hacer en todas las cosas de vuestro placer y contento.» De Felipe II sólo pudo decir: «Y en nada, señor, he dado tanta prueba de mi obediencia y mi deseo de servir a Su Majestad como en esto, pues que no he cogido una litera y he marchado a ver a mi esposa, pero los reyes no tienen los sentimientos y la ternura en el lugar donde nosotros los tenemos».[93]

Aunque Alba seguía trabajando con asombrosa energía, fue un período de frustración y resentimiento. En el sentido personal, sus horas más amenas transcurrieron en conversación con su nuevo confesor, fray Luis de Granada. Fray Luis era un año mayor que el duque y sus grandes y fervorosas obras eran muy conocidas, pero no fue su fama lo que le ganó el afecto de Alba. La serenidad de su fe, la límpida pureza de su plática y la sencillez de su carácter movieron a Alba a decir de él: «Es el hombre del mundo que más lejos está de sus cosas».[94] Fray Luis de Granada era la perfecta guía espiritual para un hombre mayor cansado de sangre e intrigas y de la deslealtad de los reyes. Alba había disfrutado siempre con la conversación de los hombres píos, y al final de su vida fue un gran consuelo para él descubrir la de fray Luis de Granada. Con la llegada del rey el 29 de junio de 1581, Alba desaparece en gran medida de los anales de la historia. Permaneció en Lisboa, presumiblemente como consejero, pero su proximidad a la corte volvió a hacer innecesaria la correspondencia. En algún momento del otoño de 1582 cayó enfermo con una dolencia cuyo carácter exacto se desconoce. De vuelta en Madrid, Granvela supo que el duque sufría de diarrea y una fiebre lenta, y que había sido amamantado con leche materna para mantenerlo vivo,[95] pero dichas medidas fueron al fin en vano. No pudiendo ingerir alimentos, murió el 12 de diciembre de 1582.

En la Biblioteca Nacional de Madrid hay una hermosa carta de consuelo escrita a la duquesa por fray Luis de Granada. En ella describe con cierta minuciosidad un fin digno de un santo. Aunque su enorme debilidad no le permitía casi rezar con la extensión acostumbrada, una de sus últimas confesiones fue «en forma de un diálogo con nuestro Señor tan inspirado que habría convertido a un gran pecador. Otra señal de predestinación fue el placer y el consuelo que recibía de hablar de nuestro Señor, cosa que no he visto nunca en una persona de su categoría». Una de sus frases se destaca casi como un epitafio: «Él me certificó con verdad que en su conciencia no pesaba el haber derramado en toda su vida una sola gota de sangre contraria a ella»[96]

1. Alfonso Danvila, *Felipe II y la sucesión de Portugal* (Madrid, 1956), pp. 5-6.

2. Alba a Delgado, 23 de febrero de 1580, *DIE*, 32, pp. 17-20.

3. Geoffrey Parker, *The Army of Flanders and the Spanish Road, 1567-1656* (Cambridge, 1972), p. 42.

4. Véase el comentario de Alba, con fecha de 2 de abril de 1580, en AGS GA99, f. 45.

5. Alba a Delgado, 22 de febrero de 1580, *DIE*, 32, pp. 15-17.

6. Alba a Delgado, 20 de febrero de 1580, *DIE*, 32, pp. 9-14.

7. Albornoz a Zayas, 11 de abril de 1580, *DIE*, 34, pp. 365-66.

8. Felipe II a Alba, 14 de junio de 1580, *DIE*, 34, pp. 507-13.

9. Alba a Delgado, 18 de abril de 1580, *DIE*, 32, pp. 82-83.

10. Alba a Felipe II, 18 de abril de 1580, *DIE*, 32, pp. 84-89.

11. Alba decía sentirse escandalizado por ello: Alba a Delgado, 2 de abril de 1580, *DIE*, 32, pp. 33-37.

12. *Ibíd.*

13. I. A. A. Thompson, *War and Government in Habsburg Spain, 1560-1620* (Londres, 1976), pp. 210-11.

14. Alba a Delgado, 30 de junio de 1580, *DIE*, pp. 32, 188.

15. Véase, por ejemplo, *DIE*, 34, pp. 472-75 y 489.

16. Alba a Delgado, 1 de mayo de 1580, *DIE*, 34, pp. 435-42.

17. *DIE*, 34, pp. 423, 437 y 458-59.

18. Alba a Felipe II, 5 de julio de 1580, AGS GA99, f. 146.

19. El término es utilizado por J. Suárez Inclán, *Guerra de Anexión en Portugal* (Madrid, 1897), I, p. 226.

20. *DIE*, 34, pp. 437-38.

21. Suárez Inclán, I, pp. 214 y 218-20.

22. *Ibíd.*

23. Alba a Felipe II, 30 de junio de 1580, *DIE*. 32, pp. 183-84.

24. Alba a Felipe II, 3 de julio de 1580, *DIE*, 32, pp. 195-98.

25. Alba a Felipe II, 1 de julio de 1580, *DIE*, 34, pp. 529-30.

26. Alba a Delgado, 1 de julio de 1580, *DIE*, 34, p. 531.

27. Alba a Felipe II, 5 de julio de 1580, *DIE*, 34, pp. 549-51.

28. Albornoz a Zayas, 6 de julio de 1580, *DIE*, 34, pp. 568-69.

29. Albornoz a Zayas, 8 de julio de 1580, *DIE*, 32, pp. 211-12.

30. Alba a Felipe II, 9 de julio de 1580, *DIE*, 34, pp. 216-19.

31. Albornoz a Zayas, 9 de julio de 1580, *DIE*, 32, pp. 212-13.

**32.** Alba a Felipe II, 10 de julio de 1580, *DIE*, 32, pp. 322-25.

**33.** Alba a Felipe II, 5 de julio de 1580, *DIE*, 34, pp. 547-49.

**34.** Alba a Zayas, 16 de mayo de 1580, *DIE*, 32, pp. 144-45. Véanse también sus preocupaciones por la seguridad de Felipe II: Alba a Delgado, 20 de febrero de 1580, *DIE*, 32, pp. 9-14, y Alba a Zayas, 3 de abril de 1580, *DIE*, 32, pp. 38-39. Existe alguna evidencia de que Zayas influía en esta actitud; éste se oponía a Moura y sus planes por otros motivos: véase Danvila, p. 24.

**35.** Alba a Felipe II, 3 de julio de 1580, *DIE*, 32, pp. 195-98.

**36.** Albornoz a Zayas, 5 de julio de 1580, *DIE*, 32, pp. 199-201; Felipe II a Alba, 7 de julio de 1580, *DIE*, 34, pp. 571-74, para la aprobación regia.

**37.** Alba a Felipe II, 6 de julio de 1580, *DIE*, 32, pp. 202-5.

**38.** Felipe II a Alba, 9 de julio de 1580, *DIE*, 34, pp. 576-79.

**39.** Alba a Felipe II, 10 de julio de 1580, *DIE*, 32, pp. 226-27.

**40.** Alba a Felipe II, 5 de julio de 1580, *DIE*, 34, pp. 547-49.

**41.** Alba a Delgado, 29 de junio de 1580, *DIE*, 34, pp. 516.

**42.** De sus posteriores quejas a Delgado, 19 de julio de 1580, *DIE*, 32, p. 283.

**43.** Alba a Delgado, 12 de julio de 1580, *DIE*, 32, pp. 236-38.

**44.** Alba a Delgado, 15 de julio de 1580, *DIE*, 32, pp. 253-54. Al final, se dejó vivir a los bueyes para transportar la artillería.

**45.** Suárez Inclán, I, pp. 210-11.

**46.** Los informes de Alba al rey sobre la toma de Setúbal se encuentran en *DIE*, 32, pp. 267-70 y 276-81.

**47.** Alba a Felipe II, 18 de julio de 1580, *DIE*, 32, pp. 276-81.

**48.** Véase la *Relación* en *DIE*, 40, pp. 358-61.

**49.** Alba a Felipe II, 5 de agosto de 1580, *DIE*, 32, pp. 362-64.

**50.** Ambos incidentes están descritos en Alba a Felipe II, 25 de julio de 1580, *DIE*, 32, pp. 316-19.

**51.** Sus deliberaciones están registradas en Alba a Felipe II, 27 de julio de 1580, *DIE*, 32, pp. 319-24.

**52.** El duque había considerado seriamente esta opción ya en julio, pero su solicitud de barcas no había recibido respuesta: Alba a Felipe II, 9 de julio de 1580, *DIE*, 32, pp. 219-21.

**53.** La relación de Alba sobre el desembarco se encuentra en *DIE*, 32, pp. 337-41.

**54.** Suárez Inclán, I, p. 362.

**55.** La toma de Cascais está descrita por Alonso Zimbrón Velarde, que participó en ella, en *DIE*, 40, pp. 364-70; véase Suárez Inclán, I, pp. 365-66.

**56.** Hay un extenso análisis de las cuestiones legales y morales en Suárez Inclán, I, pp. 364-74.

**57.** Pedro Bermúdez a Delgado, 2 de agosto de 1580, *DIE*, 32, pp. 352-54.

**58.** Alba a Felipe II, 6 de agosto de 1580, *DIE*, 32, pp. 368-69.

**59.** Alba a Felipe II, 11 de agosto de 1580, *DIE*, 32, pp. 378-82.

**60.** Alba a Felipe II, 5 de agosto de 1580, *DIE*, 32, pp. 365-68.

**61.** El sitio está descrito en *DIE*, 32, pp. 378-82, 386-87 y 389-91.

**62.** Estas cartas se encuentran en *DIE*, 32, pp. 295-96, 407-10 y 414-16.

**63.** Alba a Felipe II, 17 de agosto de 1580, *DIE*, 32, pp. 417-21.

**64.** Alba a Felipe II, 20 de agosto de 1580, *DIE*, 32, pp. 426-30. Hay una amplia relación de estos hechos en Alba a Felipe II, 17 de agosto de 1580, *DIE*, 35, pp. 91-96.

**65.** Alba a Felipe II, 23 de agosto de 1580, *DIE*, 32, pp. 443-44.

**66.** Alba a Felipe II, 23 de agosto de 1580, *DIE*, 32, pp. 447-48.

**67.** Las disposiciones de Alba por escrito se encuentran en *DIE*, 7, pp. 327-33.

**68.** El relato de Alba sobre estos sucesos está en su carta a Felipe II, 25 de agosto de 1580, *DIE*, 32, pp. 455-59. Véase también Suárez Inclán, II, pp. 1-35. Para los movimientos de don Hernando, véase su carta a Diego de Córdoba, 25 de agosto, *DIE*, 40, pp. 373-76.

**69.** Hernando a Diego de Córdoba, 25 de agosto, *DIE*, 40, pp. 373-76.

**70.** «Relación de la junta de breadores y médicos», 29 de noviembre de 1580, *DIE*, 33, pp. 260-63.

**71.** Arceo a Zayas, 12 de octubre de 1580, *DIE*, 33, pp. 139-41.

**72.** Suárez Inclán, II, pp. 76-79.

**73.** Véase la defensa de don Hernando de su padre en *DIE*, 31, pp. 228-30.

**74.** Berwick y Alba, *The Great Duke of Alba as a Public Servant* (Londres, 1947), p. 24.

**75.** Alba a Zayas, 5 de diciembre de 1580, *DIE*, 33, pp. 294-95, y 15 de diciembre de 1580, *DIE*, 33, pp. 335-40.

**76.** Alba a Zayas, 12 de diciembre de 1580, *DIE*, 33, pp. 330-31.

**77.** Alba a Zayas, 15 de diciembre de 1580, *DIE*, 33, pp. 335-40.

**78.** Alba a Zayas, 5 de diciembre de 1580, *DIE*, 33, pp. 294-95.

**79.** Arceo a Zayas, 11 de diciembre de 1580, *DIE*, 33, pp. 324-25.

**80.** Felipe II a Alba, 15 de diciembre de 1580, *DIE*, 33, pp. 341-43.

**81.** Alba a Felipe II, 18 de diciembre de 1580, *DIE*, 33, pp. 347-48. La referencia es a la muerte de Fernán Álvarez en época de Enrique II.

**82.** Alba a Zayas, 18 de diciembre de 1580, *DIE*, 33, pp. 345-46.

83. Felipe II a Alba, 15 de febrero de 1581, *DIE*, 34, pp. 40-41.

84. Alba a Felipe II, 23 de febrero de 1581, *DIE*, 34, pp. 53-55.

85. Felipe II a Alba, 10 de febrero de 1581, *DIE*, 34, pp. 11-12, y 1 de marzo, *DIE*, 34, pp. 75-76.

86. La correspondencia sobre esto se encuentra en *DIE*, 34, pp. 59-60, 71-74, 76-77 y 116-17.

87. Hay una descripción de este episodio en C. Fernández Duro, *Armada Española* (Madrid, 1896), II, pp. 353-74. Véase también Richard Hakluyt, *The Principle Voyages, Traffiques & Discoveries of the English Nation* (Glasgow, 1904), VIII, p. 284.

88. Alba a Zayas, 17 de febrero de 1581, *DIE*, 34, pp. 14-16.

89. Arceo a Zayas, 31 de marzo de 1581, *DIE*, 34, pp. 185-87.

90. Alba a Felipe II, 5 de abril de 1581, *DIE*, 34, pp. 203-6.

91. Arceo a Zayas, 31 de marzo de 1581, *DIE*, 34, pp. 185-87.

92. Véase, por ejemplo, Arceo a Zayas, 5 de abril de 1581, *DIE*, 34, pp. 207-8.

93. Alba a Zayas, 27 de abril de 1581, *DIE*, 34, pp. 273-75.

94. Alba a Zayas, 5 de marzo de 1581, *DIE*, 34, pp. 89-93.

95. Granvela a Cristóbal de Salazar, 10 de diciembre de 1582, *DIE*, 35, pp. 354-56.

96. BN MS 2058, ff. 82-85.

# Epílogo

En noviembre de 1619, pasada toda una generación posterior a la muerte de Alba, su nieto, el quinto duque, don Antonio, decidió trasladar los restos de su abuelo del convento de San Leonardo, en Alba de Tormes, al convento dominico de San Esteban, de Salamanca. Fue sólo uno de los muchos traslados, pues los huesos de Alba no han podido descansar en paz. En el transcurso del cambio de lugar, don Antonio hizo que se levantara la tapa del féretro, hecho lo cual, para asombro de los presentes, se hincó de rodillas de inmediato en un gesto de humanidad y respeto. El duque estaba como había sido en vida. «La compostura de su expresión, la gravedad de sus canas, la autoridad de un ser superior no se habían perdido.» Los anonadados testigos acordaron que «era sobrehumano».

Muerto y vivo, ésta es la impresión que Alba producía en los que le conocían. El biógrafo concienzudo, siguiendo las huellas de un hombre a través de una larga vida de duras opciones, se pierde, y acaso pierde a su personaje, en los caminos secundarios del pormenor y la explicación justificativa. Las verrugas, las imperfecciones, los accesos de ira y los errores pueden hacerle olvidar que está tratando con un héroe. Alba fue un héroe para unos y un malvado para otros, pero su figura siempre fue memorable. Las razones de que así sea son en cierto modo evidentes.

Alba fue indiscutiblemente el más grande soldado de su generación, reconocido como tal incluso por los que le detestaban. Puede que sus ideas sobre la guerra no fueran románticas ni atractivas, pero estaban firmemente arraigadas en la realidad de su época y lograban resultados. Sería tentador sostener que fue, como Napoleón, el creador de toda una concepción de la guerra, pero semejante afirmación sería antihistórica en ambos casos. A los generales les gusta, con frecuencia, creer que las revoluciones militares brotan totalmente terminadas del genio de los grandes capitanes. Alba, con todos sus defectos, sabía que no era así. De inteligencia práctica y personalidad saturnina, no tenía pretensiones ni hacía elevadas manifestaciones teóricas. En el campo de batalla buscaba tan sólo adaptarse a las condiciones con las que contaba, y lo hacía con inteligencia, valor y una maestría técnica que era el asombro de su tiempo. Su estilo como comandante era extraordinariamente sencillo. Nada le importaba la gloria, en su sentido corriente, pero sí mucho el bienestar de sus tropas. Cuando murió, endurecidos veteranos, desde Flandes a Portugal, exclamaron: «Ha muerto el padre de los soldados», y lloraron.

También como hombre de Estado superó al hombre medio. Aunque dirigió una amplia variedad de misiones diplomáticas y lo hizo bien, su principal contribución fue como consejero y analista. En esto tan sólo Granvela le igualó, e incluso en este caso la opinión de Alba fue en ocasiones más aguda. Su atinado juicio era producto de una mezcla de rasgos de carácter. Alba veía con claridad cristalina los fines de la política exterior, pero era al mismo tiempo lo bastante experimentado para ser flexible en cuanto a los medios. Si hubo ocasiones en que su reacción fue excesiva, como en la captura de los barcos del dinero por parte de Isabel I, era generalmente un hombre paciente y cauto. Esto parece haberse originado en su pesimismo de soldado. Adoraba a un dios que no tenía predilectos y no perdonaba la negligencia. Su señor podía permitirse enviar flotas y ejércitos con un devoto «Dios proveerá», pero Alba había presenciado fracasos y catástrofes que superaban la imaginación del rey, nutrida en el entorno doméstico, y no gustaba de dejar las cosas al azar. Paradójicamente, este sentido de las limitaciones le hizo en ocasiones parecer temerario y original, como cuando insistió en que se cedieran los Países Bajos antes que Milán en Crépy, pero, más frecuentemente, dio pábulo a los necios para que le tacharan de cobarde. Poco importaba. A menudo acertaba y siempre valía la pena escucharle, y puesto que tenía pronto el desdén, poco se le daban las opiniones de los demás, a menos que parecieran influir en el rey. Entonces ponía en juego toda su formidable habilidad de abogado. Enérgico, bien informado y vivamente elocuente, era sin duda el tirador certero que Ruy Gómez temiera.

Pero nada de esto explica su captación de la imaginación popular. A Alba se le recuerda no porque fuera un gran soldado y político, sino porque es un símbolo. Para una de las «dos Españas», es un compendio de virtudes: devoto, espartano, valeroso, prudente y, ante todo, leal, no sólo a su Iglesia y su rey, sino a los duros valores de aquella tierra de «santos y piedras» que engendró al Siglo de Oro. Gran parte del resto del mundo le considera, en consecuencia, compendio de intolerancia, crueldad y áspero fanatismo, realmente el Herodes de Brueghel en carne y hueso.

El gesto casi convencional en semejantes casos es lamentarse de que se haya perdido el hombre bajo el símbolo, pero hay que evitar la tentación. Alba era humano, algunas veces en exceso, pero quería ser el símbolo en que se convirtió, y cultivó la virtud –entendida a su modo– con fiera determinación. Su vida, en términos generales, fue ejemplar, demostración viva de las más austeras virtudes, antiquísimas, así como cristianas. Sólo fracasó en los Países Bajos, pero el fracaso fue tan catastrófico que se convirtió en piedra de toque ideológica para futuras generaciones. La ironía reside en que acaso un hombre menos virtuoso no hubiera fallado tan terriblemente o, al menos, no hubiera hecho correr tanta sangre.

Claro está que es perfectamente posible que, en opinión de Alba, no hubiera tal fracaso. Murió creyendo en la rectitud de su causa y en la fundamental solidez de su política, y es posible que no se equivocara. Si es que hay luchas donde estén en juego principios esenciales, aquellos que han dedicado sus vidas a dichos principios están moralmente obligados a defenderlos, incluso frente a la derrota y la muerte. Las únicas retiradas permisibles son las de índole estratégica o transitoria, y los límites a la acción son virtualmente inexistentes. La convicción tiene un precio, y este precio es el sufrimiento humano; mas ¿es posible ser creyente y ser, no obstante, tolerante? Alba no lo creía, y estaba dispuesto a aceptar las consecuencias de su certidumbre. Es por este motivo por el que negaría desde su tumba nuestros juicios. Los símbolos son como la cabeza de Jano, y cada uno de sus semblantes refleja el carácter de quien los mira. Alba ha de aceptarse como era. Si apreciamos en ello paradojas, somos nosotros los que hemos de vivir con ellas, y es quizá esto lo que hizo que el quinto duque se desplomara de rodillas con sorpresa y consternación.

# Unas notas sobre las fuentes

El punto de partida para cualquier estudio sobre Alba es su Epistolario, 3 volúmenes (Madrid, 1952), una colección donde se publican o se proporciona la localización de 2.714 de sus cartas. Editado bajo la dirección del X Duque de Berwick y XVII de Alba, incluye prácticamente todas las cartas personales del duque que se hallan en el Archivo de la Casa de Alba (Madrid), la *British Library* (Londres), la *Bibliothèque Nationale* (París), el Archivo Vaticano y el Archivo General de Simancas. Esta obra ha sido criticada por errores menores en fechas y transcripciones y por la decisión del editor de modernizar la ortografía, pero cada una de las cartas ha sido verificada con la original, y no puede decirse que estas faltas disminuyan en gran medida su valor para el historiador. Pero es una obra, sin embargo, que ha de utilizarse en unión a la *Colección de documentos inéditos para la historia de España*, 113 volúmenes (Madrid, 1842-1895). Muchas de las cartas del duque llegaron hasta el archivo real de Simancas y fueron publicadas en varias secciones de esta monumental obra. Antes que volver a reproducirlas en el Epistolario, se prefirió proporcionar las referencias de volumen y página.

Se encontraron otras cartas de Alba en la Biblioteca Vaticana y en la Biblioteca Koninklijke, de La Haya. La enorme colección de documentos sobre Alba en los Archives Générales du Royaume, en Bruselas, son en gran medida duplicados de lo que se conserva en Simancas, pues generalmente se guardaban copias de todos los despachos enviados a Madrid. La excepción la constituye una serie de cartas administrativas de rutina, cuyo interés se creyó puramente local. Se encuentra en los *Papiers d'État de l'Audience*. Alba también redactó memorandos sobre diversos asuntos, en su mayoría de índole militar. Unos cuantos han sido publicados en los *Documentos inéditos*, pero la mayoría siguen en las secciones de Estado, Estado-Castilla y Guerra Antigua del archivo de Simancas y en la sección de manuscritos de la Biblioteca Nacional de Madrid. Las cartas a las que Alba responde son más difícilmente localizables. Muchas se han conservado en el Archivo de los Duques de Alba, pero muchas otras están diseminadas por los inmensos fondos de Simancas. La mayoría de éstas se encuentran en la sección de Estado y las correspondientes a los Países Bajos han sido catalogadas por M. Van Durme.

Existen otras numerosas colecciones de correspondencia que tratan sobre Alba y los sucesos en que participó, pero su utilidad varía. Los papeles del Cardenal Granvela son particularmente interesantes. Muchos de ellos han sido reunidos en dos grandes series publicadas, los *Papiers d'État du Cardinal de Granvelle*, ed. C. Weiss (9 vols., París, 1841-1852) y la *Correspondance du Cardinal de Granvelle*, 1556-1586, ed. E. Poullet y C. Piot (12 vols., Bruselas, 1877-1896). Constituye un tributo a la energía del Cardenal el que estos veintiún volúmenes tan sólo recojan una porción de su trabajo. Otras colecciones no publicadas de sus cartas pueden encontrarse en la Biblioteca Municipal de Besançon y en la Biblioteca del Palacio Real de Madrid. Otra excelente serie de documentos publicados es la *Correspondance française de Marguerite d'Autriche, Duchese de Parme, avec Philippe II*, ed. J. S. Theissen y H. A. Enno van Gelder (3 vols., Utrecht, 1925-1942). Muchos de los papeles de Mateo Vázquez y Luis de Requesens se encuentran en el Instituto Valencia de Don Juan de Madrid.

La *Correspondance de Philippe II sur les affaires des Pays-Bas, 1558-1577*, ed. L.-P. Gachard (5 vols., Bruselas, 1848-1879) es una serie de resúmenes extraídos de una selección de cartas. Éstas están bien elegidas e inteligentemente resumidas, pero, como ocurre en estos casos, es difícil sustituir a los originales, que se encuentran en Simancas y Bruselas. Lo mismo es en gran medida aplicable a los monumentales *Calendars of State Papers*, publicados en Inglaterra. Las series de *Foreign* (Extranjero), *Roman* (Romanos), *Spanish* (Españoles) y *Venetian* (Venecianos) cuentan todas con información sobre Alba y los sucesos tratados en este libro, pero los documentos están o bien resumidos o traducidos al inglés, a menudo con considerable licencia. Los informes del embajador véneto en España se hallan en Eugenio Albèri, ed., *Le relazioni degli ambasciatori veneti al Senato*, serie 1 (6 vols., Florencia, 1839-1863). Son bastante útiles, especialmente en lo concerniente a los años centrales de la vida de Alba, pero como los informes de los embajadores en los *Calendars of State Papers*, contienen gran cantidad de murmuraciones inservibles e información errónea.

Las fuentes secundarias sobre este período comienzan con dos excelentes estudios generales, *Imperial Spain*, 1469-1716 (Nueva York, 1963), de J. H. Elliot, y *Spain under the Hapsburgs*, vol. 1 (Oxford, 1964), de John Lynch. La obra de F. Braudel, *La Méditerranée et le monde méditerranéen à l'époque de Philippe II* (2 vols., París, 1966), es esencial para entender los límites y posibilidades del mundo de Alba y contiene valiosos apuntes sobre el arte de la guerra en el siglo XVI. La biografía más autorizada de Carlos V es la de Karl Brandi (Munich, 1937). Ésta se centra en los intereses alemanes del emperador y ha de ser complementada con la obra de M. Fernández Álvarez, *Carlos V*. Fernández Álvarez es autor también de un libro mucho más extenso, *La España de Carlos V*, volumen XVIII de la *Historia de España*, ed. R. Menéndez Pidal (Madrid, 1966). A diferencia de los volúmenes que tratan sobre Felipe II en dicha obra, escritos por L. Fernández y Fernández de Retana, es bastante útil.

Felipe II, figura largamente descuidada, ha empezado a recibir al fin una atención seria tras una serie de biografías de poca importancia y a menudo polémicas. El libro de Peter Pierson, *Philip II of Spain* (Londres, 1975), constituye un excelente resumen de su carrera política, y el de Geoffrey Parker, *Philip II* (Boston, 1978), proporciona una visión más personal y anecdótica del carácter complejo y, en ocasiones, opaco del monarca. Una excelente fuente contemporánea, la obra de Luis Cabrera de Córdoba, *Felipe II, Rey de España* (1619) (4 vols., Madrid, 1876-1877), sigue siendo indispensable por la luz que arroja sobre su reinado en general, y especialmente sobre los acontecimientos de la corte, que Cabrera describe pormenorizadamente. Las ideas políticas tanto de Felipe II como de su padre, esenciales para entender el papel de Alba en los Países Bajos y en otros lugares, están adecuadamente descritas por Fernández Álvarez en su *Política mundial de Carlos V y Felipe II* (Madrid, 1966). Para la juventud de Felipe II e interesantes perfiles de Alba y su gran rival Ruy Gómez de Silva está el valioso libro *Niñez y juventud de Felipe II* (2 vols., Madrid, 1941), de J. M. March.

Los colaboradores y enemigos de Alba en la corte han sido tratados más escasamente. No existen biografías de Ruy Gómez de Silva y, debido a la destrucción de sus papeles, puede que nunca las haya. Granvela, sin embargo, ha sido estudiado por M. Van Durme, *El Cardenal Granvela* (Barcelona, 1957, traducción de la edición flamenca de 1953 publicada en

Bruselas), y por Martin Philippson, *Ein Ministerium unter Philipp II:*
*Kardinal Granvella am spanischen Hofe 1579-1586* (Berlín, 1895). Este último es útil para conocer lo ocurrido en la corte durante el destierro de Alba
y su subsiguiente estancia en Portugal. *Francisco de Cobos, Secretary of the*
*Emperor Charles V* (Pittsburgh, 1960), de Hayward Keniston, es una obra
sólida pero algo decepcionante en la medida en que no sitúa a esta importantísima figura en su contexto. A su *Garcilaso de la Vega: A Critical Study*
*of His Life and Works* (Nueva York, 1922) puede aplicársele el mismo tipo
de crítica, aunque hay que señalar que Keniston no era historiador, sino un
especialista en literatura española, y su interés en cuestiones históricas de
mayor alcance parece haber sido mínimo. El libro de A. González Palencia,
*Gonzalo Pérez, secretario de Felipe II* (2 vols., Madrid, 1946), es también
decepcionante. Contiene gran cantidad de información aprovechable, pero
tiene muchos errores de datos e interpretación y se simplifica excesivamente la relación entre el secretario y Alba. El *Antonio Pérez* (2 vols., Madrid,
1963) de Gregorio Marañón es algo mejor. Aunque no totalmente falto de
equivocaciones y excentricidades, es un retrato creíble de aquel hombre,
que exhibe una extraordinaria intuición en sus descripciones de la vida de la
corte y las disputas banderizas que con tanta frecuencia dejan de tratar o no
entienden otros autores. La persona que relevó a Alba en los Países Bajos,
Luis de Requesens, no ha encontrado aún su biógrafo, pero hay un estudio
monográfico sobre estos años en Milán: J. M. March, *El Comendador Mayor*
*de Castilla, don Luis de Requesens, en el gobierno de Milán, 1571-1573*
(Madrid, 1946), y dos artículos de A. W. Lovett: «A New Governor for the
Netherlands: The Appointment of Don Luis de Requesens, Comendador
Mayor de Castilla», *European Studies Review*, I, núm. 2 (1917), pp. 89-103,
y «The Governorship of Don Luis de Requesens, 1573-1576: A Spanish
View», *European Studies Review*, núm. 3 (1972). Lovett es también autor de
*Philip II and Mateo Vázquez* (Ginebra, 1977), una monografía que no pretende ser una biografía, pero que contiene gran cantidad de información
sobre la vida y la carrera del secretario. Para los diversos Papas con los cuales hubo de tratar Alba, la venerable obra de Ludwig von Pastor, *The*
*History of the Poprs from the Close of the Middle Ages*, 24 vols., sigue siendo la obra más autorizada. Yo he utilizado la edición de St. Louis de 1936.
    El trasfondo familiar de Alba y los primeros años de su vida han de ser
reconstruidos a base de diversas fuentes cuyo interés en la casa de Alba es,
en el mejor de los casos, tangencial. Una excepción a esta regla es un artículo del Duque de Berwick y Alba: «Biografía de doña María Enríquez, mujer
del Gran Duque de Alba», *Boletín de la Real Academia de la Historia,*

CXXI (1947), pp. 7-39. Otra es el libro de Salcedo Ruiz, *Un bastardo insigne del Gran Duque de Alba: el prior don Hernando de Toledo* (Madrid, 1903). Desgraciadamente, el autor confunde del todo a este personaje con otro del mismo nombre, y el libro es virtualmente inútil. Ello es una lástima, pues don Hernando fue una de las figuras más influyentes e importantes en la última parte del reinado de Felipe II. Por lo demás, las mejores fuentes en relación con la familia son las crónicas publicadas por la Biblioteca de Autores Españoles (BAE): Enríquez del Castello, *Crónica del Rey Don Enrique el Cuarto de este nombre* (BAE 70, vol. III, pp. 99-222); Francesillo de Zúñiga, *Crónica* (BAE 36); Hernando de Pulgar, *Crónica de los Señores Reyes Católicos* (BAE 70, vol. III, pp. 225-565), y Prudencio Sandoval, *Historia de la vida y los hechos del Emperador Carlos V* (BAE 80-82). Esta última, junto a la obra de Alonso de Santa Cruz, *Crónicas del Emperador Carlos V* (5 vols., Madrid, 1920-1922), es útil para los primeros veinte años de la carrera del duque. Para aquellos interesados en la genealogía de Alba, existe gran cantidad de información, y la mayoría se encuentra resumida en J. Paz y Espeso, *Árboles genealógicos de la Casa de Berwick, Alba y agregadas* (2.ª ed., Madrid, 1948). Los que deseen una perspectiva de los hechos de los antepasados inmediatos de Alba deben consultar la excelente monografía de Luis Suárez Fernández, *Nobleza y monarquía en la Castilla del siglo XV* (Madrid, 1963).

Las fuentes sobre las primeras campañas de Alba y sobre su acción en Italia se tratan en las notas de los capítulos II-V. Constituyen una colección de documentos, testimonios coetáneos y algunos otros productos menos sugerentes de la erudición francesa y alemana de fines del siglo XIX. En esta ocasión las excepciones son los volúmenes de Von Pastor sobre Paulo III y Paulo IV, que proporcionan una narración bastante coherente de un período extremadamente complejo. El libro de F. Martín Arrue, *Campañas del Duque de Alba* (2 vols., Toledo, 1880), ha de ser utilizado con gran precaución, pero el de L. de Ávila y Zúñiga, *Comentario de la Guerra de Alemania* (BAE 21, pp. 410-49), es una excelente relación coetánea de las guerras Smalkaldas. Son también escasas las fuentes secundarias sobre la política interior española y la vida de la corte, pero en 1969 aparecieron dos que tratan el tema de los secretarios con el estilo curiosamente distante característico de las historias institucionales: J. A. Escudero, *Los Secretarios de Estado y del Despacho, 1474-1724* (4 vols., Madrid, 1969), y A. Yalí Román Román, «Origen y evolución de la Secretaría de Estado y de la Secretaría del Despacho», *Jahrbuch für Geschichte von Staat, Wirtschaft und Gesellschaft Lateinamerikas*, VI (1969), pp. 41-42.

Los Países Bajos han recibido abundante atención. El mejor estudio moderno es *The Dutch Revolt* (Londres, 1977), de Geoffrey Parker, pero sigue valiendo la pena leer el libro de Pieter Geyl, *The Revolt of the Netherlands* (2.ª ed., Londres, 1962), aun si algunas de sus tesis fundamentales han sido muy criticadas por posteriores historiadores. Uno de sus críticos más vehementes es Charles Wilson en su *Queen Elizabeth and the Revolt of the Netherlands* (Berkeley, 1970). La cuestión de los Países Bajos está, sin duda, preñada de escollos emotivos e ideológicos, y pocos autores tropezaron con ellos con mayor entusiasmo que J. L. Motley en su magnífica obra *The Rise of the Dutch Republic* (3 vols., Nueva York, 1855). Aunque es violentamente antiespañola, se trata de una narración excelentemente trabajada y escrita con brillantez, que proporciona más información sobre la sublevación que ninguna otra fuente en lengua inglesa. Sus posteriores reediciones son demasiado numerosas para hacer referencia a ellas aquí; yo he utilizado la edición londinense de 1886 para todo mi trabajo. Sobre los orígenes de la sublevación, existe una excelente tesis doctoral de P. D. Lagomarsino, presentada en la Universidad de Cambridge, «Court Factions and the Formulation of Spanish Policy towards the Netherlands, 1559-1567» (1973).

Existe también una serie de monografías sobre aspectos específicos de la revuelta. En relación con el aspecto militar, hay que partir de la obra de Geoffrey Parker, *The Army of Flanders and the Spanish Road, 1567-1659* (Cambridge, 1972), un trabajo esencial para entender la organización militar española en las guerras del siglo XVI en general. «Spain, Her Enemies and the Revolt of the Netherlands», Past and Present, núm. 49 (1970), pp. 72-95, del mismo autor, relaciona los problemas militares con el resto de la situación española, haciendo especial hincapié en la amenaza turca sobre el Mediterráneo de esta época, mientras que *War and Government in Habsburg Spain, 1560-1620* (Londres, 1976), de I. A. A. Thompson, trata primordialmente sobre los efectos de la guerra en la administración española. Para una descripción narrativa de la lucha en 1568 y en 1572-73, es difícil igualar el testimonio presencial de Bernardino de Mendoza, *Comentario de lo sucedido en las guerras de los Países Bajos* (BAE 28, pp. 389-570). Mendoza es, claro está, resueltamente español en sus opiniones, pero es, comprensiblemente, menos vitriólico que los escritores holandeses, cuyos trabajos aparecieron más tarde. Entre éstos, P. C. Bor, *Oorspronk, begin en vervolgh der Nederlandsche oorlogen* (4 vols., Amsterdam, 1679), P. C. Hooft, *Nederlandsche Historiën sedert de ooverdraght der heerschappye van Kaiser Karl den Vijfden op Kooning Philips zijnen zoon* (4 vols.,

Amsterdam, 1642), y E. Van Meteren, *Historie der Nederlandschen ende Haerder naburen oorlogen einde geschiedenissen* ('s Gravenhage, 1614), son probablemente los mejores, pero ninguno de ellos es coetáneo y han de utilizarse con mucho cuidado. Los cambios geográficos de la región se describen ópticamente en *The Making of the Dutch Landscape: An Historical Geography of the Netherlands* (Londres, 1971), de A. M. Lambert.

Como en el caso de las personas asociadas a Alba en España, escasean las buenas biografías de sus amigos y adversarios en los Países Bajos. Incluso al afamado Guillermo de Orange se le ha negado el tratamiento que merece. El libro de C. V. Wedgwood, *William the Silent* (Londres, 1956), está bien escrito, pero es hagiográfico y fundamentado en tan sólo una fracción de las fuentes disponibles. El de Felix Rachfahl, *Wilhelm von Oranien und der Niederländische Aufstand* (4 vols., Halle y La Haya, 1906-1942), es mucho más pormenorizado y exacto, pero está casi enteramente limitado a los años de la década de 1560. Viglius es objeto de un compendio curioso y voluminoso: C. P. Hoynck van Papendracht, *Analecta Belgica seu vita Viglii ab Aytta Zwichemi ab ipso Viglio scripta*, 3 vols. (La Haya, 1743), y sus *Mémoires* están incluidas en la *Collection de mémoires relatifs à la histoire de Belgique*, II (Bruselas, 1850), pero no cuenta con una verdadera biografía. Margarita de Parma, los condes de Egmont y Hornes, Luis de Nassau y los demás han sido casi totalmente desatendidos.

Tampoco el gobierno de Alba ha recibido más que un tratamiento superficial, aun cuando algunas de sus medidas se hayan estudiado detalladamente. A. W. Lovett, en su «Francisco de Lixalde: A Spanish Paymaster in the Netherlands, 1567-1577», *Tijdschrift voor Geschiedenis*, 84 (1971), pp. 14-23, sostiene que Lixalde fue víctima de malos procedimientos administrativos, mientras que Geoffrey Parker en «Corruption and Imperialism in the Spanish Netherlands: The Case of Francisco de Lixalde, 1567-1612», *Spain and the Netherlands*, 1559-1659 (Londres, 1979), responde convincentemente que las acusaciones de corrupción contra aquél estaban justificadas. En el transcurso de su trabajo, Parker pinta un cuadro terriblemente siniestro de la pequeña corte de Alba. El Tribunal de los Tumultos ha sido también estudiado con cierta profundidad, notablemente por A. L. E. Verheyden en su *Le Conseil des Troubles: liste des condamnés* (Bruselas, 1961). En este grueso volumen no sólo se enumeran las víctimas, sino que se reproducen una serie de documentos útiles. Desafortunadamente, las cifras de Verheyden incluyen numerosos casos de doble inserción y están infladas aproximadamente en un 50 por 100. Dichas cifras han sido corregidas, pronto y rotundamente, por M. Dierickx, «De lijst der veroordeelden door de Raad van Beroerten», *Revue Belge de Philologie et d'Histoire*, 40 (1962), pp. 415-22. Dierickx ha escrito también dos trabajos indispensables sobre la reorganización de la iglesia en los Países Bajos, *De Oprichting der nieuwe bisdommen in der Nederlanden onder Filips II*, 1559-1570 (Amberes, 1950), y una excelente colección de fuentes, *Documents inédits sur l'érection des nouveaux diocèses aux Pays-Bas* (1521-1570) (3 vols., Bruselas, 1960-1962).

En términos generales, los historiadores belgas han sido más favorables a Alba y su régimen que sus equivalentes holandeses y han tendido a centrarse en los esfuerzos de reformas del duque. Esta tendencia levemente revisionista es patente en dos artículos de Dierickx, «La politique religieuse de Philippe II dans les anciens Pays-Bas», *Hispania*, XVI (1956), pp. 131-43, y «Nieuwe gegevens over het Bestuur van de Hertog van Alva in de Nederlanden», Tijdschrift voor Geschiedenis (1964), pp. 167-92. Se percibe también dicha tendencia en la obra de los historiadores económicos, que tan destacado papel tienen en la moderna historiografía belga. Tres artículos de Jan Craeybeckx son especialmente valiosos para entender la política fiscal de Alba: «La portée fiscale et politique du 100e denier du duc d'Alba», *Recherches sur l'Histoire des Finances Publiques en Belgique*, I (Bruselas, 1967), pp. 343-74; «De moeizame definitive afschaffing van Alva's tiende penning (1572-1574)», *Album Aangeboden aan offert à Charles Verlinden* (Gante, 1975), y «Alva's tiende penning een Mythe?», *Mededelingen betreffende de geschiedenis der Nederlanden*, 76 (1962), pp. 10-42. El artículo de Enno van Gelder «De Tiende Penning», *Tijdschrift voor Geschiedenis*, 48 (1933), pp. 1-35, ha quedado actualmente algo desfasado.

Es imposible entender el gobierno de Alba sin considerarlo en relación con otras potencias europeas. J. H. Elliot ha proporcionado un estudio general del período en *Europe Divided*, 1559-1598 (Nueva York, 1968), pero no existe un análisis realmente satisfactorio de la política imperial durante esta época. Francia está mejor estudiada. Los libros de James Westfall Thompson, *The Wars of Religion in France, 1559-1576* (Nueva York, 1909), y de Lucien Romier, *Les origines politiques des guerres de religion* (2 vols., París, 1913-1914), aunque antiguos, son buenos exámenes generales. N. M. Sutherland, *The Massacre of St. Bartholomew and the European Conflict, 1559-1572* (Londres, 1973), es una obra esencial, y hay también una colección de ensayos editados por Alfred Soman, *The Massacre of St. Bartholomew: Reappraisals and Documents* (La Haya, 1974). La masa de libros que trata sobre la Inglaterra isabelina es excesivamente numerosa para enumerarla aquí, pero destaca uno de ellos por ser una obra orientativa de particular utilidad, la de R. B. Wernham, *Before the Armada: The Growth of English Foreign Policy, 1485-1588* (Londres, 1966). Aunque ciertas conclusiones de Wernham podrían ser cuestionadas, proporciona un excelente análisis de un tema complejo y otorga toda su importancia a las fuentes francesas y españolas. El provocador trabajo de Charles Williams, *Queen Elizabeth and the Revolt of the Netherlands* (Berkeley, 1970), es importante, como lo son dos anteriores artículos sobre cuestiones específicas de cierta dificultad: Conyers Read, «Queen Elizabeth's Seizure of the Duke of Alba's Payships», *Journal of Modern History*, V (1933), pp. 433-64, y J. B. Black, «Queen Elizabeth, the Sea Beggars and the Capture of Brille, 1572», English Historical Review, XLVI (1931), pp. 30-47. Para percibir el espíritu de las primeras expediciones inglesas, son magníficas las memorias de dos participantes galeses: sir Roger Williams, *The Actions of the Low Countries*, ed. D. W. Davies (Ithaca, 1964), y el relato acompañado de mapas trazados a mano de Walter Morgan en D. Caldecott-Baird, *The Expedition in Holland* (Londres, 1976).

Para la elaboración de este libro se consultaron otras muchas fuentes que tratan sobre Alba y su época, pero las anteriormente mencionadas son las que con mayor probabilidad tendrán utilidad para el lector general.

ESTA SEGUNDA EDICIÓN DE *EL GRAN DUQUE DE ALBA*,
DE WILLIAM S. MALTBY,
SE ACABÓ DE IMPRIMIR EN BARCELONA
EN LA IMPRENTA SAGRAFIC
EN OCTUBRE DE 2007

# Títulos publicados